MARIE-BLANCHE

du même auteur
au **cherche midi**

Mille femmes blanches, 2000.
La Fille sauvage, 2004.

DIRECTION ÉDITORIALE : ARNAUD HOFMARCHER

Jim Fergus

MARIE-BLANCHE

Traduit de l'anglais (États-Unis)
par Jean-Luc Piningre

Roman

cherche
midi

À la mémoire de

William Dodd Fergus
24 juin 1909 – 23 mars 1966

William Guy Leander Fergus
11 septembre 1941 – 27 juillet 1947

Marie-Blanche de Brotonne Fergus
7 décembre 1920 – 12 mars 1966

À Mari et Isabella, amours de ma vie.

Mari Leann Tudisco
6 juillet 1956 – 31 juillet 2008

«Pourquoi gémir sur les détails de la vie? C'est la vie entière qu'il faut déplorer.»

SÉNÈQUE, *Consolation à Marcia*

«Les familles heureuses se ressemblent toutes; les familles malheureuses sont malheureuses chacune à leur façon.»

Léon TOLSTOÏ, *Anna Karenine*

«Je ne suis ni heureux ni malheureux: je vis en suspens, comme une plume dans l'amalgame nébuleux de mes souvenirs [...]. L'apaisement que me donne ce travail de la tête et du cœur réside en cela que c'est ici seulement, dans le silence du peintre ou de l'écrivain, que la réalité peut-être recréée [...]. C'est dans l'exercice de son art que l'artiste trouve un heureux compromis avec tout ce qui l'a blessé ou vaincu dans la vie quotidienne, par l'imagination, non pour échapper à son destin comme fait l'homme ordinaire, mais pour l'accomplir le plus totalement et le plus adéquatement possible.»

Lawrence DURRELL, *Justine*

«La mort vole tout, sauf nos récits.»

Jim HARRISON, *Larson's Holstein Bull* (poème)

Note de l'auteur

Si un grand nombre de noms, événements, intrigues et péripéties – tous réels – apparaissent dans ce livre, celui-ci reste un roman, une fiction, une œuvre d'imagination qui se déclare comme telle. De la même façon, tous les personnages, y compris celui de l'auteur, sont des représentations fictives, qui peuvent éventuellement comporter certaines ressemblances avec des personnes réelles, mortes ou vivantes. Bien d'autres libertés ont été prises avec les « faits ».

Jim Fergus
Rand, Colorado
Octobre 2009

PROLOGUE

À l'automne 1995, je suis allé rendre visite à ma grand-mère, Renée de Fontarce McCormick, qui arrivait au terme de sa longue existence. Âgée de quatre-vingt-seize ans, elle habitait à Lake Forest, dans l'Illinois, chez Vernon et Louise Parker, qui ont veillé sur elle pendant sa dernière décennie. Louise avait été la femme de chambre de mon oncle Thierry, le fils de Renée, que tout le monde appelait Toto. Avant de prendre sa retraite, Vernon avait travaillé quarante-quatre ans comme chef de produit pour une grande firme pharmaceutique. Modestes, économes, consciencieux, les Parker étaient un couple respectable des classes moyennes. Ils ont pris grand soin d'elle. Par plaisanterie, Vernon appelait sa femme «l'assistant respiratoire de Renée» et je ne doute pas une seconde qu'elle doit à leur dévouement d'avoir vécu si longtemps. Les voyages ont toujours été un des grands plaisirs de ma grand-mère, et ils l'ont emmenée partout avec eux, en Europe, aux États-Unis, dans les Caraïbes, tant qu'elle a été capable de les suivre – même déjà diminuée par la maladie d'Alzheimer. Lorsque, plus tard, celle-ci l'a entraînée dans de lointains abysses, ils ont continué de s'occuper d'elle, plutôt que de la confier à une maison de soins. Je suis convaincu qu'ils l'aimaient sincèrement – alors que, pour être franc, Renée n'était ni facile ni spécialement aimable. Je crois pouvoir affirmer qu'à sa mort, un an ou deux après cette visite, aucun de ses proches – ni son fils ni ses petits-enfants – ne l'a pleurée. Les Parker, si.

De passage à Chicago, je m'étais arrêté au cimetière de Lake Forest où sont enterrés mon père, ma mère et mon frère. Si j'avais grandi dans cette ville, je n'y étais retourné qu'une poignée de fois depuis le décès de mes parents, trente ans plus tôt à l'époque (et aujourd'hui plus de quarante). J'y revenais toujours pour la même raison : me recueillir sur leurs tombes. Elles sont évidemment tout ce qui nous reste des êtres chers, une maigre trace de leur existence, à nous qui sommes leurs derniers témoins. Cette permanence est un réconfort, elle offre la certitude que, quoi qu'il arrive, ils seront là où nous les avons laissés, prêts à nous accueillir en quelque sorte chez nous.

Lake Forest est pour moi un souvenir triste et, de plus, c'était l'automne, la saison du déclin. De fait, peu de choses sur terre sont aussi mélancoliques qu'un cimetière du Midwest à ce moment de l'année. Ma famille n'était pas allée bien loin. Ce champ du repos au-dessus du lac Michigan, avec ses pelouses verdoyantes, ses vieux ormes et érables, se trouve à quelques carrefours seulement de notre ancienne maison.

J'ai eu d'abord un peu de mal à me repérer, comme quoi bien des années s'étaient écoulées depuis la dernière fois et, de toute façon, je n'ai jamais eu le sens de l'orientation. Déambulant entre les tombes des autres familles, je me sentais assez bête d'avoir ainsi à chercher les nôtres. J'entendais presque papa me dire : « Si tu n'avais pas la tête vissée sur le cou, il y a belle lurette que tu l'aurais perdue. »

Tout en parcourant les allées, je reconnaissais le nom de personnes que j'avais fréquentées jadis, parents et grands-parents de plusieurs amis avec qui je n'entretenais plus de relations depuis des lustres. J'étais navré, et somme toute étonné, de m'apercevoir qu'un grand nombre d'entre eux étaient morts. C'est une idée bizarre de croire qu'après une longue absence, nous pourrions retrouver le monde de notre enfance, telle une bulle épargnée par le temps qui n'attendrait que nous.

À mon vif soulagement, mes pas m'ont finalement mené à mes parents. Trois pierres plates, sans prétention, mon père à gauche, ma mère à droite, et mon frère au milieu. Pour autant que je sache, personne à part moi ne leur rend jamais visite, et j'ai toujours le sentiment qu'ils se réjouissent de me voir – comme s'ils guettaient mon retour avec assez de patience pour ne pas me reprocher mes rares apparitions. Il y a un plaisir doux-amer dans ces retrouvailles entre les vivants et les morts, les cendres et les os confiés à la terre.

Après m'être recueilli, j'ai repris la voiture, direction cette fois la maison Parker et ma grand-mère. Louise m'a conduit au salon où Renée, une couverture sur les genoux, les pieds dans des pantoufles, était installée dans une bergère. Ils lui avaient fait quitter le lit pour l'occasion, et l'avaient habillée d'une douillette matelassée. Je n'ai pu m'empêcher de remarquer qu'elle était retenue au fauteuil par de curieuses sangles, qui ressemblaient surtout aux cravates de Vernon.

– Elle n'a plus de muscles, m'a dit Louise avant même que je pose la question. Elle préfère s'asscoir ici, plutôt que rester couchée toute la journée, et on pense que c'est mieux pour elle. Seulement, il faut l'attacher parce que, sinon, elle glisse.

Lors de ma dernière visite, quelques années plus tôt, Renée paraissait encore à peu près valide, et ce fut un choc de constater à quel point son état s'était dégradé. Certes, elle était de petite taille, mais elle avait rétréci au point d'être minuscule, à peine plus grande qu'une enfant. Excepté de rares mèches blanches, elle était chauve, et ce front qu'on trouvait déjà très grand était plus proéminent que jamais. Bizarrement, elle avait conservé une certaine beauté au crépuscule de sa vie. Elle avait la peau du visage ferme, bien tendue et, calés dans leurs orbites entre d'épaisses paupières, d'immenses yeux d'un bleu lumineux.

– Renée, regardez qui est là! a crié Louise, comme si Alzheimer se résumait à une surdité passagère. Votre petit-fils, Jimmy!

«Elle ne parle plus, m'a-t-elle expliqué. Mais nous croyons qu'elle comprend encore ce qu'on lui raconte. Dites bonjour à Jimmy, ma chérie! Et vous, prenez-lui la main, dites-lui bonjour aussi, qu'elle sache que vous êtes là.

Il n'y avait rien d'autre à faire que jouer cette comédie, même si. à l'évidence, le cerveau de ma grand-mère ne recevait plus d'informations de ses sens.

– Hello, mamie! ai-je gueulé à mon tour (à la manière des Français, nous l'avions toujours appelée ainsi, et non *granny*). C'est moi, Jimmy, votre petit-fils!

J'ai hésité au moment de prendre sa main; sa peau, presque translucide, était fine et sèche comme du papier de riz, et j'avais l'impression étrange qu'en la serrant, même très légèrement, elle se désagrégerait à mon contact.

– Elle est ravie que vous soyez là ! a dit Louise, optimiste. Avec Vernon, on pensait profiter de votre visite pour faire des courses ensemble. Ça nous arrive rarement, l'un de nous reste toujours ici avec elle.

Je dois souligner que, dans nos meilleurs jours, je n'ai jamais été proche de ma grand-mère, et la perspective de rester seul avec elle n'avait rien d'agréable. Mais je ne pouvais refuser aux Parker une de leurs rares sorties communes.

– Bien sûr, Louise, allez-y. Je serai content de passer un moment avec elle. Dois-je surveiller quelque chose en particulier ?

– Elle porte des couches, vous n'avez besoin de vous inquiéter de rien. Il faut lui parler, Jimmy. Elle ne vous répondra pas, mais elle aime le son des voix. Elle a toujours détesté la solitude, comme vous le savez. On ne sera pas longs.

Nous n'étions donc plus qu'elle et moi, dans le living des Parker, par une fin d'après-midi automnal, dans le nord de l'Illinois. Je me suis raclé la gorge.

– Eh bien, mamie, nous voilà tous les deux, lui ai-je dit, peu convaincu. Je suis heureux de vous revoir. Vous avez l'air en forme.

Curieusement, je trouvais plus incongru de parler à cette femme vivante qu'à mes parents au cimetière, ainsi qu'au frère que je n'avais pas connu, leur fils qui aurait toujours six ans.

J'ai étudié Renée à la recherche d'un vague signal de reconnaissance. Un neurone ou deux allaient-ils se réveiller dans ce cerveau désespérément engourdi ? Peut-être espérais-je secrètement un de ces brefs moments de lucidité, ces éclairs subits auxquels veulent nous faire croire les téléfilms ringards, lorsqu'un Alzheimer sort subitement de sa transe pour délivrer un message de paix et de bon sens à sa famille, avant de s'en retourner dans les profondeurs de l'oubli. Il était clair, cependant, qu'un tel scénario ne se réaliserait pas ce jour-là.

Sans doute attendrait-on d'un homme d'âge mûr qu'il fasse preuve d'un peu d'indulgence envers une femme qui, à la fin d'une longue existence, n'était plus que l'ombre d'elle-même. Mais en regardant Renée, je me suis rendu compte que je lui en voulais toujours, que je la haïssais. Le temps n'avait rien changé à l'affaire : je la tenais responsable de la mort de ma mère, je ne pouvais accepter qu'elle lui ait survécu plus d'un quart de siècle, je lui reprochais d'avoir traité mon père par le mépris. À quoi s'ajoutaient tous les affronts, tous les coups bas, présumés comme certains, qu'elle avait infligés aux siens. Amer, je me suis demandé ce qui lui donnait le droit de vivre aussi vieille, après avoir pourri l'existence de tout le monde autour d'elle. Les poisons de mon enfance me remontaient dans la bouche comme un épanchement de bile, et j'étais à nouveau le gamin blessé qui, quel que soit notre âge, se tapit en chacun de nous. J'éprouvais un soulagement aussi puéril qu'embarrassant en pensant que, du formidable personnage d'antan, de cette femme qui avait intimidé et manipulé tant de gens, il ne restait que cette carcasse ratatinée.

— Est-ce que vous m'entendez, mamie ? lui ai-je dit, toujours assis sur le canapé.

Je me suis penché vers elle en essayant de trouver son regard entre ses paupières mi-closes. Puis je me suis rapproché.

— Je sais que vous êtes là-dedans, lui ai-je glissé à l'oreille, presque honteux des rancunes que je gardais contre elle. J'ai quelque chose à vous dire : vous avez bousillé la vie de tous ceux que vous avez touchés. Tous sans exception. Et voilà maintenant que vous portez des couches, attachée à un fauteuil avec des cravates, et personne en ce bas monde n'a aucune affection pour vous.

Je sentais sur ma joue son souffle court et brûlant, l'odeur douce-amère du déclin, de la mort.

— *Ce n'est pas vrai. Vernon et Louise en ont, de l'affection pour moi. Vous n'avez qu'à voir comment ils me soignent. Ils sont merveilleux.*

— Personne ne vous a jamais vraiment aimée, mamie. Vous achetez les gens pour qu'ils s'occupent de vous. Vous n'avez eu que des compagnons intéressés. Les Parker ne font pas exception à la règle. Vous avez toujours fonctionné ainsi. De transactions en arrangements, et ainsi de suite. Même avec votre famille.

– *Vous ne savez rien de ma vie. Mon père m'aimait. Oncle Gabriel m'aimait également.*

– Et vous, vous n'avez jamais aimé personne.

– *Cela n'est pas vrai non plus. J'aimais papa et mon oncle. Gabriel est le seul homme que j'aie véritablement aimé. Et j'aimais votre frère Billy. Ce que je l'aimais, ce petit garçon !*

– Vous vous êtes servie des gens, et s'ils vous décevaient, s'ils ne faisaient pas vos quatre volontés, vous les rejetiez.

– *Je reconnais qu'on m'a souvent déçue.*

– Comme vous avez rejeté votre fille. Pour qui vous n'aviez pas le moindre sentiment.

– *Marie-Blanche m'a* terriblement *déçue.*

– Vous l'avez abandonnée.

– *C'est* elle *qui m'a abandonnée. Elle n'aurait jamais dû épouser ce paysan. Je l'avais prévenue, pourtant. En fichant le camp avec votre père, elle s'est condamnée toute seule.*

– Vous l'avez laissée mourir dans la solitude.

– *C'est elle qui l'a décidé. Votre mère était une faible femme.*

– D'ailleurs aucun d'entre nous ne vous aimait. Nous n'avions pas une once de sympathie à votre encontre. Chacune de vos visites était une épreuve pour nous.

– *Vous aviez peur de moi. Même votre paysan de père me craignait.*

– Maman vous redoutait plus que tout. Elle se mettait à boire une semaine avant que vous arriviez. Quand vous étiez là, c'était déjà une épave.

– *Marie-Blanche était faible, mais c'était aussi une idiote. Je l'ai souvent mise en garde.*

– Il fallait que vous déplaciez tous les meubles quand vous veniez nous voir. Et on remettait les choses en place quand vous repartiez. Vous aviez toujours ces minables clébards. Nous étions obligés de mettre les nôtres au chenil le temps de votre séjour.

– *J'adorais mes chiens.*

– Beaucoup plus que votre fille et vos petits-enfants.

– *On n'est jamais déçu par les animaux.*

– Qu'est-ce qui a bien pu se passer pour que vous soyez cette femme-là ?

– *Il est un peu tard pour poser la question, non ?*

– J'aurais dû le faire quand c'était encore possible. Mais vous ne m'auriez sans doute pas répondu.

– *Vous ne vous êtes jamais souciés de moi, ni de la vie que j'ai vécue. Seul mon argent intéressait mes petits-enfants. Il n'y en a qu'un qui m'ait jamais aimée, et c'est Billy. Ce qu'il était adorable, ce bout de chou !*

– Vous vous souvenez du jour où je suis venu vous voir à Paris, en 1969 ? J'avais dix-neuf ans, je m'étais inscrit à l'université de Grenoble. Papa et maman étaient morts depuis trois ans exactement. Je souhaitais établir une relation avec vous, parce que j'en avais vraiment besoin. Je ne savais pas comment m'y prendre, vous ne m'avez jamais témoigné d'affection. Je ne comprenais pas pourquoi, et je n'ai pas eu le courage de vous en demander la raison.

– *Quand votre frère Billy est mort, j'ai décidé de ne plus m'occuper de mes petits-enfants. Cela m'avait brisé le cœur, et une fois suffisait.*

– Je me rappelle une photo de moi dans un des albums de famille. Quelqu'un l'avait prise pendant la guerre. Papa était soldat à l'époque, maman et Billy étaient partis chez vous et Leander à New York. Vous aviez Billy dans vos bras, vous êtes assise sur le bord de la fontaine du Plaza Hotel. Vous vous en souvenez ? Je n'étais pas encore né, évidemment. Mais quand j'étais petit, que je vous voyais comme ça, je regrettais que, moi, vous ne m'ayez jamais pris dans vos bras. Vous avez toujours été froide et distante.

– *Si Billy n'était pas mort, vous n'auriez pas été conçu. Vos parents ne voulaient pas d'autres enfants, au départ. Je ne vous l'ai jamais pardonné.*

– Je regrette de ne pas avoir appris à vous connaître. J'aurais pu vous demander de me parler de vous, quand il était encore temps. J'aurais tant de questions à poser, à présent. Mais vous savez, mamie, quand on est jeune, on ne s'intéresse pas beaucoup à la vie de ses grands-parents. Comme en plus je vous détestais...

– *Je sais. Quand vous veniez me voir à Paris, c'était pour la seule et bonne raison que je vous donnais à chaque fois cinq cents francs.*

– J'étais venu pour la seule raison que vous me donniez cinq cents francs à chaque fois. J'attendais que vous alliez vous coucher, et je partais en taxi rue Saint-Denis pour aller voir les putes, que je payais avec votre fric.

– *Vous rapportiez avec vous une odeur de mauvais parfum. Ça me rappelait votre père, quand il faisait la vie avec les filles de joie, et qu'il revenait au petit matin. L'escalier empestait le cigare, le cognac, l'eau de Cologne à deux sous.*

– Vous êtes si diminuée qu'il serait vain de vous haïr. Pourtant j'ai honte d'avouer que je vous déteste encore. J'aimerais pouvoir vous pardonner, et que vous puissiez m'expliquer bien des choses.

– *Je n'ai pas besoin de votre pardon. Et je ne vous dois aucune explication.*

– Quand on est jeune, il n'y a que le présent qui compte. Il faut atteindre un certain âge pour s'intéresser à ce qu'ont fait nos parents et nos grands-parents. Mais c'est en général trop tard.

Ma colère retombait. Je me suis rassis sur le canapé avec ce creux au ventre qu'on a après une violente querelle de famille. Nous sommes restés silencieux, la nuit enveloppait le salon, et je n'ai pas pris la peine d'allumer une lampe.

– Eh bien, mamie, lui ai-je dit au bout d'un moment. Je ne sais pas ce que vous en pensez, mais je suis content qu'on ait parlé ouvertement. Dommage qu'on ne l'ait pas fait plus tôt.

Malgré les cravates qui la retenaient au fauteuil, elle commençait à s'affaisser. Je n'ai pas tenté de la redresser, tant j'avais peur de briser ses vieux os fragiles.

Des phares derrière la fenêtre ont brusquement troué l'obscurité. La voiture des Parker s'engageait dans l'allée. Louise est entrée par la porte du garage.

– Que faites-vous dans le noir, Jimmy ? a-t-elle dit en actionnant l'interrupteur. Tout va bien ?

– Oui, oui, lui ai-je répondu, clignant des paupières dans cette clarté soudaine. Tout va bien, Louise.

– Pas de problème ?

– Non, aucun. On a passé un moment agréable... Même si c'est moi qui ai parlé sans cesse, bien sûr.

Elle s'est esclaffée.

– Eh oui, c'est comme ça, maintenant, avec elle. Mais je pense qu'elle comprend plus de choses qu'elle n'en a l'air.

– Je n'en suis pas si sûr. Elle m'a donné l'impression de dormir tout le temps.

– Elle a du mal à garder les yeux ouverts. Ses muscles ne réagissent plus. Mais elle sait quand quelqu'un est là, et elle l'entend.

– Si ça vous fait plaisir de le croire.

– Vernon, a-t-elle demandé à son mari, qui arrivait dans la pièce. Redresse-la, elle est en train de tomber.

– Je voulais le faire, ai-je dit, mais je craignais de la blesser.

Avec douceur, Vernon a placé ses deux mains sous les aisselles de ma grand-mère et l'a remise en place, comme un enfant manipule une poupée de chiffon.

– Voilà, Renée, lui a-t-il dit gentiment, à voix basse. Ça va mieux comme ça, hein ?

Une fois encore, j'étais frappé par la générosité, le dévouement de ce couple, les soins qu'ils apportaient à ma grand-mère sans même lui être apparentés – Renée dont la propre famille attendait simplement qu'elle s'éteigne.

– Je dois y aller, leur ai-je dit en me levant. J'ai encore de la route. Merci de veiller si bien sur elle. Je tâcherai de revenir dès que j'aurai une minute.

Nous savions tous trois, je suppose, que je ne la reverrais pas vivante.

– Dites au revoir à Jimmy, Renée ! a beuglé Louise. Il s'en va !

Venait le moment inévitable où, pour sauver les apparences, il fallait, devant les Parker, que j'embrasse ce bout de femme décrépite. Nous n'étions déjà pas habitués, cela va sans dire, aux démonstrations d'affection. Consciencieusement, je me suis penché sur ce corps fatigué, cette cosse pleine de vieux os cassants qui semblait rétrécir devant moi, disparaître peu à peu de la surface du monde, et j'ai baisé ses joues de papier de riz.

– Au revoir, mamie, lui ai-je chuchoté à l'oreille. Je vous pardonne, finalement.

– *Je n'ai pas besoin de votre pardon.*

– Que si.

MARIE-BLANCHE

Lausanne, Suisse
Mars 1966

Petite fille, je vivais dans un château enchanté, peuplé de fées et de fantômes. Marzac fut construit aux XIIe, XIIIe et XIVe, sur une colline qui domine la Vézère et le petit village de Tursac dans le Périgord. Propriété de mon beau-père, le comte Pierre de Fleurieu, deuxième des trois maris de ma mère, le château appartient à la famille depuis plusieurs générations. Oncle Pierre disait que, pendant la guerre de Cent Ans, les Français et les Anglais l'occupèrent à tour de rôle. Que des centaines, même des milliers de personnes y trouvèrent la mort à travers les siècles, souvent dans des conditions atroces, au terme de longs sièges. Il raconte également que, lorsqu'il était gamin, il parlait lui aussi aux fées et aux fantômes, car seuls les enfants peuvent les voir.

Je n'avais pas assez d'imagination, à cet âge, pour les distinguer entre eux. Je savais qu'ils résidaient dans l'air frais et humide, dans les éclairages imprécis, qu'ils peuplaient les vieux murs de pierre. Ils se glissaient silencieusement dans les couloirs, sans que les flammes des bougies oscillent sur leur passage. Ils s'élevaient en tourbillonnant dans l'escalier circulaire de la tour, dédaignant les marches de grès qu'ils avaient foulées durant leur existence terrestre, et dont je poursuivais, avec mes petits pieds, la lente érosion. Leurs souffles et leurs soupirs, leurs pleurs et leurs rires, leurs amours et leurs guerres m'accompagnaient dans le labyrinthe des pièces, huit siècles de souvenirs aussi présents dans le château que les membres de ma famille.

Bien que chargé d'histoire, Marzac n'avait rien de triste ou de funèbre, et les enfants n'y avaient pas peur. Bien au contraire : lorsqu'ils venaient passer le week-end, mes amis de Paris embrassaient la pierre avant de repartir, comme on dit au revoir à un vieil être cher.

Quarante et quelques années plus tard, je suis aujourd'hui nue sur le balcon de mon minuscule studio, au quatrième étage de l'hôtel Florybel, la petite pension de Lausanne où je loge en ce moment. Je n'ai pas oublié ces jours lointains, qui furent les plus heureux de ma vie. L'écho de mes pas légers dans le vaste escalier me revient en mémoire, je grimpe jusqu'en haut de la tour et je vois, entre les créneaux, la grande vallée verdoyante, les méandres de la rivière, les champs cultivés et les bois sombres au-delà. Au-dessus de la Vézère, les falaises de pierre sont truffées de grottes et de cavernes que je me fais une joie d'explorer avec mes amis. Oncle Pierre dit qu'il y a des milliers d'années, longtemps, longtemps avant que le château soit construit, des hommes y habitèrent. Il est difficile, pour des enfants, de se représenter un passé aussi lointain, mais nous avons bien observé les dessins de ces espèces aujourd'hui éteintes, et nous comprenons assez de choses pour que les fresques nous donnent la chair de poule. Nous jouons souvent aux hommes préhistoriques : vêtus de peaux de bêtes, assis autour du feu dans une caverne, nous faisons griller le produit de nos chasses, sous les parois noircies par la fumée. Peut-être était-ce seulement hier, peut-être reviendront-ils... ou certains sont-ils encore là ? Chaque fois que nous découvrons une nouvelle grotte, nous imaginons, tout excités, qu'ils nous attendent pour le dîner, et nous nous défions les uns les autres d'entrer le premier.

En suivant le chemin de ronde, je scrute les maisons de Tursac dans la vallée, et je rêve que les paysans, les villageois me regardent au sommet de ma tour d'ivoire. Je suis une princesse. C'est ainsi que m'appelle Pierre : la princesse de Marzac. Comme ils doivent m'envier, au village, cette vie de conte de fées...

Folle de joie, j'aperçois soudain la Renault de mon oncle qui remonte l'allée sinueuse en direction du château. Il est allé à la gare de Saint-Eyzies chercher mes invités du week-end, qui se pressent contre les vitres et s'agitent en riant. Je leur fais signe depuis la tour, mais ils ne me voient pas, minuscule silhouette que je suis, juchée sur la muraille. Qu'importe, je continue à lever les bras, souriant de plaisir à l'idée de jeux et d'aventures nouvelles. Je suis perchée dans le ciel, sur la plus haute tour.

Comment ai-je pu tomber si bas ?

Dans la rue, mes vêtements sont éparpillés sur les trottoirs, les branches des arbres et les toits des voitures. Je les ai jetés l'un après l'autre depuis le balcon de mon petit hôtel. Dans ma saoulographie, à la lumière de la pleine lune, ils composent un curieux et joyeux spectacle, un matelas brisé de formes et de couleurs. Tels les festons d'un asile de fous, robes, jupes et corsages dans les teintes éclatantes que j'aime, pantalons, soutiens-gorge et culottes, et encore mes ceintures, mes bas et mes chaussures ornent gaiement les alentours. Minuit est passé depuis longtemps, et les rues sont vides. J'avoue être un peu déçue que personne ne soit là pour me voir renoncer à mes biens terrestres – et admirer le quartier, bien plus joli grâce à moi.

Évidemment, ce n'est pas la première fois que je fais ça – la dernière, c'était il n'y a pas si longtemps, la veille de Noël à Chicago, depuis le sixième étage de l'hôtel Drake. Les lumières de la ville se reflétaient dans les eaux glacées du lac Michigan, et une foule de curieux s'était rassemblée dans la rue enneigée pour regarder une folle, nue et saoule, qui dispersait ses habits par-dessus la rambarde. Ils riaient en me montrant du doigt. L'un d'eux a même crié : «Saute, ma fille, saute !», pendant que mes vêtements flottaient comme de petits parachutes – cadeaux de Noël pour un public reconnaissant. Les plus entreprenants ou les plus sportifs sautaient pour attraper un bas ou un corsage avant qu'ils touchent le sol. D'autres se les disputaient comme des clients de Marshall Field[1], le jour des soldes en janvier.

Finalement, le gérant de l'hôtel et un employé de la sécurité sont entrés dans ma chambre à l'aide de leur passe. Ils m'ont promis un verre si je voulais bien quitter la fenêtre, puis ils

---

1. Grands magasins de Chicago. (Toutes les notes sont du traducteur.)

m'ont chacun pris un bras, et j'ai passé le reste des fêtes dans l'aile psychiatrique de l'hôpital Passavant.

Le lendemain, Bill, mon mari, est venu me rendre visite avec nos deux enfants, Jimmy et Leandra.

– Joyeux Noël, maman, a chuchoté le premier, visiblement embarrassé.

Timide malgré ses quatorze ans, il sentait bien ce que la formule avait d'incongru dans ce contexte.

– Ouais, m'man, a persiflé sa sœur, joyeux Noël !

Leandra, son aînée de deux ans, verse volontiers dans le cynisme. Elle me déteste, et comment le lui reprocher, vraiment ? J'ai été une mère lamentable, issue d'une longue lignée de mères lamentables.

Ce soir, les rues sont désertes et, depuis mon balcon, je profite d'une vue superbe sur le Léman. Au-delà scintillent les lumières d'Évian, sur l'autre rive. Nous sommes le 12 mars 1966, il est trois heures du matin, et Marie-Blanche Gabrielle Mauricette de Brotonne McCormick Fergus a quarante-six ans. Elle est ivre, elle est nue, elle a jeté dehors le contenu de sa valise. Dans quelques heures, je me réveillerai, dégrisée, à l'hôpital, dans un asile d'aliénés, ou en prison. J'aurai la gueule de bois, et je serai la proie des remords. Je ne me rappellerai rien de tout cela, je n'aurai aucune idée du pourquoi, ce sera aux médecins de le trouver. J'en ai déjà vu des dizaines, et leurs explications tombent toujours à côté. Chaque fois, j'ai envie de leur dire : « Vous ne savez rien de moi ! », mais je suis en général trop déprimée pour y arriver. Quand j'y parviens, ils me répondent toujours avec une insupportable condescendance :

– Eh bien, je vous en prie, parlez-nous de vous.

– OK... OK... Mais c'est une assez longue histoire. Voulez-vous d'abord me servir un verre ? Je vous dirai tout ensuite. Tout ce que vous voulez savoir.

Pourtant, en ce matin froid du mois de mars, tandis que je contemple les eaux noires du lac, émaillées des lumières qui, sur l'autre bord, me parlent de la France, tout est parfaitement clair. Dans la lucidité mensongère de l'ivresse, je vois l'arc immuable de mon existence : depuis la grande tour de Marzac jusqu'au balcon de cette pension, en passant par l'hôtel Drake à Chicago. Je sais d'où je viens, pourquoi je suis ici, vers où je me dirige. Je sais pourquoi j'ai tout jeté par la fenêtre, et ce qu'il faut jeter ensuite.

RENÉE

La Borne-Blanche, Orry-la-Ville
Juillet 1899

1

La naissance de Renée étant voilée de mystère, les domestiques répétèrent longtemps à voix basse qu'une cigogne aurait aussi bien pu l'apporter à La Borne-Blanche, l'élégant petit château familial d'Orry-la-Ville, dans la plaine de Senlis. Âgé de quelques heures à peine, accompagné par sa nourrice, le bébé était arrivé de Paris dans une voiture conduite par le vieux Rigobert, le fidèle cocher des Fontarce. Au milieu d'une nuit sans lune, on avait ouvert les grilles pour laisser passer l'attelage, les sabots des chevaux avaient claqué dans la cour, et les quatre roues en fer avaient lancé des étincelles en s'arrêtant sur les pavés. C'était le dernier jour du mois de juillet 1899.

On chuchotait que le père, le comte Maurice de Fontarce, était sorti du bâtiment en entendant le carrosse, et que, prenant l'enfant que lui tendait la nurse, il s'était exclamé en l'étudiant :

– Mais qu'est-ce que c'est que ça ? Le docteur m'a assuré que la fille aurait un garçon. Dites-moi : où est la bite de mon fils ?

La « fille » qu'il désignait aussi froidement était sans doute Héloïse Lafarge, danseuse de ballet, ex-petit rat de l'opéra, roturière et courtisane, bref, l'une de ses nombreuses maîtresses.

– Je crains que le médecin se soit trompé, monsieur le comte, répondit la nourrice. Comme vous pouvez le constater, mademoiselle a donné naissance à une fille.

En guise de confirmation, on rappelait que M. et Mme de Fontarce étaient mari et femme depuis cinq ans le jour où Renée était « arrivée », que leurs parents leur avaient imposé le mariage, et que l'amour n'avait rien à voir dans l'histoire. Certains dirent que la comtesse avait accepté le principe de cette adoption furtive afin que le comte ait un héritier, et qu'elle-même n'ait plus à supporter que, une fois par semaine au meilleur de sa forme, il tente d'en concevoir un avec elle. Pour parfaire l'illusion, elle aurait feint d'être enceinte et serait restée alitée plusieurs mois avant la « naissance ». Enfin on serait allé chercher Mme Roualt (la sage-femme du village à qui M. de Fontarce avait donné la somme astronomique de dix mille francs contre son silence), on avait fait chauffer de l'eau et monter des linges, puisque la comtesse avait ses « premières contractions » le soir de ce 31 juillet, au moment précis où l'attelage quittait Paris avec le nouveau-né.

On raconta aussi que le comte, une fois remis de sa désagréable surprise, avait emmené la nurse – celle-ci cachant la petite sous son ample pèlerine – à la chambre de sa femme au premier étage. On expliqua simplement aux domestiques qu'une nourrice avait été engagée, conformément aux ordres du médecin. Mme de Fontarce n'était pas en mesure d'allaiter un bébé, cela n'avait rien d'inhabituel chez les aristocrates de la région. À l'étage, Mme Roualt, jouant à son tour la comédie, avait démailloté l'enfant et, lui donnant une claque sur les fesses, l'avait fait crier à pleins poumons, pour ce que l'on pourrait appeler une seconde naissance.

Enfin, on murmura que les premiers mots d'Henriette Boutet, devenue comtesse de Fontarce, furent les suivants lorsqu'on lui présenta le bébé :

– Mais cela ne peut pas être ma fille ! Jamais elle ne serait aussi grasse ! La mienne aurait la peau claire ! Celle-ci a le teint mat, et elle est bâtie comme une paysanne. Mme Roualt, aurait-elle poursuivi, soit vous vous êtes trompée d'enfant, soit... (elle se tourna vers son mari)... vous, Maurice, vous êtes accouplé avec une bohémienne.

Voilà donc le récit qu'on fit au village de la naissance de Renée. Une légende étoffée au fil du temps, et qui n'est peut-être rien de plus qu'un de ces commérages dont sont friands les paysans, qui, faute d'avoir les privilèges des nobles, n'aiment rien tant que les rabaisser au rang de simples mortels.

D'année en année, Renée elle-même entendit les domestiques parler entre eux et, toute jeune fille, elle trouvait romantique l'idée que sa vraie mère fût une ballerine, plutôt que cette grande asperge d'Henriette, dure et indifférente. La comtesse, qui passait une bonne partie de ses journées seule dans sa chambre, n'éprouvait que peu d'affection pour les enfants. Il suffisait, selon elle, que la gouvernante lui présentât Renée matin et soir afin de vérifier qu'elle fût propre et correctement habillée, après quoi la petite s'en revenait dans ses quartiers, situés dans une autre aile du château, où elle s'occupait comme une enfant de son âge. Cela jusqu'à ce qu'on la laisse prendre ses repas avec les adultes.

En revanche, dès le début, elle adora son père. Le comte de Fontarce, officier des dragons (un grade essentiellement hono-rifique en période de paix), était replet, jovial, doté d'une tête ronde au volume exceptionnel. Sa calvitie accentuait un front proéminent, dont Renée avait d'ailleurs hérité. Grand chasseur, amoureux des chevaux, des femmes et des bonnes manières, Fontarce était un homme charmant, mais faible, et loin d'être étouffé par son intelligence. Il connaissait une foule de maximes, en nombre suffisant pour correspondre à toutes sortes de circonstances. «Haute naissance et grande fortune sont les deux apanages d'une bonne existence», aimait-il à dire, un cigare dans une main, un verre de cognac dans l'autre.

Sa distinction aristocratique ne l'empêchait pas d'être colé-reux, et il ne supportait pas que l'on se dérobe aux convenances en présence d'une femme. Il était connu dans la région pour provoquer en duel quiconque se montrait grossier, à ses yeux du moins, envers une représentante du beau sexe. Malgré sa corpu-lence, c'était une fine lame. Le boucher du village s'étant mal tenu devant son épouse (du moins le pensait-il), il lui avait un jour tranché le bout du nez d'un coup d'épée.

Renée n'était pas le garçon qu'il avait espéré, mais c'était une petite blonde souriante et rondelette, à l'esprit vif, dont il s'éprit rapidement. Cependant les pères ne s'occupaient guère de l'éducation de leurs filles, et le comte restait avant tout attaché à l'administration de son domaine, à ses écuries, ses copains et ses maîtresses.

C'est pourquoi Renée, enfant, passait plus de temps avec les domestiques de la maisonnée, notamment sa gouvernante, une solide Anglaise répondant au nom de miss Hayes, qu'avec ses parents. Ses autres compagnons se trouvaient parmi les chevaux et les chiens, dont Cora, un bouledogue français, qui était la reine de la maison, et Sultan, un danois qui nichait dehors et gardait la propriété. Lorsqu'elles partaient en promenade dans la forêt, Renée et miss Hayes emmenaient toujours Sultan, attaché à une laisse. Si, par malheur, un vagabond surgissait en chemin, Renée lui criait de décamper, expliquant que son chien, habitué aux gens de bonne tenue, égorgeait volontiers les voleurs en haillons.

Solitaire, elle s'absorbait dans la lecture des romans contemporains qu'elle empruntait en douce dans le bureau de son père, où il conservait certaines collections à l'abri des regards. Comme bien des aristocrates, Fontarce s'estimait supérieur au reste du monde, ce qui incluait les commerçants et les artistes, dont il était absolument interdit de parler à table. Il avait cependant un faible pour les auteurs à scandale, parmi lesquels Colette. Cela n'était pas des livres à confier à une jeune enfant, c'est pourquoi miss Hayes les confisquait toujours à la jeune fille, dont l'intérêt pour ceux-ci redoublait.

Souvent livrée à elle-même, Renée conquit une certaine indépendance, apprit à s'occuper toute seule, à puiser dans son imagination, nourrissant un tempérament rebelle, conforté par les libres penseurs qu'elle parvenait tout de même à lire. Cette éducation atypique engendra chez elle une curiosité insatiable pour tout ce qui pouvait exister hors des murs de La Borne. Elle rêvait de devenir un de ces écrivains modernes et, le château étant l'unique endroit qu'elle connaissait, se mit à l'étudier avec un certain détachement, comme s'il était le cadre d'un roman plutôt que son domicile. Assidue aux écuries et à la cuisine, elle espionnait les domestiques et recueillait leurs confidences, tout spécialement celles de Tata, la cuisinière. Robuste, forte en gueule et querelleuse, celle-ci adorait ses fourneaux, le vin de sa Bourgogne natale, et elle régentait l'office d'une main de fer. Son mari Adrien, le majordome, toujours droit comme un *i*, était un homme taciturne et malicieux, qui régnait sur les autres pièces avec une égale tyrannie. Les boutons de cuivre de son uniforme étaient frappés aux armoiries des Fontarce. Rien de ce qui avait lieu au château n'échappait à l'un ou à l'autre, et la cuisinière ne rechignait pas à s'en ouvrir à Renée, en échange des potins que cette dernière rapportait des parties éloignées de la propriété, auxquelles Tata n'avait pas accès. La jeune maîtresse et la vénérable employée devinrent ainsi de parfaites conspiratrices, et Renée était l'une des rares personnes admises dans l'enceinte sacrée de la cuisine.

Parmi les autres domestiques se trouvait également Mathilde, une femme effacée mais compétente. Mi-gardienne, mi-intendante, elle accueillait les visiteurs, planifiait les bals et les festivités, préparait les chambres pour les invités d'un soir, s'assurait que la maison restât fleurie au gré des saisons, et portait ses repas à la comtesse quand celle-ci préférait dîner dans sa chambre, ce qui était souvent le cas. Angélique, la bonne à tout faire, était une jolie jeune femme mince, exagérément timide, et bien trop encline à plaire. Rebutés par les exigences de Tata et d'Adrien, voire par le caractère impossible de Mme de Fontarce, d'autres employés furent engagés et congédiés trop vite pour qu'on se rappelle leurs noms ou même leurs visages.

Cela n'était pas tout : cinq jardiniers étaient chargés d'entretenir les jardins anglais, leurs pelouses et parterres que la comtesse aimait tant. Bien sûr, il y avait aussi le bon vieux Rigobert, à la fois cocher et maître d'écuries. Et, *last but not least*, Julien, le jeune palefrenier, fils du maréchal-ferrant d'Orry, un gamin énergique et court sur pattes qui, par excès de romantisme, avait pris le surnom de Lancelot du Lac, sous lequel il projetait de faire carrière comme « roi des jockeys ».

Il y avait peu à faire à La Borne-Blanche et, avec le temps, Renée finit par tout savoir des petites histoires et des secrets du personnel, y compris ceux qu'ils détenaient sur les Fontarce – dont, bien sûr, la légende que le village entretenait sur sa naissance. L'idée que sa vraie mère était une ballerine confortait le sentiment qu'elle et la comtesse provenaient d'univers bien distincts. Certes, le thème aurait convenu à ces romans modernes qu'elle affectionnait, mais son instinct d'enfant ne la trompait pas.

Elle n'était pas en reste pour épier ses parents. Renée avait de nombreuses cachettes dans le château, où elle se glissait pour écouter leurs conversations, s'initiant ainsi au monde fascinant et souvent corrompu des adultes. Tous les matins, par exemple, Larose, le coiffeur du village, qui était nain, venait raser M. de Fontarce. Il arrivait à La Borne sur une charrette attelée à un poney. Tel un quotidien du matin, il lui rapportait les derniers ragots du village. Pendant que les femmes de chambre montaient à la salle de bains les marmites d'eau mises à chauffer sur les fourneaux, Renée se glissait silencieusement derrière le petit rideau sous le lavabo.

– Quoi de neuf, Larose ? demandait le comte en s'installant dans son tub en zinc.

Ses épaules velues rougissaient à la chaleur. Le nain repassait sur le cuir la lame de son coupe-choux, puis prenait place sur l'escabeau.

Larose connaissait tout le monde à vingt lieues à la ronde, et aucun événement ne lui échappait. Enveloppé dans un nuage de vapeur, il se lançait dans ses commérages : Mme Laval, l'épouse du boucher, avait une liaison avec le maire, M. Dalamare ; Célestine, la fille du fermier Dubois, n'était toujours pas mariée, et voilà pourtant qu'elle était enceinte ; on pensait que c'était Boniface, l'idiot du village, qui l'avait engrossée... Fontarce adorait ces indiscrétions, gloussait, s'exclamait et, lorsqu'un détail juteux le faisait partir d'un rire tonitruant, le barbier rouspétait :

– Attention, monsieur le comte, ne bougez pas comme ça ou vous aurez la gorge tranchée !

– Enfin, Larose, vous n'êtes pas devenu sans-culotte, quand même ?

Il organisait sa vie sentimentale depuis son bureau au rez-de-chaussée. Il s'y trouvait un canapé anglais, aux pieds juste assez hauts pour que Renée parvienne à se faufiler dessous. Elle craignait toujours qu'un beau matin, Balou l'écrase comme une grappe de raisin en prenant place au-dessus de son petit corps.

Rouquin, rebondi et couperosé, oncle Balou, comme elle l'appelait, avait étudié chez les jésuites dans la même classe que son père. Désargenté – sa seule fortune consistant en un stock apparemment inépuisable d'histoires drôles et de bonnes farces –, il vivait en parasite chez les Fontarce six mois par an, servant au comte d'entremetteur et de confident ; à la comtesse de garçon de courses ; et de bouffon au reste de la maisonnée.

Sous le Chesterfield, Renée l'écoutait converser avec son père de femmes, de chasse et de chevaux – leurs sujets de prédilection – et préparer quelques escapades galantes, dont la mise au point la fascinait toujours.

– Dis-moi, mon vieil ami, demanda un jour Fontarce à celui-ci. J'ai des vues sur la fille de la couturière. Jeannette, c'est bien son nom ? L'aurais-tu aperçue, récemment ?

– Oui, oui, Maurice, répondit Balou avec un vigoureux hochement de tête. L'année dernière, cela n'était qu'un bourgeon, et c'est aujourd'hui une bien jolie fleur. Cependant, mon cher, je sais par expérience que les plus belles roses ne durent qu'un temps. Elle sera bientôt grasse et rongée par les soucis, comme toutes les femmes du village. Tant qu'elle est épanouie, veux-tu que je glisse pour toi un mot à sa mère, Mme Bonnat ?

– Elle a le sens des réalités, n'est-ce pas ?

– Je ne vois pas comment elle pourrait dénier à sa fille l'avantage considérable de lier connaissance avec M. le comte. Je m'occupe personnellement d'un arrangement.

– Parfait, parfait ! Que ferais-je sans toi, Balou ?

De tout le château, c'était encore dans le grand salon que Renée préférait se cacher. Elle nichait dans un antique coffret égyptien, garni de coussins de soie et plaqué d'or fin, cadeau de son oncle bien-aimé, le fringant vicomte Gabriel de Fontarce, frère cadet de Maurice. Gabriel possédait de très rentables plantations de coton et de canne à sucre en Égypte, d'où il revenait une fois l'an rendre visite à la famille pendant la saison de la chasse. Il ne manquait jamais de rapporter bonbons et babioles exotiques à Renée, qui l'adorait.

Grâce à ses différentes cachettes, la petite fille avait une connaissance approfondie des rythmes et des habitudes du château, qui l'édifièrent assez tôt sur la nature des hommes. Au point qu'elle finit par se considérer comme la déesse omnisciente de La Borne-Blanche. Forte de son intelligence des lieux, elle pensait en savoir plus long sur les siens, sur les serviteurs et les villageois que ceux-ci, comme s'ils étaient les personnages d'une fiction de son cru. Leurs destinées reposaient dans ses mains et, bien sûr, elle était l'héroïne de l'histoire.

Elle apprit très tôt à ne pas s'étonner de ce que disaient ou faisaient les adultes, ni de ce qu'elle voyait et entendait. Renée se rendit vite compte que, les êtres humains étant des créatures imparfaites, capables de toutes les vanités et de toutes les tromperies, il ne fallait jamais trop en attendre, ni sous-estimer leurs capacités de nuisance. Elle s'efforçait aussi de ne pas juger sévèrement leurs défauts – s'appropriant une autre des maximes du comte : « Aucune faute n'est impardonnable. »

Une leçon qui trouva une confirmation impérieuse, un après-midi d'automne, alors qu'elle n'avait que six ans. En sus d'être un bon poste de surveillance, le coffre égyptien du salon était un repaire confortable pour la sieste, et elle s'y était justement assoupie ce jour-là. S'ils laissaient parfois échapper quelque chose de croustillant, ses parents, leurs discussions et leurs relations (une classe sociale qui, dispensée de travail, vivait dans l'oisiveté) n'en restaient pas moins ennuyeux, et Renée s'était endormie.

Elle fut soudain réveillée par des sons étouffés, indistincts, et des propos à voix basse. Dans l'obscurité de sa cachette, elle crut d'abord rêver, car le curieux dialogue qu'elle percevait, guttural et inintelligible, semblait emprunté à une langue étrangère. Plaçant un œil devant la fente du couvercle, elle fut le témoin d'une scène que, sa vie durant, elle ne put oublier : la comtesse était étendue sur le divan brodé, son corset déboutonné sur sa poitrine menue et pâle, ses jupons relevés sur la peau tendre de ses cuisses blanches. Tournant le dos à Renée, le vicomte et beau-frère de madame se tenait entre ses jambes écartées, son pantalon en accordéon sur les chevilles, et ses fesses à la même hauteur que la jeune fille.

Renée était trop jeune pour comprendre exactement ce qu'ils faisaient, s'il s'agissait d'un acte d'amour ou de violence, s'ils se donnaient du plaisir ou le contraire. En revanche, elle devinait d'instinct que leur accouplement représentait une sorte d'union, intime et mystérieuse. Passé le choc initial et le trouble qui en résultait, la jeune fille ressentit une jalousie brûlante à l'idée que cette femme, froide, maigre et distante, qui usurpait si mal son titre de mère, pût partager cette intimité avec Gabriel, l'oncle bien-aimé.

Presque un mois plus tard, le vicomte étant reparti en Égypte, Mme de Fontarce se réveilla un matin avec la nausée et de sérieuses douleurs à l'estomac. Craignant une crise d'appendicite, le comte fit immédiatement chercher au village le Dr Laverneau, un petit homme pointilleux, à la moustache cirée et effilée qui ressemblait aux cornes d'un taureau. Après avoir examiné madame dans sa chambre, le médecin présenta son diagnostic à Fontarce dans son bureau du rez-de-chaussée. Pour ne pas en perdre une miette, Renée s'était déjà glissée sous le canapé anglais, l'oreille tendue.

– Ah, monsieur le comte, j'ai d'excellentes nouvelles pour vous ! dit Laverneau. Votre femme n'a rien de grave. Bien au contraire, il faut fêter ça !

– Fêter quoi ? répondit un Fontarce à l'évidence perplexe.

– Laissez-moi vous féliciter avant tout le monde, monsieur ! Vous allez être de nouveau père !

Le comte pâlit. Il n'était pas ravi à l'idée d'avoir bientôt l'héritier qu'il souhaitait depuis si longtemps. Il n'offrit pas au médecin une flûte de champagne ou un dé de cognac, comme il l'aurait fait en d'autres circonstances pour célébrer la chose. Se détournant de Laverneau, il ignora la main que celui-ci lui tendait.

– Impossible, murmura-t-il, affligé. Êtes-vous sûr de vous, docteur ?

– Parfaitement, monsieur le comte, répondit l'homme, visiblement vexé, tant par cette réaction que par la mise en cause de ses capacités. Je n'ai aucun doute.

Quelques années passeraient avant que Renée soit en âge d'interpréter cette discussion, toutefois son petit frère Jean-Pierre naquit moins de huit mois plus tard, à la date prévue. Sans devenir pour autant la plus attentive des mères, la comtesse témoigna une claire préférence pour son fils, que Renée, par conséquent, détesta dès le départ. Curieusement, Fontarce, dont on aurait pu attendre le contraire, démontra une indifférence presque totale pour ce garçon. Depuis sa naissance, Jean-Pierre ne cessait de pleurer et tombait fréquemment malade – un bébé frêle, malingre, avec un crâne minuscule et une peau si transparente qu'on avait l'impression de voir la chair en dessous. Presque une créature d'un autre monde.

En consultant des spécialistes à Paris, le Dr Laverneau découvrit que l'enfant souffrait d'une rare pathologie du sang. Lorsqu'il atteignit l'âge de trois ans, le comte et la comtesse décidèrent de l'envoyer avec sa gouvernante, Brigitte, dans les Alpes suisses, un environnement jugé plus propice à une amélioration générale. Le petit Jean-Pierre revenait pour les vacances ou pour les fêtes, mais il parut bientôt ne plus réellement faire partie de la famille. C'était comme un lointain parent, souffrant, dont les visites se traduisaient à La Borne par du désagrément et de l'anxiété. Habituée à être fille unique, Renée acceptait difficilement ses retours. Ses allures de fantôme, et l'attention dont soudain l'entourait la maisonnée, ébranlaient la conviction de la jeune fille que tout au château tournait autour d'elle. Ce jeune frère souffreteux, aux yeux d'une pâleur effrayante, cernés de jaune et enfoncés dans leurs orbites, n'avait pas de place dans le roman de son enfance. En guise de confirmation, Jean-Pierre mourut en Suisse peu avant son cinquième anniversaire. Renée redevint fille unique.

2

Jamais Fontarce n'aborda avec son épouse ou son frère le sujet de cet adultère commis chez lui. Jamais non plus il ne reconnut, en public comme en privé, la paternité du pauvre Jean-Pierre. La famille, au contraire, serra les rangs autour du secret, faisant sienne la devise d'Henriette : « Évitons les scandales autant que faire se peut. »

La comtesse était depuis toujours amoureuse de son beau-frère. Lui aurait-on donné le choix, jeune fille, elle aurait choisi le vicomte plutôt que son aîné, cependant le mariage avait été arrangé de longue date par les parents. Son affaire avec Gabriel lui permettait de circonscrire ses infidélités dans l'enceinte du château, de la famille, et dans la limite d'une occurrence par an – le moindre scandale possible dans ces conditions, du moins l'un et l'autre l'espéraient-ils.

Les domestiques, intelligents, ne mirent pas longtemps à évoquer entre eux les bruits curieux et les rapports furtifs que laissaient filtrer les portes verrouillées. Leurs suspicions atteignirent sans tarder les oreilles du barbier Larose, après quoi la liaison d'Henriette et de Gabriel aurait aussi bien pu faire l'objet d'un article dans le quotidien départemental. Il n'y eut bientôt plus personne dans la région pour ignorer qui était le père du chétif petit Jean-Pierre, de la même façon qu'auparavant, la rumeur avait colporté la « double » naissance de Renée.

Les années qui suivirent, lors des visites de Gabriel – et jusqu'à ce qu'elle soit trop grande pour nicher dans le coffre égyptien –,

Renée vit sa mère et son oncle faire l'amour des quantités de fois dans le salon. Elle apprit à prévoir quand cela aurait lieu, toujours en l'absence du comte, parti entraîner ses chevaux, ou satisfaire ses propres besoins hors de La Borne-Blanche.

Tapie dans le noir, Renée se familiarisa avec la langue étrange des amours adultes et, son champ de vision se limitant à l'étroite fente du couvercle, elle entrevit les deux partenaires s'accoupler dans toutes les positions imaginables – parfois habillés, parfois presque nus, sur le divan, par terre, voire sur le coffre même dans lequel elle se cachait. Son cœur battait si fort, si vite, qu'elle redoutait qu'il la trahît.

Voyeuse malgré elle, elle comprit tôt que l'acte sexuel avait le pouvoir de transformer les individus, comme s'ils étaient momentanément possédés par le diable. Effrayée et fascinée à la fois, elle voyait le vernis sous lequel la comtesse considérait le monde et sa famille fondre dans le feu de la passion – le désir la rendant méconnaissable. Renée fit le vœu de ne jamais se laisser emporter comme sa mère, perdue dans les bras d'un homme au comble de l'extase.

Arrivée au seuil de l'adolescence, toujours témoin de leurs étreintes, elle trouva bientôt à celles-ci un sens nouveau, commença à apprécier la plastique de son oncle, mince et musclé par les mois de labeur à la plantation. Il était si différent de son père qui, lui, rappelait la forme d'une poire. Quand Gabriel glissait ses doigts fermes et fuselés sur le corps d'Henriette, Renée était maintenant prise de frissons, son cœur battait avec une insistance insoupçonnée.

Elle devint de plus en plus jalouse de sa mère, de sa silhouette élancée, élégante – de sa poitrine exquise et pâle, ses cuisses d'ivoire, son cou de cygne, la parfaite rondeur de ses fesses. Plus encore que de son corps, elle était jalouse de l'effet qu'exerçait la passion sur celui-ci. Renée nourrissait une vive rancœur à l'égard de cette femme qui avait su si bien cacher le feu qui l'habitait, et priver d'affection une fille qu'elle n'aimait évidemment pas.

Lors d'un de ses séjours annuels, Gabriel avait gardé Henriette dans ses bras à la fin de leurs ébats. Comme elle-même épuisée par leur œuvre de chair, Renée était à moitié assoupie dans le coffre égyptien lorsqu'elle se réveilla en sursaut et les entendit murmurer.

– Avez-vous parlé d'un divorce à Adélaïde ? demandait la comtesse.

– Oui, répondit le vicomte. Et vous, chérie, en avez-vous parlé à Maurice ?

– Pas encore. Je ne voyais pas l'intérêt de le faire avant que vous ayez mis votre situation au clair. Qu'a-t-elle dit, votre épouse ?

– Comme vous le savez, Henriette, Adélaïde est entrée au couvent d'Argenteuil. Il est hors de question de divorcer, mais je lui ai suggéré d'annuler notre mariage. Vu que nous ne l'avons jamais consommé, ma demande reste dans les limites du raisonnable.

La comtesse émit un petit rire moqueur.

– Cela n'a rien d'étonnant. Elle est laide comme les sept péchés capitaux.

Mais gentille et attentionnée.

– Et riche.

– Riche aussi, admit le vicomte. J'ai toujours reconnu ma chance d'avoir pu l'épouser. Si vous vous souvenez bien, ma chère, la concurrence était rude.

– Et aujourd'hui, le mari dévoué que vous êtes possède plusieurs plantations en Égypte et une écurie de courses en Irlande. Sans jamais avoir eu besoin de toucher votre pauvre épouse.

– Remplir le devoir conjugal aurait été au-dessus de mes forces.

– Vous ne m'avez pas répondu : qu'a-t-elle dit au sujet de cette demande d'annulation ?

– Hélas, elle a refusé. Mais je n'ai pas perdu tout espoir de la convaincre un jour.

– Je m'y attendais, admit la comtesse. C'est précisément la raison pour laquelle je n'ai rien dit à Maurice.

– Nous nous marierons, assura Gabriel. Je vous le promets. Cela n'est qu'une question de temps. Nous serons tous deux libérés de nos chaînes, et nous vivrons enfin comme mari et femme.

Il embrassa Henriette et, sans doute stimulés par cette heureuse perspective, ils firent de nouveau l'amour.

Dans sa cachette, Renée était profondément choquée par ces révélations. Depuis longtemps, elle avait accepté avec résignation que son oncle et sa mère entretiennent une liaison – témoin privilégié, elle s'imaginait parfois être leur complice. En revanche, l'éventualité que ses parents divorcent, que sa mère se remarie avec son oncle, était exclue du scénario qu'elle projetait de son enfance. Elle adorait son père et la vie à La Borne. Sur le moment, elle faillit céder à l'impulsion d'ouvrir le couvercle et de lancer aux amants adultères :

– Non ! Vous ne divorcerez pas ! Je vous l'interdis !

Elle n'en fit rien, bien sûr, préférant tisser une intrigue différente, dévier le cours de l'histoire, empêcher par tout moyen un rebondissement aussi inacceptable que celui-ci.

3

Renée avait à peine douze ans qu'il était déjà clair pour ses parents, nonobstant la devise d'Henriette, que non seulement leur enfant n'échapperait pas aux scandales, mais encore que ceux-ci prendraient des proportions spectaculaires. Forte tête, elle était plus mûre et plus adulte que d'autres filles de son âge, et les Fontarce étaient loin de se douter qu'elle avait acquis une grande partie de son expérience en épiant leurs moments d'intimité depuis ses diverses cachettes.

Si le comte ne recevait jamais ses conquêtes à La Borne-Blanche, Renée savait – comme d'habitude, l'oreille aux portes – qu'il était un mari aussi infidèle qu'éhonté. Témoin ses relations avec la fille de la couturière, entamées des années plus tôt après les longues négociations menées par Balou auprès de Mme Bonnat. Femme astucieuse, consciente du bénéfice matériel et social qu'elle retirait de l'échange, elle avait marchandé au prix fort l'honneur supposé de sa jouvencelle. La liaison s'était poursuivie au-delà du mariage de la petite avec le jeune assistant du pharmacien, qui, nouveau venu au village, était peut-être la seule personne de la région à tout ignorer de l'arrangement. Le comte pouvait ainsi continuer à revendiquer son « droit de cuissage », et la famille de la couturière profiter de ses largesses. Renée apprit là encore une précieuse leçon sur les réalités économiques, aussi banales que fréquentes, des amours et de la sexualité.

L'été suivant le douzième anniversaire de sa fille, Fontarce la surprit un après-midi dans l'écurie avec Julien, le palefrenier, plus âgé qu'elle de quelques années. Ni l'un ni l'autre ne s'était dévêtu, cependant Renée, aussi froide et détachée qu'une aide-soignante, tenait dans sa main le membre gonflé du garçon, qu'elle avait sorti de son pantalon. Elle était avant tout curieuse de l'objet en question – faute d'avoir pu étudier celui de son oncle depuis le coffre égyptien du salon.

– Monsieur le comte ! beugla Julien qui, se redressant d'un bond, remit son engin à sa place.

– Qu'est-ce que cela signifie ? cria Fontarce, abattant sa cravache sur le palefrenier. Dehors ! Dehors ! Hors de chez moi, ouste ! Tu es licencié ! Que je ne te revoie plus dans mon domaine ou je te tue !

Donnant libre cours à sa colère, le comte rossa le pauvre Julien, qui tentait vainement de protéger sa tête et de parer les coups. Un tel remue-ménage sortit le vieux Rigobert de la sellerie où il savonnait ses cuirs.

– Rigobert ! hurla Fontarce, vert de rage, je viens de surprendre le gamin en train d'importuner ma fille. Sortez-le d'ici avant que je l'achève !

Bien que Renée eût initié l'affaire, c'est Julien qui en paya le prix. On ne viole pas impunément la relation maître-serviteur... Le lendemain à l'aube, le gamin vint faire ses adieux à la jeune fille. Son sac à dos rempli de ses maigres biens, il se présenta furtivement aux écuries.

– Mais que vas-tu faire, mon petit Lancelot ? lui demanda-t-elle, usant de son pseudonyme pour le flatter.

– Offrir mes services au terrain de courses à Longchamp, répondit-il, grandiloquent. Je voulais de toute façon démissionner. Je commencerai comme lad et je gravirai tous les échelons pour devenir roi des jockeys.

– Comment peux-tu être sûr qu'ils t'engageront ? Ce n'est pas mon père qui te donnera une lettre de recommandation...

– Ça, c'est sûr.

– Mademoiselle Renée, dit galamment Lancelot, je reviendrai lui demander votre main dès que je serai champion.

Elle ne put se retenir de rire. C'était un tel mélange d'absurdité et de romantisme.

– Mais papa ne voudra jamais que j'épouse un jockey, affirmat-elle. Même le meilleur d'entre eux. Ça ou un palefrenier, c'est pareil.

Par charité chrétienne, elle s'abstint de révéler qu'elle visait elle-même bien plus haut.

Se consultant entre-temps, le comte et la comtesse décidèrent que le mieux serait de marier la petite, dès que son âge le permettrait, à un jeune homme d'un rang convenable – dans l'espoir que les scandales à venir se déclarent au moins chez quelqu'un d'autre.

– Renée ne sera qu'une traînée, Maurice, jeta la comtesse quand celui-ci lui rapporta l'incident avec Julien. Cela ne fait aucun doute. Je n'attends rien d'autre de cette fille, et les années n'ont servi qu'à conforter mon opinion.

– S'il vous plaît, Henriette, dois-je vous rappeler que cette fille, comme vous le dites sèchement, est notre enfant à tous deux ?

Elle lâcha un soupir entre ses lèvres crispées.

– Elle ne nous vaudra rien que des ennuis, c'était clair dès le départ. Faute de lui trouver un mari correct, nous serons obligés de la mettre au couvent. Les sœurs se chargeront de la corriger.

– Jamais je ne mettrai ma fille entre leurs mains ! assena le comte.

– Eh bien, vous allez au-devant de scandales dont vous n'imaginez pas l'ampleur, l'avertit Henriette. Retenez bien ce que je vous dis.

L'automne arriva bientôt, et Gabriel, revenant pour la saison de la chasse, remarqua que Renée n'était plus exactement une gamine. Tous deux attendaient au salon que le comte et la comtesse descendent dîner, quand l'oncle se mit à étudier sa nièce comme il ne l'avait encore jamais fait – ou plutôt comme il regardait jusque-là sa belle-sœur. S'empourprant, Renée sentit un frisson lui parcourir l'échine.

Les jambes sagement croisées, assise face à lui à l'autre bout de la pièce, elle le dévisageait en priant son cœur de se taire.

– Venez ici, lui ordonna-t-il. Venez embrasser votre oncle.

– Je ne suis pas votre chien, rétorqua-t-elle, d'un ton aussi mesuré qu'elle en était capable. Mais si vous me demandez gentiment, peut-être le ferai-je.

Il s'esclaffa.

– Eh bien, s'il vous plaît, mademoiselle Ronchon. Si vous souhaitez le bonheur de votre oncle, vous pourriez le rejoindre et lui donner un baiser.

– D'accord, dit-elle, mais c'est seulement parce que vous me le demandez poliment. Et parce que vous avez une belle barbiche.

– Ah, elle vous plaît, ma barbiche ! s'exclama-t-il, prenant sa nièce par les épaules et glissant ses lèvres sur ses joues.

– Oui, et vous sentez toujours bon, remarqua Renée, humant l'odeur de son eau de Cologne avant de pouffer. Mais ça pique !

– J'aimerais savoir, ma petite, fit Gabriel, comme s'il complotait quelque chose. Que dit votre mère à mon propos ?

– Pourquoi me posez-vous la question ? s'étonna Renée, peu désireuse d'aborder ce sujet.

– Simple curiosité.

– Elle dit que vous vous moquez de tout, répondit-elle franchement. Voilà ce qu'elle dit tout le temps.

Le vicomte rit de bon cœur.

– Ce n'est pas entièrement faux. Mais jamais je ne me moquerai de vous. Approchez, que je vous regarde.

Tendant les bras et les posant sur ses hanches, il l'étudia de pied en cap comme s'il la voyait pour la première fois.

– C'est que vous avez grandi depuis ma dernière visite. Vous êtes presque une jeune femme, maintenant.

– Je *suis* une jeune femme, dit Renée.

– Quel âge avez-vous donc ?

– Treize ans.

Il hocha la tête.

– Ah, vous allez me causer bien du souci, ma fille, dit Gabriel, songeur. Pour sûr. Je serai vite dans tous mes états.

L'attirant de nouveau vers lui, il posa sa tête contre la sienne.

– Prenez garde, mon enfant, murmura-t-il. J'aime trop l'odeur de votre peau.

4

Tôt un matin de la semaine suivante, la comtesse était encore couchée quand Gabriel entra dans la chambre de Renée pour la réveiller et lui demander d'enfiler sa tenue de cavalière.

– Nous allons cueillir des champignons dans les bois, lui dit-il.

Rigobert, qui remplaçait Julien à l'écurie, sella leurs chevaux. Ils mettaient le pied à l'étrier lorsqu'il leur dit :

– Je vous conseille de ne pas partir trop loin, monsieur le vicomte.

Rigobert était déjà employé à La Borne quand le vicomte était petit garçon, et il ne l'avait jamais aimé. Le tenant pour un menteur et un goujat, il avait toujours préféré son frère aîné. Et, par nature, le vieux cocher était enclin à protéger sa jeune Renée.

– Pourquoi cela, Rigobert ? dit Gabriel.

– On a signalé des braconniers et des brigands, monsieur le vicomte. Cela n'est pas prudent de vous enfoncer dans la forêt. Surtout avec mademoiselle.

– Balivernes, rétorqua Gabriel, souriant tendrement à celle-ci. C'est une matinée splendide pour une promenade. Où voulez-vous que nous trouvions des champignons, d'ailleurs ? De toute façon, votre jeune maîtresse aura son oncle pour la défendre contre vos brigands.

Renée se retourna vers lui, si élégant avec ses bottes et sa culotte de cheval, si droit et séduisant sur sa selle. Elle était transportée par un sentiment de fierté. Jamais encore elle ne s'était sentie aussi mûre, aussi sûre d'elle, aussi... amoureuse.

Rigobert remarqua son expression radieuse, cette allure caractéristique des jeunes femmes éprises, et il en conclut que cela n'augurait rien de bon.

– C'est précisément de cela que j'ai peur, monsieur le vicomte, marmonna-t-il.

– Je vous demande pardon, vieil homme ?

– Rien, monsieur, soupira Rigobert. Rien du tout.

Éperonnant leurs montures, l'oncle et sa nièce partirent en riant au petit galop, suivis des yeux par le vieux maître d'écurie qui hochait tristement la tête.

C'était une ravissante matinée d'automne. L'herbe dorée étincelait dans les prés sous la rosée. Les arbres étaient teintés de jaune, d'orange et de rouge. Sous le souffle d'une brise minuscule, les feuilles dansaient sur les branches comme des flammèches. L'air avait encore la douceur rayonnante de l'été et semblait envelopper les deux cavaliers de tendres caresses.

Écuyère chevronnée, Renée montait à cheval depuis presque aussi longtemps qu'elle savait marcher. Ils galopaient de conserve, côte à côte, et, traversant la prairie avec son oncle, elle avait le sentiment de l'accompagner dans un monde distinct – deux passagers sur une mer calme, dans un vaisseau au balancement sensuel, si semblable au rythme de l'amour. Comme pénétrés d'un univers qu'ils étaient seuls à partager, ils se tournèrent l'un vers l'autre et tout était dit dans ce regard.

Jusqu'à la fin de sa longue existence, Renée garderait en mémoire un vif souvenir de cette journée à l'automne de ses treize ans. Bien des années plus tard, devenue vieille, le corps et l'esprit fanés, détachée des soucis de la vie quotidienne, elle se rappellerait parfaitement cette matinée, que ses sens lui restituaient intacte. Elle revoyait les prés parsemés d'ocre à l'été finissant, elle éprouvait la tiédeur de la brise sur ses joues, les muscles de son cheval ondulaient entre ses cuisses, elle reconnaissait même l'eau de Cologne dont s'était servi Gabriel après sa toilette. Son parfum léger virevoltait dans l'air avec l'odeur de l'herbe, des bêtes, de la terre qu'ils retournaient.

Relevant sa tête ridée et presque chauve, Renée retrouvait au fond d'elle ses yeux de jeune fille et le visage souriant de son oncle, si droit, si élégant – la blondeur luisante de ses cheveux dans la lumière oblique de l'automne, sa barbiche et sa moustache bien taillées, sa peau bronzée au soleil de l'Égypte. Leurs regards se croisaient, l'étincelle jaillissait encore dans ses reins, le même frisson lui parcourait le corps.

Passant du galop au trot, puis au pas, ils entrèrent dans la forêt. Le soleil ruisselait entre les arbres, mouillant un mince tapis de feuilles mortes qui, bientôt desséchées, bruissaient à peine sous les sabots des chevaux.

Fontarce avait interdit à sa fille de s'aventurer là seule. C'était une chose de s'y rendre pendant les chasses à courre, dans une atmosphère de fête et d'exaltation – les veneurs sonnant de leurs trompes, les cavaliers filant vers les abois des chiens. Mais malgré sa jeunesse et son audace, lorsqu'elle partait sans la protection de son danois Sultan, Renée évitait soigneusement les bois. Elle avait entendu parler des bohémiens qui s'y réfugiaient, des vagabonds, des bandits, des anarchistes qui attaquaient les voyageurs imprudents. Et il y avait ces diables de braconniers qui piégeaient un gibier qui, de droit, appartenait à sa famille. En revanche, ce matin-là avec son oncle, les mystères et les dangers de la forêt portaient la promesse de nouveaux émois.

Ils n'allèrent pas bien loin avant que Gabriel propose de mettre pied à terre et de chercher les champignons à l'ombre des troncs. Le vicomte, grand chasseur et gourmet, avait emporté sa gibecière, tapissée d'un linge propre, afin d'y ranger le produit de leur cueillette. Il montra à Renée plusieurs espèces comestibles et vénéneuses, lui apprit à les distinguer. La jeune fille n'était pas tout à fait novice, car elle avait plusieurs fois accompagné Tata, la cuisinière, dans le même but, à l'orée des bois juste derrière le château. Elle se garda bien de le révéler à son oncle, préférant l'écouter et, sous sa direction, se laisser envoûter par les formes, les textures, la sensation de fraîcheur qui lui picotait le bout des doigts.

– Ma petite grenouille, les chanterelles sont une espèce à chair ferme, lui expliqua-t-il, qui convient merveilleusement au gibier.

Il lui en tendit une pour qu'elle hume son parfum, puis s'en servit pour dessiner le tour de sa bouche.

– Vous sentez cette odeur fruitée, légèrement sucrée ?

Il se pencha vers elle et posa ses lèvres, chaudes et charnues, sur celles de Renée, qui garda en bouche la saveur terreuse du champignon cru et son doux arôme dans les narines. L'effleurant à peine, Gabriel lui donnait un baiser qui pouvait encore paraître innocent.

Lorsqu'ils rentrèrent à l'écurie ce matin-là, Rigobert comprit aussitôt qu'un secret les liait, qu'ils s'étaient livrés à un acte interdit. À voir Renée empourprée, avec cette expression rêveuse, cet air d'adoration muette, plus nets encore qu'à leur départ, il n'eut aucun doute. Toutefois, ce n'était pas son rôle de rapporter ces choses. D'ailleurs, qu'allait-il dire, et à qui ? Certainement pas à M. le comte. Comment expliquer à son employeur qu'il suspectait son frère, après l'avoir cocufié avec sa femme, de maintenant séduire sa fille ? Non, la seule chose raisonnable que le vieil homme pût envisager était d'en glisser un mot à son épouse, pour se décharger du lourd fardeau des soupçons. Dans l'obscurité de leur chambre, Mme Berteaux fit claquer sa langue, et ce fut tout. C'était une femme réaliste, qu'on ne choquait pas aisément, et elle trouvait là confirmation de l'idée qu'elle se faisait de la noblesse : une bande de dégénérés.

– Espérons quand même que le vicomte n'engrosse pas la petite, dit-elle. C'est déjà assez qu'il soit le père de son neveu... sans aller par-dessus le marché faire un gamin à la nièce. Du coup, Fontarce serait grand-père grâce à son frère...

Et Rigobert de pousser un profond soupir. L'arbre généalogique de cette famille était décidément tordu, d'une insoluble complexité. Mais au moins, le vieil homme se sentait mieux de s'être confié à son épouse.

5

La comtesse fut la première à noter l'intérêt soudain de son amant pour la petite. Bien des mères redoutent secrètement le jour où les hommes, se détachant d'elles, regardent plutôt leurs filles, et c'est avec un sentiment d'horreur qu'Henriette voyait Gabriel considérer Renée avec l'œil inquisiteur du mâle.

C'était bientôt la pleine saison de la chasse au cerf et au sanglier et, respectant les traditions intemporelles de leurs aïeux, le comte et la comtesse recevaient les veneurs dans leur domaine, ou se déplaçaient dans les châteaux voisins de leurs amis. De grands dîners et de grands bals furent donnés, tant chez ceux-ci qu'à La Borne-Blanche. Renée était maintenant assez grande pour qu'on lui permette d'y assister avec les adultes, au lieu d'observer les festivités avec les autres enfants depuis le palier à l'étage, comme elle l'avait fait pendant des années. L'oncle Gabriel se fit un plaisir de lui offrir une danse au moins, à chacune de ces soirées, la serrant dans ses bras et la faisant tourbillonner jusqu'à l'essoufflement. Les joues rouges comme des pommes, riant gaiement, elle sentait à peine ses pieds toucher le sol.

N'ayant guère d'autre occupation dans leurs existences oisives que de colporter les ragots et de flairer les scandales, les doyennes de ces assemblées ne manquèrent pas de s'intéresser aux rapports pour le moins curieux que semblaient entretenir le vicomte et sa nièce. Tandis qu'un soir ceux-ci, bras dessus bras dessous et le sourire aux lèvres, concluaient une danse dans le vaste salon de La Borne, la comtesse les rejoignit, le regard étincelant de rage, donnant ainsi du grain à moudre aux commères.

– Montez dans votre chambre, jeune fille, lui dit-elle à voix basse, en ajoutant pour Gabriel : Vous vous ridiculisez devant tout le monde, monsieur. Allez plutôt danser avec une de ces dames et fichez la paix aux enfants.

Dédaigneux comme à son habitude, le vicomte s'esclaffa. Il se moquait depuis belle lurette de ce que la noblesse étriquée de la région pouvait bien penser de lui. Enfant, puis adolescent à La Borne-Blanche, c'était déjà la brebis galeuse de la famille ; jamais il n'avait profité des égards ou de l'affection auxquels Maurice, plus distingué et plus courtois, avait eu droit. En revanche, les demoiselles l'avaient toujours trouvé irrésistible, attirées peut-être par son indifférence et le soupçon de cruauté qu'il laissait deviner. Après avoir épousé Adélaïde et puisé dans sa fortune de quoi acquérir ses plantations en Égypte et son écurie irlandaise, Gabriel fit preuve d'un mépris croissant pour une aristocratie qu'il trouvait décadente et sans intérêt. Revenant une fois l'an, il se plaisait à étaler sa réussite, à choquer et nourrir les cancans de ces rescapés du siècle écoulé, dont la richesse s'amenuisait à cause de leur entêtement à vivre dans le passé, leur incapacité à embrasser l'époque. Il traitait avec une égale condescendance son frère qui, étant l'aîné, avait reçu le titre de comte et hérité de la plus grande partie du domaine. Car pour rester solvable, Maurice dépendait maintenant de lui et de son sens aigu des affaires. Et voilà qu'aujourd'hui la comtesse et sa fille étaient toutes les deux amoureuses du vicomte.

– Je préfère danser avec les jeunesses, ma chère, répondit-il. Elles ont moins de mal à me suivre.

Le sous-entendu était à peine voilé.

– Je ne suis pas aveugle, monsieur ! rétorqua Henriette, furieuse. Et personne ne l'est dans cette pièce. Vous vous donnez en spectacle avec votre propre nièce, au risque de déshonorer notre nom.

– Je ne comprends rien à ces propos, dit Gabriel sans se départir de son sourire. Le plus inconvenant est peut-être que vous me fassiez une scène. À mon sens, les gens devraient se réjouir qu'un oncle s'intéresse à sa jeune nièce.

D'un geste conciliant, il prit la main d'Henriette dans la sienne. Comme bien des séducteurs, il était passé maître dans l'art de faire croire à celle qui réclamait ses attentions qu'il n'existait plus qu'elle.

– Voulez-vous m'accorder cette danse, ma douce ? la pria-t-il d'une voix suave. Au moins, ces vieilles casse-pieds auront un vrai sujet de conversation. Pardonnez-moi, ma chérie, dit-il ensuite à Renée, avec une courte révérence. Mais c'est au tour de votre maman.

Blême de jalousie, Renée les regarda entamer une valse.

Cet automne-là, le vicomte séjourna fréquemment à Paris et à Londres pour consulter ses associés, prolongeant d'autant son séjour à La Borne-Blanche. Si, au château, maîtres et domestiques parlaient à voix basse d'une guerre imminente, Renée était trop jeune pour y prêter réellement attention. Ces choses-là semblaient trop éloignées de son univers personnel.

Les jours raccourcissaient, le vent du nord annonçait les rigueurs de l'hiver, un air frais et humide s'insinuait dans les vieux murs de pierre, au point que tout le monde se promenait emmitouflé dans des couches de vêtements. Malgré les feux allumés dans les cheminées de toutes les pièces, personne ne parvenait vraiment à se réchauffer.

Gabriel s'efforça de maintenir un semblant de paix dans la maisonnée, manipulant Henriette et Renée pour tourner la concurrence à son avantage. Avec le temps, le comte s'était résigné à ce que sa femme et son frère soient amants, mais il était loin de supposer que Gabriel ait avec sa fille des manières inconvenantes. Pendant les bals, Maurice préférait se retirer au fumoir avec ses amis, ses cigares, son cognac, et se lancer dans ces discussions qu'il aimait tant – la chasse, les chevaux, les femmes. Il se rendait de plus en plus souvent à Paris, rejoignait ses amis aux clubs, dînait avec eux Chez Maxim's, chacun accompagné de sa maîtresse, après quoi l'on partait au Café Riche voir les danseurs de tango. Les hommes s'encanaillaient parfois jusqu'à l'aube, de dancings en cabarets malfamés, en passant par le Moulin Rouge et l'Abbaye de Thélème, partageant avec les classes populaires les grands lieux de débauche de la capitale. Malgré son snobisme aristocratique, ses opinions ultraroyalistes et sa tendance à dénoncer l'«abominable» IIIe République, le comte était au fond un libertin, comme bien des messieurs de la bonne société. Se jeter dans ce tourbillon de plaisirs lui permettait surtout de fermer les yeux sur ce qui se tramait chez lui.

– Me trouvez-vous beau ? demanda un soir Gabriel à Renée, alors qu'assis dans le salon, ils attendaient que le comte et la comtesse descendent pour dîner.

Renée s'esclaffa.

– Enfin, c'est idiot de me poser la question. Vous êtes mon oncle.

– Certes, mais sinon, me trouveriez-vous beau ?

La jeune fille les avait suffisamment observés, lui et sa mère, pour savoir que le meilleur moyen de gagner son cœur était de résister à ses charmes.

Faisant mine de le jauger, elle répondit :

– Hm... Comment dire...

– M'aimez-vous juste un petit peu ?

– Je ne sais pas, moi, dit-elle, évasive.

– Dites-moi que vous m'aimez.

– D'accord. Je vous aime un peu, mon oncle.

– Et moi, je vous aime beaucoup, ma grande.

– Autant que ma mère ?

Jetant un coup d'œil vers la porte pour s'assurer que personne n'écoutait, le vicomte se pencha vers Renée et murmura :

– Beaucoup, beaucoup plus.

6

Un soir au salon, le comte, la comtesse et Renée attendaient Gabriel qui, de retour d'Angleterre, devait arriver par le train du soir. Ils entendirent Rigobert, qui était allé le chercher à la gare, arrêter son attelage devant La Borne-Blanche. Même dans la grisaille de la fin d'automne, le vicomte gardait une peau hâlée et paraissait toujours apporter avec lui un peu du soleil d'Égypte, ce qui rendait sa présence bienvenue au château.

Pourtant, ce jour-là, Gabriel semblait particulièrement sombre lorsqu'il entra.

– Je dois repartir d'urgence en Égypte, annonça-t-il sans préambule. Les Anglais affirment que la guerre va éclater, cela n'est plus qu'une question de temps. Ils auront besoin d'un approvisionnement régulier en sucre et en coton pour soutenir l'effort de guerre. Il va falloir que j'agrandisse les plantations pour répondre à la demande. Tout cela implique beaucoup de travail.

Henriette et sa fille sentirent un frisson leur parcourir l'échine – qui n'avait rien à voir avec l'imminence de l'hiver ou d'un conflit mondial. Les domestiques, et notamment Angélique, l'aide de cuisine qui occupait une chambre minuscule au-dessus de l'écurie, seraient navrés d'apprendre le départ du vicomte.

– J'ai pris toutes les dispositions utiles, expliqua celui-ci. Nous allons passer un mois à Paris, où j'ai loué un appartement suffisamment grand pour la famille, aux Champs-Élysées. Après quoi, vous m'accompagnerez en Égypte.

– Que nous chantez-vous, Gabriel ? s'exclama son frère. Vous êtes complètement fou ? J'ai des responsabilités, ici. Et mes chevaux ? En outre, si les Anglais disent vrai, je servirai ma patrie comme il se doit, et je mobiliserai mes dragons. Comme vous le savez, dit-il d'un air suffisant, nous faisons des manœuvres chaque semaine dans cette éventualité.

– Franchement, Maurice, il serait temps que vous viviez au XXe siècle. Cette guerre ne sera pas menée à coups d'épée par des lourdauds à cheval. Cela étant, je vous demande de m'écouter. Vous n'ignorez pas que j'ai eu plusieurs rendez-vous avec nos comptables à Paris. Ce qu'ils disent de votre situation financière, mon cher frère, est plus catastrophique encore que je ne le redoutais.

Maussade, le comte repoussa la remarque d'un revers de la main – parler d'argent en présence de la famille étant pour lui le comble de la vulgarité.

– Je vous en prie, Gabriel. Ce n'est ni l'endroit ni le moment de tenir cette conversation.

– Au contraire, Maurice, si j'aborde le sujet maintenant, c'est parce que cela nous concerne tous autant que nous sommes. Il est grand temps de faire face. Vous êtes criblé de dettes, et je n'ai plus les moyens de les rembourser. Vous n'y échapperez pas : il faut vendre La Borne-Blanche.

– Vendre La Borne ? tonna Maurice. C'est hors de question ! Je n'ai pas non plus l'intention de m'exiler en Égypte. Vous savez très bien que je déteste les Arabes.

– Les Égyptiens sont mes amis et mes associés, et je peux vous assurer qu'ils se contrefichent que vous les aimiez ou pas. Cela dit, j'ai beaucoup réfléchi, et voici ce que je vous propose : vous vendez La Borne pour commencer. J'ai déjà entrepris des démarches en ce sens. Vos chevaux iront dans une écurie à Neuilly. Vous venez tous avec moi vivre en Égypte, où vous dirigerez la plantation de coton, Maurice, et moi celle de canne à sucre. J'ai besoin de votre aide, et vous d'un revenu. Les prix du coton sont élevés et, si les Anglais voient juste à propos de cette guerre, ce dont je ne doute pas, ils continueront à grimper. Il y a beaucoup d'argent à gagner.

Affaissé sur son siège, le comte paraissait s'évider peu à peu, tel un ballon qui se dégonfle. S'adressant à lui comme à un enfant, ou à un parent sénile, son frère avait tout préparé, lui ordonnant de plier bagage et de se mettre au travail, cela devant femme et fille, l'une comme l'autre amoureuses de Gabriel.

– Encore une chose, dit ce dernier.

– Quoi donc ? fit Maurice d'un air las.

– Je souhaite adopter la petite.

Éberlué, le comte dévisagea son frère.

– Pardon ?

La comtesse paraissait elle aussi abasourdie.

– Avez-vous perdu la tête, Gabriel ? Et pourquoi diable l'adopter ?

– Parce que j'ai besoin d'un héritier. Quelqu'un qui prenne une part active à mes affaires. Et à qui je laisserai un jour mes biens et ma fortune.

– Faites donc des enfants, dans ce cas, dit Maurice en considérant sa fille d'un œil attendri. Renée a déjà un père, il est inutile de lui en donner un second.

Depuis le début de la conversation, la petite était restée immobile sur son siège, sans rien révéler des sentiments contradictoires dont elle était la proie. Mais son cœur battait à tout rompre et elle avait la chair de poule.

– Vous savez bien qu'Adélaïde et moi sommes dans l'incapacité de concevoir ! assena Gabriel.

– Dans l'incapacité de concevoir ! s'esclaffa Maurice, aux anges, profitant de l'occasion pour recouvrer un semblant de dignité. Vous n'ignorez pas, je pense, que pour donner lieu à une progéniture, le mariage doit être consommé. Cela étant, vos affaires maritales ne me regardent pas. Je ne vous laisserai pas adopter ma fille, un point c'est tout.

– Quel avenir lui proposez-vous, Maurice ? Honnêtement ? Vous êtes ruiné, vous devez de l'argent partout, un jour ou l'autre vous serez obligé de le vendre, ce château. Que restera-t-il à Renée ?

– Elle trouvera un bon parti. J'ai évoqué la chose avec M. de Brotonne, il est envisageable qu'elle épouse son fils Guy à leur majorité. C'est une famille très fortunée.

Stupéfaite, Renée prit soudain la parole.

– Je n'ai pas l'intention d'épouser Guy de Brotonne, dit-elle. Je le connais à peine et, en tout cas, je ne l'aime pas.

– Faute de quoi, poursuivit le comte, ignorant l'intervention de sa fille, nous irons voir auprès des grands négociants. Il y en a qui sont millionnaires, et l'argent, ça compte de nos jours.

– En effet, mon cher frère. Lorsqu'elle sera en âge de se marier, vous serez complètement ruiné, et elle n'aura pour dot que les relances de vos créanciers. Certainement un sac plein. Aucune famille d'un rang convenable ne voudra d'elle. Et je m'oppose à ce qu'elle fraie avec la bourgeoisie, millionnaire ou pas.

– Dans ce cas, ce sera très simple, assura la comtesse. Elle entrera au couvent. J'en ai déjà parlé aux sœurs de Saint-Augustin.

– *Au couvent ?* répéta Renée.

Ce n'était pas la première fois que sa mère y faisait allusion, mais Renée n'y avait vu qu'une vaine menace.

– Je n'entrerai *pas* au couvent! assena-t-elle.

Gabriel posa sur elle un regard doux et affectueux.

– Ma petite grenouille chez les sœurs ? dit-il. Jamais de la vie! Cette enfant est fraîche comme une nymphe des bois. Elles la détruiraient. Non, c'est précisément la raison pour laquelle je veux m'occuper moi-même de son avenir.

– Je me suis exprimé clairement, Gabriel, dit le comte. C'est hors de question.

– Et j'ai rendu compte de la situation sans ambiguïté, Maurice. J'ai une offre à vous faire, je n'y reviendrai pas cent fois : je mets fin à vos problèmes financiers, vous venez vivre avec moi en Égypte, et j'adopte la petite. Ou je vous laisse acculé à la ruine, et vous n'aurez plus un sou de ma part. Choisissez : c'est à prendre ou à laisser.

Visiblement ébranlé par cet ultimatum, le comte se détourna.

– Eh bien, euh.... bafouilla-t-il. Naturellement, on ne prend pas une décision de cette importance sur un coup de tête. Il me faudra un délai raisonnable pour réfléchir à votre proposition, Gabriel.

– Non, Maurice, vous n'avez *plus* le temps, et rien d'autre à considérer. Je répète : c'est à prendre ou à laisser.

Le comte de Fontarce étudia un long instant son frère. S'il était son cadet, Gabriel avait toujours été plus intelligent, plus ambitieux, plus cruel aussi. Maurice ne pouvait nier qu'il vivait maintenant à ses crochets. Sans être aussi brillant que lui, il avait tout de même le sens des réalités. Hochant la tête, il marmonna finalement :

– Eh bien, naturellement... Cela aurait été un fils, les choses n'auraient pas eu le même poids... Mais une fille... une fille...

Sans terminer sa phrase, il leva le bras sans conviction.

– Fort bien, Gabriel, fort bien, admit-il avec un long soupir. Prenez vos dispositions. Je ne veux plus entendre parler de tout cela.

Il se leva lourdement, incapable d'adresser un regard à Renée.

– Henriette, dit-il, vous demanderez à Adrien de m'apporter mon dîner dans ma chambre, je vous prie.

Avec une certaine incrédulité, une once de pitié et une profonde tristesse, Renée vit son père quitter la pièce sans se retourner. Certes, elle était enthousiaste à l'idée de partir pour l'Égypte avec son oncle bien-aimé, flattée et reconnaissante aussi qu'il la choisisse pour héritière. Mais d'un autre côté, elle restait pantoise que son père, un homme qu'elle n'estimait pas moins, renonce si aisément à elle, et la vende pour ainsi dire au plus offrant. Elle se demanda qui, dans cette famille, l'aimait réellement, et pour quelles raisons. Du moins pouvait-elle se consoler en pensant qu'elle n'épouserait jamais Guy de Brotonne, ni un fils de négociant, et qu'elle n'entrerait pas au couvent, ce qui était bien pire.

MARIE-BLANCHE

Le Prieuré
Vanvey, Côte-d'Or
Avril 1920

1

C'est un lieu commun de dire qu'au moment de notre mort, notre vie entière défile devant nos yeux, à la manière des carnets d'enfants dont les pages se succèdent comme dans un dessin animé. Je sais aujourd'hui que la mémoire peut nous mener au-delà. Passagère libérée de mes attaches terrestres, je remonte à la nage le lointain fleuve ombilical, la source maternelle qui, liant les générations, nous alimente, nous transmet les vieux poisons de famille, pour tout nous reprendre à la fin. Je garde un souvenir précis de ma conception, du seul et bref accouplement de mes parents dans un lit à baldaquin, sur des draps de dentelle, par une nuit douce du printemps 1920 en Bourgogne. Le sperme enivré de papa, semence de ma propre destruction, cerne l'ovule froid et amer de maman. Je serai le fruit de ces ébats. Quelle mauvaise étoile m'est donc réservée?

La question de mon ascendance ne s'est jamais posée, puisque j'ai hérité du gros nez de mon père. Un nez qui, constamment, rappellera à maman son court et malheureux mariage avec Guy de Brotonne, et qu'elle ne me pardonnera jamais – ni le mariage ni la ressemblance. C'est l'un des mystères persistants de l'enfance, de ceux qui nous hantent jusqu'au bout, que de se voir opposer les erreurs de nos parents, à commencer par leur union, puis notre aspect physique. Cela revient presque à nous reprocher d'être nés, comme si, du simple fait de notre existence, nous étions complices de leur désastre. Pour effacer toute trace de son premier mari, ma mère m'a envoyée pour mes seize ans dans une clinique privée de Zurich, où un célèbre chirurgien esthétique me rabota le nez pour lui donner une allure plus féminine. J'étais encore assez naïve, ce jour-là, pour nourrir en secret l'espoir qu'elle m'aimerait plus dès lors que je ressemblerais moins à papa.

Mes parents se marièrent le 28 janvier 1919 à l'église Saint-Augustin à Paris, en présence de nombreuses familles aristocratiques du pays. C'était un mariage de raison, et il n'y eut jamais beaucoup d'affection, encore moins d'amour, entre les époux. Mon père s'est saoulé avec ses amis pendant la réception, et ma mère, qui n'en avait aucun, a passé la soirée avec sa famille. Sur la photo de mariage, il ne reste que maman dans sa robe blanche. On a retiré papa d'un coup de ciseaux, comme elle-même l'a retiré de sa vie. Elle a d'ailleurs l'air très malheureuse sur ce cliché. Au soir des noces, quand l'époux est arrivé en titubant devant la chambre nuptiale, la porte était fermée à clef et il demanda en vain qu'on la lui ouvre.

Après une brève et chaste lune de miel à Biarritz, les jeunes mariés s'installèrent au Prieuré, le domaine familial des Brotonne, près de Vanvey, un village de Bourgogne. C'était le cadeau que leur faisaient mes grands-parents – un ancien monastère du XVIᵉ siècle, converti depuis plusieurs générations en manoir de campagne, avec dépendances, écurie, chenil et terrain de chasse.

Toute petite dans mon berceau, je regardais par la lucarne le toit pyramidal d'ardoise rouge, sur l'arête duquel était juchée une énorme tête de sanglier en cuivre, qu'un de nos aïeux avait fait mouler par un sculpteur parisien, célèbre en son temps. Avec ses grosses défenses autour du groin, il donnait l'impression de surgir hors des combles avant de s'envoler. Malgré son apparente férocité, je n'en ai jamais eu peur, du fait probablement qu'il fit partie du paysage depuis le début. J'étais persuadée au contraire qu'il était notre ami, notre protecteur, qu'il gardait farouchement la maisonnée. Sur le toit en face, dans une sorte d'alcôve sous un pignon, se trouvait une statue en pierre, plus avenante, d'un saint François béat, sans doute placé là par les moines pendant la construction. Mais c'était bien la hure, dressée au-dessus de la cour telle une idole païenne, qui symbolisait la vocation de la propriété, à savoir la vénerie. Comme ses ancêtres, papa chassait à courre les cerfs et les sangliers dans la forêt des Brotonne.

Je suis née le 7 décembre 1920 à la maternité de Port-Royal, à Paris, où mes parents possédaient également un hôtel particulier, boulevard Maurice-Barrès. Maman avait grandi à la campagne et adorait chasser, mais Vanvey était considérablement plus éloigné de Paris qu'Orry-la-Ville – il fallait compter plus de trois heures de train, et une quatrième en voiture –, de sorte qu'elle s'ennuya vite au Prieuré. Encore jeune et gaie, elle aimait la vie en société, c'est pourquoi la province avait pour elle valeur d'exil, surtout en compagnie d'un homme qu'elle appréciait peu. Elle se méfiait des médecins et des sages-femmes de Bourgogne, les qualifiant de « charlatans » et de « sorcières », et sa grossesse lui fournit le prétexte idéal pour se réfugier fréquemment dans la capitale.

En revanche, papa fuyait la ville, préférant mener une existence de gentilhomme campagnard. Il quittait son domaine aussi rarement que possible, s'arrangeant pour que ses amis viennent lui rendre visite sur place. Les week-ends de chasse à Vanvey étaient notamment l'occasion de festoyer ; c'était avant tout un monde d'hommes, qui se comportaient comme des seigneurs, avec Le Prieuré pour fief. Mon père ne s'inquiétait pas des absences répétées de sa femme, que ses beuveries et ses gueuletons dégoûtaient plus qu'autre chose. Il se réjouissait au contraire de n'avoir pas à subir devant ses compères les commentaires ouvertement méprisants de maman.

Louise, la nourrice qui m'a allaitée, était une robuste paysanne à la poitrine tombante (« de vraies mamelles », disait ma mère), qui allait devenir ma gouvernante. Dans les années 20, c'était encore une pratique assez courante dans l'aristocratie que d'engager des paysannes comme nourrices, et maman, très vieille école de ce point de vue, y avait recouru dans le but de préserver ses seins parfaits.

– Cela fait partie des choses de la nature, expliquait-elle. Le bon Dieu a mis des femmes sur cette terre pour qu'elles allaitent les nourrissons. Il a donné à Louise la poitrine qu'il fallait pour cela. Les gens de notre famille sont d'une autre catégorie.

Maman avait aussi embauché Louise pour se libérer de toute obligation au Prieuré. C'est pourquoi j'ai vécu une bonne partie de mon enfance auprès de «l'aimable bovin», comme l'appelait ma mère, qui était toujours partie ou sur le départ. Dans mes plus vieux souvenirs, je la revois de dos et j'entends le froufrou de sa robe tandis qu'elle se dirige vers la porte. Au-delà de quoi, je ne savais plus rien ; mon petit monde se limitait à mon berceau, à la grosse tête du sanglier sur le toit, à la poitrine massive de Louise, et il n'en fallait pas plus à la gamine que j'étais pour connaître les plus beaux jours de sa vie.

Mon petit frère, Toto, naquit au printemps 21. J'avais quinze mois et j'étais très contente de partager avec lui le lait de ma nourrice, qui en avait bien assez pour nous deux.

C'est au printemps de l'année suivante que maman a fui Le Prieuré pour de bon, avec oncle Pierre, et au milieu de la nuit, comme le veut la légende. Le scandale fut assez retentissant dans le petit village de Vanvey pour que ses habitants – dont bon nombre n'étaient pas nés à l'époque – en parlent encore trois quarts de siècle plus tard, comme s'ils s'en souvenaient à la place de leurs parents ou grands-parents.

– Oui, monsieur, dira un ancien à mon fils Jimmy qui, trente-cinq ans après mon décès, se rendra là-bas à la recherche du Prieuré et d'une trace de sa mère. C'est bien ce petit château que vous voyez à l'entrée du village.

Le vieil homme a le doigt tendu vers la grosse bâtisse aban-donnée qui, de l'autre côté de la rue, s'affaisse derrière ses murs de pierre.

– En effet, poursuit-il, c'est là qu'habitait Guy de Brotonne, dont la première femme, Renée, a fichu le camp avec Pierre de Fleurieu.

«Elle s'est enfuie avec le comte au beau milieu de la nuit, laissant deux enfants en bas âge derrière elle, explique-t-il en hochant la tête, sur le ton de la confidence, comme s'il colportait un ragot tout neuf. Ah, je vous garantis que ça en a fait, du bruit, au village !

J'étais évidemment trop jeune pour avoir la moindre idée de l'endroit où maman était partie, et avec qui. Mais, bien que Louise m'eût nourrie et bercée depuis toujours, j'étais parfaitement consciente, comme un bébé le sait d'instinct, que ma mère venait de m'abandonner. Cela me fait encore aujourd'hui l'effet d'une amputation, d'un membre fantôme que je traînerai jusqu'à la tombe.

2

Je ne peux pas dire que je n'aimais pas mon père, ni que j'ai manqué de quoi que ce soit. Nous avions des poneys, des chevaux, et papa acheta même un buggy, rien que pour Toto et moi, dans lequel un garçon de Vanvey, payé par ses soins, nous emmenait l'été en promenade. Telle la famille royale, nous traversions les rues pavées du village en saluant la population. Nous avions tout autour de nous des champs, une forêt à explorer, ainsi qu'un ruisseau derrière la maison, où nous allions nager et pêcher la truite.

Papa n'était peut-être pas le plus attentif des pères, mais je savais qu'il nous aimait. Fils unique, il avait été très gâté par ses parents, c'est pourquoi il avait grandi en nourrissant un fort sentiment de supériorité et un humour moqueur dont son entourage faisait les frais. Avec l'âge, il était devenu méchant et sarcastique – de façon directement proportionnelle aux quantités d'alcool qu'il absorbait –, et l'infidélité de sa femme, une fois connue de tous, n'avait rien arrangé. Maman étant partie, il quittait moins souvent encore Le Prieuré qu'auparavant, buvait et mangeait plus que jamais, et passait le reste de son temps à chasser ou à inspecter ses terres. Les week-ends de chasse duraient maintenant des semaines entières, sinon plus, et toutes sortes de parasites et de propres à rien s'invitaient chez nous pendant la saison.

À quelques exceptions près, papa ne s'absentait qu'une fois par mois, lorsqu'il prenait le train à Châtillon-sur-Seine pour

Paris, où il rencontrait M. Renaud, qui avait ses bureaux boulevard Raspail. Quand il se rendait à la capitale, mon père enfilait toujours un costume, une cravate, et il emportait sa serviette en cuir. Le tout lui donnait, je pense, l'impression d'être un homme d'affaires important en voyage, bien qu'il n'eût pas travaillé un seul jour de sa vie. Il allait simplement remettre en main propre à M. Renaud les factures qui s'étaient accumulées depuis le terme précédent.

S'il jouait ce rôle avec une certaine conviction, l'illusion s'effondrait à cause d'une de ses nombreuses excentricités : costume ou pas, il voyageait en sandales. Jeune homme au début de la guerre de 14, il avait réussi à se faire incorporer comme aide de camp, grâce à un ami de la famille, le général Pétard. Comme dans toutes les armées modernes, les généraux menaient leurs troupes depuis l'arrière-garde, ce qui permit à papa d'être stationné aussi loin que possible du front. C'était plutôt les fils de la campagne, les paysans, qu'on envoyait mourir par dizaines, puis par centaines de milliers, dans les tranchées. Aussi limitées fussent-elles, il ne put cependant s'acquitter de ses obligations, car il avait des pieds difformes qui le faisaient terriblement souffrir, au point que, moins d'un an après l'appel, il fut réformé et renvoyé dans ses foyers. Par la suite, papa devait être particulièrement mortifié en apprenant que le comte Pierre de Fleurieu, celui qui lui volerait sa femme, était considéré comme un véritable héros. Aviateur, médaillé militaire, Fleurieu avait perdu un bras lors d'un combat aérien au-dessus de la Picardie.

Les chaussures normales torturaient tellement mon pauvre père qu'il ne portait plus que ses sandales – sauf, bien sûr, à cheval, mais alors il montait avec les bottes que le cordonnier du village lui avait faites sur mesure. Même au cœur de l'hiver, lorsqu'il partait voir son comptable, peu lui importait la neige ou le froid glacial, il avait ses sandales aux pieds. Et il ne se souciait pas de ceux qui, de la gare de Vanvey jusqu'aux trottoirs de Paris, s'amusaient, méprisants, de ses chaussures ridicules. Je crois que ces sandales étaient aussi une affectation de sa part, où se rejoignaient une sorte d'humour pervers et le désir de se distinguer du reste du monde. Comme bien des excentriques, des aristocrates et des alcooliques, papa était persuadé d'être un individu supérieur, voire exceptionnel.

Au rayon bizarreries toujours, il aimait à se promener nu dans la maison. Non qu'il fût spécialement fier de son corps ou qu'il eût un physique d'Adonis. Bien au contraire ; il raffolait du foie gras, des escargots, de la cuisine bourguignonne, nourriture riche s'il en est, sans parler des vastes quantités de vin, de champagne et de cognac qu'il ingurgitait et qui lui valaient de grossir constamment. Peut-être cette nudité traduisait-elle simplement le désir d'être à l'aise, de se dispenser de toute contrainte vestimentaire, cependant l'effet qu'elle produisait chez les autres – les domestiques, la famille, les invités – semblait bien l'amuser. Il accueillait parfois ses visiteurs à la grande porte du Prieuré à moitié ou carrément nu, descendait prendre l'apéritif en sandales, avec une sorte de pagne qui ne cachait pas grand-chose. Papa ne disait jamais mot à propos de sa tenue, ne paraissait jamais en éprouver de gêne et, bien sûr, la maisonnée s'y habitua. Ses vieux amis ne se formalisaient plus de ses extravagances, trinquaient et dînaient avec lui comme si de rien n'était.

Quelques années après le départ de maman, il épousa notre « tante Monique », une fille timide et gentille d'un village voisin, si différente de sa première épouse qu'il ne pouvait pas l'avoir choisie par hasard. Tante Nanisse (comme nous l'appelions, enfants) fut une merveilleuse belle-mère, simple et attentionnée, certainement pas une de ces femmes qui s'enfuient au milieu de la nuit avec un autre homme. Ni du genre à critiquer son mari, aussi extravagant fût-il.

Certes, Le Prieuré n'était pas un endroit très folichon pour une jeune fille. Les hivers bourguignons n'en finissaient pas, et les domestiques avaient beau entretenir des feux dans les cheminées de toutes les pièces, la froidure s'emparait de la pierre et ne la quittait plus jusqu'à l'été. Bien que l'arrivée de tante Nanisse y eût rétabli une touche féminine, Le Prieuré ne se départit jamais de son caractère original, de cette atmosphère lugubre de monastère reconverti en domaine de chasse – un univers foncièrement masculin. Le mobilier de noyer était lourd, sombre, de vieilles tapisseries fanées représentant des scènes de vénerie ornaient les murs, dont quelques-uns supportaient les portraits maussades des résidents d'antan. Tout autour de la cage d'escalier étaient accrochées des dizaines de têtes d'animaux empaillées de longue date – cerfs aux imposantes ramures, sangliers aux défenses saillantes –, dotée chacune d'une plaque commémorant le nom du chasseur et la date de la mise à mort. En sus de ces inévitables trophées, les esprits moroses des moines qui habi-tèrent les lieux aux XVIe et XVIIe siècles paraissaient toujours ici chez eux. Pendant mes jeunes années, j'entendais constamment leurs pas traînants, l'écho de leurs vœux de silence, l'air glacé qu'ils déplaçaient avec eux dans les couloirs et dans ma chambre à toute heure du jour et de la nuit. Si je n'en avais pas peur, cela n'était quand même pas de riants partenaires de jeux.

Avec Louise, l'été, et ensuite avec tante Nanisse, nous allions jouer, Toto et moi, sous le chaud soleil de Bourgogne, réconfor-tant après un long hiver dans ces murs ténébreux. Nous avions à peine commencé à marcher que nous montions déjà sur nos poneys. Georges, le maître d'écurie, les sellait et nous emmenait en promenade, jusqu'à ce que nous soyons assez grands pour le faire tout seuls. Nous cueillions des fleurs sauvages le long du ruisseau, nous regardions les truites filer dans l'eau claire. Puis nous écoutions chanter les oiseaux de l'été, assis sur les marches de la petite chapelle, à côté du bâtiment central, sous les platanes qui filtraient le soleil et dont les rayons ricochaient sur les vieux vitraux.

J'ai conservé quelques photos en noir et blanc de cette époque. Elles démontrent, semble-t-il, que nous étions heureux, mais quand je les regarde à nouveau, j'ai la sensation mélancolique de voir mon enfance disparue comme on voit un corps dans sa bière avant la mise en terre. Toto et moi sommes brouillés aujourd'hui ; comme tous les autres, il ne supportait plus que je boive. Pourtant je garde un souvenir si clair de ces deux enfants en maillot de bain, dans la lumière tamisée par les arbres. Je n'ai que quatre ans, nous avons nagé dans le ruisseau, si frais que nous en revenons avec la chair de poule. Nous allions toujours sur les marches de la chapelle que réchauffait le soleil de midi. Tante Nanisse sort de la maison avec le nouvel appareil que papa lui a acheté, et nous demande de ne pas bouger, sinon la photo sera floue. À trois ans, le petit Toto ne comprend pas très bien de quoi il s'agit. Croyant en fait que tante Nanisse le gronde, il fait la moue avant de pleurer, et c'est alors qu'elle appuie sur le déclencheur. Voilà l'expression qui restera de lui ce jour-là. À son côté sourit une minuscule petite fille confiante, pleine d'amour et d'espérance.

3

La vie a commencé à changer au Prieuré quand maman nous a envoyé le père Jean. On nous avait expliqué qu'un précepteur viendrait de Paris nous donner des leçons, faute d'une école fréquentable dans la région. La plus proche se trouvait à Châtillon-sur-Seine, à trente kilomètres de chez nous. Papa ne voulait pas que nous y allions, de peur que nous attrapions des poux ou le croup au contact des autres enfants. Nous ne devions comprendre que bien plus tard les vraies raisons pour lesquelles maman nous adjoignait ce prêtre : il était chargé de nous observer, de recueillir les preuves qui serviraient le jour où elle demanderait à la justice la garde de ses enfants, pour faire valoir que Toto et moi étions mal soignés, mal éduqués à Vanvey.

Un jour d'automne en fin d'après-midi, le chauffeur de papa est allé chercher le père Jean à la gare. On nous avait mis nos habits du dimanche, ceux que nous portions à la messe, et nous l'avons attendu dans la cour. Tout ce que je savais des prêtres, c'est qu'ils me faisaient peur, à commencer par le père Michaud, au village, un vieil homme austère et imposant qui, depuis sa chaire, semblait implorer les foudres du ciel de s'abattre sur nous. Celui que nous avons vu descendre ce jour-là de voiture était un jeune homme maigre au torse creux, au menton fuyant, aux cheveux roux clairsemés et au visage constellé de boutons ; il paraissait sortir de l'adolescence. Lorsqu'il a pris ma main dans la sienne, qui était molle et moite, j'ai remarqué ses ongles rongés jusqu'au sang. Comme j'allais vite les détester, ses mains blanches, ses taches de son, ses cuticules rougeâtres et abîmées.

S'il avait une allure quelconque, nous avons cependant appris à le craindre, lui aussi. Le père Jean était un maître sévère qui, lorsque nous ne savions pas bien nos leçons, nous frappait le creux des jambes à coups de verge. Ni Toto ni moi n'étant bons élèves, il avait toute latitude pour nous faire tâter de sa baguette. Il n'a pas fallu longtemps pour qu'il se fiche des mauvais résultats de mon frère, et me punisse moi uniquement, m'infligeant des fessées à la moindre erreur. J'étais heureuse qu'il épargne Toto et j'acceptais mon châtiment. Que faire d'autre à cet âge ? J'étais une petite fille très bête qui méritait ces sanctions.

Bientôt, se passant d'explication, le prêtre m'indiquait simplement ses genoux d'un air autoritaire. Je devais comprendre que j'étais à nouveau coupable de quelque transgression à l'égard de son Dieu, ou des lois implacables du latin et des mathématiques. Obéissante, je prenais place sur ses cuisses, il relevait ma robe, baissait ma culotte, puis me battait jusqu'à ce que, silencieuses, les larmes coulent sur mes joues. Alors il poussait un petit gémissement, comme si ses propres coups le faisaient davantage souffrir que moi. J'ai fini par apprendre à pleurer plus vite pour que ça dure moins longtemps. Je n'en ai jamais parlé à personne dans la famille, pas même à Louise. Elle voyait certainement les rougeurs sur mes jambes et mes fesses mais, comme la plupart des paysans, c'était une fille très religieuse qui ne remettait pas en question l'autorité du père Jean, ni les moyens qu'il employait pour se faire respecter.

Puisqu'il était là pour moucharder, le prêtre commença bientôt à interroger discrètement les domestiques et, à ses moments libres, il se rendait en douce à Vanvey, à la recherche de commerçants mécontents qui lui disent du mal de papa. Il n'est jamais très difficile, dans un petit village, de trouver quelques mauvais coucheurs, et le père Jean y arrivait d'autant plus aisément que maman lui donnait de l'argent pour payer leurs ragots. Toutes les deux ou trois semaines, il repartait à Paris confier ses informations à ma mère. Celle-ci rapportait le tout à son avocat, lequel bâtissait tranquillement sa plaidoirie contre mon pauvre papa qui ne se doutait de rien.

Ce dernier m'a fait appeler un matin. Une enveloppe était ouverte sur son bureau.

– Dites-moi, Marie-Blanche, qu'avez-vous raconté au père Jean à mon propos ?

– Mais rien, papa, ai-je répondu sincèrement.

– J'ai reçu une lettre de l'avocat de votre mère, m'a-t-il expliqué. Il faut croire qu'avec M. de Fleurieu, elle demande à un juge de lui confier votre garde. Je suis censé conserver celle de votre frère. Du moins provisoirement...

Prenant la feuille entre ses mains, il a lu :

– «Si l'on peut faire valoir au tribunal que les conditions de vie de cette enfant ont été suffisamment améliorées pour accorder ladite garde. »

Il a reposé le papier.

– Alors s'il vous plaît, ma fille, qu'avez-vous raconté au prêtre en ce qui nous concerne ?

– Je ne lui ai rien dit, papa, ai-je répété. Il pose des tas de questions sur vous, sur tante Nanisse, il consulte aussi les domestiques. Mais je ne lui réponds pas. Je ne lui dis rien, même quand il me frappe avec sa baguette.

– Il vous frappe avec une baguette ?

– Oui, papa, cela arrive.

– Où ça ?

– Dans la chapelle, en général. Il prie la sainte Vierge pendant qu'il me bat.

– Et à quel endroit vous frappe-t-il ?

J'ai baissé les yeux. Je me sentais tellement bête que je n'osais plus le regarder.

– Sur les fesses, ai-je murmuré. Quand je fais des erreurs.

– Ça laisse des marques ?

– Parfois.

– Montrez-moi. Remontez votre robe, Marie-Blanche.

– Je ne veux pas, papa. J'ai honte.

Me prenant entre ses bras, il m'a fait faire volte-face, et il a baissé ma culotte.

– Pourquoi ne nous avez-vous rien dit ?

Mon père était connu pour ses colères, et je voyais le rouge lui monter aux joues.

– Il bat votre frère aussi ? m'a-t-il demandé.

– Non, plus maintenant.

– Où est-il, le père Jean, Marie-Blanche ?

– Je ne sais pas. À la chapelle ? Il doit donner sa leçon à Toto.

– Allez me le chercher. Dites-lui que votre père veut le voir tout de suite. Dans son bureau.

C'est bien à la chapelle que je l'ai trouvé.

– À quel sujet votre père demande-t-il à me voir ?

L'inquiétude le gagnait visiblement.

– Je ne sais pas.

– Ne mentez pas, mon enfant. Que vous a-t-il dit ?

– Il a reçu une lettre.

– Une lettre de qui ?

– De quelqu'un qui travaille pour maman. Je n'ai pas tout compris. Il m'a simplement dit qu'il voulait vous parler, il veut vous voir tout de suite.

Je l'ai accompagné jusqu'au bureau, dont papa a refermé la porte derrière eux. Collant mon oreille sur celle-ci, j'ai entendu mon père parler d'abord doucement, comme pour échanger des civilités, et le prêtre répondre par de petits rires mal assurés.

– J'aurais dû me douter dès le début que vous serviez d'informateur à mon ex-femme, a lâché papa, soudain plus sec.

– Non, monsieur, a dit le père Jean de sa voix flûtée. Je suis ici en tant que précepteur, c'est tout.

– Dans ce cas, comment certaines... informations personnelles, concernant notre existence au Prieuré, se sont-elles retrouvées à Paris, précisément dans le bureau de son avocat ?

– Je n'en ai aucune idée. Je suis un homme de Dieu, chargé de l'instruction de vos enfants. Je ne suis pas au fait des questions matérielles. Les domestiques, peut-être, parlent-ils de ces choses ?

– Quelles choses ? a dit papa, qui haussait le ton.

– Ces informations personnelles dont vous parliez à l'instant, monsieur, répondit le père Jean, plus qu'embarrassé. Madame aura sans doute placé quelqu'un à son service au sein du personnel.

– Ah ? Et comment ce quelqu'un communiquerait-il avec elle ? Aucun de nos domestiques ne se rend jamais à Paris. Alors que vous y retournez toutes les semaines.

– Seulement pour garder le contact avec ma paroisse.

– C'est évident, mon ex-femme vous a envoyé ici dans un but bien établi. Comment ai-je pu être assez naïf pour ne pas m'en apercevoir ?

– On m'a chargé d'éduquer vos enfants, monsieur de Brotonne. C'est bien tout, et je puis vous l'assurer.

La chaise de papa a raclé le sol, signe qu'il se levait.

– À propos de mes enfants, a-t-il dit avant de s'interrompre – et j'entendais le bruit de la cravache claquer en cadence dans sa main. Quelle sorte de leçons leur enseignez-vous avec votre baguette ?

– Cette baguette sert à me faire respecter, à les empêcher de rêvasser, à leur rappeler qu'il faut étudier.

– Ouais, c'est ce qu'on me racontait aussi, quand j'étais petit, a dit papa, qui jouait toujours avec sa badine.

– Penchez-vous, monsieur.

– *Comment ?*

– Il y a une éternité que j'ai envie de fouetter un curé, de me venger des mauvais traitements que j'ai subis dans ma jeunesse chez les jésuites. Penchez-vous, mon père, et relevez votre soutane.

– Je suis un homme de Dieu, monsieur, dit le prêtre, vous me faites insulte !

– Non, c'est vous qui m'insultez en vous introduisant chez moi sous le prétexte d'éduquer mes enfants ! Et je vous ai bête-ment laissé faire ! Cela fait combien de temps, maintenant... que... que vous en profitez pour espionner ma famille, interroger mes domestiques, et les gens du village... Oui, je suis aussi au courant, figurez-vous. Il y a belle lurette que j'aurais dû en finir avec vous. En outre, j'apprends aujourd'hui que vous battez mes enfants. C'est un abus d'autorité, jamais je ne vous l'aurais permis.

– Tout le monde admet qu'il n'y a pas de discipline sans auto-rité, et il faut de la discipline pour enseigner.

– Certainement, a dit papa, penchez-vous, monsieur l'enseignant.

– Monsieur, je vous en prie !

– Plus vite que ça ! Relevez votre soutane. Vous allez me présenter votre cul, comme vous avez forcé ma fille à le faire.

– Vous êtes fou ! a dit le prêtre. Soyez sûr que j'en référerai à madame et à monseigneur l'évêque.

– Parfait ! Je me réjouis que vous trouviez enfin le courage de vous confesser. J'espère que vous accepterez dignement votre châtiment, comme votre seigneur Jésus-Christ.

Un moment passa, puis j'entendis le claquement du cuir sur la peau – un premier coup de cravache, appliqué de main de maître.

– *Aïe !* cria le prêtre, et encore : *Aïe !,* tandis que papa recommençait.

Celui-ci poursuivit d'une manière cadencée, avec toujours plus de force, semblait-il : *Vlan ! Vlan ! Vlan !*

– *Aïe ! Aïe ! Aïe !* faisait le père Jean.

Je grimaçais à chaque coup en plaignant bizarrement le prêtre, car je connaissais fort bien la souffrance qu'on lui infligeait.

J'ai filé avant qu'il ressorte du bureau. Tout heureux à l'idée d'échapper enfin à ces leçons épouvantables, dans des matières pour lesquelles nous n'étions pas faits, Toto et moi nous sommes faufilés dans l'escalier pour le voir s'en aller un moment plus tard. Nous sommes sortis dans la cour au moment où Michel, le chauffeur, lui ouvrait la porte de la Citroën. Le père Jean est monté – s'asseyant avec précaution et tressaillant quand même, à l'évidence meurtri. Tournant la tête, il nous a aperçus. Toto, qui était si mignon, a gentiment levé la main pour lui dire au revoir. Les yeux bleu clair du prêtre, sous des cils presque blancs, étaient rouges et humides, et j'ai deviné qu'il avait pleuré sous les coups. C'était un pleurnichard, ce qui ne m'étonna pas. Sans répondre à Toto, il leva un doigt tremblant qu'il tendit vers moi.

– Vous... a-t-il dit à voix basse en agitant l'index. Vous !

4

Plusieurs mois durant, papa et l'avocat de ma mère continuèrent de s'écrire. Presque chaque jour arrivaient par la poste des lettres et des papiers officiels, qui s'accumulaient sur le bureau de mon père. Des requêtes étaient adressées au tribunal, des audiences tenues, et il se rendait plus souvent à Paris. Nous étions des enfants, et tout cela nous dépassait. Mais en le voyant ainsi perturbé, pousser fréquemment des tirades enfiévrées contre maman – notamment quand il avait bu, à savoir quasiment tout le temps –, nous comprenions que quelque chose n'allait plus.

Le père Jean ne revint jamais au Prieuré, mais j'avais la sensation désagréable de ne pas en avoir fini avec cet homme. Je ne pouvais m'empêcher de penser à lui, je le revoyais sans cesse me dire depuis la banquette de la voiture : « Vous ! » J'en faisais des cauchemars la nuit, je rêvais qu'il me poursuivait, et chaque fois que je me retournais, il disparaissait. Cela devint une obsession le jour aussi, j'imaginais qu'il était toujours tapi dans un coin, derrière ou à côté de moi. J'étais sûre de l'apercevoir à la limite de mon champ de vision, mais j'avais beau y regarder à deux fois, jamais il n'était nulle part, comme s'il venait de s'engouffrer dans une pièce ou de filer au bout d'un couloir. Je croyais le voir partout – dans les rues du village, le matin au marché où j'accompagnais Adèle, la cuisinière ; dans les bois quand nous nous promenions à cheval ; bien sûr et surtout, le dimanche à la messe. L'église en soi est déjà un endroit assez effrayant pour un enfant, avec son faible éclairage, ses images violentes de souffrance, le crucifix, cette musique sinistre, ces rituels pesants, solennels, et ces chants incompréhensibles. Tout cela est calculé, ai-je fini par penser, pour créer une impression durable chez les plus petits, de sorte que, devenus adultes, ils n'osent pas douter de Dieu ou de ses représentants terrestres. Et quand je m'agenouillais sur le bois dur d'un banc, j'avais la sensation que le père se trouvait encore derrière moi, que ses yeux me trouaient le dos. Je me retournais, et il était là, à braquer son index sur moi. «Vous!»

Un samedi est arrivée Marie-Antoinette, la nièce de tante Nanisse, qui était aussi ma meilleure amie. Elle était venue à vélo d'Aubepierre, à presque trente kilomètres de chez nous, en passant par la montagne, dans l'intention de rester quelques jours. Un peu plus âgée que moi, grande, intelligente et dégourdie, Marie-Antoinette avait beaucoup d'assurance et ne craignait pas grand-chose. Elle semblait bien partie pour réussir dans la vie, et je me sentais toujours en sécurité avec elle.

– Pourquoi regardes-tu sans cesse derrière toi?

C'était une belle journée de printemps. Assises dans l'herbe du jardin, derrière Le Prieuré, nous buvions la citronnade qu'avait préparée tante Nanisse pour que sa nièce se rafraîchisse après son long trajet.

– Tu as l'air tellement nerveuse, m'a dit Marie-Antoinette.

– J'ai quelqu'un à mes trousses, ai-je répondu à voix basse, quelqu'un qui me suit.

– Qu'est-ce que tu racontes? m'a-t-elle demandé en riant, pensant peut-être que je plaisantais. Qui diable pourrait bien te suivre?

J'ai regardé autour de moi au cas où il serait là à écouter.

– Le père Jean, ai-je murmuré.

Elle s'est de nouveau esclaffée.

– Tu te moques de moi. Le père Jean est rentré à Paris. Tante Nanisse m'a dit que ton père l'a renvoyé il y a plus de deux mois, et qu'on ne le reverrait plus. Tu en as, de la chance, d'éviter les leçons! C'est comme des vacances tous les jours, non?

– Non, il est ici. Il est revenu et il me suit partout. Je parie qu'il est en train de nous épier, en ce moment.

Elle a levé les yeux malgré elle.

– Tu commences à m'inquiéter, Marie-Blanche. Je ne comprends rien à tes histoires. Et d'où crois-tu qu'il nous observe ?

– Je ne sais pas très bien. Je n'arrive jamais à le surprendre, mais je sais qu'il est là. Peut-être dans les buissons près du ruisseau. Ne te retourne pas, parce qu'il disparaîtra aussitôt. On ne l'aperçoit que du coin de l'œil.

– Ma petite cousine, tu as une imagination débordante. Si tu ne le trouves pas quand tu le cherches, c'est simplement parce qu'il n'est pas là. C'est dans ta tête que tu le vois, pas avec tes yeux. Suis-moi, Marie-Blanche, m'a-t-elle dit d'un air entendu.

S'écartant brusquement, elle s'est mise à dévaler la pente vers le ruisseau en agitant les bras.

– Sortez de là, sortez de là, où que vous soyez ! hurlait-elle. On sait que vous êtes là, père Jean. Allez, montrez-vous !

Se roulant dans l'herbe en riant, elle a lancé à mon intention :

– Tu vois bien qu'il n'y a personne ! Viens ici voir toi-même.

Je me suis levée et l'ai rejointe.

– Tu le prends pour un magicien ? Pour un sorcier, capable d'apparaître et de disparaître comme ça ? a-t-elle dit en faisant claquer ses doigts.

– Peut-être. Je n'en sais rien.

– Ne répète pas cela à tante Nanisse, a-t-elle chuchoté, elle est tellement superstitieuse ! Mais moi, je crois que ton père Jean est un gars bien ordinaire, sans aucun pouvoir spécifique. Il est parti pour de bon, Marie-Blanche, alors arrête tes bêtises et oublie-le.

J'ai admis que je me sentais mieux après ce discours rationnel. J'étais une jeune fille craintive, bien trop solitaire, douée d'une imagination fertile. On m'appelait souvent la «boule de nerfs». L'alcool, par la suite, allait m'aider à brider cette imagination et à les calmer, ces nerfs.

RENÉE

Paris
Novembre 1913

1

Les Fontarce quittèrent La Borne-Blanche si brusquement qu'ils eurent à peine le temps de faire leurs adieux. Sans doute cela valait-il mieux après tout ; peut-être aucun d'entre eux ne souhaitait s'attarder sur des monceaux de souvenirs, préférant au contraire filer aussi rapidement et discrètement que possible, oubliant le passé pour se régénérer ailleurs.

À l'évidence, le comte fut le plus affecté par cette évacuation forcée. On l'avait élevé pour devenir le maître de cette propriété, un maître fier de ses nobles origines, exerçant sa charge avec une assurance aristocratique, et à l'aise dans ses habitudes – le nain Larose qui venait le raser le matin ; les promenades quotidiennes à cheval sur ses terres, avec un passage à la poste du village, où tout le monde traitait « monsieur le comte » avec le respect dû à son rang ; la saison de la chasse et ses mois de préparation ; ses intrigues avec les jeunes filles, pas toujours très consentantes, de la région. Si, comme son frère l'avait souligné, Fontarce s'était créé une existence largement inspirée du modèle archaïque de la France féodale, il n'était pas facile pour autant d'y renoncer. D'être plongé si abruptement dans le XXᵉ siècle, dans ce monde « moderne » qu'il avait pratiquement réussi à éviter jusque-là, faisait de ce départ une secousse bouleversante.

Bien sûr, Renée elle aussi répugnait à quitter le seul univers qu'elle connaissait. Elle avait adoré son enfance à la campagne, ses chiens et ses chevaux, ce grand domaine à explorer, et les domestiques bien-aimés, spécialement Tata, la vieille cuisinière. L'idée de s'installer à Paris l'intimidait. Lors de ses quelques incursions dans la capitale, elle avait pu observer les jeunes gens aux toilettes élégantes, et elle savait que, malgré sa haute naissance, elle était avant tout une provinciale. Mais elle était assez jeune pour considérer ce déménagement comme une belle aventure. Les derniers jours à La Borne, elle avait veillé la nuit dans son lit, incapable de dormir, tour à tour pleine d'excitation et d'appréhension en s'imaginant parisienne, puis égyptienne. Un chapitre inattendu s'ouvrait dans son roman intérieur, dont Renée, désorientée, ne maîtrisait plus l'intrigue. Elle ignorait tout de ce qui allait suivre. Croire que nos petites existences se poursuivront plus ou moins à l'identique est une des dernières illusions de l'enfance, et en quittant La Borne-Blanche, Renée quittait la sienne à jamais.

La comtesse était la seule à partir sans grands regrets ni souvenirs chéris. Elle avait toujours trouvé la vie à Orry-la-Ville excessivement ennuyeuse et étriquée. C'était essentiellement un univers d'hommes, avec pour occupations les chevaux, la chasse et le domaine que gérait son mari. Sans parler des maîtresses de ce dernier, de ses fréquents allers et retours à Paris où il se gobergeait avec ses amis, tandis qu'elle restait dans le petit château sans rien faire qu'attendre la visite annuelle de son amant le vicomte. Henriette se réjouissait donc de gagner la ville, de parcourir les beaux magasins, d'aller au théâtre et à l'Opéra. Elle était cependant moins enthousiaste au sujet de l'Égypte, qui demeurait un point d'interrogation pour toute la famille.

La nouvelle du départ – et de la vente des lieux – se répandit rapidement parmi le personnel. Rigobert en reçut confirmation le matin où plusieurs hommes se présentèrent à l'écurie pour emmener les chevaux à la gare du village. On les chargea sur des wagons à bestiaux, à destination de Neuilly où un ami de Gabriel, comme prévu, les prenait dans sa propre écurie.

Renée, qui était descendue pour assister à l'opération, trouva Rigobert en train de déambuler dans les stalles, qui exhalaient l'odeur du foin, du crottin et de la sueur animale.

– Je me suis occupé des chevaux pendant plus de cinquante ans, mademoiselle Renée, lui dit le vieil homme, dont la voix résonnait étrangement dans les box désertés. Je viens de m'apercevoir que, pendant tout ce temps, l'écurie n'a jamais été complètement vide. Même pendant les journées de chasse, il y avait ceux de l'attelage, et toujours quelques autres en plus.

— Peut-être viendrez-vous avec nous en Égypte ? lui répondit la jeune fille, pleine d'espoir. Oncle Gabriel a aussi des chevaux là-bas.

— Oh, certainement, admit Rigobert en hochant la tête. Mais il y aura quelqu'un sur place pour prendre soin d'eux. Non, mademoiselle Renée, j'ai vécu toute ma vie dans ce village, et c'est ici que je mourrai.

— Quand ce sera vendu, les nouveaux propriétaires apporteront sûrement les leurs. Et ils vous engageront pour les soigner.

— Ils viendront certainement avec leurs propres domestiques, mademoiselle. Mais cela n'est pas bien grave, car je me rappelle tous les chevaux qui sont passés dans ces stalles pendant un demi-siècle. Leur souvenir m'accompagnera jusqu'à la fin de mes jours.

Tôt le matin du départ, Gabriel descendit à l'écurie parler à Rigobert d'un problème de dernière minute. Angélique, l'aide de cuisine, se trouvait au pied de l'escalier de pierre qui menait à sa chambre.

— Monsieur le vicomte, murmura-t-elle, puis-je avoir un mot avec vous ?

— Oui, qu'y a-t-il, Angélique ? dit Gabriel, impatient.

— Quelque chose de très important, monsieur.

— Eh bien, dites. Mais faites vite, j'ai du pain sur la planche.

— Je sais, répondit la fille d'une voix mal assurée. Je suis navrée de vous retarder. Mais voyez-vous... je dois vous révéler... une chose...

Elle se mit à pleurer.

— Eh bien, quoi ? Je n'ai pas toute la journée.

— Je suis dans une situation très fâcheuse... Je suis enceinte...

Comme pour lui rafraîchir la mémoire, elle leva les yeux vers le haut de l'escalier.

– ... et de vous, monsieur le vicomte.

– C'est fort regrettable, je comprends, et j'en suis désolé. Mais vous n'êtes *pas* enceinte de moi.

– Si, monsieur, cela ne fait aucun doute. Vous êtes le seul. Il n'y a eu que vous.

– Je crains bien que cela soit impossible. Je ne peux avoir d'enfants, voyez-vous ? C'est pour cela que ma femme et moi n'en avons pas. Maintenant, j'ai besoin de parler avec Rigobert. Au revoir, mademoiselle, et bonne chance pour la suite.

Pleurant à chaudes larmes, Angélique tendit un bras comme pour le retenir, mais il avait déjà tourné les talons et s'éloignait sans un regard derrière lui.

Quand, plus tard dans la matinée, la famille s'apprêtait à prendre place dans la voiture à chevaux en direction de la gare, Tata sortit en courant de sa cuisine. Les larmes aux yeux, elle tira Renée vers elle et la serra sur sa vaste poitrine.

– Mademoiselle Renée ! s'écria-t-elle. N'oubliez pas les bonnes gens de la maison qui vous aiment depuis toujours. Écrivez-nous de temps en temps. Et revenez nous voir, à l'occasion.

Dans les bras de la vieille cuisinière, Renée commença elle aussi à pleurer. Ce moment-là marquait la fin de son enfance.

Adrien, le mari de Tata, chargea le reste des valises et Mathilde, la gardienne, les rejoignit dans la cour. En pleurant, ils saluèrent la famille qui, pour la toute dernière fois, quittait La Borne – jusqu'au bout fidèles serviteurs, bien qu'on les abandonnât à un sort incertain.

Seule miss Hayes garda son emploi et partit avec ses maîtres à Paris et en Égypte, puisque, après tout, une jeune fille a besoin de sa gouvernante.

2

S i les Fontarce étaient forcés de réduire leur train
de vie, ils étaient cependant loin d'être ruinés. Leur
résidence parisienne – qu'ils appelèrent le 29, puisque située
29 avenue des Champs-Élysées – comportait quatre étages, huit
chambres et trois salles de bains pour la famille, quatre pièces
pour les domestiques, sans oublier les deux garages du rez-de-
chaussée. Le vicomte n'avait rien négligé, allant même jusqu'à
engager le célèbre architecte d'intérieur André Carlhian pour
décorer et meubler les lieux dans le style Louis XVI. Carlhian
avait orné les fenêtres de doubles rideaux de damas jaune citron,
la couleur préférée de la comtesse.

Gabriel avait également embauché un majordome anglais du
nom de Mr Brown, qui manquait singulièrement d'humour, et
supervisait une escouade de valets soudanais. Ceux-ci portant
d'identiques turbans et costumes traditionnels, personne dans la
famille ne sut jamais exactement combien ils étaient. Ils servaient
leurs maîtres avec le même air impassible, la même attention
respectueuse et, comme il se doit, sans jamais les regarder dans
les yeux. Renée les trouvait déprimants, obséquieux, avec leurs
courbettes incessantes, et regrettait plus que jamais les domestiques excentriques, dynamiques, de La Borne-Blanche, qui, dans
l'exercice de leurs fonctions, n'avaient jamais renoncé à leurs
vraies personnalités. Elle n'aimait pas non plus son nouveau
logement, son manque de caractère et cette morne atmosphère
que les rideaux jaunes ne parvenaient pas à égayer.

Gêné de voir sa nièce et la comtesse dans leurs vieux vêtements de province, Gabriel les emmena chez les meilleurs couturiers, dès leur première semaine en ville. Bien qu'Henriette et lui eussent des goûts fort différents, il insista pour choisir lui-même leur nouvelle garde-robe.

– D'accord, je viens de perdre six kilos, dit la comtesse, je n'ai plus besoin de corset et je peux mettre ces robes ridicules de petite fille qui ont votre préférence. Mais enfin, je ne suis plus une gamine, Gabriel !

– J'aime bien les enfants, moi, répondit-il. Et ce côté gamin vous va très bien. Vous avez l'air... comment dire... eh oui, plus jeune !

Il se débrouilla un autre jour pour emmener Renée, sans sa mère, chez Lanvin. S'apercevant, réjoui, que la vendeuse la prenait pour sa fille, il se garda bien de la détromper. En revanche, Renée n'appréciait guère que l'un et l'autre la traitent comme un bébé, sans la consulter sur le choix de ses tenues. Ils sélectionnèrent pour elle plusieurs robes dans différentes teintes pastel, et une autre bleu marine. Elle les essaya devant le miroir, et ils la firent tourner sur elle-même jusqu'à ce qu'elle en eût le vertige. Vint le moment où la vendeuse suggéra un chapeau de paille d'Italie et le suivez-moi-jeune-homme à la mode, ainsi qu'une jupe-culotte ornée de petits nœuds roses, qui, enfin, plaisaient à Renée.

– C'est en vogue, en ce moment ? demanda le vicomte, sceptique.

– Oh oui, monsieur, c'est le dernier cri, garantit la jeune femme. Elle aura tous les garçons à ses pieds.

Il fit la grimace.

– Je ne tiens pas à ce que ma fille soit poursuivie par des hordes de jeunes hommes.

La vendeuse agita un doigt avec un sourire entendu.

– Elle est tellement jolie, monsieur le vicomte... Je crains que vous ne puissiez pas faire autrement.

– C'est là que vous vous trompez, mademoiselle, répondit-il. Et, justement, nous n'achetons pas cette jupe-culotte.

Le lendemain, Gabriel annonça à la table du petit-déjeuner qu'il emmenait Renée passer la journée à Versailles.

– Je crois que je vais me joindre à vous, dit Henriette, soucieuse d'empêcher autant que possible son amant de rester seul avec sa fille. C'est vraiment une belle journée pour une promenade.

– Ah, vous avez dû oublier, ma chère, qu'on vous attend pour les essayages, aujourd'hui.

– Eh bien, je prendrai un autre rendez-vous, tout simplement.

– Je pense que vous ne pourrez pas. Si vous n'y allez pas aujourd'hui, ils ne feront jamais les retouches à temps pour notre départ en Égypte. Non, c'est le moment rêvé pour montrer à ma future fille quelques-uns de nos magnifiques monuments. On ferait d'ailleurs bien de se mettre en route, dit-il en se levant. Allez, viens, mon petit chat, la Renault nous réserve de belles aventures.

Emballée à l'idée de passer une journée entière avec son oncle, Renée se dépêcha d'embrasser son père, en évitant le regard de sa mère, qui avait tout de l'orage sur le point d'éclater.

Sans prêter attention à la conversation, le comte lisait son journal, dès le petit-déjeuner comme les Anglais, une habitude qu'il avait prise récemment. Depuis leur arrivée à Paris, il ne s'intéressait plus beaucoup aux activités de la maisonnée. De fait, après avoir conclu ce pacte diabolique avec son jeune frère, il semblait avoir totalement renoncé à son rôle de chef de famille, et se montrait de plus en plus distant envers son épouse et sa fille. Il dînait au club plusieurs fois par semaine, souvent avec Gabriel, laissant la comtesse manger dans sa chambre, et Renée et miss Hayes à l'étage en dessous. Puis il rentrait au petit matin, empestant le cognac, la fumée de cigare, le parfum bon marché de ses compagnes, et cette capiteuse eau de Cologne russe qu'il affectionnait. Se réveillant dans son lit, Renée sentait ces diverses odeurs monter dans la cage d'escalier, et c'était un soulagement pour elle de savoir que son père bien-aimé était de retour.

– Au revoir, papa, lui dit-elle en l'embrassant. Je pars en balade avec oncle Gabriel.

– Ah oui, très bien, approuva le comte, levant les yeux au-dessus de son journal, l'air comme toujours distrait. Bonne idée.

C'était une journée parfaite pour une promenade. Le ciel automnal, d'un bleu profond, était parcouru de nuages floconneux, du blanc le plus pur. Renée parcourait en voiture les rues de Paris pour la première fois, et elle tomba sous le charme de la Ville lumière. Le long des Champs-Élysées jusqu'à la place de l'Étoile, elle chanta pour son oncle une chanson à la mode, dans laquelle une certaine Caroline venait d'acheter des bottines en cuir.

Ce qui mit Gabriel dans la meilleure humeur.

– Êtes-vous heureuse, ma petite fleur ? lui demanda-t-il, tandis qu'ils contournaient l'Arc de triomphe.

– Oui, très, répondit-elle.

– Vous ne vous ennuyez pas trop au 29 ?

– Hum... pas tant que ça. La Borne-Blanche me manque, quand même. Nos domestiques, et la campagne. Les animaux, surtout.

– Il faut que vous vous fassiez de jeunes amies avec qui jouer ici, dit le vicomte.

– Des *amies* pour jouer ? s'esclaffa Renée. Les jeunes ne m'intéressent pas, et jouer non plus. Je préfère les gens plus âgés, ils sont moins casse-pieds.

Gabriel s'esclaffa aussi.

– Vous me trouvez très âgé ?

– Pas du tout. Vous paraissez beaucoup plus jeune que papa et ses compères.

– Merci, c'est un très joli compliment. Dites-moi, ma petite, et vos parents ? Pensez-vous qu'ils soient heureux ?

– Maman s'ennuie. Mais elle s'ennuie toujours parce qu'elle n'a rien à faire. Si encore elle s'intéressait aux œuvres de charité, ou de bienfaisance, elle aurait de quoi s'occuper. Mais elle n'aime pas les pauvres et les indigents, ils lui portent au moral. Et papa ne pense qu'à ses chevaux et ses amis. Je ne crois pas qu'ils soient très contents, non.

– Moi non plus. Et vous restez toujours si tranquille, à la maison. Pourquoi ne prenez-vous jamais la parole ? Vous ne donnez jamais votre avis sur rien.

– Personne ne me le demande, mon avis. Vous pas plus que les autres. Sinon pour savoir si je vous aime et si je vous trouve beau.

Gabriel rit de bon cœur.

– Vous devez avoir raison, admit-il. Pour dire vrai, j'ai mes propres opinions sur un certain nombre de sujets, et je ne me soucie pas beaucoup de ce qu'on pense ailleurs.

– Si je vous disais ce que je pense vraiment à propos de certaines choses, vous me donneriez une fessée.

– Peut-être bien ! dit-il en riant à nouveau. Avez-vous peur de moi, ma petite ?

– Non, pourquoi devrais-je avoir peur ?

– Parce que je peux vous en donner une, de fessée. Et parce que tout le monde a peur de moi.

– Pas moi, affirma Renée, effrontée.

Posant un bras sur son épaule, il attira sa nièce tout contre lui sur la banquette.

– Oui, c'est une des choses que j'aime chez vous, dit-il avant de lui poser un baiser sur le coin de la bouche, effleurant à peine ses lèvres comme il savait si bien faire.

Un long silence s'installa alors. Sentant son cœur qui battait fort, Renée se demanda si son oncle l'entendait.

– Vous devez commencer à avoir faim, dit-il finalement. Nous arrivons bientôt à Versailles, et je vous emmène aux Réservoirs. C'est un endroit très chic.

Il gara la Renault près du restaurant puis, en descendant, arrangea les cheveux de la jeune fille, remonta ses bas et lissa sa robe.

– C'est mieux, dit-il, posant sur elle un regard appréciateur.

– Vous me traitez comme une enfant, mon oncle.

– Mais vous êtes une enfant, ma petite grenouille.

Le vicomte semblait connaître tout le monde dans le restaurant. Tandis qu'ils suivaient le maître d'hôtel en direction de leur table, il salua divers amis et relations, certains se levant pour lui serrer la main, ou le prendre dans leurs bras. Marchant à son côté, Renée se sentait plus gamine que jamais. Malgré ses habits neufs de citadine, elle avait toujours l'impression d'être une provinciale.

Une jolie brune vint à leur rencontre. Renée, qui avait de la mémoire, l'avait vue quelques fois à La Borne-Blanche pendant la saison de la chasse. C'était la nièce de Lady Winterbottom, une Anglaise qui faisait partie du cercle élargi de la famille.

– Tiens, bonjour Sophie, lui dit Gabriel, qui l'embrassa sur les deux joues.

À l'évidence, il n'était pas à l'aise.

– Vous revoici donc à Paris, poursuivit-il. Comment s'est passé votre court... *séjour* à la campagne ?

– J'aimerais beaucoup en discuter avec vous, mais en tête à tête, dit-elle avant d'étudier Renée d'un œil franchement antipathique. Eh bien, je vois que vous les prenez au berceau, maintenant...

– Vous vous souvenez certainement de ma nièce Renée, dit Gabriel. Qui sera bientôt ma fille adoptive.

– Ah oui, elle a tellement grandi que je ne l'aurais pas reconnue. Cela vous ressemble bien, Gabriel, d'adopter une jolie môme pour votre usage exclusif.

S'approchant du vicomte, Sophie lui chuchota à l'oreille, sur un ton agacé :

– Vous n'avez pas honte ! Monté comme un âne, et il s'attaque aux petites filles, à présent !

S'empourprant vivement, Gabriel fut incapable de répondre. Renée ne l'avait encore jamais vu à ce point décontenancé. Se détachant rapidement de cette femme, il tira sa nièce par la main comme on traîne un enfant récalcitrant.

– Que vous a-t-elle dit, mon oncle ? demanda-t-elle.

– Rien d'intéressant. N'y pensez plus.

– Qu'est-ce que cela voulait dire ?

– Rien. Rien du tout. Et cela n'est pas une chose à répéter, surtout à vos parents.

– Mais qu'est-ce que cela voulait dire ? insista-t-elle.

– Ne me harcelez pas de questions. Faites ce que je vous dis, un point c'est tout.

– Eh bien, si vous ne voulez pas m'expliquer, je demanderai à miss Hayes, s'entêta Renée. Elle a réponse à tout, elle.

Se penchant vers sa nièce, Gabriel lui dit d'une voix basse et mesurée :

– Écoutez-moi attentivement, jeune fille. Je peux vous assurer que miss Hayes n'a pas la réponse à cette question. Et je vous interdis d'en parler avec elle, ou avec qui que ce soit. M'avez-vous bien compris ?

– Oui, mon oncle, se résigna-t-elle, bien que la véhémence de celui-ci ne fît qu'aiguiser sa curiosité. J'ai compris.

Comme surgissant du néant, un serveur apparut, muni de deux verres et d'une bouteille de champagne dans un seau à glace. Il dégagea adroitement le bouchon et les servit.

Appliquant son propre verre sur les lèvres de sa nièce, Gabriel lui parla sur un ton plus doux.

– C'est la première fois que vous goûtez du champagne, ma jolie ?

– Oui, répondit-elle, se retenant presque d'éternuer. Ça pique dans les narines !

– Buvez et faites trois vœux, dit le vicomte en riant.

Elle but une gorgée dans le verre de son oncle.

– Voilà, c'est fait.

– Le jour de votre seizième anniversaire, vous me direz ce que vous avez souhaité, et si cela s'est réalisé.

– Oh, mais j'aurai oublié, d'ici là.

– On n'oublie jamais rien de ce qui se passe à votre âge. Vous verrez quand vous aurez le mien, vous vous rappellerez cette époque dans les moindres détails. Les souvenirs de la jeunesse sont ce qui nous fait vivre quand on devient vieux.

– Je ne serai jamais vieille.

Ce à quoi Gabriel rit encore.

– C'est cette conviction-là qui me manque le plus. Et ce que j'aime le plus chez les jeunes, aussi.

– Vous n'êtes pas si vieux, mon oncle.

– M'aimez-vous, petite beauté ?

– Comme un père, dit Renée.

Le déjeuner terminé, il l'emmena visiter les jardins du château. Pour la première fois de sa vie, la jeune fille était un peu ivre, et ils marchèrent main dans la main sans parler pendant un long moment.

– Votre mère est amoureuse de moi, déclara finalement Gabriel. Je ne comprends pas pourquoi vous ne m'aimez pas plus qu'elle.

De trop nombreux verres de champagne avaient délié la langue de la jeune fille, qui, brusquement, confessa :

– Je vous ai vus.

Le vicomte s'arrêta net.

– Comment cela ?

– Je vous ai vu avec maman. Tous les deux tous seuls.

– Quand ?

– La première fois, j'avais six ans. Et bien des fois après.

– Où ?

– Dans le salon, à La Borne. Je me cachais dans le coffre égyptien, et je vous observais.

Elle crut que son oncle allait sur-le-champ lui donner une fessée, mais à sa grande surprise, il éclata de rire.

– Mon Dieu ! dit-il en s'esclaffant. Vous n'êtes pas la petite fille innocente dont vous donnez l'impression.

– Je ne suis plus une petite fille.

– Ça, vous pouvez le dire ! En tout cas, pas après une telle éducation. Vous devez nous juger sévèrement, votre mère et moi ?

– Non. Miss Hayes dit qu'il ne faut juger personne.

– Parce que vous lui en avez parlé ?

– Bien sûr que non !

– Ou à quelqu'un d'autre ?

– Mais à qui pourrais-je parler d'une telle chose ? À mon père, peut-être ?

De nouveau, Gabriel attira Renée près de lui, et elle sentit une forme dure contre son ventre.

– Je ne veux pas que vous dansiez avec les garçons, lui murmura-t-il à l'oreille. Vous êtes toute à moi, maintenant, comprenez-vous ? Je suis jaloux de ma petite fille.

Il lui caressa les cheveux.

– Vos lèvres ressemblent à des framboises, lui confia-t-il doucement, avant de se pencher pour les embrasser.

Elle sentit encore son membre dressé contre son estomac.

Ils rentrèrent au 29 pratiquement sans dire un mot. En repassant place de l'Étoile, Gabriel demanda :

– Quand nous serons arrivés, ne parlez pas du champagne, ni du restaurant, ni de Sophie que nous avons rencontrée. Ne dites pas que nous nous sommes embrassés, ne répétez pas ce que vous m'avez dit. Ne dites rien, en fait, de Versailles. Gardez simplement cette journée en mémoire, dans notre mémoire à tous deux. Vous m'avez bien compris ?

Acquiesçant d'un air grave, Renée se sentait d'autant plus proche de son oncle qu'elle partageait ses secrets.

3

La semaine suivant la promenade à Versailles, et quelques jours avant le départ en Égypte, le comte emmena fille et femme à l'Opéra, où l'on jouait *La Sylphide*. Renée n'avait encore jamais assisté à un ballet, et tout l'émerveilla : la grâce et l'élégance des danseurs, les filles dans leurs tutus qui, bondissant, tourbillonnant, semblaient flotter comme des anges au-dessus de la scène, leurs chaussons qui touchaient à peine le sol. À la fin du spectacle, elle souhaitait devenir l'une d'elles, et demanda à son père alors qu'ils traversaient le vestibule :

– Papa, j'aimerais apprendre la danse. Vous me trouverez un professeur en Égypte ?

Il s'esclaffa.

– Je suis navré, ma petite, mais ce n'est pas un métier pour les gens de notre rang.

L'hiver était brusquement arrivé, il faisait froid et humide. Les premiers flocons de la saison scintillaient comme des tessons de verre à la lueur jaune des réverbères. Emmitouflés dans leurs manteaux, leurs écharpes et leurs toques de fourrure, Renée et ses parents essayaient de conserver un peu de la chaleur emmagasinée dans le bâtiment. Marchant dans la neige entre son père et sa mère, la jeune fille eut l'illusion qu'ils formaient après tout une vraie famille – et une famille heureuse.

Ils rejoignaient la voiture à chevaux qui les attendait sur le boulevard, lorsqu'une femme, vêtue d'un pardessus de laine effiloché, s'approcha d'eux d'un pas mal assuré. Elle leur tendit une corbeille abîmée.

– Messieurs dames, dit-elle, auriez-vous une petite pièce pour une pauvre malade par une nuit aussi froide ?

– Elle est ivre, murmura Henriette. Ne lui donnez rien, Maurice.

L'omniprésence des indigents et des nécessiteux était l'aspect de la vie parisienne qu'elle trouvait le plus déplaisant. Elle refusait même certains jours de quitter l'appartement, pour ne pas être confrontée au spectacle de ces infortunés.

Le comte prit femme et fille sous ses bras protecteurs, et tous trois pressèrent l'allure pour éviter cette femme.

– Monsieur le comte ? s'exclama celle-ci, stupéfaite. Est-ce bien vous ?

Il s'arrêta et se retourna. Après une maladroite révérence, la mendiante se prosterna devant lui et, saisissant sa main gantée, tenta de l'embrasser. Elle ne portait pas de gants, ses doigts étaient noueux, sa peau rouge et craquelée aux articulations. D'un geste vif, Fontarce retira sa main.

– Je vous prie de m'excuser, monsieur. Vous ne me reconnaissez pas, évidemment.

Levant la tête, elle lui sourit, comme transportée, découvrant deux rangées incomplètes de dents gâtées.

– C'est moi, monsieur le comte, Héloïse... Héloïse Lafarge ! Nous avions fait connaissance, il y a quelques années. J'ai autrefois dansé ici. Jusqu'à cette blessure à la colonne vertébrale. Vous ne vous souvenez pas de moi ?

Fontarce, ébranlé, la regardait.

– Je suis sincèrement désolé, madame, mais j'ai peur que vous vous trompiez. Je ne vous connais pas. Et de grâce, relevez-vous !

Se baissant, il tendit un bras à la mendiante.

– Enfin, Maurice, ne la touchez pas ! s'écria la comtesse. Ne voyez-vous pas qu'elle est saoule ? Et d'une saleté répugnante, en plus. Elle est sûrement malade et contagieuse !

– Vous avez tout à fait raison, madame, convint la pauvre femme d'un air contrit.

Se redressant péniblement, elle fit aussi la révérence à Henriette.

– Je suis une épave, n'est-ce pas ? dit-elle en repoussant les mèches grasses échappées de son bonnet. Veuillez excuser mon apparence. Je n'ai pas dû faire ma toilette, ce soir. Et, c'est vrai, je n'en suis plus à mon premier verre. Il faut bien se réchauffer et oublier ses douleurs... Ah, cela doit être votre fille. Comme elle est charmante ! Comment t'appelles-tu, ma petite ?

– Ne lui parlez pas, Renée ! ordonna Henriette. Maurice, allons, dépêchons ! Il gèle.

– Quel âge as-tu, mon enfant ? insista l'intruse.

– Désolé, madame, coupa le comte, d'une voix plus douce qu'auparavant, sans aucune animosité. Nous devons partir, notre voiture nous attend.

Il porta la main à son chapeau.

– Bien sûr, bien sûr, répondit la pauvresse sur un ton dans lequel ne pointait ni ironie ni amertume. Madame la comtesse serait mieux devant un bon feu, ou dans un bain chaud.

Se tournant à nouveau vers Renée, elle lui empoigna le bras avec une force étonnante.

– C'est un joli nom, ça, Renée, dit-elle. Je parie que tu as quatorze ans, que tu es venue au monde à l'été 99. Oui, un bébé de juillet. Un enfant de deux siècles, tiens.

Elle sourit encore, d'un sourire bienveillant que, curieusement, ses dents noires rendaient plus émouvant, au point que Renée en eut le frisson. Quand la mendiante approcha son visage du sien, elle sentit son haleine fétide.

– Quel joli brin de fille ! Et tu seras une belle femme quand tu seras grande. Une comtesse, en plus, et toute la vie devant soi !

– Lâchez-moi ! dit Renée, en dégageant brutalement son bras.

– Veuillez nous excuser, madame, insista le comte, qui retira prestement ses gants et les offrit à la malheureuse. Tenez, prenez-les, je vous prie.

Fouillant dans sa poche, il en ressortit une petite liasse de billets froissés.

– Et cela aussi. Prenez, prenez. Je suis navré de vous voir en peine, vraiment. Allons ! dit-il à sa fille et son épouse, les entraînant d'un pas vif vers la voiture.

– Vous êtes fort aimable, monsieur ! cria l'indigente à leur suite. Merci ! Ma fille, tu es bien avisée de ne pas t'encombrer de gens de ma sorte. Une personne si charmante que toi ! Tu as raison ! Ta mère la comtesse t'aura élevée bien comme il faut. Pour ça, oui ! Bravo, madame !

Puis comme Renée s'éloignait :

– Eh, la môme ! Si je peux me permettre de te donner un conseil : évite la bouteille, tu vois où ça m'a conduite !

Piaffant sur les pavés mouillés, les chevaux énervés relâchaient par les naseaux de longs traits de vapeur. De frêles flocons fondaient au contact de leur dos brûlant. Avant de prendre place, le comte aida son épouse et sa fille à monter dans la voiture. Alors il frappa au plafond avec sa canne.

– En route, monsieur ! lança-t-il au cocher.

– Qui était cette femme, papa ? demanda Renée, tandis que le conducteur faisait claquer les rênes.

L'attelage se mit en branle.

Bien sûr, Renée n'avait pas oublié le nom d'Héloïse Lafarge, qu'elle avait surpris sur les lèvres des domestiques lorsqu'elle était petite.

– Personne, répondit son père. Absolument personne.

– C'est vrai que vous la connaissiez, autrefois ? Comment sait-elle mon âge ?

– Aucune idée, dit Fontarce. Peut-être a-t-elle jadis dansé à l'Opéra, et il est possible que je l'aie croisée, il y a bien des années, dans les coulisses après une représentation. Cela pouvait être à l'époque de ta naissance. J'étais si fier d'avoir une fille que je m'en glorifiais devant tout le monde. Mais je n'ai aucun souvenir de cette pauvre femme.

– Pourquoi lui avez-vous donné vos gants ? Et de l'argent ?

– Parce qu'elle m'a fait pitié. Et, des gants, j'en ai plusieurs paires.

Renée jeta un coup d'œil par la vitre vers la silhouette voûtée sous la neige légère. La mendiante avait enfilé les gants et regardait la voiture s'éloigner. Renée ne parvenait pas à concilier le souvenir des jeunes danseuses, si gracieuses, qu'elle avait applaudies ce soir, et l'image de cette pocharde, ses chicots et ses nippes souillées. Non, se dit-elle, cela devait être un mensonge, cette femme n'avait jamais été ballerine, elle n'était pas un ange tombé du ciel. Des êtres aussi merveilleux ne devenaient pas vieux, infirmes, ne mendiaient pas dans les rues ; c'était simplement inconcevable. Elle avait donc menti, inventé ce passé improbable dans le seul but de donner à sa vie un lustre qu'elle n'avait pas.

– Papa ? dit Renée à voix basse. Quand oncle Gabriel m'aura adoptée, je ne pourrai plus prétendre au titre de comtesse ? Je serai seulement vicomtesse ?

– Qu'est-ce qui vous fait penser à cela ?

– Je préfère être une comtesse, moi. C'est plus élevé qu'une vicomtesse.

– De toute façon, vous n'êtes ni l'une ni l'autre, ma chérie. Vous êtes la fille d'un comte, appelée à être celle d'un vicomte. Vous ne pourrez hériter du titre qu'après le décès de votre mère, et à la condition que vous ne soyez pas mariée. Ce qui ne risque pas d'arriver à une belle fille comme vous. Cela étant, oui, après l'adoption, vous serez qualifiée pour recevoir le titre de vicomtesse, quoiqu'il faudrait attendre qu'Adélaïde divorce de Gabriel, ou encore qu'elle décède, que votre oncle ne se remarie pas, et que vous restiez célibataire. Alors seulement son titre vous reviendrait...

Renée regardait toujours la silhouette, maintenant lointaine, de la mendiante. Avant de se fondre dans la nuit, celle-ci leva sa main gantée en signe d'au revoir. Renée observa la comtesse, assise en face d'elle, enveloppée de son plaid, dans leur voiture confortable avec sa lanterne allumée. Elle eut alors la certitude que les domestiques, jaloux des prérogatives de leurs maîtres, avaient forgé de toutes pièces l'histoire de sa naissance illégitime. Ce n'était qu'une de ces odieuses calomnies, un de ces racontars que les paysans se plaisent à répéter pour rabaisser la noblesse, et ajouter un peu de cachet à leur misérable existence. Tandis qu'elle dévisageait Henriette, Renée ressentit, sans doute pour la première fois de sa vie, un pincement qui ressemblait à de la tendresse – pour cette femme, *la comtesse,* sa véritable mère.

MARIE-BLANCHE

Paris
Décembre 1928

1

Au terme d'une procédure qui dura presque un an, ma mère a obtenu ma garde. Elle nous avait abandonnés, ce qui plaidait plutôt en faveur de papa, mais le témoignage du père Jean avait finalement convaincu le juge. Non content de rapporter les excentricités de mon père – sa nudité, son ivrognerie –, le prêtre avait mentionné la rossée qu'il lui avait infligée. La plus laïque des chambres de justice acceptera toujours difficilement qu'on frappe un membre du clergé, à coups de cravache, qui plus est. Les avocats de maman avaient aussi fait valoir que, depuis le renvoi du père Jean, les deux enfants n'avaient reçu aucune forme d'instruction, alors que j'étais évidemment en âge d'être scolarisée. Enfin, le fait qu'il se présente devant le tribunal, certes en costume-cravate, mais avec ses légendaires sandales, n'avait pas joué pour lui.

On lui laissait cependant la garde de Toto, parce qu'il était plus jeune et que c'était son fils, bien que la chose ne manquât pas d'une certaine ironie : des rumeurs circulaient depuis des années, comme quoi il était en réalité le fils d'un prince égyptien du nom de Badr El-Banderah, un vieil amant que maman avait continué de fréquenter une fois mariée, jusqu'à ce qu'elle s'enfuie avec Pierre de Fleurieu. C'est vrai, Toto n'avait que peu de traits communs avec la branche paternelle de la famille ; il était le seul à avoir le nez de sa mère, sous des cheveux très frisés et un teint mat qui pouvaient suggérer des origines arabes.

Le tribunal souhaitant ne pas séparer entièrement le frère et la sœur, un accord avait été conclu entre les avocats, selon lequel je séjournerais à Vanvey pendant une partie de mes vacances, et Toto viendrait à certaines périodes dans le Périgord chez oncle Pierre.

J'étais triste de quitter mon père, mon frère et tante Nanisse, mais en mon for intérieur, ravie de vivre à Paris plusieurs mois dans l'année, et au château Marzac le reste du temps. J'y étais déjà allée et je trouvais l'endroit merveilleux, lumineux et magique. Plus vieux que Le Prieuré, Marzac était baigné d'une atmosphère très différente, et peuplé de fantômes moins lugubres que ceux de l'ancien monastère. Ces choses sont difficiles à expliquer aux adultes, mais les enfants les ressentent au fond d'eux-mêmes, et c'est seulement à la fin de notre existence que nous retrouvons les chers esprits de notre enfance.

Je savais que cette séparation ne serait pas définitive, que je pourrais toujours revenir à Vanvey, et l'arrangement me convenait très bien. Je gagnais en fait sur les deux tableaux. J'étais même heureuse d'aller bientôt à l'école, où je rencontrerais certainement d'autres filles de mon âge. Excepté ma cousine Marie-Antoinette, je n'avais pas d'amis.

Nous remplissions les malles, la date du départ approchait, et ce qui m'inquiétait le plus était en fait de cohabiter avec maman. Au fil des ans, nous avions passé peu de temps ensemble, et je ne savais d'elle que ce que papa en disait – lorsqu'il était ivre, qu'il pestait en lisant les lettres de son avocat... Elle nous avait abandonnés, c'était une mauvaise mère, une femme infidèle, une «salope», une «pute». La pauvre tante Nanisse, toujours si douce, s'efforçait de minimiser ces propos virulents, et jamais elle ne prononça un mot de travers à son sujet.

J'adorais oncle Pierre, qui était charmant, drôle et élégant, plein de joie de vivre avec une sorte d'esprit enfantin.

– Mais monsieur, où est votre autre bras ? lui ai-je demandé la première fois que je l'ai vu.

J'avais cet âge où l'on ose encore poser ce genre de question.

– D'abord, Marie-Blanche, a-t-il dit en riant, appelez-moi oncle Pierre, pas monsieur. Je suis votre beau-père maintenant, entendu ?

– Oui, monsieur, ai-je répondu avant de me corriger. Oui, oncle Pierre. Mais où est votre autre bras ?

– Je l'ai perdu à la guerre.

– Perdu ? Mais où ?

– Dans les cieux, au-dessus de l'Oise, ma jolie.

– Comment avez-vous fait pour le perdre dans le ciel ?

Trop jeune pour comprendre ce qu'était la guerre, ou une amputation, j'imaginais son bras en train de flotter quelque part sur un nuage.

– Vous ne l'avez jamais retrouvé ? Il ne vous manque pas ?

– Ah, vous en posez, des questions, ma petite ! a-t-il dit en s'esclaffant. Oui, il me manque parfois. Surtout quand je lace mes chaussures. Avez-vous déjà essayé de lacer vos chaussures d'une seule main ?

J'ai réfléchi un instant : cela me paraissait insoluble.

– Je ne sais pas encore faire ça, oncle Pierre. C'est Louise, ma nounou, qui s'en occupe pour moi.

Il a ri de nouveau.

– Eh bien, c'est une chose que je pourrai vous apprendre. Comment nouer ses lacets d'une main. C'est très utile, vous savez ! Et quand vous serez un peu plus grande, je vous raconterai l'histoire du bras que j'ai perdu dans le ciel.

Le jour de mon départ, Michel nous a conduits en voiture, papa, Louise, Toto et moi, à la gare de Châtillon-sur-Seine. Comme je n'étais pas en âge de voyager seule, Louise m'accompagnait jusqu'à Paris, où elle me confierait à maman avant de prendre le train du retour. Nous étions à quelques jours de Noël, les arbres étaient nus, le ciel bas et gris, et il avait neigé – une de ces mornes journées d'hiver en Bourgogne.

– Vous nous écrirez chaque semaine, hein, ma fille ? a demandé papa.

– Oui papa, toutes les semaines, lui ai-je promis.

– Vous ne laisserez pas votre mère vous monter contre moi, n'est-ce pas ?

– Non... ai-je répondu, hésitante, car je n'étais pas sûre de ce qu'il voulait dire.

À la gare, Michel est resté dans la voiture, tandis que papa, prenant Toto par la main, nous a menées, Louise et moi, jusqu'au quai, suivis par un porteur qui poussait mes bagages sur son chariot.

– Vous savez que vous avez le droit de nous rendre visite le week-end, de temps en temps, Marie-Blanche ? Et de passer les grandes vacances chez nous.

– Oui, je sais, papa. Et à Noël aussi ?

– Bien sûr, mais pas celui-ci. Cette année, vous fêtez Noël avec votre mère. Ce sera notre premier Noël sans vous au Prieuré. Mais tante Nanisse a emballé vos cadeaux, que vous emportez avec vous, m'a-t-il fait remarquer, avant de se pencher et de m'embrasser sur les deux joues. Bon, il est temps de monter, maintenant. Au revoir, ma chérie.

– Au revoir, papa.

J'ai embrassé Toto, trop jeune pour ressentir de la tristesse en se séparant de moi, mais il avait une expression soucieuse. Je crois surtout que l'absence de Louise, qui le quittait pour la journée, l'inquiétait.

– Au revoir, petit frère. Prenez soin de papa et de tante Nanisse, pendant que je ne suis pas là.

Louise et moi avons pris place dans le train, et je me suis assise près de la fenêtre, d'où j'ai pu faire signe de la main à papa et Toto, pendant que la locomotive démarrait. J'ai continué jusqu'à ce que je ne les voie plus. Puis je me suis adossée à la banquette, tout à la fois craintive et excitée, pensant à l'aventure qui commençait. J'ai regardé le pays de ma prime jeunesse défiler devant mes yeux – les champs recouverts de neige, les hautes prairies, les vallons, les collines, les quelques bêtes encore dehors à cette heure-là. Et au milieu la Seine, qui avait sa source tout près d'ici. Elle prenait forme et volume en chemin, et nous allions au même endroit.

2

Il neigeait encore légèrement aux alentours de la capitale. Nous étions le 19 décembre 1928, j'avais fêté mon huitième anniversaire douze jours plus tôt. Cela devait être mon premier Noël à Paris, mais il faut imaginer une petite fille de province arriver dans une ville magique, aux immeubles gris et aux toits blancs, comme dans un conte de fées. Je crois n'avoir jamais été aussi excitée de ma vie que ce soir-là. Je ressentais, bien sûr, une certaine appréhension à l'idée de revoir ma mère, mais les enfants ont l'intime conviction que leurs parents feront pour le mieux, que tout se passera bien, que chacun sera heureux. Je savais qu'elle s'était battue bec et ongles pour obtenir ma garde, ce qui suggérait au moins qu'elle m'aimait et me désirait auprès d'elle.

Tandis que le train approchait de la gare de Lyon, j'ai éprouvé une vive anxiété en me rendant compte qu'il fallait quitter Louise, à qui j'étais très attachée. Excepté lors de courtes vacances chez l'oncle Pierre, nous avions toujours vécu ensemble. J'ai enfoui mon visage dans sa grosse poitrine – qui m'avait nourrie, consolée – et je me suis mise à pleurer. Louise était une paysanne bourguignonne, forte mais jolie. En repensant à elle au fil des ans, je me suis souvent demandé ce qu'elle était devenue une fois libérée de ses engagements chez papa. Quel étrange métier que celui de nourrice, puis de gouvernante. Lorsqu'on allaite les bébés des autres, puis qu'on les élève, on noue avec eux des liens si intimes qu'on doit finir par les considérer comme ses propres enfants. Louise fit le même geste que lorsque j'étais toute petite : une main délicatement posée sur mon crâne, elle me pressait contre son sein.

– Que vais-je faire sans toi, Lulu ? lui ai-je demandé à travers mes larmes. Qui me bordera le soir ?

– Ta maman te bordera, bébé.

Elle m'avait toujours appelée bébé quand j'étais petite, un surnom que je retrouverais des années plus tard en m'installant à Chicago.

– Ils auront sûrement engagé une gentille nounou pour s'occuper de toi, m'a-t-elle dit.

– Mais pourquoi pas toi, Lulu ? Pourquoi tu ne restes pas avec moi ?

– Parce que je travaille pour ton papa, ma chérie. Et ton petit frère Toto a besoin de moi.

– Moi aussi, j'ai besoin de toi.

J'ai recommencé à pleurer à l'idée de notre séparation imminente.

À la blancheur immaculée de la ville a brusquement succédé l'éclairage électrique, blafard, de la gare couverte. Le train s'est arrêté en relâchant un jet de vapeur et les roues hurlaient. Oubliant rapidement mon chagrin, grâce à cette résilience propre aux enfants, je scrutais déjà la foule à la recherche de ma mère. J'observais le visage de tous ces gens qui, emmitou-flés dans leurs pardessus, leurs écharpes, leurs chapeaux, étaient venus à la rencontre de leurs proches. De la buée s'échappait de leur bouche, l'air était glacial, mais imprégné de l'atmosphère joyeuse des fêtes de fin d'année. En m'apprêtant à reconnaître maman, je ressentais cette vive excitation qui part de l'estomac, remonte dans la poitrine, le long des bras, des jambes, et confine à l'engourdissement.

C'est alors que je l'ai aperçu. Il m'attendait sur le quai, sans la moindre expression de joie ; il examinait les fenêtres du train, il m'a vue derrière la mienne et il ne m'a plus quittée des yeux. J'avais le cœur serré, l'estomac noué, et tout le plaisir que j'éprouvais a disparu. Ce n'est pas ma mère qui était là, mais le père Jean.

– Regarde, Lulu, ai-je murmuré, anéantie. Maman n'est pas venue. Oh non, elle n'est pas venue me chercher...

– Ne t'inquiète pas, bébé. C'est sans doute qu'elle avait un rendez-vous important. Le père t'emmènera chez elle. Allez, ne te fais pas de souci, tout ira bien.

– Je t'en prie, Lulu, reste avec moi. Accompagne-moi à la maison. Tu rentreras demain.

– Je ne peux pas, ma petite. Désolée. Michel m'attend à la gare, au train du retour.

– Alors garde-moi avec toi, l'ai-je implorée. Ramène-moi au Prieuré, s'il te plaît. Je ne veux plus habiter chez maman et oncle Pierre. Je veux rentrer chez papa, Toto et tante Nanisse. Rentre avec moi, je t'en prie.

– Allons, ma fille, il faut descendre, maintenant. Je ne peux pas te garder. La décision a été prise, tu vas vivre chez ta maman, et le père Jean va t'y amener.

Le prêtre s'est approché tandis que nous descendions.

– Bonjour, mademoiselle, a-t-il dit à Louise, d'un ton sec avec une courte révérence.

– Bonjour, père Jean, a-t-elle répondu en l'imitant.

Il m'étudiait d'un air maussade, avec ses petits yeux délavés, aussi éteints que d'habitude. Son visage boutonneux était rougi par le froid.

– Où est maman ? me suis-je écriée.

– C'est comme ça que tu dis bonjour ? m'a reproché Louise. Veuillez l'excuser, mon père. Elle s'attendait à voir sa mère, elle est un peu déçue.

– Madame et le comte de Fleurieu sont partis tôt ce matin dans le Périgord, a-t-il expliqué. Madame a préféré l'accompagner plutôt que venir prendre l'enfant à la gare. Il y avait apparemment un problème à traiter d'urgence au château Marzac.

J'avais eu le temps d'oublier qu'il m'appelait toujours «l'enfant». Ignorant mon prénom, il parlait de moi comme si je n'étais pas là.

– Elle dormira chez eux, a-t-il continué, et je l'emmènerai demain à Marzac par le train.

– Tu vois, ma chérie, voilà pourquoi ta maman n'est pas là, a dit Louise, tentant de me consoler. Mais tu vas passer Noël dans le Périgord, c'est merveilleux ! Tu en as de la chance !

– Fort bien, mademoiselle, l'a coupée le prêtre, impatient. Je m'occupe d'elle désormais.

Il a fait signe à un porteur qui, accoudé nonchalamment à son chariot, fumait une cigarette de papier maïs.

– Par ici ! a crié le prêtre en faisant claquer ses doigts.

Désinvolte, l'homme s'est approché sans hâte. Comme au Prieuré déjà, j'ai pensé que le père Jean n'inspirerait que peu de respect sans ses soutanes noires et son col romain. Bien au contraire : avec ce torse creux, ces cheveux roux clairsemés, cette acné persistante et ces ongles rongés... J'étais la seule à avoir peur de lui, et c'était normal : il n'avait d'autorité sur nous que parce que nous étions des enfants. Je me suis rappelé, non sans un brin de satisfaction, la correction que lui avait infligée mon père, ses gémissements de petite fille, la pitié qu'il avait implorée, et l'espace d'un instant, le souvenir de sa faiblesse m'a rendue plus forte.

– Je dois y aller, m'a dit Louise en se penchant vers moi. Il faut que j'aille au guichet demander sur quelle voie le train de Châtillon part tout à l'heure. Au revoir, mon bébé, on se reverra très bientôt.

– Au revoir, Lulu, ai-je répondu d'une voix minuscule, presque incapable de la regarder.

J'essayais surtout de ne pas fondre en larmes devant le prêtre.

Elle m'a embrassée, serrée fort contre elle, puis m'a quittée d'un pas décidé de bonne paysanne, se retournant cependant pour me saluer de la main.

Alors seulement le prêtre a baissé les yeux sur moi.

– Avez-vous été sage depuis la dernière fois ? a-t-il demandé en souriant.

– Oui, mon père, ai-je dit docilement.

– J'en doute, a-t-il fait, content de lui. Avez-vous fait vos devoirs ?

– Oui, mon père, ai-je menti.

– Eh bien, c'est ce qu'on verra. Je vérifierai s'il reste quelque chose de ce que j'ai tenté de vous inculquer, et que vous étiez trop bête pour comprendre.

– Bien, mon père.

Je haïssais cet homme au point de le souhaiter mort, et j'ai prié Dieu pour qu'il le tue.

Son mégot jaunâtre calé entre ses lèvres noires, le portier a empilé mes bagages sur son chariot, et nous l'avons suivi jusqu'à la sortie. C'était une de ces soirées froides et humides dont Paris a le secret, et la neige persistante s'accumulait sur les pavés. Une queue s'était formée à la station de taxis, que le prêtre a ignorée, se plaçant directement en tête, la main levée. Personne n'a moufté – qui oserait se plaindre qu'un curé en soutane n'attende pas son tour comme les autres, à quelques jours de Noël, qui plus est ? Je suis restée en retrait avec le porteur, qui a rallumé sa cigarette en frottant une allumette sur son ongle, ce qui m'avait l'air d'un joli tour de magicien.

Voyant le prêtre les héler, deux taxis ont déboîté en même temps de la file garée le long du trottoir. Ils se faisaient concurrence, pensant peut-être que le bon Dieu leur revaudrait ça, puisque c'était bientôt Noël. Comme ils arrivaient, le père Jean s'est adressé au porteur, à quelques mètres derrière nous :

– Eh bien, dépêchez ! Vous ne voyez pas qu'on a un véhicule ? Il faut charger les bagages, maintenant !

Au dernier instant, l'une des deux voitures a doublé l'autre, et j'ai vu le conducteur rire derrière son pare-brise, tandis que le second levait paisiblement la main, en acceptant pour ainsi dire d'avoir perdu la course. Le premier a freiné en se rapprochant de nous, cependant ses roues ont glissé sur une plaque invisible de verglas, et l'homme a changé d'expression en comprenant que son véhicule filait en ligne droite vers le trottoir, que ses coups de volant ou de frein n'y pouvaient rien changer. Au contraire, il prenait de la vitesse. Quand le père Jean s'est retourné, la Citroën noire fondait sur lui. Je doute qu'il ait eu le temps de formuler la moindre prière. Épouvanté, le chauffeur regardait le prêtre dans les yeux au moment du choc. La voiture l'a heurté, le phare gauche s'est fendu, le curé fut projeté en l'air.

Sa soutane tourbillonnait, ses bras moulinaient par réflexe avant qu'il atterrisse sur le dos et se brise le crâne, tandis que le taxi, inexorablement, continuait de foncer. Il n'a pu s'arrêter sans lui passer dessus. Alors seulement, il s'est immobilisé, le père Jean entre les deux essieux.

La petite foule poussait des cris, comme moi-même, horrifiée par la violence subite de l'accident. Le père Jean, vivant, hélait un taxi et engueulait le porteur, et l'instant d'après, ce n'était plus qu'un sac d'os fracturés, aplati par terre sous le châssis de la Citroën, tandis qu'une mare de sang se formait sur les pavés enneigés. Je venais juste de prier pour qu'il meure.

3

La police est vite arrivée sur les lieux, suivie par une ambulance et un camion de pompiers. Avec force gesticulations, ces messieurs ont débattu de la meilleure façon de dégager le père Jean, coincé sous la Citroën. Finalement, après s'être assurés qu'il était bien mort, ils ont attaché un câble à l'essieu arrière de la voiture et l'ont tirée avec le treuil des pompiers, de sorte que les roues avant sont repassées sur son corps comme si, pour faire bonne mesure, il fallait l'écraser deux fois. Ce voyant, le pauvre chauffeur, bouleversé et en pleurs, levait des bras désespérés. Cela n'augurait rien de bon, pensait-il certainement, de tuer un curé quelques jours avant Noël.

Avec toute cette agitation, on m'avait oubliée. Évidemment, personne ne savait qui était ce prêtre, ni avec qui je voyageais, et le porteur ne s'est pas manifesté auprès des hommes en uniforme. Il avait discrètement reculé sur le trottoir avec son chariot, et nous avions observé la scène à quelque distance. Il s'est finalement agenouillé devant moi, son mégot toujours au coin d'une bouche presque aussi jaune que sa cigarette maïs. Son haleine empestait le tabac.

– Je ne veux pas être mêlé à tout ça, mam'zelle, m'a-t-il expliqué. Mais tu pourrais peut-être aller te présenter aux gendarmes. Dis-leur que le prêtre devait t'accompagner chez toi, et donne-leur ton adresse. Je suis sûr qu'ils t'aideront.

– Je ne veux pas, monsieur, lui ai-je répondu. Ils me font peur, les gendarmes.

Jetant un coup d'œil aux agents, il a hoché la tête et affiché un sourire ironique.

– Ouais, moi aussi, mam'zelle. Sinon, je t'emmènerais les voir moi-même. Où veux-tu aller ? Je peux te mettre dans un autre taxi ? Où habites-tu ?

J'avais rendu visite à maman bien des fois, mais je ne me rappelais plus son adresse à Paris, et j'ignorais comment se rendre chez elle.

– Je ne sais pas, monsieur. Je n'ai que huit ans.

Je me suis souvenue qu'avant de quitter Le Prieuré, papa avait noté l'adresse et le numéro de téléphone sur un bout de papier qu'il avait mis dans mon manteau, au cas où Louise et moi serions séparées en chemin. J'ai cherché dans une poche, puis dans l'autre, mais plus rien. Le papier avait dû tomber dans le train.

– Ma mère et mon oncle ne sont pas à la maison, monsieur. C'est pour ça que le prêtre est venu me chercher.

– Il doit bien y avoir quelqu'un chez toi. Ta maman a sans doute des domestiques ?

– Oui, mais je préfère retourner chez mon père. Ma nounou prend le train du retour pour Châtillon-sur-Seine. Vous croyez qu'on peut la retrouver ?

Il a consulté sa montre de gousset.

– Bien sûr. Je sais depuis quelle voie il part.

Son mégot, long de trois centimètres à peine, étant de nouveau éteint, il l'a rallumé en penchant la tête pour ne pas se brûler le nez.

– Viens avec moi, mam'zelle, a-t-il dit en recrachant la fumée, on va la chercher, ta nounou.

Louise avait pris place dans son train quand nous l'avons rejointe. Elle était si étonnée de me revoir qu'elle s'est levée d'un bond.

– Que fais-tu là, bébé ? Où est le père Jean ? Tu ne t'es pas échappée, dis-moi ?

– Non, Lulu, non. Il a eu un accident.

– Qu'est-ce que tu racontes ? Comment ça, un accident ?

Elle s'est tournée vers le porteur.

– S'il vous plaît, monsieur, qu'est-il arrivé au prêtre ?

– Comme elle vous dit, madame, un accident. Il s'est fait renverser par un taxi juste devant la gare. Mort sur le coup, frappé par la main de Dieu.

– Seigneur, Jésus, Marie ! s'est écriée Louise en faisant le signe de croix.

– Je veux rentrer avec toi, Lulu ! Je t'en prie, ramène-moi chez papa !

– On ne peut pas quitter Paris comme ça, bébé. Ta mère va se faire un sang d'encre si elle apprend que tu n'es pas chez elle avec le père Jean. Donne-moi le papier que ton père t'a donné avant de partir.

– Je ne l'ai plus. Je l'ai perdu.

Anxieuse, Louise a fouillé dans mes poches, sans plus de chance que moi.

– Mais comment as-tu fait ton compte ? C'est à moi qu'il aurait dû le confier.

– Madame, il faut se décider, a dit le porteur. Je ne vais pas suivre la petite avec ses bagages tout l'après-midi. J'ai besoin de gager ma vie, moi, vous comprenez ?

– Oui, bien sûr, monsieur. Je vais vous dédommager.

Le chef de gare a appelé une dernière fois les passagers à embarquer.

Pleine d'espoir, je regardais Louise.

– Soit vous partez, soit vous descendez tout de suite, madame, a dit le porteur.

Elle a récupéré sa sacoche sur le porte-bagages au-dessus de la banquette.

– On m'a chargée de te conduire à ta mère, et c'est précisément ce que je vais faire. Je vais t'emmener moi-même dans le Périgord. Nous allons demander au guichet à quelle heure part le prochain train. Ensuite, j'envoie un télégramme pour dire que notre programme a changé. Ton père devrait être capable de contacter le comte et ta mère et leur expliquer la situation.

Bien que la disparition du père Jean fût aussi soudaine qu'horrible, j'en avais tiré un certain soulagement, une sorte d'allégresse secrète, et je commençais à me sentir vaguement coupable. J'étais sûre que mes prières avaient précipité sa mort, et c'était peut-être la première et la dernière fois que le Seigneur les exauçait. J'avais envoyé le prêtre au ciel, et je partais avec Lulu dans le Périgord.

4

Nous n'avons atteint Les Eyzies que le lendemain en fin d'après-midi, après un long voyage au fond de l'hiver et plusieurs correspondances. Il avait neigé sur toute la France, partout les trains avaient du retard, nous avions passé la plus grande partie de la nuit assises sur un banc de bois, dans une gare de province mal chauffée. Cela m'était égal, tout était pour moi une aventure. Nous sommes montées dans un dernier train, et nous avons vu le soleil se lever sur un magnifique paysage, recouvert de neige.

Avant notre départ, Louise avait télégraphié à papa, qui avait ensuite contacté le château Marzac, expliquant que le père Jean était décédé à Paris et que nous arrivions. Cette fois, maman et oncle Pierre étaient là pour nous attendre. Joseph, le chauffeur, les avait conduits dans la Renault.

Maman, qui semblait sincèrement heureuse de me voir, m'a embrassée avec une tendresse inhabituelle.

– J'étais folle d'inquiétude, ma chérie. Dieu merci, vous vous teniez à distance du père Jean lorsqu'il s'est fait renverser.

– Le bon Dieu l'a emmené au ciel, maman. J'étais restée sur le trottoir.

– Vous avez bien fait, c'était votre place. Le Seigneur avait peut-être ses raisons de rappeler le prêtre, mais pas vous, vous êtes trop jeune !

Le soir tombait, et Joseph avançait prudemment sur une route de plus en plus enneigée, qui crissait sous les roues. Deux fois il dut descendre avec oncle Pierre pour pousser l'auto au milieu des congères, dans les virages, pendant que maman prenait le volant.

– Bien joué, madame la comtesse, la complimentait Joseph, alors que les deux hommes, essoufflés, remontaient dans la voiture.

Elle rendait sa place au chauffeur qui, plus très jeune, était encore mince et vigoureux, doté de gros bras noueux comme des branches d'arbre.

– On a de la chance qu'il ne soit pas trop tard, sinon la route serait impraticable, a dit oncle Pierre. On serait forcés de rester la nuit entière dans la Renault, et on n'aurait pas bien chaud.

Me regardant avec une lueur dans les yeux, il a ajouté :

– Et il faudrait faire attention aux loups.

– Aux loups ? ai-je répété, inquiète.

– Ne l'effrayez pas, Pierre, a protesté maman. Elle a vu assez de choses épouvantables en vingt-quatre heures.

– Racontez à Marie-Blanche l'histoire des loups, Joseph, a dit Pierre, passant outre.

– Joseph, je vous interdis !

– Fort bien, a acquiescé le chauffeur en inclinant légèrement la tête. Je suis navré, monsieur le comte, mais les désirs de madame sont des ordres.

– Vous voyez, Marie-Blanche, m'a expliqué Pierre, gentiment. Cela fait un demi-siècle que Joseph est au service de la famille, et depuis quelques jours seulement qu'elle est là, il n'obéit plus qu'à votre mère. Bon, eh bien, je vais la raconter moi-même, cette histoire.

– Pierre, vous êtes impossible ! a dit maman.

– Par un après-midi, il y a bien longtemps... a-t-il commencé en prenant un ton adapté. Oui, c'est d'ailleurs l'année où nous avons engagé Joseph. Évidemment, il n'y avait pas encore d'automobiles en ce temps, et il conduisait notre vieille voiture en bois, attelée à deux chevaux rapides, gris pommelé...

– Une jument qui s'appelait Adélaïde, et un hongre dénommé Arthur, a complété Joseph, incapable de résister. Ah, c'était un bel attelage !

– Et donc, ce jour-là, a continué Pierre, Joseph se rendait à la gare pour chercher mon père qui, comme vous, arrivait de Paris par le train du soir.

– Paix à son âme, a dit le conducteur en se signant. Votre père était l'excellence même, monsieur le comte.

– La vérité vraie, Joseph. Oui, qu'il repose en paix, a renchéri Pierre, faisant lui aussi le signe de la croix. C'était une soirée d'hiver, très semblable à celle-ci. Il faisait froid, il neigeait, et la pleine lune se levait.

Je me suis rapprochée de Louise pendant qu'il poursuivait. La lune n'était pas pleine, mais la nuit était tombée et il neigeait toujours.

– À mi-chemin entre la gare et la maison, les chevaux étaient soudain affolés. Ils se sont emballés, et papa s'est retrouvé projeté au fond de la voiture. Retrouvant à peu près l'équilibre, il a ouvert la vitre et demandé : «Joseph, que se passe-t-il?» «Des loups, monsieur le comte», a répondu Joseph, qui tirait de toutes ses forces sur les rênes, essayant d'arrêter les chevaux et de contrôler la situation.

– Ils sortaient des bois pour les attaquer, a expliqué le conducteur. Et ils étaient une fameuse bande, le long de la route. Une vieille astuce qu'ils ont apprise à travers les siècles : ils effraient les bêtes pour qu'elles paniquent et que l'attelage se renverse. Souvent un cheval se casse une jambe, si ce n'est pas le cocher ou un passager... Alors les loups fondent sur eux et se repaissent de leur chair.

Frissonnant, je me suis blottie contre Louise.

– Joseph, qu'est-ce que je vous ai dit? est sèchement intervenue ma mère. Vous voulez la terroriser, ou quoi?

– Navré, madame la comtesse. C'est à cause de monsieur, je me suis laissé emporter...

– Ne les écoutez pas, m'a dit maman. Ils enjolivent toute cette affaire. Ça devait être un chien galeux qui boitait au bord de la route et qui a inquiété les chevaux. Sûrement pas une bande de loups affamés !

– Si, si, madame la comtesse, a protesté Joseph. Veuillez m'excuser, mais c'était bien des loups. Ces animaux diaboliques! Je les ai vus de mes yeux, comme M. le comte.

– Oui, oui, a confirmé Pierre. Papa les a vus aussi par la vitre, sortir de la forêt et courir sur le bas-côté. « Des ombres de fantômes au clair de lune », voilà comment il les décrivait.

– Et qu'est-ce qui s'est passé, ensuite ? ai-je demandé, captivée, sans me détacher de Louise.

– Rien, mademoiselle, dit Joseph. Rien du tout. Il vaut mieux suivre le conseil de Mme la comtesse et ne pas aller plus loin.

Oncle Pierre n'allait pas laisser froisser l'orgueil du vieux chauffeur par les soupçons de maman.

– Disons que Joseph, qui savait manier les rênes et connaît bien les chevaux, a repris le contrôle de l'attelage. Ils ont dépassé les loups, qui ont abandonné la partie. Et qu'ils aillent voir ailleurs pour trouver de la chair fraîche ! Papa a toujours éprouvé une vive reconnaissance à l'égard de son conducteur, qui est resté depuis au service de la famille.

– Est-ce que les loups viendront nous attaquer, ce soir ? ai-je demandé, plus émoustillée qu'angoissée.

– Voilà, vous êtes content ? a dit maman. Elle est dans tous ses états, maintenant.

– Mais non, ma petite, m'a répondu Pierre. Il n'y en a plus. Les loups ont disparu de la région depuis des années. On raconte que j'ai moi-même tué le dernier quand j'étais gamin.

– C'est vrai ?

– Oui, c'est vrai. Bien des gens ne me croient pas quand je le dis, et pensent qu'il n'y en avait déjà plus. Mais une nuit, quand j'avais douze ans, j'ai été réveillé par mon chien qui aboyait dans la cour. Il poussait de drôles de gémissements, le pauvre. J'ai ouvert la fenêtre pour comprendre ce qu'il se passait, et j'ai vu un loup qui rasait le mur, les poils hérissés autour du cou, en s'approchant de lui. Il était prêt à bondir et lui planter ses crocs dans la gorge. J'ai attrapé mon fusil et j'ai tiré depuis la fenêtre. Il est mort sur le coup. C'est le dernier qu'on a vu dans les parages, et ça m'a valu d'être une gloire locale, pendant un temps. On en parle encore au bourg. Parfois, la nuit, j'ai l'impression d'entendre leurs hurlements mélancoliques dans la forêt, mais ça n'est peut-être qu'un souvenir d'une lointaine époque, transmis par mes ancêtres. Marzac est capable de vous jouer des tours de ce genre. Le passé vit dans la pierre, ici. Vous comprendrez bientôt ce que je veux dire.

Au sortir d'un virage de la route sinueuse, le château s'est dressé devant nous, plein d'une majesté séculaire, perché sur une colline au-dessus du village. Son donjon massif, flanqué par des tours rondes aux quatre coins de l'édifice, dominait la vallée de la Vézère. Ses toits d'ardoise grise scintillaient sous la neige dans la lumière du crépuscule. Il émanait de ses murs de pierre – un abri sûr contre les loups et les maraudeurs – une poésie à la fois brutale et tendre.

– Nous voilà rendus, Marie-Blanche, a dit oncle Pierre, comme s'il lisait dans mes pensées. Et sans encombre.

Nous avons parcouru la longue allée devant le château. Joseph est entré dans la cour intérieure, puis il a garé la Renault devant la porte, qui s'est ouverte presque aussitôt. François est sorti pour nous accueillir, suivi par deux femmes de chambre, Constance et Nathalie. François, le majordome en livrée, était un grand homme maigre et maniéré, qui semblait tout le temps jouer la comédie. Ses deux aides étaient deux filles du village, d'allure assez quelconque. Je devais apprendre par la suite que maman avait renvoyé toutes les domestiques dotées d'un peu de charme, les remplaçant par les filles les moins séduisantes qu'elle eût trouvées à Tursac. Ma mère était une femme très jalouse, et Pierre, c'était notoire, avait un faible pour les dames.

François, Constance et Nathalie ont pris nos bagages dans le coffre, pendant que nous découvrions l'intérieur du château. Le vestibule était éclairé par des chandelles sur des appliques. Elles diffusaient une lumière douce, ambrée, qui nous réchauffa après le long trajet dans le froid. Un feu brûlait dans l'énorme cheminée du grand salon, dont le manteau immense, en pierre sculptée, donnait l'impression d'occuper tout un mur. Les canapés et les fauteuils étaient garnis d'un superbe tissu à fleurs, en soie, que maman avait choisi elle-même. Sur les surfaces cirées des tables et des armoires anciennes se reflétait le doux miroitement de l'âtre.

– Mesdames Louise et Marie-Blanche, Marzac vous souhaite la bienvenue ! a dit oncle Pierre en ouvrant grand les bras. Nathalie et Constance vont vous montrer vos chambres. Je suppose qu'après cet interminable voyage, vous aurez envie de faire un brin de toilette et de vous changer.

– Oui, merci, lui ai-je répondu, ravie qu'il me parle comme à une adulte.

– Je viendrai vous chercher pour le dîner, a assuré ma mère.

– Oui, maman, merci beaucoup.

Les servantes nous ont conduites vers l'escalier central, également éclairé, de chaque côté, par des appliques. Marzac était tellement spacieux que je me sentais plus petite que mes huit ans, comme si j'avais rétréci en passant la porte. Louise était elle aussi éblouie ; face à tant de grandeur, nous ouvrions des yeux comme des soucoupes, et nos regards étaient émerveillés.

Il émanait encore autre chose de ces murs, que je n'ai pu identifier tout de suite. Mais avec les années, je finirais par connaître intimement l'âme collective, et indicible, de Marzac. En montant les marches de cet escalier, adoucies par les siècles, je sentais dans mes pas les milliers et les milliers d'autres individus qui les avaient gravies avant moi, et dont la courte existence, les voix, la chair et le sang étaient pour toujours imprimés dans la pierre. Ce fut le premier indice de la présence des fées et des fantômes, des amis chers qui, m'entourant et me protégeant, deviendraient les heureux compagnons de mon enfance. Pendant une courte période, du moins.

Renée

Le Caire
Novembre 1913

1

Le soir du 16 novembre 1913, le comte et la comtesse Maurice de Fontarce, leur fille Renée, âgée de quatorze ans, sa gouvernante anglaise, miss Hayes, ainsi que le vicomte Gabriel de Fontarce, montèrent à bord d'un train de la Compagnie internationale des wagons-lits et des grands express européens. Un long périple qui, depuis la gare de l'Est, allait les mener jusqu'au Caire.

Surexcitée, Renée partit en éclaireuse au wagon-restaurant, où d'élégants garçons en pantalon noir, veste et gants blancs, servaient un dîner tardif aux voyageurs. Les garnitures polies de cuivre et de laiton brillaient sous un éclairage tamisé, tandis que les lumières de la ville commençaient à défiler au-dehors. La Compagnie des wagons-lits était gérée par des Italiens et, curieuse, Renée découvrit sur le menu des plats qu'elle ne connaissait pas, comme les spaghettis au parmesan. Ce qui valut au comte, toujours nationaliste et xénophobe, le commentaire suivant : « Prenez garde, ma fille, maugréa-t-il. Si les Italiennes sont si grasses, figurez-vous, c'est parce qu'elles mangent trop de nouilles ! »

Énervée par le roulement du train, Renée dormit d'un sommeil agité et se leva tôt pour petit-déjeuner. Pendant la plus grande partie de la journée, le comte s'enfouit dans l'un ou l'autre de ses journaux, pendant que son frère épluchait les comptes de la plantation. Henriette regardait sans rien dire le paysage par la fenêtre, et miss Hayes lisait un ouvrage sur les antiquités égyptiennes. Leur silence, leur immobilité, étaient pesants, et Renée, qui avait la bougeotte, s'en alla parcourir les couloirs, de voiture en voiture, en étudiant les autres passagers.

Ils arrivèrent en fin d'après-midi à Brindisi, ville portuaire, sale et grouillante d'activité. Le vicomte eut beau les mettre en garde contre les pickpockets, omniprésents dans le tohu-bohu de la gare, miss Hayes réussit à se faire arracher son sac.

– Pas de panique ! dit l'astucieuse gouvernante. Il était vide, voyez-vous ? fit-elle en tapotant sur ses hanches généreuses. Ce n'était qu'un leurre ! En voyage, je range toujours mon argent, mon passeport et mes objets de valeur dans une ceinture sous mon corset.

– Bien joué, miss Hayes ! dit le vicomte avec un sourire ironique. En effet, il n'y a pas meilleur coffre-fort !

La famille emprunta une calèche en direction du port, où ils embarquèrent pour l'Égypte. Gabriel avait réservé pour Renée une cabine à côté de la sienne, ainsi que deux autres, elles aussi contiguës, pour son frère et sa belle-sœur plus loin dans le couloir. La pauvre miss Hayes était reléguée – cela n'était pas un accident – au pont inférieur avec les troisième classe.

Le premier soir de la traversée, Gabriel appela sa nièce dans sa cabine pour lui souhaiter bonne nuit. Il était couché et simplement couvert d'un drap.

– Asseyez-vous, ma petite, dit-il en lui indiquant le bord du lit.

Elle s'exécuta et il lui caressa les cheveux.

– Mais... vous ne portez pas de pyjama, mon oncle ? remarqua-t-elle, mal à l'aise.

– Je dors toujours nu, ma chérie, que je sois seul ou pas. Cela vous gêne-t-il ?

– Un peu. Et avec qui dormez-vous ?

– Cela n'est pas votre affaire, jeune fille. Je suis votre oncle, et bientôt votre père. Ne soyez pas timide. Il ne doit pas y avoir de secrets entre nous. Il faut que nous sachions tout l'un de l'autre. Allons, lui dit-il en prenant sa main, posez-la ici.

Sentant quelque chose s'animer sous le drap, à la manière d'un animal qui se réveille lentement, Renée la retira précipitamment.

– Ça me fait peur !

– Mais non ! s'esclaffa Gabriel. Il n'y a aucune raison. On ne va pas vous mordre. Maintenant donnez-moi un petit baiser avant d'aller vous coucher.

– Maman m'a dit que j'irais en enfer si je vous laissais m'embrasser. Parce que c'est un péché, pour un oncle, d'embrasser sa nièce.

– Bêtises. Cela n'est pas un péché, et vous n'irez pas en enfer, assura le vicomte. Votre mère raconte des histoires parce qu'elle est jalouse. Elle est amoureuse de moi et elle envie votre jeunesse et votre beauté. C'est pourquoi il ne faut jamais rien lui dire de ce qui se passe entre nous. Elle serait plus jalouse encore et cela ne nous vaudrait que des ennuis. Vous comprenez ?

Renée hocha la tête.

– Juste un petit bisou sur la joue, insista-t-il, l'attirant vers lui et collant son visage contre elle. Et ensuite au lit !

Le vent s'était levé, le navire commençait à rouler, les hublots étaient aspergés par la houle.

– D'accord, dit Renée. Mais rien qu'un.

Deux jours plus tard, après une traversée particulièrement difficile, les Fontarce débarquèrent en pleine nuit dans le port d'Alexandrie. Entre épuisement et émerveillement, ils clignaient des yeux sur le quai, devant ce curieux monde de couleurs, d'arômes et de sons nouveaux. Des hommes, des femmes et des enfants, portant djellabas, voiles et turbans, se pressaient autour d'eux en jacassant dans les langues indigènes. Des oiseaux, des singes et d'autres animaux criaient, braillaient dans leur cage, le bétail meuglait dans les enclos, sans oublier le braiment des ânes. Calèches, carrioles et chariots brinquebalaient, leurs roues crissant dans différentes tonalités. Plus que tout, un riche bouquet de senteurs flottant dans la nuit chaude révélait l'exotisme de l'Égypte – la sueur humaine, les odeurs animales, la mer et le désert, l'encens et les parfums, l'âcre fumée des feux de bois, les mystérieux aliments cuisant à l'air, et mille épices embaumaient l'atmosphère, comme une fine couche de poussière au-dessus de la ville.

– Avancez, avancez! dit le comte, poussant fille et femme sans ménagement. N'ayons pas l'air d'une famille d'émigrants arrivés au port!

– Nous ne sommes pourtant rien d'autre, papa, observa Renée.

C'était le pays du vicomte, qui parlait l'arabe des Égyptiens et prit les choses en main. Il engagea un conducteur enturbanné pour transporter dans son chariot la famille et les bagages jusqu'à la gare ferroviaire à quelque distance de là. Comme par enchantement, une demi-douzaine d'autres porteurs, vêtus de longues tuniques noires et de ceintures de tissu rouge, sortirent de la foule en se bousculant pour aider à charger les innombrables malles et valises. Les Fontarce ne voyageaient pas léger.

– *Belek! Belek!* gueulait Gabriel, distribuant de violents coups de cravache pour calmer les ardeurs de ces hommes.

– Ah, mon cher frère qui aime tant les Arabes, ricana Maurice.

Enfin installée dans le train-couchettes pour Le Caire, la famille constata avec plaisir que la compagnie de chemin de fer était anglaise. Après son immersion brutale dans ce pays nouveau et étrange, elle profita d'un court répit dans un cadre familier et civilisé. Miss Hayes se réjouit en particulier qu'on lui servît un véritable thé anglais dans la voiture-restaurant.

Ils arrivèrent le lendemain matin au Caire, où les retrouva le Dr Lehman, un des associés britanniques de Gabriel. C'était un petit homme au teint mat, bâti comme un singe, avec des touffes de poils noirs sur le revers de la main.

– Ah, et voici votre fille, monsieur le vicomte? supposa-t-il.

– Bientôt, répondit l'intéressé en jetant un regard énamouré à Renée.

– On note tout de suite la ressemblance, dit Lehman, convaincu.

Ce dernier avait rassemblé de la main-d'œuvre pour s'occuper des bagages. Tenant sa nièce par la main, Gabriel se fraya un chemin dans la foule, suivi par son frère, Henriette et la gouvernante. Une voiture à chevaux, aux harnais garnis de grelots, les attendait devant la gare. Un des porteurs aida la comtesse à prendre place, pendant que deux autres, en quelques mots d'arabe, se demandèrent comment faire monter l'imposante miss Hayes. L'un d'eux plaça finalement son épaule sous son impressionnant fessier et la hissa à bord, tandis qu'elle émettait un curieux petit « *Ouuh !* », mi-outragé, mi-amusé. On chargea malles et valises dans un deuxième véhicule.

Au son des grelots, les deux voitures s'engagèrent sur un boulevard animé. Fascinée, Renée observait le spectacle de la ville. Comme dans toutes les grandes cités, ce qui ressemblait à première vue au chaos et à l'anarchie reposait en fait sur un ordre sous-jacent, tel un cœur humain avec son rythme particulier.

– Mon Dieu... murmura la comtesse. Quel bazar !

– Vous ferez bien de vous y habituer, lui dit son mari, qui, feignant une indifférence lasse, daignait à peine jeter un coup d'œil au-dehors. Car c'est chez nous, maintenant.

La demeure du vicomte au Caire – baptisée Les Roses pour ses jardins exubérants – était plus somptueuse encore qu'ils n'auraient pu l'imaginer. Un vrai palais aux immenses pièces, aux plafonds surélevés, aux murs blancs ornés de toiles gigantesques et d'anciennes tapisseries égyptiennes qui n'auraient pas dépareillé dans un musée. Les sols carrelés et brillants étaient recouverts de superbes tapis persans, les meubles de bois rare avaient des façades sculptées. Dans le vaste vestibule, menant à l'escalier central doté d'une rampe dorée, étaient alignées sur des socles de pierre des rangées de bustes antiques et de vases précieux. Renée imagina la reine Cléopâtre de Macédoine, parée de bijoux, drapée d'une ample robe blanche, descendant les marches d'un pas majestueux pour rejoindre son amant, agenouillé en bas.

La jeune fille et miss Hayes étaient logées dans des pièces contiguës au premier étage, face à la suite du vicomte. Décorées dans le style anglais, chacune des deux chambres disposait de sa propre salle de bains, un luxe inconcevable à La Borne-Blanche.

Le comte et la comtesse devaient quant à eux résider dans une aile distante du bâtiment. Lorsqu'ils visitèrent leur appartement, Maurice s'exclama :

– Gabriel, qu'est-ce que cela signifie ? Il n'y a pas de bidet dans la salle de bains !

– En effet, répondit son frère en riant. Mais, si vous vous souvenez, il n'y avait chez vous qu'une salle d'eau pour toute la famille. Je vous suggère de prendre un bain si vous tenez à vous laver le cul. Vous avez une baignoire pour vous tout seul, maintenant !

Mme Mesori, l'intendante copte, remplaçait quotidiennement les bouquets de fleurs dans toutes les pièces. Cette petite femme énergique, efficace et polyglotte, avait la haute main sur une troupe de domestiques soudanais, qui, comme immatériels, semblaient flotter dans la maisonnée. Lorsqu'un membre de la famille entrait quelque part, ils sortaient par une autre porte et disparaissaient dans le couloir, sans rien laisser derrière eux qu'un effluve d'encens et une sorte d'image rémanente.

Revenu chez lui, le vicomte s'institua chef de famille, sans plus feindre de s'en remettre à son frère aîné. Tous les soirs, une demi-heure avant de s'habiller pour le dîner, il faisait irruption chez Renée. Il l'instruisait, la sermonnait, vérifiait qu'elle avait repassé ses leçons, bref, assumait pleinement son rôle de père. Un soir, le comte et la comtesse, entrant dans la chambre à l'improviste, trouvèrent la jeune fille sur les genoux de Gabriel.

– Ah, l'enfant roi tient un conciliabule avec sa cour ! jeta Maurice.

– Cette enfant héritera de mon empire et je l'y prépare dès à présent, rétorqua son frère.

– Je vois cela, Gabriel. Assise sur votre giron, comme ça, on dirait la poupée d'un ventriloque !

– Charmant, en effet, renchérit Henriette. Nous l'avons élevée jusqu'à l'âge de quatorze ans pour qu'elle serve de poupée à son oncle !

– C'est le prix à payer pour lui assurer un avenir, rappela le vicomte.

– Sans blague ? Je me posais justement la question.

L'oncle Gabriel menait son monde à la baguette, Renée devait vite s'en rendre compte. S'il avait chargé miss Hayes de prendre en main son éducation, il vérifiait personnellement ses progrès en arithmétique, une matière qu'il jugeait plus utile que la littérature, l'histoire, les arts, tous sujets qui avaient, eux, la préférence de la gouvernante.

– Sauf votre respect, monsieur le vicomte... remarqua-t-elle un jour. Je reconnais l'intérêt d'une bonne formation en mathématiques, mais nous sommes en Égypte, et Mlle Renée devrait en profiter pour visiter les pyramides, les musées et les monuments, étudier la civilisation de Ramsès II et III. Un pays si ancien, avec une histoire si foisonnante ! Elle pourra toujours se remettre au calcul quand elle sera de retour en France.

– Nous vivons au XXᵉ siècle, miss Hayes, répondit-il sèchement, et le monde va bientôt entrer en guerre. C'est dire si on se fiche des pharaons et des pyramides, et ce n'est pas eux qui aideront la petite à gérer mes affaires quand le jour viendra. Donc, pour l'instant, vous vous concentrez sur l'arithmétique.

– Mon oncle, je n'ai pas l'intention de diriger une banque quand je serai grande, objecta Renée.

À la vérité, les discours interminables de miss Hayes sur les momies et les dynasties ennuyaient autant la jeune fille que les tables de multiplication.

– Ce que j'aimerais vraiment, c'est voir Le Caire, marcher dans les rues, rencontrer les habitants, suggéra Renée.

– Je crains que cela soit impossible, ma chérie, dit Gabriel. C'est beaucoup trop dangereux. Pas plus tard que l'année dernière, la fille du consul de Suède a été kidnappée à la porte d'un musée. Vous n'irez en ville qu'en voiture, accompagnée par votre mère ou miss Hayes, et avec les rideaux tirés derrière les vitres. Je vous interdis formellement de vous risquer dans les rues.

On ne s'opposait pas au vicomte, encore moins chez lui, et ni miss Hayes ni la jeune fille n'osèrent revenir sur la question. Malgré son jeune âge, Renée comprenait quel jeu il conviendrait de jouer avec lui. L'idée était de se soumettre à sa volonté, tout en le manipulant habilement pour profiter de ses faiblesses. Elle savait qu'il avait besoin d'être craint, de se croire puissant. Il revenait donc à ses femmes de satisfaire ce besoin.

Ayant eu tout loisir, depuis sa tendre enfance, d'observer les relations orageuses qu'il entretenait avec la comtesse, elle savait également que pour s'assurer ses bonnes grâces, il ne fallait pas donner l'impression de lui être trop attaché, faute de quoi elle finirait comme sa mère – écartée et ignorée. Il se lassait vite de tout, et il suffisait qu'elle se donne entièrement à lui pour qu'il se lasse d'elle aussi. Elle en vint à le comparer au chat aux yeux bleus d'un conte des *Mille et Une Nuits*, dont miss Hayes lui faisait la lecture dans la douceur du soir. Renée s'identifiait au rossignol, enfermé dans une cage. Tant que le chat était incapable de l'atteindre, l'oiseau exerçait sur lui une insondable fascination, et il restait des heures immobile à le contempler. En revanche, s'il réussissait à l'attraper, il le tuerait et perdrait aussitôt tout intérêt pour lui. Quant au rossignol, acceptant son rôle de prisonnier et la cage qui le retenait, il continuait d'ignorer le chat et de chanter toute la journée.

De la même façon, Renée se sentait enfermée dans la propriété, la ville lui étant interdite. Elle ne connaissait du Caire et de ses nombreux trésors que des images volées, aperçues dans l'entrebâillement des rideaux de la voiture à chevaux – les vastes marchés animés et leurs mille boutiques bariolées ; les vendeurs sur les marches de l'hôtel Shepheard, avec leurs colliers d'ambre et de turquoise ; les charmeurs de serpents et leurs cobras ; les jeunes mendiants des rues ; les mosquées et les temples ; les avenues et les contre-allées, grouillant d'une foule composite, de toutes nations et religions – Européens, Africains, Arabes, musulmans, juifs et chrétiens.

Le seul endroit où elle était autorisée à se rendre seule était le jardin intérieur des Roses, où ne parvenaient de la ville que des bribes glanées par le vent brûlant du désert – l'odeur entêtante des cuirs tannés, du crottin, les senteurs prolifiques du Nil, et le parfum acidulé des citronniers qui bordaient ses rives. Tel le rossignol, Renée pouvait chanter tout son saoul dans ce jardin fleuri, cachée entre les arbres bicentenaires et les murs chaulés du palais, sans jamais échapper à la vigilance de son oncle.

2

Parmi les relations des Fontarce au Caire se trouvait un couple britannique extrêmement riche, Sir Herbert et Lady Winterbottom, propriétaires d'un splendide palais, dénommé Mena House, et de plusieurs domaines en France. Ils fréquentaient les mêmes cercles, et les hommes étaient membres des mêmes clubs, tant au Caire qu'à Paris. Sir Herbert et son épouse avaient conclu ce qu'on appelait à l'époque un «arrangement». Toujours tiré à quatre épingles, l'œil pétillant et la moustache bien taillée, monsieur vivait sur un grand pied grâce à la fortune de son épouse, l'une des plus importantes d'Égypte, et madame profitait du titre que lui avait apporté le mariage. C'était une femme solide et astucieuse, avisée en affaires, et à l'affût du moindre scandale.

Sir Herbert avait séjourné à Paris pendant que les Fontarce préparaient leur départ, et il était souvent venu leur rendre visite au 29. Suivant ensuite la famille au Caire, il fit, de même, des apparitions régulières aux Roses. On comprit bientôt qu'il s'était entiché de la comtesse et qu'il lui faisait une cour assidue.

Plusieurs fois par semaine, Maurice et son frère dînaient au club Mohamed Ali, un établissement privé, exclusivement masculin. Ces soirs-là, Sir Herbert avait le don mystérieux d'arriver aux Roses à l'improviste, où il s'étonnait que la comtesse fût seule à le recevoir. Portant comme d'habitude un impeccable costume de Savile Row, et ses indémodables John Lobb aux pieds, il se présentait avec un bouquet de fleurs fraîches, gage de ses excellentes manières.

Ses attentions flattaient Henriette autant qu'elles lui faisaient passer le temps. Depuis Paris, et plus encore depuis son exil en Égypte, elle vivait très isolée de son mari et de son amant. Peut-être était-ce l'air du désert, chargé d'épices, ou simplement l'exotisme intrinsèque du Caire, mais les Européens, soudain détendus, se comportaient ici différemment, oubliant parfois les codes et les usages de leur pays natal.

Pour défier ces messieurs sans doute, elle s'était récemment mise à se maquiller, cédant à une sorte de complaisance effrontée – d'aucuns diraient même vulgaire – qu'elle ne se serait jamais permise en France. Ce qui débuta par un badinage innocent, lorsqu'en tout bien tout honneur elle recevait Sir Herbert au salon ou dans le jardin, prit bientôt une tournure fort indécente quand elle l'autorisa à monter dans sa chambre – en l'absence, toujours, de Maurice et de Gabriel. Puis elle se mit à sortir avec lui le soir, dînant au vu et au su de tous dans les bons restaurants du Caire, et finissant parfois la nuit dans un night-club, pour ne revenir à la propriété qu'aux petites heures du matin.

Certes, Fontarce ne se souciait plus beaucoup de son épouse, cependant le jour vint où un de ses amis du club rapporta qu'on avait vu madame en ville avec l'élégant sujet de Sa Majesté. Voulant en avoir le cœur net, le comte aborda la question avec sa femme dans le jardin des Roses.

– Qu'est-ce que cela signifie, Henriette ? braila-t-il, employant une de ses expressions favorites.

Tout avait selon lui un sens et il était décidé à aller au fond des choses.

– J'ai fermé les yeux depuis assez longtemps, dit-il. Vous vous comportez avec Herbert d'une manière parfaitement scandaleuse ! Vous vous donnez en spectacle ! Vous nous couvrez d'opprobre, moi et toute la famille !

– Vous devriez être content, au contraire, qu'Herbert soit là pour occuper mes journées, répondit calmement la comtesse.

Excepté les attentions de Gabriel – ou son indifférence –, rien ne semblait pouvoir la faire sortir de ses gonds.

– Et pourquoi cela devrait-il me plaire ?

– On m'a répété ce que vous aimez à déclarer au club avant de trinquer, dit-elle, levant un verre imaginaire et imitant la voix tonitruante de son mari : « Messieurs, buvons à nos chevaux, à nos femmes, et à ceux qui les montent ! »

– Quoi ? Quoi ? fulmina le comte. Qui vous a raconté ça ?

– Eh bien, Herbert, évidemment ! Cela nous a fait beaucoup rire, d'ailleurs.

Naturellement, les clubs avaient pour règle tacite que rien ne devait filtrer de ce qu'on y disait – encore moins échouer dans les oreilles d'une dame, qui plus est une épouse.

– Quel pignouf ! tempêta Fontarce. Jamais un gentleman ne rapporterait cela à une Lady !

– La question serait plutôt de savoir si un vrai gentleman est habilité à proférer des propos insultants à l'égard de sa femme. Herbert et moi parlons librement de toutes choses. Il pense que mes proches font peu de cas de ma personne.

– C'est donc vrai alors, Henriette, qu'il est votre amant ?

– Pourquoi me demandez-vous cela, Maurice ? Voulez-vous boire à sa santé ?

– Je crains que vous ne me laissiez d'autre choix que de le provoquer en duel. Je ne vois pas d'autre façon de sauver l'honneur de la famille.

– Sir Herbert est un homme civilisé, qui ne se bat pas en duel. De plus, mon cher mari, vous avez laissé vos épées en France.

Semblant oublier sa colère, le comte prit soudain un ton nostalgique :

– Vous rappelez-vous, ma chère, le jour où j'ai tranché le nez du boucher, qui vous avait manqué de respect ?

Henriette s'esclaffa.

– Comment pourrais-je l'oublier ? fit-elle d'une voix plus douce. Cela vous avait valu, dans toute la région, la réputation d'un grand bretteur.

– Bien sûr, je préférerais un combat à l'épée. Mais je trouverai certainement une paire de pistolets, ici.

– Je vous en prie, Maurice, vous êtes ridicule ! Herbert et moi sommes deux amis, deux confidents, rien de plus. Jamais il ne relèvera un défi aussi stupide.

– Eh bien, dans ce cas, c'est un lâche en plus d'un péquenot. S'il refuse, on le montrera du doigt, ce qui me fera presque autant plaisir que de lui coller un pruneau en travers du monocle.

Son épouse ayant trouvé un compagnon, et sa fille étant accaparée par son frère, Fontarce se fatigua vite de la vie au Caire. Privé de ses chevaux, il avait peu à faire et, le club Mohamed Ali n'étant qu'un piètre exutoire, il se languissait de la France, de ses vieux copains, notamment du jovial Balou, son ami d'enfance. C'est à lui qu'il aurait demandé, comme par le passé, d'être son témoin lors du duel. Le comte aborda le sujet avec Gabriel, un après-midi, dans le bureau de celui-ci.

– Enfin, Maurice, êtes-vous devenu complètement fou ? répondit le vicomte. Croyez-moi, je ne porte pas Winterbottom dans mon cœur, mais de là à lui jeter le gant ! Ne vous ai-je pas conseillé de vivre enfin au XXe siècle ? Mon Dieu, au lieu de vieillir, vous remontez le temps.

– Je préfère régler ces choses à la manière de nos aïeux, rétorqua le comte, grandiloquent.

– Je suis sûr qu'il y a des lois en Égypte qui interdisent les duels, dit Gabriel. Si vous tuez Sir Herbert, vous serez inculpé de meurtre.

Nullement dissuadé, Fontarce engagea Ali, le majordome, pour lui servir de témoin. En vertu de quoi, Ali – un personnage sombre, barbu, plutôt menaçant – partit livrer le cartel du comte en main propre à Mena House. Sir Herbert lut donc :

Monsieur,
Votre comportement inexcusable envers mon épouse, la comtesse de Fontarce, porte gravement atteinte à son honneur ainsi qu'au mien. Pour réparer cet affront, je vous provoque en duel au pistolet, vendredi matin à l'aube, dans le jardin des Roses. Vous serez, bien

sûr, accompagné par votre propre témoin. Je vous suggère également de venir en chariot, afin que l'on soit débarrassé de votre carcasse dans les meilleurs délais.

En l'attente d'une réponse immédiate.
Salutations,
Comte Maurice de Fontarce

– Bonté divine ! Voilà qui est original ! Donnez-moi une minute, mon bon monsieur, dit l'Anglais à Ali, que je rédige la réponse demandée.

Revenant un instant plus tard, Sir Herbert remit une enveloppe cachetée à la cire au majordome, qui la porta sans tarder au destinataire. La famille était en train de prendre le thé dans le jardin. Le comte ouvrit la missive et, paradant, lut à haute voix :

Mon cher Maurice,
Je ne doute pas que nous saurons régler ce différend de façon mutuellement satisfaisante, sans recourir à vos pratiques moyenâgeuses. Puis-je vous proposer de nous retrouver autour d'un verre, demain soir au club, afin d'aborder la question comme des gens civilisés ?
Votre humble serviteur,
Sir Herbert Winterbottom

– Ha, ha ! Vous voyez, Henriette, dit Maurice en brandissant la lettre. Comme je m'y attendais ! Qu'avais-je dit ? Il ne relève pas le gant.

– Et moi, je vous avais dit qu'Herbert est un gentleman, et que les gentlemen ne se battent pas en duel.

– Un gentleman ? J'appelle ça un lâche, oui ! Et je peux vous assurer, dit-il en agitant la lettre, que je vais faire circuler ça ! Tout le club sera au courant. Un pleutre est un pleutre, et il faut que ça se sache ! Ha !

L'honneur étant sauvé sans effusion de sang (de fait, on rapporta que, le lendemain soir, les deux hommes burent cordialement plusieurs cocktails au club), Fontarce décida de précéder le reste de la famille à la plantation d'Armant où, en tant qu'unique maître des lieux, il espérait recouvrer un peu de son prestige de gentilhomme campagnard.

La nouvelle de son départ fut reçue avec un certain soulagement. Ses colères à répétition et le mécontentement que tout lui inspirait – l'absence de bidets, les Arabes, la nourriture, le comportement de sa femme, de sa fille, de son frère, et mille autres choses qui l'exaspéraient – devenaient extrêmement lassants pour tout le monde.

Son mari étant écarté, la comtesse avait maintenant toute liberté de rencontrer Sir Herbert, ce dont elle profiterait aussi pour bafouer Gabriel. Quant à celui-ci, il se proposait, en l'absence de son frère, de resserrer ses liens de « paternité » avec Renée.

Maurice avait à peine plié bagage que le vicomte se rendit à l'appartement de la petite et de miss Hayes, pour demander à cette dernière de mettre à Renée la robe bleue qu'il lui avait achetée chez Lanvin à Paris.

– J'ai décidé d'emmener ma fille au dîner qu'organise Lady Winterbottom, annonça-t-il.

Dans la voiture, il l'évalua du regard et lui arrangea les cheveux.

– Vous embellissez de jour en jour, lui dit-il. Je suis fier de vous, ma fille.

– Maman sera furieuse en apprenant que vous m'avez emmenée, remarqua-t-elle tandis que l'attelage s'engageait dans l'allée.

– Peu m'importe ce qu'elle pense. Bien, nous sommes arrivés. Marchez comme je vous l'ai appris. Ne courez pas, ne sautillez pas.

– Je ne suis plus une enfant, mon oncle.

Mena House était plus grande et plus luxueuse encore que Les Roses, toutefois Renée n'eut guère le temps d'admirer la propriété. À peine entrée, elle eut la désagréable sensation que tous les yeux étaient braqués sur elle. Lady Winterbottom vint l'accueillir, sourit à Gabriel et déclara, non sans un brin d'ironie :

– Quelle bonne idée de nous amener votre fille, vicomte. Comment va sa mère ?

Il mentit :

– Au lit avec la migraine, je crois.

– Vraiment ? dit Lady Winterbottom avec un petit rire cynique. C'est curieux. Sir Herbert ne sera pas des nôtres, ce soir. Il préfère dîner à son club. Mais vous serez ravi d'apprendre que ma nièce, Sophie Corday, vient d'arriver au Caire à l'improviste. Je sais qu'elle est impatiente de vous revoir, monsieur le vicomte. Elle semble avoir un sujet d'ordre personnel à aborder d'urgence avec vous.

Charmée et craintive à la fois, Renée étudiait les autres invités, tous élégants, lorsqu'elle aperçut Sophie en qui elle reconnut la jeune femme du restaurant à Versailles.

– Veuillez m'excuser, s'il vous plaît, dit l'hôtesse de maison. Je dois accueillir mes invités. Je vous en prie, monsieur le vicomte, prenez une coupe de champagne et saluez *vos amis*.

– Cette insupportable vieille salope, dit-il à voix basse, alors qu'elle s'éloignait.

– Mon oncle, murmura Renée. Cette fille est là-bas contre le mur et elle nous observe.

– Oui, j'ai remarqué. Qu'importe. N'y prêtez pas attention.

– Que fait-elle ici ?

– Elle rend visite à sa tante. Je vous ai dit de ne pas faire attention.

– Viendra-t-elle aussi aux Roses ?

– Certainement pas. On ne l'a pas invitée. Ne vous inquiétez pas.

– Referez-vous encore l'amour avec elle ? lâcha Renée.

– Je vous demande pardon ?!

– Je sais qu'elle était votre maîtresse. Du moins *une* de vos maîtresses.

– Ma vie amoureuse ne vous regarde pas, ma fille. Vous méritez une fessée pour avoir dit ça !

– Pas ici, mon oncle, je vous en prie ! répondit Renée, terrifiée.

– Ha, ha ! s'amusa le vicomte. Ce que vous êtes adorable ! Bon, d'accord, j'attendrai que nous soyons rentrés.

Elle s'efforça d'ignorer la jeune femme qui, en revanche, l'étudia tout au long du repas. Rassemblant son courage, Renée finit par tourner la tête et la regarder droit dans les yeux.

Elle éprouva alors une curieuse sensation de triomphe, à l'idée simplement d'être là en compagnie de son oncle. C'était comme un adoubement, un acte de propriété. Aussi jeune fût-elle, elle prit conscience de sa force innée et de sa supériorité. D'instinct, elle comprenait que les femmes n'avaient de pouvoir que dans le monde des hommes, et que leur survie, leur prospérité, dépendaient de leur aptitude à manœuvrer *dans* ce monde, à s'approprier une partie des prérogatives masculines.

La saluant à peine en passant, Gabriel réussit adroitement à éviter Sophie toute la soirée, lui préférant la compagnie des autres invités. Le dîner terminé, il fit aussitôt chercher sa voiture et entraîna Renée au-dehors.

– Vous avez magnifiquement joué votre rôle, ma fille. Dorénavant, je vous emmène partout. Vous me protégerez de ces harpies !

3

Le lendemain même, Sophie Corday se présenta à la porte des Roses, que lui ouvrit Omar, le gardien, un eunuque obèse et chauve, affublé d'une longue tunique blanche.

– Je viens voir monsieur le vicomte, dit-elle. Ainsi que la comtesse de Fontarce, si elle est là.

– Qui dois-je leur annoncer, mademoiselle ? demanda Omar de sa curieuse voix haut perchée.

Avec son visage rose, gras au point d'être informe, il ressemblait à un énorme bébé.

Sophie lui tendit sa carte de visite.

– Mademoiselle a-t-elle rendez-vous ? dit-il en la lisant.

– Non, mais je pense qu'il m'attend.

– Suivez-moi, je vous prie, fit-il avec une courte révérence.

Il escorta Sophie dans le hall, où aussitôt Ali, flanqué de trois sinistres valets, encercla la jeune femme. Le majordome, comme ses subalternes, avait été bien formé : il fallait protéger le maître des lieux contre les importuns, notamment ses ex-maîtresses, qui le poursuivaient parfois jusqu'ici. La règle était, de toute façon, que personne ne dépassait le vestibule sans son autorisation expresse.

Omar trouva Henriette, Gabriel et Renée au jardin, où ils prenaient le thé, à l'anglaise, comme à leur habitude.

– Pardonnez-moi, monsieur le vicomte, mais vous avez de la visite.

Il lui tendit la carte de Mlle Corday en ajoutant :

– Elle demande également à voir Mme la comtesse.

– J'arrive tout de suite, répondit Gabriel avant de se lever. Veuillez la conduire au salon, et dites-lui que la comtesse est indisposée. Excusez-moi, Henriette, je ne serai pas long.

– Non, Omar, déclara-t-elle en se levant aussi, je recevrai cette jeune femme. Je tiens à connaître la raison de sa présence. D'ailleurs, nous allons tous la recevoir. Venez, Renée, voilà qui devrait parfaire votre éducation.

Tous trois avaient pris place au salon quand Ali et les domestiques firent entrer Mlle Corday, qu'ils escortaient comme une détenue des quartiers de sécurité.

– Quel plaisir de vous revoir, ma chère, lui dit la comtesse, toute de politesse feinte. Votre oncle, Sir Herbert, m'a fait part de votre arrivée soudaine au Caire. Que nous vaut l'honneur de cette visite ?

– Peut-on se passer des civilités, Henriette ? coupa sèchement Sophie. Je suis là parce que mes parents m'ont fichue dehors.

– Je suis navrée de l'apprendre. Mais je ne vois pas en quoi cela nous concerne.

– Ah bon ? Eh bien, je vais vous expliquer, dit Sophie en sortant de son sac une photographie, transformée en carte postale selon la mode du jour.

Elle se tourna vers Gabriel.

– J'ai pensé que vous aimeriez regarder le portrait de votre fils, annonça-t-elle en lui donnant la carte. Vous verrez par vous-même à quel point il vous ressemble.

Prenant la photo, le vicomte feignit de l'étudier un instant.

– Je crois que vous vous trompez, Sophie. S'il ressemble à quelqu'un, cet enfant, c'est à votre cher ami, le lieutenant Jousselin. Oui, c'est son portrait tout craché. Regardez, Renée, vous ne pensez pas comme moi ?

Le lieutenant Jousselin était un fringant célibataire, qu'elle avait parfois vu à La Borne-Blanche, aux bals ou à la saison de la chasse, et qui avait eu une liaison avec Sophie. Consciente du rôle qu'on lui demandait de jouer dans le minithéâtre de la famille, elle prit la carte des mains de son oncle et fut, de fait, frappée par la ressemblance. Comme l'indiquait Sophie, ce bébé ne pouvait être que le fils de Gabriel : il avait déjà son nez, ses yeux, et la même fossette au menton. Hochant la tête d'un air songeur, Renée regarda Sophie avec un petit sourire :

– Il n'y a aucun doute, on reconnaît le lieutenant, c'est bien lui. Tenez, il a son grain de beauté juste à côté de l'œil.

– Espèce de... sale petite garce ! fit Sophie en lui arrachant la photo.

– Eh bien, mademoiselle, trancha le vicomte d'une voix glaciale. Je crains que vous ayez fait tout ce chemin pour rien. Je suis sincèrement désolé que vos parents vous aient mise à la porte. On ne peut cependant conseiller à une femme de concevoir hors des liens du mariage... surtout si elle... voyons, comment dire cela décemment... si elle entretient des relations avec *plusieurs de ses amis*. Vraiment, je ne vois pas comment vous rendre service.

Sophie se tourna vers la comtesse.

– S'il vous plaît, regardez-la, cette photo, Henriette, dit-elle en la lui tendant. Vous verrez bien vous-même ! Gabriel essaie de me faire passer pour une putain, mais je n'ai jamais fricoté avec Jousselin. Le vicomte est bien le père de mon enfant.

Gabriel fit un geste presque imperceptible à l'intention d'Ali, lequel s'avança vers Sophie, la prit par le bras, pendant que ses sbires se rapprochaient.

– Pardonnez-moi, mademoiselle, dit-il en s'inclinant légèrement.

– Vous ne comprenez donc pas, Henriette ? dit Sophie. Cela ne vous échappe quand même pas ! Votre petite sorcière voit bien au-delà de ses quatorze ans. C'est une tigresse qui défend son mâle. Ouvrez les yeux ! Elle est jeune, elle est jolie et, si ce n'est pas encore le cas, Gabriel la mettra dans son lit. Alors il vous jettera dehors, comme il l'a fait avec moi, conclut-elle en pleurant.

– Navré, mademoiselle, dit Ali, qui la tenait toujours – quoique doucement – par le bras. Il va me falloir vous reconduire.

– Je vous en supplie, Henriette ! plaidait Sophie. J'ai besoin de votre aide, mon fils a besoin de votre aide, et du nom de son père ! J'ai traversé la Méditerranée pour arriver ici, et vous n'allez rien faire pour moi ?

Le majordome et ses valets entraînaient déjà la jeune femme vers la porte.

On entendit Sophie s'éloigner dans le jardin en sanglotant, puis un long silence s'installa dans la pièce.

– C'est monstrueux, ce qu'elle a dit, lâcha finalement la comtesse. Mais c'est vrai, n'est-ce pas, Gabriel ?

– Calmez-vous, ma chère, répondit-il d'une voix rassurante. Tout cela n'est qu'un tissu de mensonges. Les détestables inventions d'une femme désespérée. Cet enfant n'est pas le mien, c'est impossible.

– Ce n'est pas ce que je voulais dire. Bien sûr que ce petit est le vôtre, Gabriel. Nous le savons tous. Non, c'est ce qu'elle dit de Renée qui est vrai.

– Bien sûr que non ! Vous êtes grotesque ! protesta le vicomte. J'aime ma fille comme un père, et rien de plus.

– Tout ce qu'elle a dit est véritable, maintint Henriette. J'ai fait semblant de croire le contraire, j'ai bien voulu fermer les yeux, mais j'avais tout compris dès le début.

– Ma chère, nous devons nous serrer les coudes, dit-il. Sophie va certainement me poursuivre en justice, tenter d'obtenir quelque chose, rien ne l'en empêche. Je suis riche, et elle n'aimerait rien tant que voir une partie de ma fortune revenir à son enfant naturel. Mais il n'est pas question de nous laisser diviser ou détruire, sous prétexte qu'une femme de mœurs légères vomit d'odieux mensonges sur nous.

« Maintenant, j'ai une nouvelle importante à vous annoncer, poursuivit-il d'un ton joyeux, désireux de changer de sujet. Je veux vous en parler depuis ce matin. J'ai pris une décision : nous allons à Armant plus tôt que prévu. Ce sera après-demain. Il n'y a donc pas de temps à perdre. Vous pouvez commencer tout de suite à faire vos valises.

Comme Renée, la comtesse devina qu'il venait seulement d'y penser, que ce changement de programme était destiné à les éloigner tous trois de Sophie, à leur faire oublier ses accusations. Henriette et Renée n'avaient pas douté une seconde qu'il était le père de ce bébé. Ni l'une ni l'autre n'éprouvait pour Sophie la moindre pitié, la moindre sympathie, mais au contraire, un profond mépris. Malgré la morgue qu'elle affichait parfois, c'était une femme faible et stupide, qui avait choisi ses amants sans discernement, sans la moindre considération pour son avenir. Voilà que, comble de l'indignité, elle se présentait aux Roses sans y être invitée, et demandait que son bâtard porte le nom de la famille ! On l'avait éconduite comme n'importe quel mendiant, et elle ne méritait rien d'autre. Renée pensa que son père avait raison : les femmes sont des idiotes, se plaisait-il à répéter. Renée, en revanche, n'en serait pas une, décida-t-elle.

– Dans deux jours, oncle Gabriel ? dit Renée, oubliant toute l'affaire. Mais nous ne serons jamais prêtes à temps ! Miss Hayes va piquer une crise de nerfs !

Ce séjour anticipé à la plantation la ravissait. Après tant de journées cloîtrée au Caire, elle se réjouissait de repartir à l'aventure.

Le lendemain, tandis que Renée et miss Hayes préparaient leurs bagages, le vicomte se rendit dans leurs appartements et déclara qu'il voulait parler à sa fille.

– Bien sûr, monsieur, dit la gouvernante. Je dois d'ailleurs consulter Mme Mesori sur ce qu'il faut emporter. Je descends tout de suite la voir.

Elle partit, après quoi Gabriel se pencha vers la petite et, approchant ses lèvres des siennes, lui effleura la bouche.

– J'ai quelque chose à vous apprendre, ma chérie. Et je voulais que nous soyons seuls pour cela. Je reviens du consulat de France, et les documents nécessaires à l'adoption ont été approuvés. À partir d'aujourd'hui, vous êtes ma fille. Ma vraie fille !

Il prit sa fraîche progéniture dans ses bras et la serra fort contre lui. Blottie contre son nouveau père, elle sentit, en même temps que l'odeur forte de son eau de Cologne, cette forme dure, maintenant familière, qui saillait au bas de son ventre.

– Êtes-vous heureuse d'aller à Armant, mon enfant ? murmura-t-il en se détachant d'elle.

Renée recueillit ses mains dans les siennes et les baisa.

– Oh oui, mon oncle, vraiment heureuse.

– Non, non, non, vous ne m'appelez plus mon oncle, maintenant, mais «papa».

– Je ne peux vous appeler papa, dit-elle en riant. J'en ai déjà un !

– Vous devez avoir raison. Mais «mon oncle», ça ne va pas.

– Je vous appellerai simplement Gabriel, proposa-t-elle. Comme des adultes entre eux.

– Oui, parfait, convint-il. Nous irons partout ensemble, ma fille. Je vous expliquerai tous les détails de l'exploitation. Deux fois par semaine, nous ferons le tour de la propriété. Elle est immense et descend jusqu'au Nil. Nous prendrons les chevaux, nous dormirons dans les abris, parfois même dans les *jaima*. Ce sont de grandes tentes en coton, merveilleusement décorées par les Égyptiens. Vous verrez, vous allez découvrir mille choses.

Le regard de Renée s'illumina, et son visage se fendit d'un large sourire. L'idée de longues promenades à cheval avec son oncle... Mais une pensée lui traversa l'esprit :

– Est-ce que maman nous accompagne ?

– Bien sûr que non, il n'y aura que vous et moi.

Elle éprouvait une grande satisfaction. En l'espace de deux jours, elle venait d'éliminer deux concurrentes – Sophie d'abord, ensuite sa propre mère. Elle était à présent la fille du vicomte, et la reine incontestée du palais.

Marie-Blanche

Château Marzac, Tursac-en-Périgord
Juin 1930

J'AI LAISSÉ

J'ai perdu la maison qui était ma maison,
Perdu le doux chemin qui suivait la rivière,
Perdu l'été brûlant et l'odeur des moissons,
Et j'ai laissé deux tombes au fond du cimetière.

J'ai laissé mon enfance au pied des chênes verts
Et de grands châtaigniers que dorait chaque automne.
J'ai perdu la féerie des brouillards en hiver
Et les vastes greniers où mûrissaient les pommes ;

J'ai laissé mes jardins, mes champs, mes souvenirs,
Autant de vieux amis dont j'avais l'habitude,
Je n'y pourrai, jamais de ma vie, revenir.
Et j'ai laissé mon chien mourir de solitude.

Seigneur, pardonne-moi d'avoir tant de regrets,
Mais ta main nous reprend souvent ce qu'elle donne.
Voilà longtemps déjà que je souffre en secret,
Fallait-il qu'à ce point, Seigneur, tu m'abandonnes ?

Pierre de Fleurieu, *Poèmes*

1

C'est l'été, j'ai dix ans et j'ignore encore que ce sont mes plus belles années. Je vis maintenant avec oncle Pierre et maman – au château Marzac une partie des grandes et des petites vacances, et le reste du temps à Paris, où ma mère m'a inscrite en externe à l'école de filles Sainte-Marie. Je passe l'autre partie des vacances à Vanvey, avec papa et Toto, un mois au moins pendant l'été. J'ai l'impression de profiter du meilleur des deux mondes.

Oncle Pierre est un merveilleux beau-père, doux et gentil, avec un formidable sens de l'humour. Depuis un moment, il semble que les relations soient plus tendues avec maman – je l'entends piquer des crises de jalousie derrière les portes fermées, ils échangent des propos houleux qui résonnent sourdement le long des murs de pierre. Il y a de la tension dans l'air, c'est comme l'odeur des marais avant l'orage et ça me rend extrêmement triste.

Pierre a beau être comte et posséder ce château magnifique, il ne reste plus grand-chose de la fortune familiale. On a long-temps considéré vulgaire, chez les aristocrates, de travailler pour de l'argent, cela revenait à prendre un emploi à quelqu'un qui en avait besoin. Après la guerre, Pierre fut cependant le premier d'une longue lignée de Fleurieu à s'y résoudre, nécessité faisant loi. Il a été récemment engagé par André Citroën pour ouvrir des concessions automobiles en Roumanie, Turquie, Égypte, Yougoslavie et Grèce. Ma mère ne supporte pas la solitude, et cela n'arrange pas leurs affaires qu'il soit constamment parti. Pour éviter l'ennui, elle reçoit à Marzac des quantités d'invités et, quand Pierre entreprend de longs voyages, nous séjournons de plus en plus souvent à Paris, où elle sort presque tous les jours pour déjeuner ou dîner avec ses nombreux amis. Je ne la vois que rarement.

Peut-être les leçons d'autrefois avec le père Jean m'ont-elles à jamais brouillée avec les études, toujours est-il que je ne réussis pas à l'école. Selon maman, c'est simplement parce que je suis bête. Elle reconnaît qu'elle n'était pas très brillante en son temps, non qu'elle ne fût pas intelligente, plutôt paresseuse et indisciplinée. À l'en croire, non seulement elle était plus fine que les autres élèves, mais elle surpassait également ses professeurs, qu'elle méprisait tous. C'est une forte personnalité avec une haute idée d'elle-même. Je regrette de ne pas lui ressembler davantage, d'avoir si peu d'assurance, de craindre autant le monde extérieur.

Mais à Marzac je n'ai pas besoin d'être intelligente. Je vais partout avec Henri, mon petit chien et, lorsqu'il est de retour, oncle Pierre nous emmène avec lui dans le domaine ; nous traversons les bois, nous cherchons des champignons, nous explorons les grottes aux noms légendaires et mystérieux – la «grotte de l'homme assassiné», «du bandit», «de la fin du monde». Nous allons parfois pêcher à la rivière, où je ne suis pas censée me rendre toute seule. J'y retourne quand même, juste pour m'asseoir sur la berge et écouter les oiseaux chanter ; je cueille des fleurs qui sentent la vanille, et, à l'automne, je ramasse sur les rives les figues tombées des arbres.

Je connais tous les métayers de la propriété, leurs parents, leurs enfants, qui se fichent bien, eux aussi, de mes résultats à l'école. En promenade, je longe leurs petites maisons de pierre. Ils ont chacun un cochon dans le jardin, des poules, des canards et des oies grasses, un clapier à lapins, deux vaches dans le pré, et au moins un bon cheval. Ils ne manquent jamais de m'inviter à partager quelque chose. «Mademoiselle Marie-Blanche ! disent-ils en me voyant arriver. Venez, venez manger un morceau avec nous !» Ils mettent de côté ce qu'ils étaient en train de faire et m'assoient à leur table, devant une soupe paysanne, des rillettes de porc, du confit, du pain frais juste sorti du four, et une goutte ou deux de vin rouge dans mon eau.

Quand les amis de Paris descendent pour le week-end, je les emmène à mon tour dans les bois et les grottes. Les lieux n'ont plus de secrets pour moi, mais nous découvrons toujours quelque chose de nouveau. Nous partons à cheval, nous jouons au tennis, nous nageons dans la rivière – sous la surveillance d'un domestique, le plus souvent Joseph, qui n'est pas le mieux qualifié puisqu'il m'a avoué un jour ne pas savoir nager. Les journées sont longues en été, mais nous ne restons jamais sans rien faire et, quand nous nous couchons le soir, épuisés après mille activités, nous nous endormons aussitôt et rêvons les doux rêves des enfants.

Lorsqu'il pleut, l'hiver, et qu'il fait trop froid pour sortir, il y a largement de quoi nous occuper à l'intérieur. Avec ses tours, ses niches secrètes, Marzac est un château magique, sans compter les portes dérobées qui mènent au labyrinthe de passages souterrains qui permettaient jadis aux habitants de fuir pendant les sièges, comme m'a expliqué Pierre. Plus personne ne viendra nous attaquer sur notre nid d'aigle, perché sur une falaise rocheuse impossible à escalader. Mes amies et moi jouons aux princesses médiévales, courtisées par de valeureux chevaliers qui ne reculent devant rien pour nous protéger des barbares qui rôdent autour des murs. Nous mettons à contribution les fantômes et les fées, qui ne demandent pas mieux. Complices de nos caprices, ils vivent ici depuis des temps immémoriaux et n'en partiront plus. Ils en savent bien plus long que nous sur l'histoire de Marzac. Chacun a son titre, sa personnalité et, curieusement, tout cela nous paraît évident. Il suffit d'un peu d'imagination pour qu'ils fassent partie de la bande, comme les autres. C'est une des grandes tristesses de l'existence que de perdre cette faculté, on se détache de l'enfance comme nos bonnes fées se détachent de nous, et un jour on ne voit même plus leur visage. J'ai toujours eu envie de revenir là-bas, pour essayer de les retrouver.

Je me plais à Marzac, mais je suis contente de revenir chez papa, Toto et tante Nanisse au Prieuré, qui est, je l'admets, un endroit moins riant. Papa boit toujours comme un trou, et il est toujours aussi excentrique. Mais il est affectueux, gentil, il se met en quatre pour me distraire pendant que je suis là. Il n'oublie jamais d'inviter les enfants des châteaux voisins pour que nous jouions ensemble. Et il y a ma fidèle copine Marie-Antoinette, si prompte à me soutenir et me réconforter, qui traverse les montagnes pour nous rendre visite.

Je suis moins heureuse à Paris, à cause de mes difficultés à l'école, et maman répète constamment que je suis idiote. Elle sort si souvent que je la vois à peine, et quand c'est le cas, rien de ce que je fais ne semble lui plaire. C'est un reproche après l'autre – le nez que j'ai hérité de mon père, mes piètres résultats, ma timidité, ma sottise.

Lorsqu'il est là, jamais Pierre ne me reproche rien. Il me traite comme une personne normale, presque comme une adulte. À mon insistance, il a finalement admis que j'étais assez grande pour me raconter comment il a perdu son bras.

– Venez là, ma petite, je vous dirai tout.

Je me suis installée sur ses genoux, et il a commencé d'une voix grave :

– C'était vers la fin mai 1918, une belle journée de printemps, le ciel était d'un bleu splendide, avec à peine quelques nuages blancs. Quand on se prépare au combat, on apprécie ces journées-là, car ça peut toujours être la dernière. Avec mon bon ami et compagnon de régiment, Claude de Montrichard, nous avons décollé de la piste du Plessis-Belleville dans nos Spad, suivis par deux ou trois autres avions de l'escadrille. Quand nous sommes arrivés au-dessus de la ligne de front, Montrichard me précédait. Il était environ six cents mètres plus bas. Soudain, j'ai vu six Allemands déboucher d'un nuage juste au-dessus de lui. L'un d'eux l'a aussitôt pris en chasse et s'est mis à tirer. Je savais que Claude se défendrait comme un beau diable, mais à six contre un, il risquait de ne pas s'en sortir. J'ai pensé à manœuvrer pour abattre deux des zincs qui le survolaient, mais ça n'arrangerait rien, car les autres se rapprochaient de lui. Non, si je voulais le sauver, il fallait mettre hors d'état de nuire celui qui lui collait au train.

«J'ai entamé un piqué, et j'en ai vu encore six autres, avec la croix noire, qui piquaient eux aussi, de plus haut. Ça en faisait douze au total, douze Boches contre nous deux. Nous étions perdus, mais si je devais mourir, j'allais leur faire payer chèrement ma vie. J'étais maintenant derrière celui qui suivait Claude, et j'ai tiré une salve de mitrailleuse. Je ne savais pas si je l'avais touché, mais j'ai cru que oui, parce qu'il a décroché sur sa gauche. Je l'ai poursuivi et, au moment où j'envoyais une nouvelle rafale, j'ai ressenti une vive douleur dans le bras droit, comme un violent coup de matraque. L'instant d'après, je n'arrivais plus à le bouger, ce bras, il était engourdi. J'ai lâché le manche à balai, je l'ai secoué avec la main gauche pour voir si je pouvais le réveiller. Ma main était couverte de sang et j'ai compris que la balle avait sectionné une artère.

Pierre s'est interrompu pour ajouter au suspense. Je le regardais en écarquillant les yeux. Captivée par son histoire, je n'ai pas pensé une seconde que, si j'étais là assise sur ses genoux, c'est qu'il avait survécu.

– Et après, que s'est-il passé ? lui ai-je demandé, impatiente. S'il vous plaît, racontez-moi la suite !

– Eh bien, ma petite, je n'avais pas le choix, j'ai piqué à la verticale, à fond les gaz, en pilotant avec le bras gauche. Les Boches avaient des zincs trop légers pour me suivre à cette vitesse. J'étais étourdi à cause du sang que je perdais, mais j'ai réussi à regagner les lignes françaises, où j'ai repéré un champ de blé. Je me suis redressé, j'ai coupé le moteur et, presque au moment d'atterrir, j'ai perdu conscience. Quand je me suis réveillé, j'avais la tête en bas et les pieds en l'air. Il n'y avait que ma ceinture pour me retenir au siège. Mon Spad avait fait un tonneau, le sang giclait de mon bras et m'arrosait la figure. Je crois que c'est ça qui m'a réveillé. J'ai cherché comme un fou le pansement hémostatique qu'on avait tous dans nos avions, mais je ne suis pas arrivé à le saisir. Alors, j'ai compris que j'étais mort. Tout était fini.

Hochant la tête avec tristesse, il s'est de nouveau interrompu.

– Et maintenant, oncle Pierre ! Je vous en prie, continuez, continuez !

Il s'est esclaffé, avec cette lueur espiègle qu'il avait souvent à l'œil.

– Eh bien finalement, non, ce n'était pas fini, ma chérie ! Brusquement, on a remis l'avion dans le bon sens, on a détaché ma ceinture et on m'a libéré. Aussitôt quelqu'un m'a placé un garrot pour stopper l'hémorragie. C'était Claude de Montrichard, dont j'avais sauvé la vie, et qui sauvait la mienne. Me voyant piquer, prêt à m'écraser, il avait réussi à échapper aux Boches et à atterrir.

« Mais nous n'étions pas tirés d'affaire. Trois des avions allemands ont dépassé les lignes françaises, ils ont foncé vers nous et se sont mis à nous mitrailler. Claude m'avait extirpé du cockpit et me tirait dans le champ, pendant que les balles soulevaient la terre autour de nous. On s'est finalement réfugiés dans une tranchée, où nous nous sommes cachés, le temps que les Boches abandonnent la partie et reprennent de l'altitude. Cette fois, c'était terminé. Plus tard, Claude a compté trente impacts de balles sur son zinc. Nous avions eu beaucoup de chance, tous les deux. À part que j'avais l'os du bras brisé. On m'a envoyé dans un hôpital à Paris, où les chirurgiens ont essayé de le sauver, mais la gangrène s'est déclarée et ils ont été obligés de le couper. Voilà, ma petite, comment j'ai perdu le bras droit dans le ciel au-dessus de notre beau pays.

Maman est soudain entrée dans le salon, l'air franchement en colère.

– Descendez de là tout de suite ! m'a-t-elle dit. Que fait-elle sur vos genoux, Pierre ?

– Je lui raconte une histoire, c'est tout.

– Elle a besoin de s'asseoir dessus, pour ça ?

– C'est loin d'être la première fois, ma chérie. Vous ne me l'avez jamais reproché.

– Eh bien, aujourd'hui si. Cela n'est plus de son âge.

– Enfin, elle a dix ans, Renée.

– Vous m'entendez ? m'a dit maman. Descendez de là tout de suite !

2

Ainsi passe le temps. J'ai dix ans, j'ai onze ans et presque douze maintenant. L'enfance, qui file à toute vitesse, n'est qu'une petite partie de nos vies, et pourtant ces années-là nous marquent jusqu'à la fin de nos jours.

Gabriel, l'oncle de maman, qui est très riche et possède une grande plantation en Égypte, est venu nous rendre visite à Marzac. Il a proposé un travail à Pierre. Fort de sa réussite en Orient, il se propose de lancer une opération semblable dans un nouveau pays, qui offre les mêmes avantages que l'Égypte au moment où il s'y était implanté : une main-d'œuvre abondante, bon marché, et le coût peu élevé d'une terre fertile. Ce pays, c'est le Brésil, et c'est là qu'il voudrait envoyer oncle Pierre, sur les rives du fleuve Paraguay, près des frontières du Paraguay et de la Bolivie, dans les plaines du Mato Grosso. En toute discrétion, il a acquis un immense domaine de plusieurs centaines de milliers d'hectares : le Barranco Branco. Lorsqu'il a étalé la carte sur la table de la cuisine, pour nous le montrer à tous, j'étais à la fois effrayée et enthousiaste – c'est un endroit tellement isolé, un des plus sauvages qui soient, dit-il, et terriblement loin de la France.

– À la vérité, Pierre, a expliqué Gabriel ce soir-là, personne ne sait vraiment ce qu'il y a là-bas. Je ne suis même pas sûr que quiconque, à part quelques indigènes, ait couvert tout le territoire. Moi, je suis devenu trop vieux pour faire le voyage, et je vous propose de me servir d'agent, d'être mes yeux et mes oreilles, d'évaluer toutes les caractéristiques du domaine, puis de me rendre compte de sa composition et de son potentiel agricole.

– Cela m'a tout l'air d'une aventure formidable, vicomte, a répondu oncle Pierre, à l'évidence emballé.

– Et combien de temps serait-il absent ? a demandé maman.

– Pas moins d'un an, j'imagine, a dit Gabriel. Peut-être même plus longtemps. Avant que vous preniez votre décision, Pierre, je serais coupable de ne pas insister sur les risques réels que comporte une telle entreprise. D'abord, il faut vous attendre à être séparé de votre épouse pendant une très longue période, car je vous demanderais de faire, pour ainsi dire, vos classes dans plusieurs haciendas en Argentine et au Paraguay, afin de vous familiariser avec l'agriculture de cette partie du monde. J'ai des amis qui possèdent des propriétés dans ces pays, et ils vous apprendront tout ce qu'il faut savoir dans ce domaine. Si vous acceptez mon offre, je vous promets de tenir compagnie à Renée autant que je le pourrai, afin qu'elle souffre le moins possible de votre absence.

« Ensuite, a-t-il continué, je dois vous rappeler, Pierre, que vous serez un Européen isolé, plongé dans une culture que vous ne connaissez pas, dans une région sauvage, hostile, à des milliers de kilomètres de la civilisation. Qu'adviendrait-il si vous tombiez malade, si vous aviez un accident, même banal – une chute de cheval, par exemple ? Il faut bien peser toutes ces choses avant de vous décider.

Oncle Pierre n'était pas du genre à se laisser intimider par les dangers encourus. Bien au contraire. Bien qu'il n'eût qu'un seul bras, c'était encore un homme jeune et fort, avec un goût marqué pour l'aventure, et je voyais dans ses yeux pétillants qu'il avait déjà tranché, qu'il ne pouvait refuser de participer à une entreprise aussi romantique. Après le dîner, Gabriel s'étant retiré dans sa chambre, Pierre plaida sa cause dans le salon auprès de maman :

– Réfléchissez, ma chérie... C'est un territoire plus grand que plusieurs départements français. En étant associés à parts égales, comme il me le propose, nous tenons une chance de devenir comme lui multimillionnaires. Comme des princes, nous mènerions grand train entre l'Europe et l'Amérique du Sud. Nous avons encore la vie devant nous, et il me semble qu'être séparés un an n'est pas si cher payer pour une telle occasion. Votre oncle a dit lui-même qu'il vous assisterait en mon absence, et je n'aurais pas à craindre pour votre sécurité.

– Inutile d'essayer de me convaincre, Pierre, a répondu maman, comme toujours réaliste. Quoi que j'aie à dire sur le sujet, je sais déjà que vous voulez accepter.

Après quelques semaines de préparation – il fallait acheter du matériel, des vêtements, des armes, des médicaments, et se prémunir avec les vaccins appropriés –, le jour du départ est finalement arrivé. Maman et moi avons accompagné Pierre au Havre, où il a embarqué sur *Il Biancanomo*, un navire italien à destination de l'Argentine. Je devais garder un souvenir très vif de cette journée.

Les matelots ont jeté les amarres, tandis que là-haut sur le pont, Pierre nous regardait à terre. Il m'avait toujours donné l'impression d'un homme fort, solide mais, comparé à cet énorme bateau, il paraissait petit, insignifiant – tellement seul aussi, même immensément triste, comme si l'enthousiasme qu'il avait ressenti à l'idée de ce voyage cédait devant la réalité : il quittait pour longtemps sa patrie et ceux qu'il aimait. La sirène a retenti, le navire s'est lentement détaché du quai, et j'ai lu dans les yeux d'oncle Pierre le sentiment terrible que cet instant n'était pas seulement un commencement, mais également une fin. De fait, lorsqu'il revint en France un an plus tard, tout dans nos vies avait changé, et définitivement.

Maman le savait aussi. Le bateau n'était pas encore parti qu'elle a tourné les talons et, me prenant par la main, a commencé à s'éloigner. C'était elle tout craché : dure et pragmatique – ne pas verser une larme, ne pas regarder en arrière, passer directement à l'étape suivante, quelle qu'elle soit.

J'ai jeté un coup d'œil derrière moi, pour avoir une dernière image de Pierre, et je lui ai fait un petit signe en vitesse, auquel il a répondu.

Comme promis, Gabriel est souvent avec nous à Marzac, ou à l'appartement de Paris quand nous y séjournons. J'ai peur de lui, je n'aime pas sa présence, il me donne la chair de poule et des frissons. Mes amis les fées et les fantômes, qui ne l'apprécient pas non plus, chuchotent que je dois prendre garde. Ils ont appelé au secours le duc Albert, un des chevaliers, afin qu'il me protège. Albert porte une cotte de mailles qui fait un bruit de tonnerre quand il se déplace. Il chevauche un immense destrier de Gascogne, nommé Danton, habitué à foncer droit sur l'ennemi. Armé de sa grande lance, le duc désarçonne les autres cavaliers, puis Danton leur décoche des ruades et les piétine jusqu'à la mort. À eux deux, ils ne feraient qu'une bouchée de l'oncle Gabriel.

Il se dispute avec maman, dans la chambre de l'un ou de l'autre, derrière la porte fermée. J'essaie de ne pas les écouter car, pour des raisons que je ne comprends pas bien, tout cela me perturbe. Dès qu'ils commencent, je file me réfugier dans ma propre chambre, où je fais parler mes amis fantômes, mes copines les fées, et mes valeureux chevaliers pour ne pas les entendre. Mais parfois, je ne peux pas faire autrement, alors je recueille des fragments, des bribes qui me renseignent sur le monde mystérieux des adultes. Un peu comme des tessons de verre, tombés d'une fenêtre, que je ramasse par terre.

Un soir, plusieurs mois après le départ d'oncle Pierre, je suis entrée dans le salon où maman et Gabriel, qui venaient de rentrer à Marzac, prenaient l'apéritif avant de dîner. Ils ont poursuivi leur conversation sans me remarquer. Comme avec mes compagnons imaginaires, j'avais l'impression d'être invisible.

– Si on avait voulu détruire mon mariage, disait maman, on ne s'y serait pas pris autrement. Je n'ai plus de nouvelles de Pierre depuis trois mois.

Gabriel émit un de ces rires méprisants dont il avait le secret.

– C'est peut-être votre frigidité... conjugale, qui l'attire vers des climats plus chauds, ma chère.

À mon grand étonnement, maman lui a donné une gifle, et j'étais plus ébahie encore de le voir la lui retourner. Le coup était porté assez fort pour qu'elle tourne la tête malgré elle. Sa joue a blanchi, puis rougi intensément. Sans crier, sans produire un seul son, elle a regardé Gabriel calmement, avec un fin sourire aux lèvres.

– Si les autres hommes m'intéressent aussi peu, c'est surtout par votre faute, lui a-t-elle dit, avant de s'apercevoir que j'étais là. Dans votre chambre, Marie-Blanche ! Restez-y jusqu'à ce que je vous appelle.

– Je pourrai venir dîner ?

– Je demanderai à Amélie de vous l'apporter. Fermez la porte derrière vous.

J'ai obéi et je suis restée dans le couloir le temps d'entendre la clef tourner dans la serrure. Tout paraissait très calme à l'intérieur, puis il y eut quelques murmures et j'ai pensé qu'ils se réconciliaient. Puis j'ai attendu dans ma chambre Amélie et un dîner qui ne sont jamais arrivés.

3

Quand j'ai ouvert les yeux, le lendemain matin, Gabriel était penché sur moi. Il avait mis ses bottes et sa culotte de cheval.

– Debout, ma fille, a-t-il dit à voix basse. Nous partons nous promener. J'aimerais que vous me montriez ces grottes préhistoriques. Je ne les ai jamais vues. Il paraît que vous êtes une jeune exploratrice, que vous n'avez peur de rien, et que vous les connaissez.

Pas encore réveillée, je me suis frotté les yeux.

– Oui, oncle Gabriel, je les connais. Est-ce que maman vient avec nous ?

– Elle est encore au lit. Ce sera notre aventure à nous deux. Je vous trouve bien timide, Marie-Blanche. J'ai l'impression que je vous fais peur. C'est l'occasion de vous prouver que ce vieux Gabriel n'est pas un ogre, contrairement à ce que vous imaginez. Allons, levez-vous. Je descends aux écuries demander à Joseph de seller nos chevaux. Retrouvez-moi là-bas quand vous serez habillée. Ne traînez pas.

Les chevaux étaient prêts quand je l'ai rejoint, et il avait monté le sien. J'avais à peine eu le temps de prendre une tartine avec de la confiture d'abricots que Mathilde, la cuisinière, m'avait préparée. Je mâchonnais la dernière bouchée quand je suis arrivée aux écuries.

– Bonjour, mademoiselle Marie-Blanche, m'a dit Joseph, accueillant.

– Bonjour.

J'étais très attachée à Joseph, qui avait toujours été si gentil avec moi. Il veille sur moi en l'absence de Pierre et, quand je me promène seule dans la propriété, il semble savoir précisément où je suis à tout moment – comme s'il avait un réseau d'espions parmi les métayers (ce que je crois volontiers), ou peut-être me fait-il suivre par prudence (c'est bien possible aussi). Il connaît chaque parcelle du domaine, chaque bête qui y vit, et toute l'histoire de Marzac. C'est lui qui a enflammé mon imagination avec le récit des chevaliers qui, jadis, défendaient le château, tandis que leurs dames, dans le donjon, attendaient leur retour de la guerre.

– Une belle matinée pour une promenade à cheval, mademoiselle.

– Oui, Joseph. Oncle Gabriel veut que je lui montre les grottes.

– Ah, fit-il, levant un œil méfiant vers celui-ci. Votre oncle Pierre ne vous a pas dit qu'il fallait y emmener seulement des gens de votre âge ?

J'ai froncé les sourcils. Il avait raison. Pierre répétait toujours que les troglodytes étaient réservés aux enfants, seuls capables de communiquer avec les esprits de nos lointains ancêtres, qui ne supportent pas la présence des adultes. « Moi-même, j'ai perdu le contact avec eux, m'avait-il expliqué. Pourtant nous étions très proches quand j'étais gamin. Ils ont arrêté de me parler quand j'avais treize ou quatorze ans. Ils s'en vont peu à peu, et un jour c'est fini. Tout d'un coup, les dessins sur les murs ne s'animent plus comme au début, les animaux ne bougent plus, ils restent figés sur les parois. »

Je devais avoir l'air perplexe, car il avait ajouté : « Vous comprendrez ce que je veux dire d'ici quelques années, ma petite. »

– C'est vrai, Joseph, oncle Pierre m'avait avertie, et j'ai oublié. Mais il ne devrait pas être fâché que je les montre à Gabriel. Ils sont amis, et même associés, maintenant.

– Allons, pressons, Marie-Blanche, a dit mon oncle qui s'impatientait et dont le cheval, énervé, faisait des pas de côté.

Quelles absurdités racontez-vous, Joseph ? Évidemment que Fleurieu ne s'y opposerait pas. Je fais tout de même partie de la famille. Allez, aidez la petite à monter, mon vieux. Il est temps de se mettre en route.

Joseph n'était pas impressionné par ces manières. Famille ou pas, Gabriel n'était pas le patron, et notre chauffeur ne voyait aucune obligation de lui obéir.

– Avec tout le respect que je vous dois, monsieur, le comte de Fleurieu a établi des règles précises en ce qui concerne son domaine, et mon devoir est de les faire respecter. J'en rappelais seulement quelques-unes à ma jeune maîtresse.

– Et moi, dois-je vous rappeler quelle est votre place ? Encore un mot de votre part et j'en référerai à Mme la comtesse.

– Oui, monsieur le vicomte, dit Joseph avec un sourire ironique. Je sais très bien quelle est ma place. J'ai servi fidèlement trois générations de Fleurieu, et que le patron soit absent ne change strictement rien à mes responsabilités. Je vous rappellerai aussi que vous n'êtes pas le maître ici, seulement un invité.

Gabriel a brandi sa cravache.

– Je devrais descendre de cheval et vous faire payer votre insolence, vieil homme. Vous ne seriez pas long à demander grâce.

– Certainement, monsieur le vicomte, a répondu Joseph, narquois.

Puis, comme s'il ne s'était rien passé, il m'a aidée à monter.

– Promenez-vous bien, Marie-Blanche. Faites attention aux loups dans les bois, jeune fille, a-t-il ajouté avec un clin d'œil.

C'était devenu une plaisanterie commune au fil des ans, depuis le soir où il était venu nous chercher à la gare, et que Pierre, sur la route enneigée, nous avait raconté cette histoire.

– Oui, je ferai attention. Je vous dirai si j'en vois.

C'était une superbe matinée. Les vallons étaient verts après les pluies récentes, et le paysage ondoyant. Le soleil n'avait pas encore dissipé la brume légère qui suivait les méandres de la Vézère. Nous avons longé les champs de fraisiers dont les fruits, d'un rouge vif, se détachaient sur le sol noir, et traversé le verger en cueillant au passage quelques pommes de saison, fermes, juteuses et fraîches. Puis nous avons pris un chemin fermier, parallèle à un champ de tournesols si jaunes qu'ils en étaient éblouissants. Les sabots des chevaux faisaient un bruit creux sur le pont au-dessus de la rivière qui tourbillonnait. Nous ne disions rien, mais je me sentais un peu plus détendue avec Gabriel. Il était difficile d'avoir peur de lui par une si belle journée, et j'étais contente d'avoir quelqu'un avec qui la partager.

Sur l'autre rive, nous avons emprunté le vieux sentier qui s'enfonce dans les collines de calcaire ; oncle Pierre pense qu'il suit le même tracé qu'une ancienne voie romaine. Malgré les avertissements de Joseph, je ne voyais pas d'autre choix que d'aller aux grottes. Par fidélité envers Pierre, j'ai décidé de ne pas emmener Gabriel dans celles que nous préférions, difficiles d'accès, mais de lui montrer seulement celles que tout le monde connaît au village, et qui ne sont pas les plus intéressantes. Certaines, d'ailleurs, ne sont guère que de grosses entailles dans la roche, qui servaient sans doute d'abri temporaire. Leurs parois couvertes de suie révèlent que les hommes allumaient des feux pour se rechauffer et se nourrir. Elles ont presque toutes des dessins sur les murs, grossiers ou plus élaborés, représentant pour la plupart des animaux et des scènes de chasse. D'autres, profondes, ont sans doute logé des familles entières à plus long terme, et les décorations y sont très nombreuses. Pierre dit qu'en ces temps incroyablement lointains, l'écrit n'existait pas. Il n'y avait ni livres, ni journaux, ni magazines, strictement rien qui serve aux loisirs ou à l'éducation, c'est pourquoi nos ancêtres avaient peint leurs cavernes, pour raconter leur histoire en images. Ils nous livrent une chronique de leur époque, de leur vie, dans un langage universel qui a traversé les millénaires. Pierre croit qu'on peut imaginer une famille entière, sur trois générations, en train d'orner les parois. Les anciens broyaient les pigments, les petits les regardaient faire et apprenaient à dessiner, jusqu'à ce qu'un jour, ils soient assez grands pour poursuivre ce travail quasi religieux.

Je guidais Gabriel le long d'un chemin étroit et, à l'approche d'une grotte, j'ai sauté à terre.

– Nous y sommes, lui ai-je dit. Il y en a une juste ici. Vous voyez l'ouverture ?

Il est descendu de cheval et nous avons attaché nos rênes, sans les serrer, à une branche. J'avais toujours le cœur qui battait en entrant dans une grotte, persuadée d'y trouver un grand feu allumé et les occupants d'alors – les mères en train d'allaiter leurs bébés, les pères en train de peindre ou de préparer à manger. Où étaient-ils partis ? Pierre, qui pourtant savait tout, n'a jamais pu répondre à ça.

Gabriel a retiré de sa sacoche une petite lampe à huile, enveloppée dans de la toile cirée, et un flacon de pétrole. Après l'avoir remplie, il l'a allumée en grattant une allumette.

– Voilà qui nous permettra d'y voir quelque chose, a-t-il dit en me donnant la lampe. Faites le guide. Passez la première, je vous en prie.

C'était une caverne pas très profonde et il fallait se baisser pour ne pas se cogner au «plafond».

– Oncle Pierre dit que les premiers hommes étaient bien plus petits que nous, ai-je expliqué. Si petits qu'à l'intérieur ils tenaient entièrement debout.

Le son de ma voix résonnait étrangement sur les parois.

– Comment le savait-il, puisqu'il n'en a jamais vu aucun ?

Je me suis esclaffée.

– Bien sûr qu'il n'en a jamais vu, ballot ! Ils habitaient là il y a des milliers d'années. Mais il sait des tas de choses. Regardez là, oncle Gabriel.

Lui montrant le mur noir d'un côté de l'entrée, j'ai levé la lampe à huile.

– C'est là qu'ils faisaient leur feu. Vous voyez les dessins, de l'autre côté ? Il faut faire un petit effort d'imagination, mais oncle Pierre pense que c'est un ours, là, ai-je expliqué en suivant du doigt les contours de l'animal. Il dit qu'il y avait des ours, ici, il y a très longtemps.

– Tiens donc ? a commenté Gabriel, et j'ai eu l'impression que tout cela l'ennuyait.

– C'est lui qui a découvert ces grottes quand il était petit. On peut s'asseoir sur ces rochers plats, ici. Ça servait de siège, à l'époque. Vous voyez comme ils sont lisses ? ai-je fait remarquer en passant une main sur la surface. Pierre dit qu'ils portent l'empreinte d'une paire de fesses !

Gabriel s'est installé sur un des rochers.

– Ces gars-là devaient avoir de petites fesses, a-t-il commenté. Ça n'est pas franchement confortable.

– Ils les recouvraient de peaux de bêtes, comme ça, c'était plus doux et plus moelleux.

– On peut supposer, oui, a-t-il dit en scrutant la minuscule caverne. Quelle existence misérable ils devaient avoir ! À vivre dans des grottes comme des animaux. Ils n'étaient pas vraiment autre chose, d'ailleurs. Quelques-uns ont dû se faire bouffer par les ours et les loups. Ça permet de mieux apprécier la vie moderne et ses commodités, non ?

– Je n'ai jamais vu ça sous cet œil, ai-je répondu, un peu déçue par cette réaction. Mais ils devaient bien s'arranger. Oncle Pierre dit qu'il n'y avait ni châteaux, ni fermes, ni villages. Rien que des habitations troglodytes et les animaux. Ça ne devait pas leur manquer, les commodités, ils ne savaient pas que ça existait.

– Vous avez sans doute raison. Mais nous, ça nous manquerait, non, s'il fallait recommencer à vivre comme eux ?

– Je crois que ça serait drôle, moi.

– Vous n'auriez pas peur d'être mangée par un ours ?

– Peut-être un peu. Mais ma famille serait là pour me protéger.

– Il vous protégerait, votre oncle Pierre ?

– Ah oui, sûrement !

– Êtes-vous amoureuse de lui ?

– Amoureuse ? ai-je répété, troublée. Je ne sais pas ce que cela veut dire, oncle Gabriel. C'est mon beau-père. Je l'aime beaucoup, mais je ne suis pas amoureuse !

Il a mis un bras sur mon épaule et m'a attirée près de lui.

– Moi aussi, je vous protégerai, ma petite. Au cas où un ours entrerait.

Il a pris mon menton dans sa main et m'a étudiée avec un regard inquisiteur.

– Il vous a embrassée, votre oncle Pierre ?

– *Quoi ?* Mais non, bien sûr que non. Quelle idiotie !

– Aucun homme ne vous a embrassée, alors ?

– Non. Pourquoi me posez-vous ces questions ?

– Vous voulez essayer ? Je vous donne un petit baiser ?

– Non, ai-je répondu en me tortillant pour lui échapper. Pourquoi me dites-vous toutes ces bêtises ? Vous me faites peur.

– La première fois que j'ai embrassé votre mère, elle avait exactement votre âge.

– C'est dégoûtant. Vous êtes son oncle. Et mon grand-oncle. Vous êtes un vieil homme !

– Vous êtes moins séduisante qu'elle au même âge. Et moins intelligente, aussi.

– Je sais, elle me l'a souvent répété.

– Elle avait un joli petit nez rose. Et vous avez le nez busqué de votre père.

– Oui, j'ai le nez de mon père, et alors ?

– Ça va pour un homme, mais ce n'est pas très séduisant chez une femme.

– C'est ce que dit maman.

– Estimez-vous heureuse qu'un vieil homme comme moi ait encore envie de vous embrasser. Il y en a beaucoup qui n'aimeraient pas, avec un nez pareil. Allez, revenez, je ne vais pas vous mordre. Un petit baiser, ça devrait vous plaire. Votre mère, ça lui avait plu. Et votre grand-mère aussi.

– Je veux rentrer, maintenant, oncle Gabriel. Vous m'effrayez.

Je suis partie en rampant vers l'entrée de la caverne, mais il m'a retenue par la cheville.

– Pas si vite, a-t-il dit en la serrant fort. Ne me forcez pas à le prendre de force, ce baiser. Vous devriez être flattée, d'ailleurs. Allez, rien qu'un, je vous le promets. Ensuite, nous rentrerons au château. Venez, mon enfant. Donnez un baiser innocent à votre oncle Gabriel.

– Vous me laisserez, après ?

– Oui.

– Rien qu'un, c'est promis ?

Il a ri.

– Rien qu'un, je promets.

Il m'a lâchée.

– Pas sur la bouche, c'est dégoûtant. Un baiser sur la joue, rien de plus.

– Ah, vous êtes dure en affaires. Vous n'avez pas son nez, mais vous tenez de votre mère. D'accord, un baiser sur la joue, c'est tout. Pour faire plaisir à un vieil homme inoffensif.

Je l'ai rejoint en lui présentant ma joue, mais il m'a de nouveau saisi le menton pour que je tourne la tête vers lui, et il m'a embrassée au coin des lèvres, les effleurant à peine.

– Vous trichez ! me suis-je écriée, en m'essuyant la bouche du revers de la main.

– Juste un peu. Ce n'était pas si affreux, non ?

– Peut-être pas, lui ai-je dit, soulagée qu'au moins cela fût terminé.

– Laissez-vous aller une seconde, a-t-il suggéré, m'attirant plus près de lui. J'ai envie de vous câliner un peu. Vous verrez que je ne vous veux pas de mal.

Il faisait frais dans la grotte et je reconnais que je me sentais au chaud, à l'abri dans ses bras. Son odeur d'eau de Cologne et de tabac n'était pas déplaisante. Il s'est mis à me masser le dos.

– Voyez, ma petite. Je ne suis pas l'ogre que vous pensiez, a-t-il dit d'une voix rassurante.

Comme on apprécierait le flanc d'un cheval, il m'a tâté les fesses, puis les cuisses, avant de plonger une main entre celles-ci, puis de remonter vers ma poitrine, frôlant mes seins du bout des doigts.

– C'est vrai que vous n'êtes pas aussi belle que Renée, mais vous êtes quand même joliment faite.

J'admets que le compliment, aussi « nuancé » fût-il, m'a touchée. Je savais que je ne supportais pas la comparaison avec ma mère, et j'avais terriblement besoin d'un peu d'attention. Mes parents ne sont sûrement pas démonstratifs, ni affectueux, jamais maman ne me serre contre elle, papa non plus, et je ressentais un plaisir physique entre les mains de cet homme. Comme celles d'un masseur, elles avaient quelque chose de curieusement impersonnel, et c'était aussi bien. Je n'ai pas pensé à appeler au secours le duc Albert, je ne croyais pas avoir besoin de lui. Maman a raison, je suis idiote.

– N'est-ce pas que c'est agréable, ma petite ? Détendez-vous, je vais vous faire du bien.

Ses mains étaient partout, à me caresser, me flatter, me peloter, et je n'ai plus résisté. Succombant à une sensation de chaleur et de sécurité, je me suis abandonnée et quelque chose m'a emportée au loin, une chose que j'avais déjà éprouvée en rêve. J'avais appelé ça la «nuit magique où je m'étais envolée». Ça a commencé doucement, par un chatouillement au bout des pieds, pour remonter lentement le long des jambes, vers les reins, puis tout au fond de moi, vers une sorte d'apesanteur où je n'avais plus de corps... Entre les spasmes et les ondulations, j'étais projetée à l'autre bout de l'espace...

Peut-être m'étais-je endormie, car un long moment semblait s'être écoulé quand j'ai entendu sa voix.

– Voyez où votre vieil oncle peut vous emmener. Il suffit d'un gentil baiser et d'un petit câlin. Bien, nous devrions rentrer. Votre mère va s'inquiéter. Pour être franc, je ne suis pas épaté par vos grottes. Savez-vous qu'en Égypte, il y a des pyramides, vieilles aussi de milliers d'années, mais beaucoup plus impressionnantes que ces excavations avec leurs dessins primitifs ? Les Égyptiens de l'Antiquité étaient un peuple civilisé, pas des hommes des cavernes. Je pourrais peut-être vous les montrer un jour. Ça vous plairait, Marie-Blanche ?

– Sans doute, ai-je répondu, troublée, me demandant ce qui venait de m'arriver.

– Très bien ! Alors il faudra me rendre visite à Armant.

Nous avons pris silencieusement le chemin du retour, traversé les collines et la forêt. Comme nous arrivions près de la rivière, le château Marzac se dressait comme toujours devant nous, en haut de la falaise. Un havre de paix, solide et majestueux.

– À la maison, nous ne dirons rien à Renée à propos de cette promenade. Elle aura certainement appris que nous sommes partis ensemble, et j'ai idée qu'elle ne sera pas contente. Je suppose même qu'elle sera en colère contre nous.

– Pourquoi ?

– Vous aurez peut-être remarqué, a-t-il dit en riant, qu'elle est souvent en colère contre moi.

– Je vous entends parfois vous disputer. Mais je n'écoute pas.

– Vous nous entendez faire autre chose ?

– Je crois que de temps en temps vous vous réconciliez. Mais je n'écoute pas non plus.

– Cette discrétion vous honore. Quoi qu'il en soit, votre mère ne doit rien savoir. Ne parlez pas de la promenade, ne lui dites pas que nous nous sommes embrassés, ou caressés. Que cela reste seulement dans notre mémoire à tous deux. Est-ce bien compris ?

– Je ne voulais pas vous embrasser, c'est votre faute.

Il a ri de nouveau.

– Ça ne vous a pas gênée, vous l'avez reconnu. Vous n'avez rien fait de mal, ma petite. Vous apprenez simplement à obéir à votre oncle Gabriel, à lui faire plaisir comme à vous-même. C'est un aspect très important de votre éducation. Voyez-vous, en l'absence de Pierre, je vais passer beaucoup de temps en votre compagnie, ici. De bien des façons, je serai comme un père pour vous jusqu'à ce qu'il rentre d'Amérique du Sud.

– Oncle Pierre n'a jamais demandé à m'embrasser. Pas comme ça. Pas comme vous.

– Il faut me donner votre parole que vous ne le direz pas à votre maman.

– Oh, jamais je ne lui raconterai ça !

– Ni à personne d'autre. À personne, voilà. Pas même aux jeunes amies qui viennent vous rendre visite. Il faut me promettre.

– D'accord, je promets.

Je savais que ceux d'ici, mes compagnons de jeux, mes fées, mes fantômes et mes dames d'honneur étaient déjà au courant. Ce n'était pas un secret, ils en parlaient entre eux et ils étaient furieux. En regardant Marzac se profiler non loin, j'entendais leurs murmures indignés.

4

À peine étions-nous rentrés que maman m'a appelée dans sa chambre.

– Pourquoi êtes-vous partie avec Gabriel ? brûlait-elle de savoir.

– Parce qu'il me l'a demandé. Il est venu me réveiller et m'a dit de m'habiller. Il voulait que je lui montre les grottes.

– Je vous interdis de recommencer, vous m'entendez ?

– Oui, maman, lui ai-je dit, déroutée. Mais j'ai le droit de lui désobéir ? Il m'a dit qu'en l'absence d'oncle Pierre, il était comme mon beau-père.

– Ce que vous pouvez être bête, mais bête ! m'a-t-elle jeté comme un crachat. Il n'est *pas* votre beau-père, vous n'avez aucune raison de lui obéir. C'est à moi que vous obéissez, et à personne d'autre. Ne restez jamais seule avec lui. Jamais, jamais, sous aucun prétexte, c'est compris ? S'il vous demande de l'accompagner quelque part, venez aussitôt me le dire. S'il rentre dans une pièce où il n'y a que vous, vous en sortez immédiatement.

Me prenant par les épaules, elle m'a secouée en répétant :

– *C'est compris ?*

– Pourquoi m'en voulez-vous ? Qu'ai-je fait de mal ?

– Je ne sais pas, Marie-Blanche. Et vous, vous le savez ?

Le rouge me montait aux joues, et je n'ai pas eu besoin de répondre. Tant pis pour le secret que j'avais promis de tenir.

– Il vous a embrassée, n'est-ce pas ? a fait maman d'une voix gutturale.

Je me suis mise à pleurer.

– J'ai promis de ne rien dire. Je ne voulais pas. C'est lui qui a insisté.

– Qu'a-t-il fait d'autre ? Il vous a touchée ?

Mes yeux ne quittaient plus le sol.

– Je ne sais pas ce que vous voulez dire, maman.

Alors elle m'a giflée, chose qu'elle n'avait jamais faite.

– Menteuse ! Répondez-moi ! Est-ce qu'il vous a touchée ?

J'ai posé ma main sur ma joue. J'étais tellement ébahie, sous le choc, que j'ai retenu mes larmes. Puis je me suis répandue en sanglots, de douleur et d'humiliation.

– Il m'a pelotée. Il disait qu'il voulait me protéger au cas où un ours arriverait. Il m'a attrapé la cheville quand j'ai tenté de m'enfuir. Il ne voulait pas me lâcher tant qu'il ne m'avait pas embrassée.

– Il vous a embrassée sur la bouche ?

À l'expression de maman, j'ai compris que ce n'était pas tant mon intégrité ou ma virginité qui l'inquiétait – non, elle était simplement jalouse.

– Pas vraiment. Peut-être un peu.

Ses mains sur mes épaules, elle a recommencé à me secouer, plus vivement encore.

– Vous êtes une garce, Marie-Blanche ! Une imbécile ! Et votre oncle est un salopard. Évitez-le comme la peste !

– Pourquoi l'invitez-vous, si c'est un mauvais homme ? ai-je demandé en pleurant à nouveau. Je n'aime pas qu'il soit là. Il me fait peur. Ce n'est pas moi qui lui cours après.

– Allez dans votre chambre. N'en ressortez pas avant que je vous appelle.

Allongée sur mon lit, j'ai tenté de retrouver mes amis.

– Pourquoi le duc Albert n'est pas venu me défendre ? Vous aviez dit qu'il me protégerait, avec Danton.

Comme pour me punir, ils restaient muets.

– Où êtes-vous tous passés ? Pourquoi ne me parlez-vous plus ? Que se passe-t-il ? Je n'ai rien fait de mal. C'est sa faute. Je vous en prie, répondez-moi !

Enfin la petite Constance, qui était morte pendant la grande peste de 1348, a pris la parole.

– Ça t'a plu quand Gabriel t'a embrassée. Et quand il t'a touchée aussi. Tu n'as pas appelé le duc à ton secours. Il serait venu, autrement. Tu as accepté ce qu'il t'a fait, ton oncle. Tu voulais qu'il te prête un peu d'attention.

– Non, ce n'est pas vrai.

– Ça n'est pas notre avis.

– Bon, peut-être un peu. C'est pour ça que vous ne me parlez plus ?

– Oui, tu es trop grande, maintenant. Tu n'es plus une enfant, tu as perdu ton innocence.

– Non, j'ai seulement douze ans.

– Bientôt treize.

– J'avais le même âge que toi, Constance, il n'y a pas long-temps. J'avais huit ans, moi aussi, tu te souviens ?

– Toi, tu as grandi. Moi, j'ai toujours huit ans.

– Ce n'est pas ma faute.

– C'est un vieux, lui. Jamais tu n'aurais dû le laisser t'embrasser et te toucher.

– Je ne lui permettrai plus.

– C'est trop tard, Marie-Blanche, ce qui est fait est fait.

Ce furent pour moi les derniers mots de Constance, de toutes les fées et de tous les fantômes. Jamais plus ils ne m'ont parlé. Pour-tant je savais qu'ils étaient là, comme ils l'avaient toujours été et le seraient toujours. Pendant quelque temps, j'ai continué à sentir leur présence le long des couloirs, les tourbillons d'air frais qu'ils soulevaient en montant dans la tour, les portes qui s'ouvraient et se refermaient, la nuit, tandis qu'ils changeaient de pièce. Peu à peu, ils n'ont plus laissé de traces, et ils ont complètement disparu. Ce que m'avait dit Constance, lors de cette conversation, était vrai. J'avais presque treize ans, j'atteignais la puberté, et j'avais perdu mon innocence dans la grotte avec Gabriel.

Marzac ne serait plus jamais le même endroit. À l'automne, maman m'a inscrite comme pensionnaire à l'école Notre-Dame du Sacré-Cœur, à Paris. Excepté une brève visite le Noël suivant, je n'allais plus retourner au château pendant des lustres.

Cet hiver-là, après une absence de presque quatorze mois, oncle Pierre est finalement revenu d'Amérique du Sud. Cela devait être, pour lui et pour maman, la fin de leur mariage, les dégâts étant irréparables. Cette idée de plantation en plein centre du Brésil était en fait irréalisable. C'était tout simplement un pays trop lointain, trop sauvage et trop difficile d'accès. Plutôt qu'investir de nouvelles sommes dans le projet, Gabriel a décidé de revendre ses terres là-bas. Quant à l'oncle Pierre, il avait sans doute vécu une belle aventure, mais la France lui avait constamment manqué, et il n'avait plus du tout l'intention de chercher fortune au bout du monde. Si ce voyage avait réellement servi à quelque chose, c'était à briser son ménage – peut-être avait-ce été dès le départ le but de Gabriel.

Je reviens enfin à Marzac. C'est l'été et nous sommes en 1955. J'ai eu ici quelques courts moments de bonheur dans mon adolescence. J'espère retrouver une trace de la petite fille que j'ai été. J'espère que les murs ont absorbé quelque chose de son âme, ces murs de pierre, si chaleureux, que j'aimais au point de les embrasser.

Une fois de plus, tout est différent, et demain tout le sera encore. Mon fils Billy est mort il y a huit ans, ma fille Leandra en a sept, et mon autre fils Jimmy, cinq. J'ai laissé Bill et les enfants chez maman et Leander à Saint-Tropez, pour pouvoir retourner ici seule. Bill pensait m'accompagner ; je suis sortie il y a seulement quelques semaines de la clinique, en Floride, où l'on m'a encore désintoxiquée. À l'évidence, il a peur que je me remette à boire s'il n'est pas là pour m'en empêcher. Et c'est probablement ce que je vais faire, histoire de fêter ça. Les alcooliques n'aiment rien tant que se séparer de leurs gardiens. Comme toujours, je lui ai fait des promesses en sachant que je ne les tiendrais pas. Je ne voulais pas de lui à Marzac. C'est chez moi, c'est mon enfance, mon château. Il n'aurait rien compris. Bill est un chic type, mais il manque d'imagination. Je crois qu'au fond de lui, il était soulagé que je dise non. Cela doit être aussi épuisant de surveiller quelqu'un que d'être surveillé soi-même.

Ma mère est restée très amie avec oncle Pierre depuis leur divorce, il y a bien des années. Il s'est remarié avec tante Jeanne, et passe son temps entre Marzac et Paris, où il est agent immobilier. Ils ont une maison de vacances à deux pas de celle de maman et Leander à Saint-Tropez. Pierre m'a lui aussi proposé de m'accompagner, mais je n'ai pas voulu non plus. J'ai pris un taxi à la gare de Saint-Eyzies. Le gardien, qui m'attendait, a ouvert le portail et m'a accueillie dans la cour.

– Vous allez trouver le château bien changé, mademoiselle Marie-Blanche, a-t-il dit, avant de se présenter.

Il s'appelle Roland et il a en main une de ces énormes clefs qui semblent dater du Moyen Âge.

– M. le comte travaille tellement, a-t-il expliqué, qu'il n'a presque jamais le temps de venir nous voir, le pauvre. Tout l'argent qu'il gagne à Paris, à vendre des maisons et des appartements, passe dans les rénovations. Vous verrez par vous-même tout ce qu'il a fait. Si vous avez besoin de quoi que ce soit, mademoiselle, mon épouse et moi habitons le pavillon juste à côté. Ce sont les anciennes écuries, converties en habitations.

– Où sont passés les chevaux ?

Roland a haussé les épaules et ouvert les bras.

– Il y a belle lurette qu'ils ne sont plus là. Les écuries sont restées vides un bon moment. Le comte n'avait plus les moyens de les garder, ces chevaux. Ni la plupart des domestiques. Il vient si rarement, avec la comtesse. Beaucoup de pièces sont condamnées. Mais nous avons fait le lit dans votre ancienne chambre. Je vais vous monter votre valise.

«Josette, ma femme, vous a préparé de quoi manger. Un cassoulet. Il est dans le four, il n'y a qu'à le réchauffer. J'espère que ça vous plaira. S'il vous faut quoi que ce soit au village, mademoiselle, dites-le-nous demain matin.

– Roland, vous me parlez comme si on se connaissait. Je me trompe ?

– Mon père, Joseph, était le chauffeur de M. le comte. Je travaillais dans les champs et au verger quand vous étiez petite fille. Vous ne devez pas vous souvenir de moi.

– Mais bien sûr que je me souviens de vous. Nous étions amis. Pardonnez-moi, je ne vous ai pas reconnu tout de suite.

– Nous étions amis comme peuvent l'être un domestique et son patron.

– Et votre père, Roland ?

– Il est mort il y a quelques années.

– Je ne l'ai jamais oublié. C'était un homme merveilleux. Il a toujours été très gentil avec moi et je l'aimais beaucoup.

– Merci, a dit Roland avec un petit hochement de tête. Il vous aimait beaucoup aussi.

Il a monté ma valise avant de prendre congé. Le soir va bientôt tomber et j'essaie de me repérer dans le château. Roland dit vrai : bien des choses ont été redécorées, ou mises aux normes. Dans le grand salon du rez-de-chaussée, les meubles sont recouverts de draps, et apparemment personne n'y va plus. Mais le petit salon où nous nous retrouvions avant et après manger est ouvert. Cela n'est plus la même pièce, et pourtant si, à la manière de ces époques de la vie qui sont à la fois intimes et distantes. En déambulant dans le château, je me donne l'impression d'un fantôme venu hanter mon enfance. J'emprunte l'escalier dont je connais si bien les marches que j'aurais pu les gravir hier. Je crois être de nouveau la petite fille d'antan, et je m'efforce de réunir mes fées et mes esprits, qui restent silencieux. Tant d'années nous séparent qu'ils ne savent plus qui je suis. Ma chambre a été refaite, on a installé un cabinet de toilette contigu. Je monte jusqu'au deuxième étage et je poursuis dans l'escalier en spirale jusqu'à la tour où nous allions jouer, enfants. Oui, nous étions ces dames du Moyen Âge, qui attendaient le retour des braves chevaliers. J'ai la sensation que tout est pareil, mais que tout a changé ; les voix de mon enfance ne me parlent plus ; ce paysage qui était jadis si familier – les champs, le verger, la rivière – m'est soudain étranger, pour ne pas dire hostile. Henri, mon petit chien, est enterré à l'orée de la forêt. Je veux aller demain sur sa tombe, que j'avais marquée de plusieurs pierres, les unes sur les autres. Quand je regarde le village de l'autre côté, je ne peux plus revêtir mes faux habits de princesse, ni imaginer que les paysans me jalousent. Je retrouve seulement le mépris ridicule de la petite fille que j'étais et que je voudrais tant redevenir. Je colle ma joue au mur de la tour, qui a gardé la chaleur du soleil. Ces moellons sont imbriqués là depuis cent générations et ils en verront cent encore. Mes lèvres rencontrent la pierre. C'est comme embrasser le vieil amoureux qu'on a conservé au fond de son cœur, avec le sentiment doux-amer que sa bouche nous est interdite.

– Remettez-moi dans le secret, imploré-je. Je vous en prie, parlez-moi comme avant. S'il vous plaît, ouvrez-moi les bras.

RENÉE

Armant
Décembre 1913

1

Début décembre 1913, les Fontarce quittèrent un matin Le Caire à bord d'un *dahabieh*, un des hôtels flottants, rutilants et dorés, de la compagnie Thomas Cook. Des dizaines d'autres bateaux – chalands et felouques aux voiles élancées – jonchaient la vaste étendue du Nil, où les mariniers psalmodiaient un chant monotone.

Pimpants et parfumés, élégamment coiffés et habillés, la comtesse, le vicomte, miss Hayes et Renée ressemblaient à des personnages de carnaval lors d'une parade nautique. Installés sur des chaises longues, ils saluaient avec condescendance les paysans sur les rives – les fellahs égyptiens qui travaillaient dans les champs, arrosaient les cultures à l'aide de seaux remplis dans le fleuve. D'autres encore, simplement accroupis, le chef couvert d'un turban et le corps d'une robe, regardaient, impassibles, l'eau couler. Dans les villages de huttes de terre, des femmes en noir au visage masqué d'épais voiles cuisinaient sur des feux de plein air, pendant que leurs enfants couraient nus dans les allées poussiéreuses. Quelques indigènes daignaient lever la tête au passage du *dahabieh*, et l'on ne décelait aucune envie, aucune jalousie dans leur regard, rien qu'une indifférence séculaire, héritée des générations qui virent défiler en leur temps, sur ces mêmes rives, rois, reines, envahisseurs, occupants ou vaincus.

Après le dîner, Gabriel surprit Renée en lui offrant une djellaba aux superbes broderies.

– Emmenez ma fille dans votre cabine, miss Hayes, pour qu'elle puisse l'essayer, demanda-t-il à celle-ci. Puis revenez toutes deux que je voie ça de près. Allez les aider, Henriette.

La comtesse obéit et les regarda faire, assise, avec une expression mêlée d'ennui et de résignation.

– Qu'en pensez-vous, maman ? dit Renée en faisant un tour entier sur elle-même. Elle vous plaît ?

– Le vicomte sera enchanté de voir sa poupée avec une robe neuve, répondit sa mère en se relevant lentement. Maintenant, je vais me retirer dans ma cabine.

Gabriel était ravi de son choix.

– J'en étais sûr ! s'exclama-t-il. Elle vous va parfaitement ! Vous êtes ravissante, ma fille. N'êtes-ce pas votre avis, miss Hayes ?

– Mais si, bien sûr, monsieur.

– Je la garde avec moi, ce soir. Vous avez votre soirée, madame.

– Fort bien, monsieur le vicomte, dit la gouvernante avec une courte révérence.

Toujours discrète, bien souvent insondable, avait-elle idée de ce qui se tramait entre l'oncle et la nièce ? Vivant depuis assez longtemps avec les Fontarce, et connaissant leur cercle de relations, elle tenait les Français, et tout particulièrement l'aristocratie, pour des pervers. Une opinion, bien sûr, qu'elle gardait pour elle-même. Cependant l'intégrité morale de miss Hayes, sa rectitude britannique et l'aptitude qu'elle démontrait, comme tout domestique compétent, à fermer les yeux sur les défauts de son employeur, l'empêchaient de s'avouer qu'il s'agissait d'une entreprise de séduction.

– Eh bien, bonne soirée. Bonne nuit, ma petite, souffla-t-elle avant de refermer lentement la porte derrière elle.

– Comme vous êtes jolie, Renée ! Venez me prendre dans vos bras, dit le vicomte.

À nouveau seule avec lui, Renée sentit son cœur battre à tout rompre.

– Je suis votre père, poursuivit-il. J'ai tous les droits. Venez ici.

Rougissant comme une épouse timide le soir des noces, elle s'approcha et se colla doucement contre lui.

– Nous irons voir les pyramides au clair de lune, susurra-t-il, avant de se rendre compte qu'elle tremblait. Avez-vous froid ?

– Non.

– Peur ?

Elle ne répondit pas.

– Ma fille chérie, dit-il en riant, avant de l'embrasser sur la joue. C'est vous qui commandez, maintenant. Il faut simplement m'obéir et n'avoir peur de rien. Restez là dans mes bras et dormez.

– Où étiez-vous cette nuit ? demanda la comtesse à sa fille, dans la salle à manger du bateau, le lendemain matin au petit-déjeuner.

– Dans les bras de Gabriel, répondit franchement Renée.

– Ah, c'est « Gabriel », maintenant ?

– Oui, parce qu'il est mon père. Je ne peux plus l'appeler mon oncle. Comme j'en ai déjà un, de père, je ne peux pas non plus l'appeler papa. Donc on s'est mis d'accord pour que ce soit « Gabriel ».

– Comme on appelle son amant, observa la comtesse.

– Si vous voulez, dit Renée.

Une voiture à chevaux les rejoignit sur le quai à Armant, ainsi que trois chariots à mules pour les bagages. Ceux-ci contenaient, tassés dans deux lourdes caisses, les dix volumes de la monumentale traduction anglaise des *Mille et Une Nuits*, de Sir Richard Francis Burton. Gabriel avait accepté que miss Hayes les sorte de la bibliothèque des Roses, afin qu'elle puisse continuer de les lire à Renée.

Le vicomte s'était fait bâtir une résidence dans le style des palais arabes. Surplombant légèrement le delta du Nil et sa végétation luxuriante, elle se détachait sur des collines de sable blanc. De loin, on aurait cru une petite ville à l'horizon, avec des façades chaulées, une série de dômes qui brillaient au soleil comme des mirages dans le désert ; le tout cerné de murs de terre, parés de pointes de fer « pour éloigner les barbares », selon les propres mots de Gabriel. Tandis que la caravane approchait,

Renée se donnait l'impression d'un personnage des *Mille et Une Nuits.*

Le comte de Fontarce les accueillit devant la grande entrée. S'il ne résidait pas à Armant depuis très longtemps, il était déjà plus mince, bronzé, et n'avait jamais paru en aussi bonne santé. Son humeur elle aussi semblait s'être améliorée. Il accueillit fille et épouse avec une gentillesse inhabituelle, comme si elles lui avaient réellement manqué et qu'il se réjouissait de les retrouver.

– On dirait que la vie de propriétaire égyptien vous réussit, mon frère, le flatta Gabriel. Vous avez l'air en grande forme.

– Vos fellahs ont rarement mis autant d'ardeur à travailler dans les champs, lui dit fièrement Maurice. J'avoue qu'ils sont tout dévoués à leur nouveau maître.

– Bravo. Il est vrai que vous vous êtes toujours mieux débrouillé que moi avec les paysans.

Le comte se tourna vers Renée pour l'embrasser.

– Ah, vous voilà, vous, la fille aux deux pères ! s'écria-t-il sans amertume. Comme je suis heureux de vous voir, ma petite.

– Oh moi aussi, papa ! dit-elle en se jetant dans ses bras.

Cette réunion apportait de nouveau à Renée la sensation fugace d'un bonheur partagé, d'un esprit de corps – voire l'assurance que, sans être une famille franchement ordinaire, ils étaient tout de même normaux.

Avec ses épais rideaux écarlates aux fenêtres, ses immenses pièces aux luxueux divans et aux fauteuils profonds, ses tables rondes incrustées de hiéroglyphes, ses grands miroirs vénitiens et ses tapis d'Orient aux superbes motifs, l'intérieur était plus somptueux encore qu'aux Roses. Les hauts plafonds voûtés étaient ornés de fresques représentant des paysages naturels et des scènes de guerre. Peints aux couleurs du ciel, certains donnaient l'impression d'une promenade sous les étoiles.

On attribua à Renée et miss Hayes deux chambres contiguës, dotées d'une salle de bains commune. Comme aux Roses, de larges fenêtres ouvraient sur un jardin garni de figuiers, orangers, pamplemoussiers et citronniers, de toutes sortes de plantes et fleurs exotiques. Il en émanait une odeur intense de jasmin, entrecoupée des senteurs piquantes et sucrées des poivriers. Tout ici était nouveau, différent – sans oublier le désert qui, derrière l'enceinte de cette quasi-oasis, au-delà des rives inondables du Nil, étendait à perte de vue sa monotone blancheur, ses dunes sans cesse remodelées par les vents.

Quelques nuits après l'arrivée de la famille, Henriette entra dans la chambre de sa fille au moment où celle-ci s'endormait. Pâle et soucieuse, elle s'assit au bord de son lit.

– Êtes-vous heureuse d'être en Égypte, Renée ?

– Pourquoi ne le serais-je pas, maman ?

– Et Gabriel ? Savez-vous pourquoi il a tant d'affection pour vous ?

– Parce qu'il est mon père ?

– Votre *père* ? Je vous en prie ! dit la comtesse d'une voix pleine de mépris. Et il vous embrasse souvent ?

– Jamais, mentit Renée.

– A-t-il fait le vœu de vous épouser ?

– Quoi ? Non, jamais ! Quelle idée folle !

– Pourquoi êtes-vous braquée contre moi ?

– Je ne suis braquée ni contre vous ni contre personne, maman.

– Peut-être, admit Henriette en hochant la tête. De ce point de vue, vous êtes exactement comme lui. Vous vous fichez complètement des autres, qu'ils soient de votre côté ou non. Vous ne vous souciez que de vous et ne formez des alliances que pour défendre vos intérêts. Pour ça, vous vous êtes bien trouvés, tous les deux.

Se levant, la comtesse sortit de la pièce comme un fantôme. Enfouissant la tête dans son oreiller, Renée se prit à penser qu'elle avait mené à terme le projet ébauché bien des années plus tôt, lorsqu'elle était petite fille : elle avait réussi à empêcher ses parents de divorcer, sa mère d'épouser Gabriel, et elle lui avait volé ce dernier. Si elle en retirait une froide satisfaction, elle ne nourrissait aucune animosité envers sa mère. Sans doute celle-ci avait-elle vu juste : Renée ressemblait beaucoup à son oncle, tous deux n'accordant, quoi qu'il arrive, que peu d'importance aux autres.

Elle poursuivit un instant sa réflexion, mais somnolait à nouveau quand Gabriel, murmurant quelques mots près d'elle, la réveilla en sursaut.

– Vous dormez ? lui demanda-t-il. J'ai cru entendre votre mère. Que disait-elle ?

– Rien, répondit Renée. Elle ne m'a rien dit. On entre et on sort de ma chambre comme dans un hall de gare. Vous m'espionnez, maintenant ?

Gabriel la saisit brusquement par les épaules et la secoua violemment.

– Vous mentez, petite salope ! siffla-t-il entre ses dents. Je vais vous donner une correction. Vous me cachez des choses ! Répétez ce qu'elle a dit !

Les sautes d'humeur de son oncle ne l'étonnant plus, Renée déclara calmement :

– Comme d'habitude : «nous ne nous intéressons qu'à nous, vous et moi». Arrêtez, vous me faites mal.

Une fois de plus, la colère du vicomte retomba aussi vite qu'elle était apparue.

– Elle n'a sans doute pas tort, admit-il en lâchant Renée. Peut-être est-ce pour cela que nous nous comprenons bien. Enfilez la djellaba et venez dans ma chambre. J'ai envie de vous câliner.

– Tiens, je croyais que vous vouliez me battre.

– Allons, venez.

Elle le suivit silencieusement dans le couloir, puis s'installa dans son lit. Gabriel s'allongea près d'elle, et elle sentit contre sa cuisse la forme dure et chaude de son sexe sous son pyjama.

– Votre parfum est si doux, murmura-t-il, la serrant contre lui, le nez dans ses cheveux.

Elle s'endormit vite et se réveilla le lendemain matin, seule dans le lit, avec un bracelet en or à son bras.

Lorsqu'elle descendit prendre son petit-déjeuner, elle trouva le vicomte et sa mère à la table de la salle à manger. Maurice était déjà parti faire sa tournée de la plantation.

– Henriette, il faut absolument que vous compreniez la place des femmes dans ce pays, insistait Gabriel. On attend d'elles qu'elles se soumettent à leur mari, et puis voilà. Dans toutes les classes de la société égyptienne, c'est l'homme qui domine.

– Ah vraiment ? Voulez-vous m'expliquer en quoi cela serait différent de l'Europe ?

– Croyez-moi, ma chère, c'est extrêmement différent. Dans ce pays, le père commande à la famille entière, et l'épouse reste constamment dans l'ombre. Faute de quoi, elle risque la répudiation, et toute la société se retournera contre elle. Il est même parfois nécessaire d'exécuter une épouse indocile.

D'un geste d'une extrême délicatesse, la comtesse reposa sa tasse dans sa soucoupe.

– Pourquoi me dites-vous cela, Gabriel ? demanda-t-elle d'une voix égale. Est-ce un avertissement, des menaces à mon encontre ?

– Dans cette région de l'Égypte, bien plus encore qu'au Caire, c'est moi, le maître du domaine, qui compte avant tout aux yeux du personnel. Il m'est interdit de le décevoir, et rien dans ma vie privée n'est censé fournir matière à scandale. C'est d'une importance capitale, et voilà pourquoi ma famille doit m'obéir. Le moindre soupçon d'immoralité est à éviter.

– Ah, vos soupçons d'immoralité...

– Il est donc parfaitement normal que vous preniez la chambre attenante à celle de votre mari. Toute autre disposition serait indécente. Si, par exemple, vous logiez dans la même aile que moi, les domestiques ne manqueraient pas de le remarquer et d'en parler autour d'eux. Exactement le genre de chose qu'on jugerait immoral. Au Caire, ce n'est pas pareil : là-bas, vous avez toute liberté de vous montrer avec Sir Herbert ; nos amis européens sont mille fois plus tolérants à cet égard que les habitants de cette région. Mais que le personnel ait vent de quelque indécence de votre part, de la moindre infidélité envers votre mari, et cela pourrait aller mal pour vous. *Même très, très mal.*

– Je vois, fit la comtesse, hochant la tête. Vous me feriez lapider, n'est-ce pas ? Je crois deviner les raisons de votre petit laïus sur la culture égyptienne.

– Cela étant, continua le vicomte, sans relever, il est tout à fait acceptable que ma fille loge dans une chambre contiguë à la mienne. Je la préserve des dangers de la nuit.

Henriette émit un de ses rires moqueurs.

– Les dangers de la nuit... C'est ça ! Je sais fort bien que, depuis que nous sommes ici, elle se glisse dans votre chambre dès que les autres sont couchés, et qu'elle y reste parfois jusqu'au lendemain. Tout le monde le sait. Le vrai danger de la nuit, c'est vous.

Tendant le bras vers Renée, assise à son côté, Gabriel passa une main dans ses cheveux, d'un geste affectueux, puis effleura son nouveau bracelet.

– Venez près de moi, ma petite, murmura-t-il.

Elle s'exécuta docilement et il continua, à l'intention de la comtesse :

– J'admets que je lui ordonne de me rejoindre le soir. Mais seulement pour veiller à sa sécurité. Je m'efforce de lui exposer les réalités de cette partie du monde. Et je crois de mon devoir de vous en faire prendre conscience. Nous ne sommes plus en France. On nous surveille constamment, cette maison et nous-mêmes. Les barbares dorment à notre porte. Cela implique une vigilance de chaque instant.

Blottie contre son oncle, Renée ressentait toute sa force, sa chaleur, la protection qu'il lui offrait. Tandis qu'ils faisaient front, la comtesse les observait, et son expression tenait plus d'une grande tristesse que de la colère.

– Qu'y a-t-il, Henriette ? dit Gabriel. À vous voir, on dirait qu'il y a un mort dans la famille.

– C'est peut-être le cas. Je ne suis pas heureuse à Armant, je veux m'en aller. Lady Winterbottom m'a invitée à séjourner chez elle au Caire.

– Mais vous êtes à peine arrivée. L'endroit vous déplaît-il à ce point ? Vous n'avez même pas visité le domaine.

– Tout me paraît détestable, ici. Vous y compris, Gabriel. Surtout vous.

– Voilà qui est charmant. Et très approprié, compte tenu de ce que j'ai voulu expliquer, concernant le respect dû au maître des lieux.

– Tout est bien fini entre nous, dit la comtesse d'une petite voix vaincue. Je le sais, et pourtant j'ai fait comme s'il restait un peu d'espoir. J'ai simplement besoin d'accepter qu'après tant d'années, ce qui nous lie depuis notre jeunesse est terminé. Cela me paraît soudain vieux d'un siècle.

– Vous me connaissez depuis assez longtemps, Henriette, pour savoir que je ne partage pas les femmes que j'aime. Soit elles m'accompagnent, moi et moi seul, soit je m'en débarrasse.

– Je ne vous ai jamais quitté. C'est vous qui m'avez abandonnée. Pour cette enfant.

– Vous serez certainement plus heureuse au Caire, dit le vicomte. Je suis ravi d'apprendre que Lady Winterbottom vous a invitée. Quelle chance pour vous et Sir Herbert. Quoi qu'il en soit, j'ordonne au personnel des Roses de vous en fermer la porte. Je ne tiens pas à ce que Sir Herbert dorme dans mon lit.

– Quel culot! Comment osez-vous me parler ainsi? Devant ma fille, en plus!

– Cela ne vous suffit pas d'humilier mon frère en vous affichant avec l'Angliche? Évidemment, les domestiques ne m'ont pas caché que vous le receviez dans votre chambre! Dans ma propre maison! Il vous rend visite chaque fois que Maurice et moi avons un rendez-vous d'affaires ou un dîner au club.

– Et que vous en profitez pour jouer les pédagogues? Les pédophiles, plutôt! lâcha la comtesse. Monsieur met des robes de soirée aux petites filles et leur offre des bracelets en or... On dirait surtout un collier d'esclave... Vous n'aimez personne, Gabriel, et cela depuis toujours. Je prédis que cette enfant signera votre perte. Elle sera votre dernière illusion de jeunesse et elle vous fera mourir d'amour.

À l'évidence, le vicomte était ébranlé par cette dernière repartie.

– Elle est devenue légalement ma fille, rien de plus. J'ai réglé les dettes de votre foyer, Henriette, et il me semble que...

Il ne finit pas sa phrase.

– Oui, vous l'avez achetée contre paiement de nos créanciers. Une transaction fort équitable. Quant à moi, je serais sûrement plus heureuse avec Sir Herbert. Au moins, il m'est fidèle, lui.

– *Catin!* explosa Gabriel, qui tapa du poing sur la table. Dites cela à votre mari, pas à moi! Dehors! Sortez de ma maison!

Affichant une grande dignité, Henriette se leva.

– Dès que j'aurai arrangé mon voyage de retour, je m'en irai, dit-elle. Et je peux vous assurer que je ne reviendrai pas.

Elle sortit tranquillement de la pièce et Renée se mit à pleurer – quoique le départ de sa mère fût hors de cause. S'agenouillant, elle prit la main de son oncle dans les siennes et le supplia :

– Ne me renvoyez pas. Je vous en prie, ne me demandez pas de rentrer au Caire avec maman.

Comme d'habitude, le vicomte retrouva rapidement son calme, mais il tremblait.

– N'ayez crainte, ma petite, dit-il, caressant ses cheveux avec l'autre main. Je ne vous renverrai pas. Vous êtes encore si jeune. Peut-être apprendrez-vous à m'aimer.

2

Quelques jours plus tard, la comtesse de Fontarce embarquait sur un *dahabieh* que Sir Herbert lui avait envoyé depuis Le Caire. Ce fut une étrange et triste séparation pour tous. Préférant s'atteler aux affaires de la plantation, le comte ne vint même pas assister au départ de son épouse. Il ne comprenait pas – et ne voulait pas comprendre – ce qui se tramait dans cette famille et, comme bien souvent, il préférait simplement s'exclure des opérations.

Gabriel et Renée se tenaient sur le quai, dont le vaisseau s'écartait lentement. Henriette, sur le pont, se retourna vers eux. Il n'y eut ni au revoir, ni étreintes, ni mains levées.

L'oncle et la nièce regardèrent le bateau filer jusqu'à ce que ses voiles disparaissent sur la surface du fleuve, plane et lisse, à peine perturbée par les volutes du courant.

– Elle a raison, dit le vicomte à voix basse. Vous êtes ma dernière illusion.

Il posa un bras sur l'épaule de Renée et la serra contre lui.

– Vous dormirez désormais chaque soir avec moi. Mais il faut me promettre de ne le dire à personne. Jamais.

– Même si maman me repose la question ?

– Votre mère n'existe plus pour nous.

Les semaines suivantes, Renée entama avec Gabriel l'exploration de la plantation. Ils inspectèrent les champs de coton, les vergers aux mille citronniers, vérifièrent l'acheminement des produits et l'état des puits, autour desquels des ânes gris tournaient inlassablement dans le sable. C'était moins romantique que Renée l'avait imaginé, et le dur labeur des baudets lui parut être une métaphore de leur propre travail. Une activité monotone, sous un soleil de plomb, entrecoupée de repas grossiers en pleine nature, de siestes sur des paillasses dans des tentes infestées de mouches. Pas vraiment le tableau idyllique que son oncle lui avait brossé de la vie à Armant.

En outre, depuis le départ de la comtesse, Gabriel était devenu désagréable, et son humeur se dégradait de jour en jour. Il s'emportait facilement et traitait la jeune fille comme si elle était coupable de sa rupture avec Henriette. Renée n'osait pas se plaindre, sachant que, si elle le contrariait, il se débarrasserait d'elle aussi vite que de sa mère. Elle ne voyait presque plus son premier père ; celui-ci s'absentait de la résidence pendant des journées entières pour superviser l'exploitation de la canne à sucre ou d'une autre culture.

À Armant, Gabriel recevait fréquemment à dîner les pachas des environs. Leurs propriétés jouxtaient la sienne, ils avaient de nombreux intérêts communs. Ces hommes gardaient leur fez à table, chacun venait avec un domestique qui restait debout derrière son siège tout au long du repas. Dans un anglais parfait, ils parlaient de leurs faucons de chasse, des écuries et des champs de courses qu'ils possédaient en Irlande et en Grande-Bretagne. Revenant parfois à leur arabe natal – sans se douter que Renée commençait à le comprendre –, ils se félicitaient au sujet des dernières recrues de leurs harems, évoquant leurs qualités physiques avec la même exubérance qu'ils le faisaient précédemment à propos de leurs chevaux. Renée trouvait ces conversations fascinantes, car elles l'éclairaient comme jamais sur l'univers des hommes. Bien décidée à frayer dans celui-ci, elle prêtait la plus grande attention à ces propos. Après bien des années passées à espionner son père et ses camarades à La Borne-Blanche, elle remarqua que, malgré d'évidentes différences culturelles entre les Arabes et les Européens, les messieurs étaient au fond partout les mêmes, avec les mêmes préoccupations : les femmes, les chevaux, la chasse.

Lorsque, inévitablement, on abordait la question des affaires, elle s'ennuyait vite et ne les écoutait plus. Soucieux d'associer son héritière présomptive à l'exploitation du domaine, Gabriel se tournait parfois vers elle au cours de ces interminables parlotes, et lui demandait :

– Et vous, ma chère, qu'en pensez-vous ?

Peu habitués à la présence d'une jeune fille blonde à la table des repas, les pachas lui souriaient curieusement, révélant au passage d'éblouissantes rangées de dents en or.

Perdue dans sa rêverie, Renée avait rarement de réponse satisfaisante à fournir. Elle n'était, après tout, qu'une gamine de quatorze ans, et n'avait guère d'avis sur ces questions qui l'assommaient au plus haut point.

– Eh bien, père, disait-elle, devinant ce qu'il voulait entendre. Je crois que ces messieurs sont des hommes d'affaires avisés, et j'apprends beaucoup en leur compagnie. Mais je doute qu'il soit convenable de donner mon opinion, car je ne suis encore qu'une jeune fille, très ignorante en la matière.

Cette tirade, ou une autre du même genre, semblait satisfaire les pachas, qui, toujours souriants, acquiesçaient.

Un soir au cours d'un de ces dîners, Gabriel pria ses hôtes de l'excuser, prétextant un brusque malaise.

– Je compte sur vous pour vous occuper de nos invités, s'il vous plaît, murmura-t-il à Renée. J'ai besoin de me retirer dans ma chambre, ma chérie.

Elle n'était pas enchantée de se voir confier le rôle de maîtresse de maison, et la tablée était gênée par l'absence subite du vicomte. Contrairement à leur habitude, les hommes ne s'abandonnèrent pas, le dîner terminé, au plaisir d'un cognac et d'un bon cigare et, quand le dernier eut pris congé, Renée monta dans sa chambre. Passant devant celle de Gabriel, elle perçut des rires étouffés. Supposant qu'il rêvait, elle colla son oreille à la porte. Un autre rire suivit, cette fois celui d'une femme, plein et guttural. Renée sentit son cœur battre dans sa poitrine. Puis elle entendit son oncle parler à voix basse. En proie à une jalousie dont elle n'aurait pas deviné la violence, elle actionna la poignée. La porte n'était pas verrouillée. Avec prudence, elle l'entrouvrit suffisamment pour risquer un coup d'œil. Elle en eut les jambes molles et l'estomac retourné : Gabriel était au lit avec une des domestiques, une Nubienne potelée que Renée avait fréquemment surprise, au cours de son service, en train de le couver du regard. Assise à califourchon sur lui, elle jouait des hanches au bord de l'extase, pendant qu'il retenait dans ses mains l'ample poitrine de la jeune femme. Tous deux se chuchotaient des mots tendres et joyeux, et le lit tremblait sous leurs ébats. Folle de rage, Renée ne parvenait pas à détourner la tête. Elle se retrouvait telle qu'autrefois, une petite voyeuse en train d'épier, immobile, par la porte entrebâillée – sauf qu'à l'époque Gabriel faisait l'amour à sa mère, et qu'elle les observait tapie dans le coffre du salon. Tout semblait revenu au point de départ ; elle avait réalisé son rêve de supplanter sa mère (bien que l'œuvre de chair dût encore attendre), et la voilà qui, clouée au sol, constatait la première infidélité de son oncle et père adoptif.

Aussi discrètement qu'elle était arrivée, elle se retira dans sa chambre où, la tête enfouie dans l'oreiller, elle pleura toutes les larmes de son corps.

Depuis la pièce à côté, miss Hayes entendit ses sanglots et tenta d'ouvrir la porte mitoyenne, que Renée avait fermée à clef.

– Qu'y a-t-il, mon enfant ? demanda la gouvernante. Laissez-moi entrer !

Inconsolable, Renée ne voulut rien savoir.

– Allez-vous-en ! lui dit-elle. Je n'ai pas envie de vous voir !

Une fois la Nubienne renvoyée dans ses quartiers, Gabriel monta et frappa doucement.

– Ouvrez ! dit-il.

– Jamais ! Je vous déteste !

– Je vous ordonne d'ouvrir cette porte.

– Pourquoi ? Pour que je prenne la place de votre grosse négresse ? Partez !

– Je suis votre père. Et le maître de ces lieux. Ouvrez cette porte tout de suite !

– *Fichez le camp !*

Renée resta enfermée dans sa chambre trois jours et trois nuits, refusant même de descendre prendre ses repas. Miss Hayes lui apporta de quoi manger sur un plateau, auquel la jeune fille toucha à peine.

– À un moment ou à un autre, vous devrez bien reprendre une vie normale, lui dit la gouvernante, dans le couloir. Ça n'est pas le bout du monde, contrairement à ce que vous pensez.

– Qu'en savez-vous ? répondit Renée. Que savez-vous de l'amour ?

Le quatrième matin, miss Hayes frappa de nouveau.

– Il faut vous lever, ma fille, et venir tout de suite. Le vicomte est en train de faire ses valises et il va partir au Caire sans vous.

– Quoi ? Il me laisse ici ? dit Renée qui, aussitôt, déverrouilla sa porte et l'ouvrit violemment.

Gabriel se tenait dans le couloir à côté de la gouvernante.

– J'allais vous abandonner aux chacals, dit-il en souriant. Mais j'ai décidé de vous accorder une dernière chance. Il est temps que vous arrêtiez de bouder. Allons, débarbouillez-vous et rejoignez-moi en bas pour le petit-déjeuner.

– Vous m'avez roulée, reprocha Renée à l'Anglaise. Vous m'avez trahie.

– Vous ne pouvez pas rester recluse comme ça.

Renée s'habilla et descendit à la salle à manger.

– Vous ne partez pas tout de suite au Caire, n'est-ce pas ? demanda-t-elle à son oncle.

– Non, la semaine prochaine comme prévu, à l'avant-veille de Noël. Maintenant, mangez.

– Je n'ai pas faim.

– Pourquoi ?

– Parce que...

Il saisit le pot de confiture qu'il projeta contre le mur. Se brisant en éclats, le verre répandit de longues traînées de groseilles sur les carreaux. Puis Gabriel se leva, rejoignit Renée et la força à quitter son siège en la tirant par les cheveux.

– Espèce de sale petite ordure ! gueula-t-il, avant de déchirer son chemisier, de la jeter par terre et de la rosser à coups de cravache. Je suis votre père ! Je suis le maître, ici ! Je fais ce que je veux ! Je prends les femmes qui me plaisent, et c'est mon droit !

J'en ai marre de vos bouderies imbéciles! dit-il en la frappant méthodiquement.

« Vous vous foutez de moi! poursuivit-il. Vous saviez depuis le début qu'Henriette recevait Herbert dans sa chambre! Sans jamais me le dire! Me ridiculiser dans ma propre maison! Prenez ça, petite salope! Et encore ça!

Tentant de se protéger, Renée s'était lovée en position fœtale et couvrait son visage avec ses bras. Pas un son, cependant, ne sortait de sa bouche. Finalement, la servante soudanaise qui se tenait aux ordres, près de la porte, se mit à crier, comme si c'était elle qu'on battait. L'accès de fureur du vicomte s'arrêta aussi brusquement qu'il avait commencé. Haletant, Gabriel était soudain immobile, muet, comme au sortir d'un rêve.

– Eh bien, ma chérie, dit-il d'une voix assurée, quand vous aurez fini de manger, retrouvez-moi dans mon bureau. Je souhaite avoir un mot avec vous.

Tout aussi calmement, il sortit à grands pas de la salle à manger.

Renée resta un long moment couchée sur le sol à évaluer la gravité de ses blessures. Un instant plus tard, la servante revint avec un bol d'eau chaude et un linge propre pour les lui laver. Les boutons du chemisier étaient arrachés, le tissu déchiré, et de vilaines zébrures apparaissaient sur le dos et les bras de la jeune fille. Se rendant compte qu'elle n'avait rien éprouvé pendant que son oncle la frappait, elle se demanda si elle n'était pas tordue. Elle comprit qu'elle avait en fait pris plaisir à la chose, qu'elle se flattait d'avoir provoqué une telle colère. Et elle se sentit douée d'une sorte de pouvoir pervers, puisqu'il était vraiment sorti de ses gonds. Mieux valait cette considération-là, certes douloureuse, que d'être ignorée, ou remplacée par une autre, pensa-t-elle.

Une fois repris ses esprits, elle se rendit passivement dans le bureau de Gabriel. L'oncle-père referma la porte derrière elle et, la guidant par les épaules, l'assit sur le canapé. Renée grimaça au contact de ses mains mais, ses blessures la faisant maintenant horriblement souffrir, elle n'eut pas la force de résister. Elle comprit également qu'elle n'avait plus peur de lui, et que, par conséquent, il ne pourrait plus lui faire de mal.

– Écoutez-moi, ma fille, dit-il. Vous ne pouviez pas continuer à bouder ainsi. Vous êtes absolument insupportable depuis
quelques jours.

– Vous avez mis une négresse à ma place dans votre lit,
répondit-elle. Je suis jalouse. Vous ne comprenez pas ? Et, en
plus, il faut que je reçoive une rossée ? Pourquoi ne pas me
chasser, tout simplement ?

– S'il vous plaît, Renée. C'est à vous de comprendre. Je suis
votre père, le maître de ces lieux, et il faut m'obéir à tout moment.

– Vous m'avez blessée. Vous m'avez frappée comme un fou
furieux. Si je ne vous vaux que des ennuis, pourquoi ne pas
m'envoyer au couvent, comme ma mère l'a toujours souhaité ?
dit-elle en commençant à pleurer.

Il la recueillit dans ses bras.

– Vous êtes encore jeune, il y a tant de choses qui vous
échappent. Venez, retournons au lit. C'est très difficile pour moi,
murmura-t-il, le nez dans ses cheveux. Je suis votre père, essayez
de comprendre.

3

Deux jours avant Noël, Renée se trouvait sur le pont du *dahabieh* entre ses deux pères, en direction du Caire. Elle redoutait d'être bientôt confrontée à sa mère et se demandait ce qu'elle allait lui dire.

Comme de bien entendu, lors de leur première soirée aux Roses, la comtesse se présenta à la propriété sans prévenir. Elle entra dans le salon d'un bon pas, avec un grand sourire aux lèvres. Prévenant, le comte se leva pour baiser la main de sa femme. Il paraissait sincèrement heureux de la revoir.

– Ma chère, vous ne pouvez pas rester comme ça en vadrouille au Caire, lui dit-il. Il est temps, s'il vous plaît, de retourner parmi nous.

– Je n'ai guère le loisir de me promener, Maurice. J'aide Lady Winterbottom à préparer le bal qu'elle organise, comme chaque année, pour la Saint-Sylvestre, et il y a fort à faire.

– Maintenant que vous êtes là, répondit-il, j'espère que vous avez l'intention de rester. Vous nous avez manqué et tout est oublié. Comme je le dis toujours, aucune faute n'est impardonnable.

– Parce que c'est moi qui suis en faute, maintenant ? s'esclaffa la comtesse.

– Embrassez votre mère, demanda Gabriel à la jeune fille, sans manifester l'intention de le faire lui-même.

Henriette étant rarement aussi gaie, il devinait que cela cachait quelque chose.

Obéissante, Renée s'exécuta, assez vite pour éviter le regard d'Henriette.

– Non, Maurice, dit cette dernière. Je demeure chez Lady Winterbottom. Il y a encore beaucoup à faire avant que tout soit prêt.

– Dans ce cas, je compte que nous dînions ensemble ce soir.

– J'en serais ravie, dit-elle. Vous joindrez-vous à nous, Gabriel?

– Le voyage m'a plutôt fatigué, répondit-il. J'aimerais autant rester à la maison avec ma fille.

– Votre fille... À ce propos, je crains d'avoir de mauvaises nouvelles pour vous, vicomte, annonça-t-elle, feignant la sympathie. Il semble que la procédure d'adoption soit incomplète... Vous vous en souvenez certainement, nous avions donné notre accord à la condition que vous divorciez, après quoi Renée deviendrait votre unique héritière. Or, je viens de découvrir que vous n'avez pas divorcé du tout. En conséquence de quoi, votre seule héritière demeure Adélaïde.

– C'est faux, protesta le vicomte. *J'ai* divorcé.

– Vous mentez, Gabriel, déclara la comtesse, triomphante. Adélaïde m'a dit elle-même qu'il y a six mois, vous avez refusé, *et* le divorce, *et* toute annulation de votre mariage. Notre projet ne tient donc pas, et la garde de Renée revient à ses parents. Étant la mère, j'ai décidé qu'elle finira ses études au couvent. Peut-être les sœurs parviendront-elles à la laver de ses péchés.

– Non, cette enfant m'appartient! s'écria-t-il. Et si vous causez un scandale, Henriette, je vous jure que je vous anéantis. Vous ne savez pas de quoi je suis capable.

– Que si, je le sais! Il n'est besoin que de poser la question à votre épouse, ou à la pauvre Sophie!

La comtesse se tourna vers son mari.

– Maurice, pourriez-vous élever la voix, une fois de temps en temps? Votre frère vous a-t-il corrompu avec son fric au point de faire de vous une femmelette?

Détournant les yeux d'un air coupable, le comte tirait placidement des bouffées de son cigare.

– Il faudrait aussi que j'élève la voix contre vous, Henriette, murmura-t-il. Et que nous parlions de vos propres outrages.

– J'ai changé d'avis, dit-elle en se levant. Tout compte fait, je n'ai aucune envie de dîner avec mon époux ce soir. Quant à vous, Gabriel, je vous conseille de *vite* nous fournir votre jugement de divorce. *S'il existe, bien sûr.* Bonsoir.

Regardant sa mère partir, Renée se rendit compte qu'elle n'avait pas échangé un mot avec elle.

– Eh bien, soupira le comte, je suppose que je vais dîner au club. Voulez-vous m'accompagner, Gabriel ?

– Je ne pense pas, Maurice. Je dois corriger les exercices d'arithmétique de la petite.

– Eh bien, j'espère y trouver un peu de compagnie, histoire de ne pas manger tout seul.

Il embrassa Renée sur les deux joues et ajouta :

– Ne faites pas attention à votre mère, ma chérie. Elle est fâchée... contre nous tous, je crois.

– C'est vrai, alors ? demanda Renée, après que le comte les eut laissés. Vous n'êtes pas devenu mon père ? Et vous prétendiez avoir tous les droits sur moi ?

– Venez vous asseoir, ma petite, dit-il en tapotant sur ses genoux.

Ce qu'elle fit, comme depuis son plus jeune âge. Elle posa ses bras autour de son cou, et sa joue contre sa barbe.

– Vous me racontez toujours des histoires.

– Ce n'est rien qu'un petit problème juridique, cela sera vite résolu. Entre-temps, vous restez ma fille.

– Vous ne les laisserez pas m'envoyer au couvent, hein, Gabriel ?

– Bien sûr que non. Dites-moi, ma chérie, voulez-vous m'épouser ?

Elle enfouit son visage dans le creux de son épaule.

– Vous n'avez même pas divorcé, répondit-elle. Si vous n'êtes pas capable de m'adopter, pour commencer, comment ferez-vous pour m'épouser ?

En son for intérieur, elle dut soudain reconnaître une vérité qu'elle niait depuis longtemps : son oncle n'était pas un type bien, mais au contraire un mufle et un menteur, un manipulateur, un coureur de jupons, un homme capable de battre une femme, et pour finir un pédophile – bien qu'elle ne fût pas encore sûre de ce que cela signifiait. Mais rien de tout cela n'avait d'importance. Ce qui comptait pour elle, et compterait toujours, était que Gabriel l'aimait comme personne ne l'avait fait dans cette famille. Comme lui-même l'avait dit, elle lui appartenait, et il lui appartenait. Dans ses bras, Renée se sentait à l'abri des caprices et de la jalousie d'une mère frigide, des tergiversations de son cher papa, qui, l'un et l'autre, étaient prêts à la confier, sans hésiter, à des religieuses sans cœur, de la même façon qu'ils avaient envoyé son pauvre frère terminer sa courte existence dans les montagnes de Suisse.

– Je vous en prie, Gabriel, le supplia-t-elle. Ne les laissez pas m'enfermer dans un couvent.

– Il n'en est pas question.

MARIE-BLANCHE

Londres
Juillet 1933

1

Maman se remarie aujourd'hui. Fidèle à elle-même, toujours pratique, sinon calculatrice, elle n'a pas perdu de temps pour mettre le grappin sur un nouvel époux – le troisième. Après papa et le comte Pierre de Fleurieu, voici maintenant Leander J. McCormick, des McCormick-Harvester de Chicago. Ma mère retombe toujours sur ses pieds.

Elle avait déjà des vues sur oncle Leander – oui, encore un autre oncle... – avant même que le divorce avec Pierre soit prononcé. À l'automne dernier, elle m'a retirée de l'école du Sacré-Cœur avant la fin du trimestre, et nous sommes parties aussi sec à Londres, où elle m'a inscrite à la Heathfield School, un internat privé de jeunes filles, dans la banlieue. Elle s'était installée dans un appartement en ville, propriété de l'oncle Gabriel, resté en Égypte, et elle fréquentait alors David Niven. Celui-ci souhaitait l'épouser, mais... elle ne voulait plus avoir de relations sexuelles, c'est pourquoi elle l'a éconduit. D'ailleurs, si elle a fini par quitter oncle Pierre, ce n'est pas tant à cause de leur longue séparation, plutôt du fait qu'à un moment donné, elle a refusé tout rapport intime avec lui. Ce n'est pas qu'il ne lui plaisait plus ; Pierre, qui est plutôt sexy, attire naturellement les femmes. Non, maman avait terriblement peur de retomber enceinte. J'étais alors trop jeune pour m'en rendre compte, mais j'ai compris avec le recul que c'était souvent le sujet de leurs disputes à Marzac. Pas étonnant que Pierre, puisqu'il aimait les femmes autant qu'elles l'aimaient, soit parti en Amérique du Sud, où les conquêtes n'ont sûrement pas manqué.

De toute façon, maman n'a jamais voulu d'enfants. Elle a déjà eu bien du mal à nous supporter, Toto et moi. Si nous avons d'ailleurs passé tant d'années en pension, c'est pour que notre présence à la maison ne l'empêche pas de mener la vie qu'elle voulait. Quand Niven l'a demandée en mariage au Claridge's, elle lui a répondu avec ce rire flûté, très caractéristique, que les messieurs trouvent si charmant.

– David, vous savez que je vous adore. Mais vous n'êtes qu'un tout jeune acteur, avec un avenir incertain, et loin d'être assez riche pour moi.

– De grands succès m'attendent, ma chère Renée, je vais gagner beaucoup d'argent. Vous verrez, cela n'est qu'une question de temps.

– C'est ça. Ensuite, vous aurez autour de vous de très jolies partenaires, et on sait où ça mène. Les comédiens sont déjà volages, célibataires, et cela ne change pas quand ils se marient... Non, je suis navrée, mais je dois refuser, même si votre offre me touche beaucoup.

– Enfin, ma chérie, je vous emmènerai partout avec moi, puisque vous y tenez. Les plateaux, les lieux de tournage. Je ne vous perdrai pas de vue une seconde.

– *Quelle horreur*[1] *!* a-t-elle dit. Soyons francs. Je crois que vous me demandez ma main parce que je n'ai pas encore voulu coucher. Vous êtes d'ailleurs très correct à cet égard, et vous imaginez que la solution consiste à officialiser nos relations.

– Oui, ma chère, c'est en effet ce que j'espère, a dit Niven, perplexe. Le devoir conjugal me paraît être un privilège naturel du mariage...

– Je regrette, mais pas en ce qui me concerne, l'a coupé maman sans ambages. S'il y a une chose qui m'épouvante, voyez-vous, c'est l'idée d'avoir d'autres enfants. Chaque fois que je m'aventure sur ce terrain, dirait-on, c'est pour tomber aussitôt enceinte. C'est pourquoi j'ai renoncé à l'amour physique.

---

1. En français dans le texte.

– Je ne suis pas sûr de bien comprendre, a relevé Niven, encore plus dérouté. Vous avez été mariée deux ans à Guy de Brotonne, qui vous a donné deux enfants. Vous l'avez quitté pour le comte de Fleurieu, avec qui vous êtes pratiquement restée une décennie. Cela implique-t-il, comme vous le dites pudiquement, que vous ne vous soyez aventurée que deux fois sur ce terrain ?

– Plus ou moins, David, a admis ma mère.

– Ah...

Un long silence s'est ensuivi, qu'elle a brisé en riant.

– Cela fait soudain de moi un parti moins intéressant, non ?

– Vous avez eu raison de me dire cela. Le reste, comme quoi je suis un acteur sans moyens, susceptible de succomber à ses partenaires à l'écran... cela n'est qu'un prétexte, n'est-ce pas ?

– Pas du tout ! Je le pense également. Même sans rapports sexuels, si nous étions ensemble et que, devenu célèbre, vous courriez après les femmes, j'en serais malade de jalousie. C'est ma nature, je n'y peux rien, a-t-elle dit en riant encore. Un de mes amis m'appelait autrefois « sa petite Narcisse », car je crois depuis toujours que le monde tourne autour de moi. Mais j'ai quand même l'intention de me remarier. Reste seulement à trouver la bonne personne.

– Il faudrait quelqu'un d'assez particulier pour accepter ces conditions, a remarqué Niven. Un type très vieux, peut-être, pour qui ces choses-là sont révolues.

– *Quelle horreur !* a répété maman. Je n'ai pas envie de servir d'infirmière à un incontinent. Même très riche.

– Bon Dieu, mais c'est vous qui êtes bizarre, ma chérie. Et plutôt exigeante, si je puis me permettre. Pas d'acteurs, pas de vieux... et on ne consomme pas !

– J'offre ma beauté et ma vivacité.

– Qui me suffiraient amplement, si je n'étais porté sur la chose.

– Mon cher David, pour quelqu'un qui essuie un refus, j'admets que vous vous comportez comme un homme civilisé, ce qui n'est pas le cas de tout le monde.

– Parce qu'on vous a fait de nombreuses propositions, j'imagine...

– Des dizaines ! a-t-elle reconnu avec son rire flûté.

– Chérie... Il me vient soudain à l'esprit que... j'ai ce bon ami, américain, qui... Non, non, ne faites pas cette mine. Sa mère est britannique et il a étudié en Angleterre. Plein aux as, spirituel, raffiné, beau garçon... (Une lueur espiègle dans les yeux de Niven.) En fait, on nous prend souvent pour des frères... Mais c'est lui le plus beau de nous deux et il est certainement plus riche que moi. Je devrais vous présenter. Voyez-vous, il cherche lui aussi... une sorte... d'arrangement. Allez savoir si vous n'êtes pas faits l'un pour l'autre.

– Mon cher David, vous êtes ce qu'on appelle un vrai gentleman !

Moins de six mois plus tard, maman et oncle Leander, l'ami américain que David lui fit rencontrer la semaine suivante, se marient un matin.

Les fiancés arrivent en retard à l'office de l'état civil d'Henrietta Street, dans Covent Garden. Leander laisse tourner au ralenti le moteur de son cabriolet Mercedes (recarrossé et personnalisé par Thrupp & Maberly), le temps d'aller avec madame signer le registre, en présence de leurs témoins M. et Mme M. V. Wakefield. Les jeunes mariés remontent en vitesse dans la voiture et filent dans les rues de la capitale en direction de Savoy Chapel, où se tient la cérémonie religieuse. Tel un coureur automobile pour un arrêt technique aux Vingt-Quatre Heures du Mans, Leander s'arrête dans un crissement de pneus devant la petite église, descend d'un bond, fait le tour du véhicule pour aider Renée à sortir.

Tous les journaux anglais ont envoyé reporters et photographes pour couvrir l'événement. Bien que de nationalité américaine, Leander McCormick a étudié à Eton et Cambridge. Grand amateur de chasse et de pêche, il court les quatre continents mais réside couramment à Londres. À quarante-quatre ans, il a encore fière allure – mince, élégant, tiré à quatre épingles – et le maintien gracieux des grands sportifs. Il a en outre la réputation d'un excellent danseur. Il porte pour l'occasion une jaquette et un pantalon rayé impeccables, un œillet blanc à la boutonnière, un haut-de-forme et une canne au bras. La mariée a revêtu un manteau d'été bleu marine sur une robe blanche toute simple, avec un chapeau assorti, bleu à bords blancs. Pas d'œillet pour elle, mais une aigrette de fines orchidées. Maman, à trente-trois ans, est toujours ravissante. Aussi petite soit-elle, elle a tant d'allure et d'assurance que, sans être exactement un canon de beauté, elle en donne l'impression.

Les appareils photo crépitent, et c'est vrai qu'ils forment un beau couple lorsque, avançant bras dessus bras dessous vers la chapelle, ils se fraient un chemin entre les journalistes.

– *Mister McCormick!* lance l'un deux. Pourquoi revenir à l'autel?

Oncle Leander a été marié autrefois, mais vit seul depuis plus d'une dizaine d'années.

– L'amour, bien sûr! répond-il galamment. Quelle autre raison peut-il y avoir?

Des quantités, sans doute, mais bref.

– Madame la comtesse de Fleurieu! crie un second reporter. N'êtes-vous pas triste de renoncer à votre titre pour épouser un roturier, de surcroît américain?

Maman émet un de ses délicieux rires de gorge.

– Leander McCormick, un roturier? Ça n'est pas vraiment ce que je dirais! Et j'adore les Américains! Surtout celui-ci.

Autour de moi attendent les quelques amis proches qui ont été invités, dont Sir John et Lady Dashwood, chargés aujourd'hui de s'occuper de Marie-Blanche, qui a bientôt treize ans. Lady Dashwood me tient par la main et, de l'autre, je fais signe à maman. Tout affairée qu'elle est à répondre aux journalistes et à poser devant leurs appareils, elle ne me voit pas. L'école est terminée, et j'ai passé mes premières semaines de vacances à Vanvey, avec papa, Toto et tante Nanisse. Puis on m'a raccompagnée à Londres pour le mariage, sans Toto qui nous rejoindra plus tard en Angleterre. Je ne connais pas encore très bien oncle Leander, mais il est toujours gentil avec moi. Il me fait un clin d'œil discret en me reconnaissant dans la petite foule. C'est adorable et je l'apprécie d'autant plus.

Il n'y aura pas de réception. Leander possède un domaine dans le Hampshire, sur la rivière Test, qui s'appelle *The Heronry*[1], et où nous partons demain jusqu'à la fin de l'été.

Je retournerai à Heathfield en septembre, et ils embarqueront alors pour l'Amérique, où elle fera connaissance à New York avec les McCormick, puis avec d'autres membres de la famille et leurs amis à Chicago, et finalement en Californie, où réside un des frères de Leander.

La cérémonie est vite expédiée, après quoi les époux repartent dans la Mercedes. Ils passeront leur nuit de noces dans leur appartement de Londres (quoique dans des chambres séparées). Sir John et Lady Dashwood doivent m'y emmener tout à l'heure. Oncle Pierre et Marzac continuent de me manquer. La vie n'arrête pas de changer. Ou, plutôt, c'est maman qui n'arrête pas d'en changer.

---

1. La Héronnière.

2

Nous avons pris le train ce matin, tous les trois, jusqu'à la gare de Whitchurch où M. Jackson, le chauffeur d'oncle Leander, est venu nous chercher. C'est un grand bonhomme, raide comme la justice, qui porte un uniforme noir et une casquette.

– De la part de tous les employés de La Héronnière, a-t-il dit, permettez-moi de vous souhaiter la bienvenue, madame la comtesse. À vous, monsieur, nous vous adressons nos plus vives félicitations.

– Je dois vous rappeler, Jackson, a répondu maman, que je ne suis plus comtesse. Je suis tout simplement Mme McCormick, désormais.

– Oui, madame, c'est vrai, a-t-il reconnu en s'inclinant. La force de l'habitude, n'est-ce pas ?

Il s'est tourné vers moi :

– Et qui est cette charmante jeune personne ?

– Ma fille Marie-Blanche, Jackson.

Il m'a tendu la main.

– Ravi de faire votre connaissance, mademoiselle Marie-Blanche. Vous avez un fort joli prénom.

Il avait de très, très longs doigts minces, la peau sèche et une poignée de main franche.

– Si je puis faire quoi que ce soit pour rendre votre séjour plus agréable, n'hésitez pas à demander, a-t-il insisté.

Suivant les méandres de la Test, la route de campagne s'enfonçait dans une verte vallée, bordée de luxuriantes prairies où paissaient les moutons. On distinguait ici et là une ferme ou un minuscule hameau de toits de chaume, et nous sommes finalement arrivés à La Héronnière. Maman appelait toujours celle-ci «le cottage», c'est pourquoi je pensais à une petite maison de campagne, semblable à celles que nous avions aperçues en chemin. Évidemment, j'aurais pu me rappeler qu'oncle Leander est immensément riche et, de toute façon, je vois mal ma mère vivre à la campagne dans une chaumière. Bref, nous nous sommes engagés dans l'allée, nous avons franchi le petit pont de pierre qui enjambe la rivière, et alors s'est dressé, non pas un «cottage», mais un manoir de deux étages.

– Qu'en pensez-vous, Marie-Blanche? m'a demandé Leander. Ça vous plaît?

– C'est magnifique!

– Je l'ai acheté pour pouvoir pêcher devant ma porte, a-t-il dit en souriant.

De fait, endiguée à cet endroit et garnie de passerelles, la rivière coulait à quelques mètres de la maison. De plus, une turbine hydraulique fournissait de l'électricité.

– Mais aussi, a-t-il ajouté, l'œil pétillant de malice, parce que votre cheval méritait un logement décent.

– Mon cheval? ai-je relevé, surprise. Mais je n'ai pas de cheval, oncle Leander.

– Ah bon? a-t-il dit, comme étonné lui-même. J'aurais pourtant juré que si. Monsieur Jackson, ne nous a-t-on pas livré un sauteur, récemment?

– Je crois bien que si, monsieur McCormick, a répondu le majordome. Il avait une étiquette accrochée au cou... Voyons, qu'y avait-il de marqué? Ah oui, Marie-Blanche de Brotonne.

Mon cœur battait à tout rompre.

– Mais c'est moi! me suis-je bêtement écriée.

– Eh bien, jeune fille, dit oncle Leander. Nous allons vous installer dans votre chambre, puis nous irons aux écuries voir si nous le trouvons, ce cheval.

M. Jackson a arrêté la voiture devant le manoir. Louisa, la femme de chambre, une Allemande bien en chair, et le major-dome, M. Grinsted, sont sortis par une porte latérale pour prendre nos bagages.

J'ai monté à cheval presque toute mon enfance, tant à Vanvey qu'à Marzac, mais je n'en ai jamais eu un à moi. Oncle Leander m'a montré ma chambre, puis il m'a emmenée aux écuries où m'attendait mon cadeau, un beau hongre bai.

– Comment s'appelle-t-il ?

– *Hubert*, a répondu Leander, avant d'essayer de prononcer le nom à la française.

Il ne s'exprime pas bien dans notre langue et son accent maladroit m'a fait rire.

– Mais c'est bête, comme nom, pour un cheval !

– Saint Hubert est le patron des chasseurs, m'a-t-il expliqué. Mais vous pouvez lui en donner un autre.

– Non, ça me plaît, oncle Leander. *Hubert* ! ai-je répété, à sa façon cette fois, bien qu'il soit difficile pour nous d'aspirer le *h*.

Je n'avais étudié qu'un trimestre à Heathfield, et mon anglais était loin d'être parfait. Comme maman me le rappelle assez souvent, je ne suis pas très intelligente.

– Bonjour, *Hubert* ! ai-je dit au cheval en lui caressant le front. Tu en as, un beau nom !

Voici maintenant la fin de l'été, qui est passé bien trop vite, comme toujours. La vie à La Héronnière est vraiment agréable, et oncle Leander a été charmant avec nous. Toto nous a rejoints une semaine après le mariage, et c'était chouette d'avoir mon petit frère avec moi. J'ai monté Hubert presque tous les jours, et Leander a engagé un professeur pour m'apprendre à sauter à cheval. Il m'a dit que, lorsqu'il sera rentré des États-Unis avec maman, je pourrais revenir à la saison de la chasse. Lui-même ne s'intéresse pas beaucoup à la chasse à courre, encore moins aux renards ; il préfère tirer à la carabine et pêcher. Mais maman aime toujours la vénerie, qu'elle pratique depuis son tout jeune âge. Elle m'a parfois accompagnée, quand je me promenais à cheval.

Ils reprennent le bateau fin août pour l'Amérique, et je dois retourner en avance à Heathfield, où les cours ne recommencent qu'en septembre. Toto nous quitte cette semaine pour Vanvey. Maman ne veut pas que je parte avec lui, car elle ne fait plus confiance à papa. Elle craint qu'il n'essaie de me retenir là-bas et, dans ce cas, elle serait trop loin pour intervenir. Voilà pourquoi je réintègre le pensionnat.

Pendant qu'ils voyageaient au printemps dernier, j'y ai passé les congés. En principe, les élèves rentrent chez eux pendant les vacances, mais maman paie la principale, Mme Barton, pour me garder. Une baby-sitter, à mon âge... Ça lui fait d'agréables fins de mois, tout de même ! Mais ce n'est vraiment pas drôle, je vous assure, de n'avoir qu'elle pour compagnie. J'entends mes pas résonner dans les couloirs et les dortoirs vides. Seule dans l'immense réfectoire, je mange la nourriture fade que me sert un personnel réduit – quelques cockneys grincheux, pour la plupart alcooliques, envoyés par les services sociaux. Ils détestent les élèves de cette école, tous issus des classes supérieures, et ils paraissent m'en vouloir spécialement d'être là avant les autres. Je les soupçonne de mettre des saletés dans mon assiette. Mme Barton ne partage sans doute pas sa petite prime avec eux... Et les rares professeurs présents sur le campus m'évitent consciencieusement : surtout ne pas fréquenter d'élèves pendant les vacances, ni même les croiser. Je ne le leur reprocherai pas, je n'ai aucune envie de les voir.

Maman dit que j'ai l'âge ingrat, la peau abîmée, et toujours ce nez trop grand. Elle espère que je me distinguerai mieux cette année, car je n'ai pas été très brillante jusque-là. C'est une bonne idée que je sois là en avance, car je finirai peut-être par apprendre quelque chose. Elle a raison, je ne suis pas très futée. Je devrais tenter ma chance dans le théâtre – à condition de me faire refaire le nez. Les comédiennes n'ont pas besoin d'être intelligentes, dit-elle, mais seulement jolies, capables de réciter les tirades que d'autres écrivent pour elles. Elle a l'air d'y croire, et cela semble un métier merveilleux.

3

— S avez-vous pourquoi vous êtes là, madame Fergus ?

J'étudie cette pièce inconnue. À l'évidence, ce n'est pas une cellule de prison, ni une chambre d'hôpital. En tout cas, pas psychiatrique, je ne crois pas être sanglée. Non, elle est plutôt agréable, gaie, joliment arrangée. De simples meubles en bois, d'impeccables rideaux de dentelle blanche aux fenêtres, qui, à ce que je vois, donnent sur un jardin arboré. Je ne suis pas à l'hôtel non plus. Près de moi, un médecin est assis sur une chaise, et une jeune infirmière se tient debout au pied du lit.

— À tout hasard, aurais-je bu ? leur dis-je.

— Exact. Vous êtes à la clinique de La Métairie, dans la banlieue de Lausanne. Je suis le Dr Chameau.

— Drôle de nom. Quel jour sommes-nous ?

— Lundi.

— La date ?

— Le 5 juillet.

— Quelle année ?

— Vous ne savez pas quelle année nous sommes, madame Fergus ? demande-t-il.

— C'est histoire de vérifier. J'étais en train de rêver de La Héronnière. C'était l'été 33, et j'allais fêter mon treizième anniversaire.

— Nous sommes le 5 juillet 1965, madame, et vous avez quarante-cinq ans.

— Je sais.

223

– Ah. Et les circonstances de votre arrivée ici, vous les connaissez ?

– Donnez-moi un indice.

– Votre beau-frère. John Fergus, le frère de votre mari. Il a pris l'avion avec vous.

– Ah oui, je me souviens. À O'Hare[1], je suis allée droit au bar et j'ai commencé à boire. Il est mignon, Johnny, il ne m'embête pas avec ces choses, contrairement à Bill, mon époux. J'avais stocké tout un tas de mignonnettes dans mon sac, en prévision du voyage.

– Vous étiez ivre morte quand l'avion a atterri à Genève. Il a fallu vous faire descendre dans un brancard. Vous vous êtes réveillée dans l'ambulance et vous avez eu une réaction violente. On a dû vous faire une piqûre pour vous calmer.

– Où est Johnny ?

– Il est reparti hier pour les États-Unis. Vous avez eu une crise sévère, madame Fergus.

– Je ne me rappelle pas. C'est ma mère qui a voulu que j'atterrisse ici ?

– Oui. Votre mari aussi. J'ai écrit à Mme McCormick à Paris pour lui demander de me faire parvenir quelques affaires.

– Quelles affaires ?

– Des souvenirs d'enfance, des albums de photos, ce genre de choses, me dit le médecin. J'ai constaté que c'était souvent utile, dans une thérapie. Cela permet de rétablir des liens avec le passé.

– Pour quoi faire ?

– Pour retracer le chemin parcouru. Pour comprendre comment, et pourquoi, on se retrouve dans la situation où on est.

– Cela m'étonne que maman ait accepté de se séparer de ses albums. Surtout pour que ça me profite.

– Cela s'est fait par l'intermédiaire de son avocat, avec des consignes très strictes.

– Je la reconnais bien là. Où sont-ils, ces albums ?

---

1. L'aéroport de Chicago.

– Ici même, sur votre table de chevet. Je vous encourage à les regarder, dès que vous aurez récupéré. Et j'aimerais le faire avec vous. Nous pouvons en parler ensemble, dès que vous vous sentirez mieux.

– J'ai besoin d'un verre.

– Ce n'est pas ici qu'on vous en donnera un, madame Fergus, je vous l'assure. Nous vous avons donné des comprimés après votre delirium tremens. L'alcool est, pour ainsi dire, contre-indiqué. Vous êtes supposée suivre une cure de désintoxication.

– Bien sûr, bien sûr. Cela ne sera pas la première fois. Je suis venue de mon plein gré ?

– Absolument.

– J'aimerais jeter un coup d'œil tout de suite à ces albums.

– S'il vous plaît, dit le médecin en se tournant vers la jeune femme qui, au pied de mon lit, n'a encore rien dit.

Elle paraît tout à fait charmante, son uniforme blanc est impeccable et j'ai toujours admiré la propreté des Suisses.

– Madame Fergus, je vous présente Gisèle, une de nos infirmières. Gisèle, voulez-vous aider Mme Fergus à s'asseoir dans son lit ? Elle sera plus à l'aise pour regarder ces albums.

– Peut-être aimeriez-vous aller d'abord aux toilettes ? propose-t-elle. Je vais vous aider à vous lever.

– Bon, essayons.

Lorsque nous revenons, le médecin est parti, et deux autres infirmières ont changé mes draps, redressé mes oreillers, relevé la tête de mon lit. J'ai fréquenté bon nombre de ces établissements au fil des ans, et je dois admettre que celui-ci est le plus agréable de tous. Il présente cependant, comme les autres, l'inconvénient majeur de ne rien servir à boire. J'appelle ça un hôtel sans bar.

Gisèle m'aide à reprendre place dans mon lit, et me tend un des albums. Je suis encore épatée que maman ait daigné les prêter, que le médecin ait réussi à l'en convaincre. Je l'ai tellement déçue qu'elle ne me parle même plus. Elle refusera que je lui rende visite à Paris, je le sais, et elle ne viendra pas me voir ici. Ma mère a honte de moi et fait comme si je n'étais plus sa fille. Comment le lui reprocher ?

C'est oncle Leander qui a pris la plupart de ces photos et tenu ces albums à jour (bien que mon père soit toujours vivant, j'ai fini par l'appeler papa lorsqu'il nous a adoptés, Toto et moi). Il est mort il y a deux ans, et il était extrêmement doué pour tout : la peinture, l'écriture, en sus de la photographie. Comme il n'avait pas besoin de travailler, il y consacrait beaucoup de temps. Il a fait publier un livre qui avait pour titre *Fishing Around The World*[1], et il écrivait tous les jours dans un journal qu'il souhaitait faire publier après sa mort. Maman a préféré le détruire, car il comprenait des passages compromettants. Il reste cependant ces albums qui fourmillent de détails sur leur vie ensemble – et par extension sur la mienne. Avec une calligraphie élégante, il indique soigneusement, sous toutes les photos, le jour et le lieu où elles furent prises, et qui elles représentent.

Je vois celles de notre seul été à La Héronnière, et d'autres de Heathfield où Leander m'avait emmenée dans sa Mercedes, fin août de cette année-là, avant de partir pour l'Amérique avec maman. Elle était revenue à Londres faire leurs bagages, et quelques emplettes avant la traversée. Leander était très riche, sa famille brassait des millions, il était plus célèbre encore aux États-Unis qu'en Angleterre, et on avait prévenu ma mère : les échotiers, tous les journaux à sensation seraient sur le quai à l'arrivée du paquebot *Carinthia II*. Il y en aurait d'autres dans les gares, à Chicago et en Californie. Elle a toujours beaucoup d'allure, et elle voulait être impeccable d'un bout à l'autre du voyage.

Leander avait son appareil avec lui, et m'avait photographiée à l'école.

– Je comprends que ça vous fait de la peine de revenir ici, m'avait-il dit, mais plus tard, quand vous aurez mon âge, vous serez contente de les trouver, ces photos, et vous penserez que ces jours-là étaient les plus beaux de votre vie.

Comment savait-il ? J'ai aujourd'hui un an de plus que lui à cette époque et, oui, il semble que celle-ci respire la douceur et

---

1. Pêcher aux quatre coins du monde.

l'innocence. Avec le recul, mon retour à l'internat avant la fin des vacances ne paraît plus si horrible.

Mais je suis frappée par cette petite fille, qui a l'air si malheureuse. Elle ne sourit presque jamais. Je lis une certaine anxiété dans son regard, une sorte d'égarement, comme lorsqu'elle se croyait poursuivie par le père Jean.

Le Dr Chameau, dont le nom ne cesse de m'amuser (est-il si chameau que ça ?), passe soudain la tête par la porte.

– Puis-je vous tenir compagnie un moment, madame Fergus ?

– Oui.

Il tire une chaise et s'assoit près de moi.

– Alors, ces photos, elles vous plaisent ?

Il a quelque chose d'ouvert, d'amical et de vaguement mélancolique, qui n'est pas sans rappeler, finalement, l'expression de l'animal en question.

– Oui, docteur. Je me faisais la remarque qu'elle a l'air bien triste, cette petite fille.

– Quelle petite fille ?

– Celle-ci, là.

– C'est vous. Vous parlez de vous à la troisième personne ?

– Eh bien, c'est parce qu'elles sont tellement vieilles, ces photos. Je me rends compte que je ne suis *plus* cette petite fille. C'est comme regarder l'album de quelqu'un d'autre.

– Pas celui de quelqu'un d'autre, ni d'une *autre* petite fille, madame Fergus. C'est le vôtre, et ce sont des portraits de vous à l'âge de douze ans. La légende est suffisamment claire : « *Marie-Blanche, The Heronry, July 1933.* »

– Sans doute, sans doute. Mais croyez-vous vraiment que nous restions la même personne toute notre vie ? Je ne ressemble plus du tout à cette gamine. Je ne pense plus comme elle, ni elle comme moi. Elle n'a traversé aucune de mes épreuves, et nous n'avons plus rien à voir. Elle est encore jeune, elle a toute la vie devant elle, elle n'a pas encore commis ces erreurs. Tout peut se passer différemment dans sa vie.

– Non, madame. Je regrette, mais nous savons tous deux que cela ne sera pas différent. Cette vie est la vôtre, et c'est pour cela que nous sommes là, pour essayer de la comprendre.

– Si vous voulez.

– On a pris ces photos en Angleterre, devant la maison de votre beau-père, c'est cela ?

– Oui. Elle s'appelait La Héronnière. Une très belle maison, au bord de la rivière Test. Avant l'incendie, évidemment. Nous n'y sommes jamais retournés ensuite.

– Pourquoi semble-t-elle si malheureuse, cette jeune fille ?

– Ah, vous voyez, docteur ! Vous aussi, vous parlez de moi à la troisième personne.

– C'est vrai, admet-il avec un petit rire. Laissez-moi reformuler la question : pourquoi avez-*vous* l'air si malheureuse ? Vous l'étiez ?

– Je ne me souviens pas. C'est ce que je voulais dire : nous ne sommes pas les mêmes à tous les moments de notre vie. Je ne suis plus cette fille et je ne me rappelle pas ce qu'elle avait dans la tête. Avant que vous entriez, je lui trouvais un air affolé, comme si le père Jean la poursuivait encore.

– Qui est le père Jean ?

– Mon précepteur quand j'étais enfant, expliqué-je. Un prêtre. Il aimait me renverser sur ses genoux et me donner des coups de règle, parce que je ne suis pas maligne et que j'apprenais mal mes leçons.

– Pourquoi dites-vous que vous n'êtes pas maligne ?

– Parce que tout le monde le disait. Ma mère en particulier. Je n'étais pas très bonne élève.

– Et ce père Jean vous poursuivait ?

– Non, ça n'était qu'une impression. Il est parti un jour, mais je le voyais toujours là.

– Vous pensez qu'il vous suit encore ? me demande le Dr Chameau avec quelque chose dans la voix qui ressemble à une note d'espoir.

– Cela n'est plus possible. Il y a longtemps que je me suis débarrassée de lui, voyez ? J'avais demandé au bon Dieu de le tuer. J'avais sept ans, c'était à Paris, en 1927. Et aussitôt il l'a fait écraser par un taxi. Pour la première et la dernière fois, Dieu a exaucé une de mes prières. Ce qui m'a permis de passer Noël à Marzac, un des plus beaux Noëls de ma vie, d'ailleurs.

– Vous pensez que Dieu a tué un homme à votre demande, madame Fergus ? Un prêtre ? Pour que vous passiez de bonnes fêtes de fin d'année ?

– Cela vous paraît fou ?

– C'est un mot que nous évitons ici, madame.

– Bon alors, euh... insensé ? Les gens demandent au Seigneur de faire plein de choses, et ils croient que ça marche. Quand il leur arrive un truc bien, ils le remercient comme s'il était personnellement responsable de leur minable existence, qu'il les écoutait et qu'il se souciait d'eux.

– Oui, quand c'est une *bonne* chose. Ils lui demandent de faire le bien, et s'il le fait, ils le remercient.

– Je ne dis pas le contraire. C'était une *bonne* chose pour moi que le père Jean ait disparu. Je n'ai ressenti aucune culpabilité, et je n'en ressens toujours pas. Après tout, des pays entiers pensent que Dieu les aide à gagner leurs guerres, à pourfendre leurs ennemis, à tuer des bébés et d'innocentes victimes à coups de bombes, de produits chimiques, tout ce que vous voudrez. C'est pour eux une *bonne* chose, ils sont persuadés d'avoir Dieu à leurs côtés. Où est la différence ? Je lui ai seulement demandé de supprimer une personne – le père Jean, qui était un type épouvantable. Il me faisait peur et me battait. Je n'étais qu'une petite fille, moi.

– Croyez-vous en Dieu ?

– Plus maintenant. Mais à l'époque, oui. Bon sang, ce que j'aimerais un verre. Vous voyez, docteur, il ne m'écoute plus.

– Enfin, madame, comment pouvez-vous désirer un verre, après le mal que cela vous a fait ?

– À votre avis ? Parce qu'une fois ivre, j'arrête de penser un moment à tout ça.

– Donc, finalement, vous vous sentez coupable, à propos du père Jean ?

– Pas du tout. Je veux arrêter de penser aux bébés qui meurent sous les bombes, à mon propre enfant mort, à toutes les souffrances, les miennes y compris. J'ai simplement envie de boire un coup, d'oublier, de rigoler.

– L'alcool vous a-t-il aidée de ce point de vue, madame ? Vous a-t-il permis d'oublier et de mener une existence plus gaie ?

Impossible de ne pas rire.

– Vous marquez un point, cher monsieur !

– Pensez-vous que nous jouions à un jeu, ici ? Qu'il s'agit d'un divertissement ? Que nous tenons des propos badins ?

– Mon petit garçon est mort, mon mari veut divorcer, mes deux autres enfants me détestent, ma mère me renie, mon frère ne me parle plus. Et me revoilà encore en désintox. Avez-vous la moindre idée du nombre de cliniques où j'ai atterri, docteur ? S'il s'agit d'un jeu, il n'est pas franchement drôle. Voilà pourquoi j'ai envie de boire. Vous croyez en Dieu, vous ?

– Ce en quoi je crois n'a aucune importance.

– Pour moi si.

– Puis-je vous demander pourquoi ?

– Parce que j'essaie de savoir si vous êtes capable de m'aider.

– Quel rapport y a-t-il avec mes convictions religieuses, madame Fergus ?

– Je ne sais pas, vous m'avez posé la question, et c'est moi qui vous la pose à présent.

– Je suis un homme de science, dit le Dr Chameau. Mais je n'écarte pas la possibilité d'un ordre spirituel de l'univers. Je tiens compte de l'immense réconfort que l'existence d'un être suprême offre à tant de personnes.

– Un peu évasif, comme réponse, mais je l'accepte.

– Parlons plutôt de ces photos, voulez-vous ? Et de votre mère.

– Entendu. Bonne idée... À propos d'être suprême... je dois avouer que ma mère ne m'en a jamais beaucoup offert, du réconfort.

– Pourquoi semblez-vous malheureuse, sur ces photos ? À votre avis, du moins.

– Je ne me rappelle pas.

– Faites un effort.

Je les ai étudiées un long moment, sur plusieurs pages de l'album. Oncle Leander m'avait souvent prise sur mon cheval, Hubert. Parfois avec maman devant La Héronnière. Il y en a plus d'une douzaine en tout, et une seule où je souris. On me voit sur celle-ci avec cinq ou six autres enfants des propriétés voisines, que Leander avait invités pour suivre ensemble un cours d'équitation. Nous sommes montés à l'envers sur nos chevaux, c'est censé être comique et nous sommes hilares, très contents de nous.

– Tenez, docteur, dis-je en la lui montrant. Je souris.

– Oui, en effet. Vous vous amusez avec les autres petits.

– Oui.

– Et vous n'avez pas besoin de boire.

– Évidemment, je n'avais pas encore découvert les joies de l'alcool.

– Regardez celle-là, dit le Dr Chameau, qui en indique une nouvelle. Vous vous tenez avec votre maman devant la maison. C'est un portrait, joliment composé, d'ailleurs. Votre mère a un air sérieux, on dirait même sévère, et vous paraissez timide, triste, presque effrayée. Est-ce une interprétation correcte, madame Fergus ?

– Je pense que oui, docteur.

– Aviez-vous peur d'elle, madame ?

– Tout le monde a peur d'elle.

– Je ne vous parle pas de tout le monde, mais de vous. Aviez-vous peur de votre mère ?

– Oui, bien sûr. Et encore aujourd'hui.

– Pourquoi ? Vous a-t-elle maltraitée d'une façon ou d'une autre ?

– Non. Elle n'a jamais levé la main sur moi.

– Peut-être vous a-t-elle blessée psychologiquement ? Mentalement ?

– Je ne sais pas. Ma mère est une forte personnalité. Très intimidante. Elle attend certaines choses des autres, et s'ils ne les font pas, s'ils la déçoivent, alors elle ne veut plus en entendre parler et elle les rejette. Presque tout le monde finit par la décevoir.

– C'est ce qui vous est arrivé, madame ? Elle vous a rejetée ?

– Oui, elle m'a rejetée. Seulement, je suis sa fille, et elle ne pouvait pas entièrement se débarrasser de moi. Nous étions quand même obligées de nous voir. À certaines époques, du moins. Et elle me rejetait encore. Je l'ai toujours beaucoup déçue. C'est que je ne suis pas très intelligente, docteur, je n'étais pas douée pour les études. Je ne suis pas non plus assez jolie ; j'ai hérité du grand nez de mon père. Donc elle m'a fait refaire le nez, et un beau jour, j'ai pris des cours de théâtre – à Chicago. J'ai même eu un peu de succès. Il a été question de faire un bout d'essai à Hollywood, pendant un temps. C'est alors que j'ai rencontré Bill, et nous avons pris la clef des champs. Maman ne l'a jamais aimé. Il est originaire de l'Ohio, imaginez ça : de Zanesville ! Un gars sans le sou, qu'elle a toujours traité de paysan. C'est comme ça qu'elle l'appelle. « Jamais tu n'aurais dû épouser ce paysan. » La seule chose que j'aie réussie à ses yeux, c'est mon premier enfant, Billy. Elle l'adorait.

« Quand Bill a rejoint l'armée, Billy et moi avons vécu chez elle à New York pendant la plus grande partie de la guerre. Elle se l'est presque approprié. Elle était davantage sa mère que moi. J'étais si jeune, je ne savais pas ce que c'était, qu'être mère. Comment aurais-je pu le savoir ? Je ne pensais qu'à m'amuser. Je m'étais trouvé un petit ami à New York, alors que j'étais mariée. Maman s'en fichait. Ou plutôt elle me poussait dans cette voie. Elle souhaitait que je quitte Bill, que je suive son exemple et que j'épouse quelqu'un de riche. À l'armistice, Bill est rentré, et Billy est mort quelque temps après. Dans un accident. Maman me tient toujours responsable de sa mort. Comme quoi il serait encore vivant si j'avais été une meilleure mère. Elle a été déçue au-delà de tout que je le laisse mourir. C'est là que je me suis vraiment mise à boire. L'alcool était mon seul refuge, mon seul ami au monde. On pourrait presque affirmer qu'il m'a sauvé la vie.

– Il vous détruit en même temps, madame Fergus. Vous en êtes consciente, tout de même ?

– C'est la vie qui me détruit, docteur. L'alcool n'est qu'un de ses instruments, une de ses armes. Faut-il blâmer l'arme elle-même, ou celui qui tire ?

– Êtes-vous la victime ou celui qui tire, justement ?

– Celui qui tire.

– Alors vous assumez la responsabilité de vos actes ?

– Parfaitement. Comme maman aime à me le rappeler : « Il ne faut t'en prendre qu'à toi-même, Marie-Blanche. »

– Pensez-vous qu'avoir laissé Billy mourir était une sorte de revanche sur votre mère ?

– Mais c'est obscène, de poser une question pareille ! Je ne l'ai pas laissé mourir, c'était un accident.

Le médecin regarde ses notes.

– Vous venez de dire : « Elle a été déçue au-delà de tout que je le laisse mourir. » Vous reprochez-vous la mort de votre fils, madame Fergus ?

– Oui... Non, c'est la faute de Bill. C'est lui qui a oublié les clefs sous le volant du tracteur. Il aurait dû surveiller Billy. Je n'ai pas envie de parler de ça maintenant, docteur.

– Bien, madame. Nous ne sommes pas obligés. Personne ne vous forcera ici à aborder des sujets qui vous déplaisent. De quoi aimeriez-vous parler ? De cet incendie à La Héronnière, peut-être ? C'était en décembre 1933, non ?

– Vous les avez étudiés, ces albums, n'est-ce pas ?

– Oui, je voulais avoir une idée de leur contenu, pour vous connaître un minimum avant votre arrivée. J'ai envoyé aussi une série de questions à votre mère, mais elle ne m'a pas encore répondu.

– Elle ne le fera pas. Elle considère ce que nous faisons comme des sottises. À l'usage des gens faibles, qui plus est. À ses yeux, je représente l'une et l'autre : la sottise et la faiblesse. Deux choses qu'elle ne supporte pas.

– À votre avis, comment est-elle devenue ce qu'elle est ? me demande le Dr Chameau. Dans sa vie à elle, quelles épreuves ont formé son caractère ?

RENÉE

Le Caire
Janvier 1914

1

Le bal de la Saint-Sylvestre chez Lady Winterbottom était l'événement mondain de la saison, une réception spectaculaire à laquelle étaient conviées toutes les familles notables du Caire et d'Alexandrie, européennes comme égyptiennes. Pour le plus grand plaisir de Renée, son oncle le vicomte Gabriel de Fontarce accepta de l'y accompagner.

Sir Herbert et son épouse recevaient leurs amis dans le hall monumental de Mena House, au pied du vaste escalier de marbre. La tradition voulait qu'ils se déguisent. Une faux à la main, vêtu d'un sac de pommes de terre retenu à la taille par une ficelle, Sir Herbert incarnait le Temps ; accoutrée d'une vieille robe usée, Lady Winterbottom représentait, elle, l'Année finissante. Le visage couvert de poudre blanche, elle avait tout d'un fantôme.

Le vicomte et sa nièce n'étaient pas plus tôt entrés que leur hôtesse prit la main de la jeune fille.

– Mais elle est superbe ! déclara-t-elle à Gabriel. Si jeune, si fraîche ! Il faut absolument qu'elle joue le rôle de la Nouvelle Année. Venez vite avec moi, ma fille, nous allons vous donner votre costume.

Sans laisser au vicomte le temps de protester, elle entraîna Renée dans la buanderie où une gouvernante remplaça sa nouvelle robe blanche par une djellaba en tulle doré vaporeux et une jupe-culotte en dentelle. Puis Lady Winterbottom la para d'un collier de gui frais.

– Formidable! proclama-t-elle. Vous êtes absolument adorable. On dirait Lady Godiva!

«L'Année finissante» revint prendre place dans le hall, aux côtés du «Temps» et de leurs amis qui formaient une haie d'honneur pour accueillir les invités. Ils leur présentèrent la «Nouvelle Année».

Repérant sa nièce depuis l'autre bout de la salle, Gabriel la rejoignit aussitôt.

– Mais enfin, madame, cette enfant est à moitié nue! s'exclama-t-il.

– La nudité est l'état naturel de l'enfance, lui répondit Lady Winterbottom. Dans toute son innocence.

– On voit sa poitrine sous les mailles, observa le vicomte. Je ne permettrai pas ça.

– Une gorge prépubère n'a rien d'obscène. Au contraire, c'est tout à fait charmant. Vous êtes son oncle et son père adoptif, vous devriez le savoir mieux que quiconque.

À cet instant se présenta Lord McFecont Bitt, réputé l'homme le plus riche d'Angleterre. Il s'arrêta devant Renée, l'examina des pieds à la tête et remarqua avec plaisir:

– À en juger par son allure, 1914 devrait être une belle année. Une fort belle année, même!

– Le vieux coureur les trouve en effet charmants, ses seins, marmonna Gabriel, furieux, à l'intention de la maîtresse de maison.

– Allons, vicomte, vous n'allez pas nous faire une scène. Je vous en prie, ne troublez pas la fête!

Parmi les nouveaux arrivants, plusieurs femmes dévisagèrent Renée d'un œil moins enthousiaste que Lord Bitt, notamment lorsque leurs maris s'attardaient sur son costume.

Quand le dernier invité fut entré, Gabriel s'approcha de sa nièce et la prit brutalement par le bras.

– Allez vous rhabiller tout de suite! lui ordonna-t-il. Je ne veux pas que vous vous promeniez toute la nuit à demi nue. Vous la donnez en spectacle, madame, dit-il ensuite à Lady Winterbottom. Vous ne voyez pas ces messieurs en train de la lorgner? Eh bien, je m'y oppose.

– Mon orchestre hongrois va commencer à jouer d'un instant à l'autre, plaida-t-elle. Et j'ai besoin que la Nouvelle Année ouvre le bal avec le Temps. S'il vous plaît, Gabriel, c'est la tradition. Ce serait de très mauvais augure pour tout le monde, et une bien triste façon d'aborder 1914, qui promet déjà d'être assez difficile. Ensuite, j'ai réuni ici d'importants représentants de la noblesse britannique, et votre pudibonderie bourgeoise n'est pas de mise. Juste une danse, ce sera tout. Je ne vous demande rien de plus. De grâce, vicomte !

À la grande surprise de Renée, il céda et regarda, en même temps que les autres, sa nièce se placer au milieu de la salle pour la première valse. Visiblement dépités, le comte et la comtesse l'observaient dans les bras de Sir Herbert et son sac de pommes de terre.

– Nous sommes fichus, murmura Maurice à sa femme. Après cela, elle ne trouvera jamais un mari. Quelle famille décente voudrait encore d'elle ?

L'orchestre terminait à peine que Gabriel traversa la salle et arracha sa nièce des bras de son cavalier, ce qui ne manqua pas de susciter quelques gloussements dans l'assemblée. Quant à elle, Renée était ravie d'être le centre d'intérêt – reluquée par les hommes, jalousée par les femmes. Voir son oncle ainsi agacé, au point de mal se comporter devant ses amis et relations, lui plaisait encore plus. À la vérité, elle aurait aimé conserver son costume toute la soirée.

– Allez vous changer tout de suite ! la somma-t-il. Et arrêtez de sourire bêtement !

– Je n'y suis pour rien, dit-elle. Pourquoi êtes-vous en colère contre moi ?

– Parce que vous vous amusez un peu trop à mes yeux. Et aux yeux de tous.

– On n'est pas censé s'amuser à un bal ? Pour le nouvel an, qui plus est ?

– Allez vous rhabiller.

Le temps que Renée reparte enfiler sa robe, les invités s'étaient groupés devant le buffet où, en attendant de se servir, ils admiraient les pyramides de hors-d'œuvre artistiquement disposées devant eux – foie gras aux truffes, caviar, homard, huîtres, sans oublier les dizaines de seaux à champagne qui contenaient chacun une bouteille de Dom Pérignon. Une fois ses hôtes assis, Lady Winterbottom fit circuler entre les tables les danseuses du ventre qu'elle avait engagées – le nombril à l'air, tout en ondulations suggestives.

De peur de perdre sa nièce de vue, Gabriel ne l'avait pas lâchée depuis son retour de la buanderie. La maîtresse de maison ne tarda pas à les rejoindre.

– Maintenant que votre fille est mieux attifée, vicomte, puis-je vous l'emprunter de nouveau ? Les jeunes souhaitent faire sa connaissance.

– Je l'imagine aisément, répondit-il. Seulement, les jeunes ne l'intéressent pas.

– Balivernes ! rétorqua Lady Winterbottom. Bien sûr que si, ils l'intéressent. Pensez-vous qu'elle tienne spécialement à s'encombrer de vieux barbons et de vieilles dondons comme nous ? Allons, je vous en prie, confiez-la-moi.

Elle saisit la main de la jeune fille.

– Je vais la présenter aux héritiers de toutes les grosses fortunes d'Alexandrie et du Caire. Qu'elle se fasse donc quelques amis, elle rencontrera peut-être des partenaires pour le tennis. Qui sait, pourquoi pas son futur mari !

La remarque peina visiblement le vicomte, ce que l'hôtesse remarqua avec un sourire narquois. Sans attendre de réponse, elle se hâta d'emmener Renée à l'autre bout de la pièce, où la jeunesse dorée avait établi son camp. Certains étaient à table, de petits groupes bavardaient debout – les garçons en costume sur mesure, les filles en robe de soirée à la française. Ils fumaient des cigarettes anglaises, buvaient leur champagne avec une lassitude affectée, propre à suggérer qu'ils avaient assisté à de trop nombreuses réceptions de cette sorte et qu'ils en concevaient un ennui considérable.

Bien qu'égyptiens de naissance pour la plupart, ces jeunes gens étaient indéniablement marqués par leur éducation britannique, et s'exprimaient avec un accent pointu acquis à Oxford et Cambridge. Tous avaient quelques années de plus que Renée et, dans l'ensemble, ils ne manifestèrent qu'une vague indifférence à son égard. De son côté, elle trouva aux demoiselles quelque chose d'anémié, de mal nourri. Leur maigre poitrine était mise en valeur par des décolletés qui n'auraient pas déparéillé à la cour de George V. Toutes avaient noté plus tôt l'apparition de la Française dans son costume diaphane, et elles la regardaient maintenant avec méfiance, comme une intruse potentiellement dangereuse.

Lady Winterbottom n'était pas repartie depuis cinq minutes que Gabriel, refaisant apparition, prit sa nièce par le bras.

– Cela vous apprendra à ne plus me fausser compagnie, murmura-t-il à son oreille. Voyez dans quel guêpier vous vous êtes fourrée. Ces filles sont aussi laides qu'elles vous détestent.

– Vous me faites mal, dit-elle. Je vous en prie, lâchez-moi !

Un des jeunes hommes, dégingandé et le teint olivâtre, s'approcha.

– Monsieur le vicomte, commença-t-il dans un français impeccable. Permettez-moi de me présenter. Je suis le prince Badr El-Banderah. Mon père, le pacha Ali El-Banderah, est votre voisin et ami à Armant.

– Oui, bien sûr, fit le vicomte en lui serrant la main. J'ai failli ne pas vous reconnaître, monsieur. La dernière fois que je vous ai vu, vous étiez un petit garçon. Vous passez la majeure partie de l'année en Grande-Bretagne, n'est-ce pas ?

– J'habite en effet là-bas avec ma mère.

– Comment va votre père ?

– Fort bien, je vous remercie. Il est d'ailleurs ici ce soir. Il sera ravi de vous voir, je n'en doute pas.

– Je vais aller à sa rencontre.

– Je souhaite demander à votre charmante nièce de nous rejoindre à notre table, monsieur. Je prendrai le plus grand soin d'elle.

Le visage de Gabriel s'assombrit. Il n'ignorait pas qu'en refusant, il risquait à nouveau de se rendre ridicule devant tout le monde. En outre, le père du jeune prince était non seulement son voisin à Armant, qu'il recevait souvent à dîner, mais aussi l'un de ses principaux associés.

– Entendu, dit-il. Mais il se fait tard et, compte tenu de son âge, je crains que Renée ne puisse rester très longtemps.

D'un regard, il la mit en garde.

– Je reviendrai la chercher à minuit sonnant, conclut-il.

Le jeune prince s'inclina légèrement.

– Je vous remercie, monsieur le vicomte.

Badr mena Renée à une table et la présenta à quelques-uns de ses amis. Maintenant qu'elle était officiellement en sa compagnie, les autres garçons rivalisèrent pour tenter de l'impressionner, évoquant leurs universités respectives, leurs pur-sang, les courses hippiques à Newmarket, les chasses à courre dans le Leicestershire... Les filles, en revanche, jalouses de la voir avec le prince, se comportaient comme si elle n'existait pas, pensant peut-être qu'en l'ignorant, elles parviendraient à la faire disparaître.

Renée aperçut Gabriel qui entamait un tango avec une rousse, une Américaine qu'elle avait déjà aperçue au Caire. Sans doute pour continuer à surveiller sa nièce, il évitait de se fondre dans la foule des danseurs. L'Américaine, qui manifestement essayait de le séduire, était aussi impudique que bonne cavalière.

Voyant la jeune fille captivée par son oncle et sa partenaire, le prince se leva et lui tendit la main.

– Venez, mademoiselle Renée, allons danser, nous aussi.

Elle prit sa main et le suivit, certaine de contrarier Gabriel.

– Êtes-vous amoureuse de votre oncle ? demanda Badr en la prenant dans ses bras. Il y a des rumeurs qui circulent. Apparemment, vous ne le quittez pas des yeux. Et lui non plus.

– Ne dites pas de bêtises. Bien sûr que je ne suis pas amoureuse de lui. Je le considère comme mon père.

– Quel âge avez-vous ?

– Quatorze ans.

Effleurant du bout des lèvres la mèche qui couvrait l'oreille de Renée, il chuchota :

– Dans ce pays, les filles se marient à treize ans. Tenez, tous les regards sont sur nous. Encore un instant, et ils vont nous fiancer...

– Que me chantez-vous là ? dit Renée. Je ne sais même pas votre nom.

– Mais si, vous le savez. Je suis le prince Badr El Bandcrah. Appelez-moi Badr, tout simplement.

– Jamais mon père ne me laisserait épouser un Arabe, de toute façon.

– Je ne suis qu'à moitié arabe. Ma mère est écossaise. Et mes parents sont divorcés.

– Peu importe. Pour mon père, vous êtes et resterez arabe. Je suppose que vous êtes aussi musulman.

– Non, en réalité, j'ai embrassé la religion de ma mère. Je suis chrétien.

– Je crois que mes parents n'y attacheront pas plus d'importance, dit Renée.

Elle se demandait à quoi bon parler mariage avec un garçon qu'elle connaissait à peine.

– Ma mère n'approuverait pas que j'épouse une Française, dit celui-ci. Ce serait pourtant très romantique. Des amants maudits ! Nous serions comme Roméo et Juliette. Avec une fin plus heureuse, cependant.

Le prince était un merveilleux danseur. Son corps souple et agile semblait n'en faire qu'un avec celui de Renée. Sentant contre elle ses muscles jeunes et noueux, l'odeur de son eau de Cologne mêlée à celle du tabac anglais, elle se rendit compte qu'elle n'avait jusque-là jamais dansé avec un garçon de son âge – seulement avec son oncle, son père, ou encore Sir Herbert. Étourdie, comme saoule, elle craignit soudain de s'évanouir.

– Allons dehors regarder la lune, murmura Badr. Avez-vous vu le grand bouquet de gui que Lady Winterbottom a fait venir d'Angleterre ? Il est suspendu au-dessus de la porte de la terrasse. J'aimerais que nous soyons dessous à minuit.

Levant les yeux, elle vit que son oncle ne dansait plus. Il venait de laisser sa rousse, éberluée, seule devant les autres invités, et il avançait vers sa nièce en braquant sur elle un curieux regard. L'orchestre avait commencé à jouer *Le Beau Danube bleu*, la traditionnelle valse de minuit, et Gabriel fit signe à la jeune fille de le rejoindre. Mais celle-ci, comme dans un rêve, se sentait incapable de résister à son compagnon, ce garçon brun et mince qui, la tenant dans ses bras, lui donnait un nouvel avantage sur le vicomte. Elle suivit le jeune prince qui l'entraîna vers la terrasse, où il s'arrêta sous le gui.

– Encore deux minutes et c'est le nouvel an, dit-il en lui posant deux mains fermes sur la taille. 1914, et nous avons toute la vie devant nous.

Se penchant, il l'embrassa légèrement sur les lèvres. C'était le premier baiser qu'un garçon lui donnait.

Soudain surgit Gabriel qui, sans un mot, l'arracha brutalement des griffes du prince, puis la tira par la main dans la salle où l'orchestre n'avait pas terminé *Le Beau Danube*. La serrant dans ses bras, il se mit à tournoyer avec elle, comme un dément avec une poupée de chiffon. Croyant toujours flotter dans un rêve, succombant aux pouvoirs enivrants de ces hommes, Renée s'abandonna aussi passivement qu'auparavant avec Badr. Elle se rappela le bal de l'année précédente à son ancien domicile de La Borne-Blanche, qui paraissait maintenant si vieux, si loin dans la campagne française. Cette nuit-là, tous les chandeliers illuminaient la grande salle du château, tandis que, du haut de l'escalier, en pantoufles et peignoir, elle regardait les convives – et surtout sa mère, la séduisante comtesse de Fontarce – danser avec l'oncle Gabriel sur le même air de musique. À peine un an plus tard, elle portait une robe de soirée et des souliers lamés, et c'était maintenant lui, l'amant de ses rêves, qui la faisait tourbillonner.

– Il vous a volé notre premier baiser, murmura le vicomte d'une voix d'écolier.

– Je vous en prie, Gabriel, ne soyez pas en colère, répondit Renée. Cela ne compte pas. D'ailleurs minuit n'a pas encore sonné. Menez-moi sous le gui, il nous reste une minute.

Il ne se fit pas prier. Lorsqu'ils arrivèrent sous le bouquet, les sirènes retentirent, les lumières s'éteignirent dans la salle de bal et, se jetant dans les bras de son oncle, Renée l'embrassa passionnément, prête à le dévorer.

– *Voyez*, lui dit-elle. *Ça*, c'est un premier baiser. Bonne année, *monsieur mon père...*

Mais il restait maussade et annonça qu'il était tard. Il fallait partir. Renée se doutait qu'elle n'avait pas fini d'entendre parler de son prince égyptien, et qu'elle encourait une bonne rossée. Ça lui était égal. En lui serrant la nuque d'une main, Gabriel la guida vers l'entrée de la maison, où Lady Winterbottom, assise sur un fauteuil telle une reine sur son trône, étudiait ses invités d'un air satisfait.

– Votre jolie blonde est très demandée, ce soir, vicomte. C'est la perle du Caire ! Permettez-lui, s'il vous plaît, de souper avec nous.

– À cette heure-là, dit sèchement Gabriel, elle devrait être au lit.

– Dans ce cas... fit la maîtresse de maison. Je connais un petit pacha qui aura le cœur brisé de la voir partir.

Renée se retourna une dernière fois vers la salle de bal où, sous les chandeliers étincelants, les domestiques en livrée rouge servaient les convives de nouveau attablés.

Elle aperçut Badr, adossé à une énorme statue d'un dieu nu de l'Antiquité. Il la regardait avec un sourire triste, qu'elle lui rendit.

L'oncle et la nièce rentrèrent dans un silence ponctué par les cadences des sabots sur les pavés, et le tintement des grelots sur les harnais des chevaux. La nuit était douce, l'air chargé des senteurs du Nil. Blottie contre Gabriel, la jeune fille pensa qu'à cet instant la vie était belle et que tout allait pour le mieux sur terre.

Elle avait à peine regagné sa chambre aux Roses qu'il apparut à sa porte.

– Vous n'êtes qu'une gamine volage, lui dit-il. Retirez votre robe !

Lentement, Renée défit les premiers boutons.

– Vous savez un peu trop que vous êtes belle, poursuivit-il. À peine quatorze ans, et ça s'amuse à prendre des amants.

Elle ne broncha pas et il ajouta :

– Vous avez fait ça pour me provoquer, n'est-ce pas ? Répondez quand je vous parle, jeune fille.

Elle se dressait maintenant devant lui sans autre vêtement que son jupon de dentelle.

– Vous avez envie de me frapper ? C'est ça ? Eh bien, allez-y, faites. Je m'en fiche. Je n'ai plus peur de vous. J'ai bien compris votre petit jeu. Ce sera mon cadeau de nouvel an, monsieur mon père ? Car ensuite vous voudrez me consoler, me cajoler pour que j'oublie mes blessures...

Neutralisé, Gabriel sourit.

– L'année vient juste de commencer et nous nous disputons déjà. Vous êtes trop avisée, trop mûre pour une fille de quatorze ans.

– On m'aura éduquée assez tôt, dit-elle. J'avais un professeur exigeant.

– Pourquoi me narguer en laissant ce garçon vous embrasser ? Vous croyez que je ne vous ai pas vue le regarder en partant ?

– J'ai joué avec lui pour vous rendre jaloux, c'est tout. Et pour vous faire payer votre grosse négresse.

Il s'esclaffa.

– C'est réussi, dit-il en hochant la tête. Je vous ai montré l'exemple. Nous nous ressemblons trop, vous et moi. Allons, venez. Je vais vous le donner, votre premier vrai baiser.

2

Le lendemain matin, Maurice, son frère et Renée étaient réunis à la cuisine pour le petit-déjeuner quand la comtesse arriva aux Roses, une fois encore sans s'annoncer. Elle s'assit à sa place habituelle et pria la domestique de la servir comme si elle habitait toujours là.

– Avez-vous passé une bonne soirée, Gabriel ? demanda-t-elle à celui-ci. Vous êtes-vous bien amusé ? Nous vous avons cherché après minuit, mais Lady Winterbottom m'a informée que vous étiez parti sans souper.

– Il commençait à être tard pour la petite.

– Ah oui, la petite...

Henriette se tourna vers sa fille.

– Pourquoi avez-vous les lèvres aussi rouges et gonflées ?

– Un moustique lui a piqué la bouche, au bal hier soir, répondit aussitôt le vicomte. Lorsqu'elle est passée sous les branches de gui avec un certain prince.

– Un miracle qu'elle ne soit pas morte de froid, dans ce costume, persifla la comtesse.

– Vous réglerez ça avec vos amis Winterbottom, dit Gabriel. Ce n'est pas moi qui l'ai accoutrée ainsi, et je vous garantis que je n'étais pas d'accord.

– Je suis venue voir votre jugement de divorce, et je veux le voir maintenant. Si vous ne pouvez pas me le présenter, je reprends la garde de ma fille. J'ai prévenu le consulat de France à ce sujet, et j'ai pris les dispositions utiles pour mettre Renée dans un couvent en Angleterre. Vous n'êtes pas digne de l'élever. Vous la promenez partout comme une maîtresse, vous vous donnez en spectacle et cela retombe sur la famille. Tout le monde y est allé de son petit commentaire, hier soir, même Lady Winterbottom.

– Lady Winterbottom n'est qu'une grosse vache sénile. Elle ferait mieux de s'occuper de ses affaires, notamment des liaisons de son mari, lâcha Gabriel.

– Très bien, montrez-moi ce jugement.

Le comte leva finalement le nez de son journal.

– Pour l'amour du ciel, Henriette, ça suffit! Vous ne pouvez pas nous laisser tranquilles, s'il vous plaît? Vous ne vous êtes jamais souciée ni de votre fille ni de votre mari. Vous ne vous êtes jamais occupée de nous. J'ai confié notre enfant à mon frère, et elle restera avec lui. Je lui ai donné ma parole et j'ai signé les papiers pour l'adoption. Ce que vous pouvez dire ou faire n'y changera rien.

– Oui, Maurice. Aucun de nous n'ignore par quel arrangement, légal et financier, nous sommes arrivés à une situation aussi triste: la réduction de votre fille en esclavage, et la mise à l'écart de votre épouse.

– Calmons-nous un instant, intervint Gabriel, conciliant. Rappelons-nous que nous sommes une famille, qu'il vaut mieux rester solidaires les uns des autres. Nous repartons demain à Armant, Henriette. Si vous tenez tellement à éviter le scandale, je vous suggère de nous y rejoindre. Je pense que cela permettrait de faire taire les jaseurs.

– Vous ne croyez pas qu'on les connaît, vos ficelles, maintenant? dit-elle. Dès qu'on vous demande de faire face, vous choisissez la fuite. La prochaine fois que je reviens ici, j'aurai avec moi le préfet de police et le consul de France. Si vous ne produisez pas ce jugement de divorce, je reprends ma fille.

Renée aurait préféré séjourner plus longtemps au Caire. Les températures y étaient douces et, après l'excitation des fêtes, il était difficile de retrouver la Haute-Égypte, ses fortes chaleurs et les mornes exigences de la plantation. Renée était après tout une demoiselle, qui aimait se divertir, danser, sortir, et le tourbillon de la vie mondaine lui convenait parfaitement. Cependant sa mère venait de proférer des menaces, et elle voyait bien la nécessité de quitter la ville une fois de plus. Elle savait que la comtesse ne reculerait devant rien pour l'envoyer au couvent.

Deux fois par semaine, Gabriel recommença à faire le tour de la propriété à cheval, vérifiant tous les aspects de l'exploitation, et exigeant bien sûr que sa protégée l'accompagne. Armé de sa cravache en cuir de rhinocéros, il parcourait à une allure épuisante les plaines inondables du Nil – qui empestaient la vase, le fumier, et pour Renée, la pourriture, sinon la mort elle-même. Elle avait beau s'enduire le corps d'huile de citronnelle, d'insatiables moustiques la tourmentaient ; l'implacable soleil lui desséchait la peau, décidé, semblait-il, à la poursuivre dans ce pays plat et monotone. Mais elle avait appris à ne pas se plaindre de ces désagréments. Vivant constamment dans la peur de l'éloignement, elle craignait avant tout d'agacer son oncle.

Par une de ces journées, elle ressentit au réveil une douleur terrible à l'estomac. Lorsque, le soir, ils mirent pied à terre devant une des huttes de bambou où ils allaient passer la nuit, elle baissa les yeux et remarqua ses jodhpurs couverts de sang.

– Au secours, Gabriel, aidez-moi, je vais mourir ! s'écria-t-elle, terrifiée.

– Qu'y a-t-il encore ? dit-il, irrité. J'en ai assez de vous entendre gémir.

– Mais regardez mon pantalon, il baigne dans mon sang !

– Bon Dieu ! s'exclama-t-il en le constatant à son tour.

Il appela en arabe une employée de la plantation, Alinda, une Grecque au visage voilé. Elle accourut tandis que, doucement, il prenait sa nièce dans ses bras pour la porter à l'intérieur.

– Allongez-la sur le lit, vicomte, dit Alinda.

– Elle fait une hémorragie, il faut chercher le docteur !

– Calmez-vous. Je ne pense pas que ce soit ça. Elle devient une femme, tout simplement. À l'évidence, c'est la première fois que ça lui arrive. Avez-vous mal, madame Renée ?

– Oui, au ventre, depuis ce matin.

– Pourquoi ne m'avez-vous rien dit ? lui reprocha Gabriel. Pourquoi ne m'avez-vous pas dit que vous étiez souffrante ?

– Quand je me plains de quelque chose, vous vous fâchez contre moi. J'ai peur, Gabriel. J'ai peur de mourir.

– Je vous promets que vous n'allez pas mourir, affirma Alinda.

– Miss Hayes m'avait prévenue, dit Renée. Mais pourquoi est-ce aussi violent ? Regardez, j'ai du sang partout.

– Restez allongée, conseilla la servante. Je reviens tout de suite.

– Je vais quand même chercher le Dr Lehman, au cas où, dit le vicomte.

– Non, je vous en prie, ne me laissez pas, l'implora sa nièce, s'accrochant à sa main.

La Grecque réapparut alors, munie d'un grand bol d'eau chaude et d'une serviette. Elle fit signe à Gabriel de quitter la pièce, mais Renée refusa de lui lâcher la main.

– Au moins détournez la tête, monsieur, dit Alinda. Ceci est une affaire de femmes.

Rapide et efficace, elle retira les bottes de Renée, ses jodhpurs et ses sous-vêtements imprégnés de sang. Puis, à l'aide d'un gant de toilette, elle la lava à l'eau chaude, l'essuya avec la serviette et lui plaça entre les jambes une petite bande de coton pliée en deux. Enfin, elle la couvrit d'un drap blanc et propre.

– Dormez, dit Gabriel. Je pars chercher le docteur, juste pour être sûr que ce n'est pas grave. N'ayez crainte, mon amour, je serai vite de retour.

Épuisée, Renée s'assoupit aussitôt. Elle perçut plus tard, comme dans un rêve, des murmures dans la hutte.

– Elle s'est endormie, Lehman. Il n'est peut-être pas nécessaire de l'examiner, après tout. Elle est nue sous le drap.

– Mais enfin, vicomte, cela n'a aucune importance. Je suis médecin et je peux vous assurer que j'en ai vu, des patientes nues. Je peux difficilement les ausculter habillées, d'ailleurs.

Levant le drap, le médecin s'agenouilla devant la jeune fille et appliqua délicatement ses mains sur son ventre.

– Quatorze ans, disiez-vous ? Le début de la puberté. Tout cela est parfaitement normal.

– Elle ne court aucun risque ?

– Absolument aucun, affirma le praticien, poursuivant son auscultation.

Dans son rêve, Renée transformait ses petites mains en créatures velues qui lui couraient sur la peau.

– Oui, tout est normal, confirma Lehman. Et c'est une belle représentante du beau sexe. Joliment musclée des pieds à la tête.

– Elle est née sur un cheval, dit le vicomte.

– Comparée aux filles de ce pays, qui sont pour l'ensemble maigrichonnes, fragiles et souvent violées dès l'âge de huit ans, cette enfant est un régal pour les yeux. Une fleur magnifique. Si un de nos pachas la voyait à l'instant, il lui offrirait certainement son poids en or.

– Merci, docteur, dit sèchement Gabriel en replaçant le drap sur le corps de sa nièce, mais elle n'est pas à vendre. Si vous pensez qu'elle a besoin de médicaments, quels qu'ils soient, allez à Armant donner votre ordonnance à Ali, il enverra un *dahabieh* au Caire. Bien, je vous raccompagne.

Renée entendit la porte se refermer, puis leurs voix assourdies, le temps d'un au revoir. Quelques minutes plus tard, la porte se rouvrait. Les paupières closes, elle sentit l'odeur familière de son oncle, mélange de soleil et d'eau de Cologne. Ses mains effleurèrent son ventre, ses seins, puis, se penchant, il l'embrassa doucement sur les lèvres.

Elle dormit toute la nuit à poings fermés. Le matin venu, Alinda lui apporta ses vêtements, lavés et repassés. Devant la hutte, les chevaux sellés attendaient la jeune fille et Gabriel qui, après le petit-déjeuner, reprirent les pistes sans parler des événements de la veille. À la façon dont son oncle la regardait, Renée comprit que les choses avaient changé entre eux, et cela lui perça le cœur. Elle n'était plus une fille-enfant, le jouet de cet homme. Il n'userait plus d'«innocents» prétextes pour l'attirer dans son lit, l'embrasser, la câliner avec son membre dur pressé contre elle.

3

Quelques jours plus tard, alors que le comte, le vicomte et Renée se trouvaient dans le salon, un soir après dîner, Gabriel annonça :

— Maurice, le pacha Ali El-Banderah m'a rendu visite, cet après-midi, dans mon bureau.

— Ah, le voisin ? Que voulait-il ?

— Il a un fils de son ex-femme, qui est écossaise. Un jeune gars de vingt ans, plutôt fringant, qui s'appelle Badr. Il a grandi en Angleterre, c'est un ancien élève d'Eton, et il étudie maintenant à Oxford. Peut-être l'avez-vous remarqué au bal du nouvel an, chez Lady Winterbottom ? Il a dansé avec notre fille. Tout le monde dit que c'est le plus beau parti du pays.

— Que nous vaut l'honneur de cette visite ? demanda Maurice.

— Eh bien, au nom de son fils, le pacha m'a demandé la main de Renée. Le garçon accepte d'attendre qu'elle ait seize ans. Mais il ne veut courir aucun risque, et préférerait se fiancer tout de suite. Il semblerait que, depuis le bal, les garçons de la bonne société cherchent tous un moyen de s'attacher cette jeune fille.

Se tournant vers celle-ci, il ajouta :

— Peut-être y a-t-il un rapport avec la tenue suggestive qu'elle portait ce soir-là.

— Il va sans dire qu'il n'est pas question de répondre favorablement, dit le comte. Vous savez que je ne la laisserai jamais épouser un Arabe, Gabriel.

– Il ne l'est qu'à moitié. Pourquoi ne pas dire oui ? M. El-Banderah m'a appris qu'on l'a élevé dans la religion anglicane. Par son éducation, c'est presque un vrai Anglo-Saxon, d'ailleurs il est britannique par sa mère. Sans oublier qu'il héritera d'une vaste fortune. Cela ferait un couple heureux, qui résiderait à Londres, avec certainement un endroit où chasser à la campagne. La belle vie, pour Renée. Et ce serait bon pour nos affaires, dois-je ajouter, réunir nos propriétés serait bénéfique pour tous. Non, je crois qu'il faut y penser sérieusement.

Renée, qui n'avait jusque-là rien dit, explosa soudainement.

– Qu'est-ce que vous racontez, Gabriel ? Vous parlez de moi comme si je n'étais pas là. Êtes-vous devenu fou ? « Bon pour les affaires » ? Je n'épouserai personne ! Jamais ! Et surtout pas ce garçon !

Continuant de l'ignorer, le vicomte reprit à l'intention de son frère :

– Nous sommes, après tout, ses voisins, Maurice. Un tel rapprochement aurait bien des avantages. En rassemblant nos terres, nous aurions presque le monopole du sucre et du coton. Avec la guerre qui approche, cela représente des millions.

– Gabriel, pourquoi tant de cruauté ? s'exclama Renée. S'il vous plaît ! Je ne veux pas de ça ! Je vous en supplie !

Elle tenta de se jeter à son cou, et il la repoussa.

– De la cruauté ? Pourquoi dites-vous cela, ma petite ? demanda-t-il en feignant la surprise. J'essaie simplement de pourvoir au mieux à vos besoins. Puisque vous ne m'aimez pas. Il paraît même que je vous martyrise.

Cette fois, Renée se prosterna devant lui et, sans même réfléchir aux conséquences, lâcha d'une traite :

– Mais si, je vous aime, Gabriel ! Je vous ai toujours aimé, je n'aime que vous ! C'est seulement difficile de le dire ! Que ferais-je sans vous ?

Quittant son fauteuil, le comte se rapprocha de sa fille.

– Qu'est-ce que c'est que cette histoire d'amour ? s'étonna-t-il, perplexe. Que se passe-t-il dans cette famille ? Qu'est-ce que cela signifie, Gabriel ?

– Eh bien, Maurice, ta femme colporte partout au Caire que j'ai enfermé notre fille, qu'elle est ma prisonnière et mon esclave. Alors le fils du pacha, ce très galant jeune homme, s'est persuadé de venir la sauver, de l'ôter des griffes du vieux satyre qui la retient contre son gré.

– Est-ce donc vrai, ce qu'Henriette prétend depuis le début ? Que vous avez ensorcelé cette petite ?

– Il ne m'a pas ensorcelée ! lança Renée. Je l'aime ! Je suis prête à mourir pour lui !

Soudain blême, le comte trébucha et se retint à une table pour ne pas tomber. D'un pas mal assuré, il s'avança vers le buffet et se servit un verre de cognac, qu'il avala d'un trait.

– Bon Dieu, grommela-t-il en le remplissant de nouveau. Mais que sommes-nous devenus ?

– Le pacha revient demain avec son fils pour avoir notre réponse, dit Gabriel d'une voix égale. Il souhaite une entrevue avec nous tous. Nous devons être très polis avec lui. Vous spécialement, ma chère.

– Non ! Je ne serai pas polie ! s'écria Renée.

– Tenez, prenez mon mouchoir, lui offrit son oncle. Séchez vos larmes et ressaisissez-vous. Il faut vous montrer raisonnable. J'ai travaillé très dur pour bâtir ce domaine, qui un jour sera le vôtre. Le pacha est un homme qui compte beaucoup dans ce pays. Il faut l'écouter, ne pas l'insulter, ni lui ni son fils, ne rien faire qui soit de nature à opposer nos deux familles. Surtout éviter cela.

– Mais je m'en fous, moi, du domaine ! cracha Renée. Je vous aime ! Je vous aime ! J'en ai rien à fiche, du reste ! Je ne veux rien hériter du tout ! C'est vous que je veux, rien d'autre !

Regardant droit devant lui, le comte engloutit son deuxième verre et sortit de la pièce sans prononcer un autre mot.

De nouveau agenouillée devant son oncle, Renée sanglotait en essayant de retrouver son souffle.

– Pourquoi êtes-vous si dur avec moi ? Pourquoi me jouez-vous ces sales tours ? Juste pour me faire souffrir ?

– Arrêtez de gémir. Vous avez mis le doigt dans l'engrenage en permettant à ce gamin de vous embrasser. Vous n'imaginez pas qu'on se moque de moi impunément ?

– Mais je vous ai expliqué. C'était pour vous faire payer votre négresse. Ce que vous pouvez être méchant, Gabriel !

S'esclaffant, le vicomte saisit Renée par les bras et la posa sur ses genoux.

– Voilà que vous m'aimez, finalement ! Le pacha m'a rapporté que vous vouliez épouser son fils, que toute l'Égypte est au courant. Croyez-moi, un père est content d'entendre cela ! Il dit aussi qu'au bal, vous vous êtes arrangée pour apprendre à votre gars que les Françaises sont nubiles à seize ans, mais que le consentement du père est requis. Une façon de l'encourager à faire sa demande rapidement. Dont acte : le pacha est venu aujourd'hui me demander votre main.

– C'est quoi, un satyre ?

Riant de nouveau, Gabriel enfouit son nez dans les cheveux de sa nièce, et la serra fort contre lui.

– Ce que je vais devenir si vous continuez comme ça.

– Vous auriez dû me parler plus tôt de cette visite. Jamais je n'aurais dit ces choses devant papa. Il sait tout, maintenant. Vous avez vu la tête qu'il faisait ?

– Je m'inquiéterai de lui plus tard. Allons nous coucher, ma fille.

Le lendemain après-midi, le comte, le vicomte et Renée reçurent Ali El-Banderah et son fils le prince Badr dans le grand salon. Le pacha était un monsieur bienveillant à la voix douce, à la barbe et aux cheveux blancs, qui, dans sa robe immaculée, ressemblait à un saint ou à un ascète. Il parlait lui aussi un anglais impeccable, quoique teinté d'un accent oriental plus sensible que celui de son fils. Par respect pour son père, Badr avait revêtu pour l'occasion la robe et le turban traditionnels. Renée pensa qu'il ne manquait pas d'un certain charme dans ce costume.

Après des échanges convenus au sujet des deux familles et de leur santé, une servante soudanaise servit le thé.

– Mon cher ami, dit enfin Gabriel. Vous nous faites honneur en proposant d'unir nos deux familles.

Le pacha s'inclina avec un large sourire.

— Ce serait l'alliance de deux voisins, de leurs domaines, de leurs fortunes, vicomte, sans compter celles que nos beaux enfants porteront à leur doigt. Voilà qui me semble à l'avantage de tous.

— Nous avons eu une longue discussion à ce sujet, pacha. Je crains que le comte de Fontarce et moi-même soyons arrivés à la conclusion que notre fille est trop jeune pour considérer le mariage.

— Pardonnez-moi de vous rappeler, monsieur le vicomte, dit Badr, que je suis prêt à attendre qu'elle atteigne l'âge légal. En outre, vous nous avez assurés qu'elle répondrait personnellement à notre demande, et non par votre voix.

— En effet, prince, acquiesça Gabriel. Et elle le fera. Contrairement à ce qu'on vous aura peut-être rapporté au Caire, notre fille n'est pas notre prisonnière. Elle agit de son plein gré, elle prend elle-même ses décisions. Mais du fait qu'elle a seulement quatorze ans, le comte et moi-même gardons une part de responsabilité dans celles-ci.

Il se tourna vers Renée :

— Comme vous le savez, ma fille, cet excellent jeune homme, fils de notre voisin et ami Ali El-Banderah, nous a fort gracieusement demandé votre main. Il souhaite maintenant avoir votre réponse.

La veille au bord de l'hystérie, Renée avait retrouvé une contenance et s'était préparée pour cette entrevue, comme Gabriel l'en avait priée. Elle se leva et s'inclina respectueusement devant leurs hôtes. Le jeune prince en fit autant devant elle.

— Monsieur, dit-elle. Je suis honorée par votre proposition et je vous en remercie. J'ai peur, cependant, de n'y être pas favorable. Voyez-vous, je préférerais avoir au moins dix-huit ans pour m'engager. Comme mon père l'indique justement, je n'en ai que quatorze.

— J'ai bien fait valoir que j'acceptais un délai, dit Badr. En Égypte, on considère comme vieilles filles celles qui ne sont pas mariées à dix-huit ans.

Renée s'esclaffa.

– Cela n'est pas le cas en Angleterre, le pays de votre mère, dit-elle.

– Certes, fit le prince en hochant la tête. Il est vrai, également, que nous résiderions là-bas la moitié de l'année au moins. Peut-être ne seriez-vous pas opposée à de longues fiançailles, mademoiselle Renée ? Je suis sûrement disposé à attendre que vous ayez dix-huit ans.

– Il peut se passer bien des choses en quatre ans, prince, commenta Gabriel. Eu égard, notamment, à cette guerre qui menace d'éclater. Sans doute faut-il laisser à Renée la possibilité de mûrir un peu avant qu'elle s'engage définitivement.

– Mon cher ami, intervint le pacha, nous avons souvent parlé affaires en présence et avec la participation de votre fille. Vous me l'avez dit vous-même : vous lui enseignez tout ce dont elle aura besoin pour exploiter votre domaine. Mon fils, de son côté, me représente en Angleterre. Imaginez quelle fine équipe ils feraient tous les deux, quelle excellente association cela représente pour nos familles et la poursuite de nos intérêts.

– C'est vrai, pacha, c'est vrai, admit Gabriel, avant de lever les mains en signe d'impuissance. Mais je n'ai pas le choix, c'est elle qui doit décider. Les temps ont changé, et les mariages de raison, chez nous, sont une coutume obsolète. Non seulement Renée est encore jeune, mais c'est une enfant moderne, européenne, qui se forge une idée propre de son avenir. Que voulez-vous faire ?

Badr se tourna vers elle.

– Votre décision est donc prise, mademoiselle ?

Renée l'étudia un instant avant de répondre. Elle se rappela le bal, la sensation de son corps svelte contre le sien, leur baiser sous le gui. Elle imagina la vie différente qu'elle mènerait sous les traits d'une princesse arabe – une Cléopâtre en robe flottante dans son palais, avec une kyrielle de servantes voilées prêtes à subvenir à ses moindres besoins. Le reste de l'année à Londres, le domaine de chasse à la campagne, la ribambelle d'enfants bruns qu'on attendrait d'elle...

– Oui, monsieur le prince, déclara-t-elle enfin, et presque à contrecœur. Permettez-moi cependant de vous remercier encore pour l'honneur que vous me faites.

Résigné, Badr hocha la tête.

– Monsieur le vicomte, dit-il à celui-ci, mon père et moi vous sommes reconnaissants de nous avoir conviés pour cette entrevue. À l'évidence, Mlle Renée conçoit d'autres projets d'avenir.

La rencontre touchant à sa fin, le pacha et son fils prirent congé, déroulant fièrement leurs robes, ne laissant derrière eux qu'une vague senteur d'eau de Cologne et d'encens. Ali, le majordome, les raccompagna.

– Eh bien, je pense que cela s'est bien passé, conclut Gabriel.

– Vous avez été diplomate, renchérit le comte, qui n'avait presque rien dit jusque-là. Vous avez réussi à tirer votre épingle du jeu sans, je pense, altérer les relations qui unissent nos deux familles.

S'adressant ensuite à Renée, il observa :

– Toutefois, après l'avoir vu de mes yeux, je pense que vous pourriez trouver bien pire, comme mari. D'accord, il a du sang arabe, mais il a belle allure et il s'exprime fort bien. Vous auriez mené une existence très confortable à Londres, vous auriez eu un grand domaine pour les chevaux et la chasse.

Renée se demanda si ce brusque changement d'avis était la conséquence de ses révélations de la veille.

– ... où l'on m'aurait laissée m'occuper des enfants, dit-elle, pendant que le petit prince achèterait de nouveaux spécimens pour son harem. Exactement comme son père. Je commence à comprendre que ma mère a raison sur un point. Quelle que soit leur race, les hommes sont bien tous les mêmes.

4

Une semaine plus tard, lors d'une des deux visites hebdomadaires de la plantation, Gabriel et Renée reçurent le Dr Lehman à déjeuner dans la hutte. Le repas terminé, le vicomte se leva.

– Veuillez m'excuser, demanda-t-il, je vais m'allonger un moment. Renée, j'aimerais que vous restiez avec le docteur. Je souhaite qu'il vous explique quelque chose.

Renée, étonnée, le regarda s'en aller.

À l'évidence gêné, le docteur étirait ses mains, puis tapotait du bout des doigts sur la chemise cartonnée qu'il avait posée sur la table. Un long silence malaisé s'ensuivit.

L'homme finit par se racler la gorge.

– Mademoiselle Renée, dit-il, votre oncle m'a fait venir aujourd'hui pour que nous parlions.

– J'ai cru comprendre. De quoi s'agit-il, si je puis me permettre ?

Elle se sentit soudain indisposée, pleine d'une appréhension que renforçait l'apparente nervosité du médecin.

– Maintenant que vous êtes pubère, dit-il, votre oncle estime que vous devez savoir certaines choses.

– Je vous assure, docteur, que j'ai déjà eu une conversation de ce type avec miss Hayes, ma gouvernante. Je n'ai pas besoin de recommencer avec vous.

Le médecin se remit à tapoter sur sa chemise. Renée avait du mal à ne pas observer ses doigts velus – elle se souvenait des petits animaux poilus qu'elle avait cru voir quelques jours plus tôt sur son ventre.

– Mademoiselle, je doute que vous ayez eu avec miss Hayes la conversation que nous allons avoir.

– Ah?

– Avez-vous, par exemple, évoqué la question des rapports sexuels?

– Avec miss Hayes? Certainement pas! Qu'en saurait-elle, en vérité?

– C'est précisément la raison pour laquelle votre oncle pense que, en ma qualité de médecin, je suis mieux placé pour le faire.

– Faire quoi? dit Renée, de plus en plus incommodée.

Et le médecin de tapoter encore sur sa chemise.

– Vous donner quelques éléments d'anatomie humaine.

Étourdie, Renée redouta un instant de s'évanouir.

– Mon oncle me répète assez que j'ai des lacunes dans quantité de domaines. Pour ce qui est de l'anatomie, il a sûrement raison. Cependant, je ne vois pas la nécessité que vous m'éclairiez sur ce sujet-là.

– Par ordre du vicomte, dit Lehman en poussant un profond soupir, j'ai ici une photographie qu'il me faut vous montrer.

– Une photographie de quoi? demanda Renée qui, entre le dégoût et la fascination, voyait les doigts velus du médecin s'activer sur sa chemise.

– Une photo de... disons... d'une caractéristique assez unique de son anatomie, admit Lehman en ouvrant le dossier. Dans un état, eh bien, particulier...

Tel un croupier à une table de black-jack, il glissa la photo vers Renée, qui la découvrit avec une expression d'horreur croissante.

– En pleine érection! conclut le médecin, triomphant, enfin délivré de sa terrible charge.

– Dieu du ciel! s'exclama Renée devant la chose.

Bien que la tête n'apparût pas sur le cliché, elle reconnaissait le corps de Gabriel.

– Dieu du ciel! dit-elle à nouveau.

– Comme vous pouvez le voir, mademoiselle, votre oncle est un homme fort viril. Son membre est très développé, si puissant qu'il a fréquemment du mal à... à pénétrer, euh... Enfin, disons qu'il trouve fort peu de vagins capables de loger une taille aussi exceptionnelle. Il arrive même parfois qu'il abîme l'utérus de ses partenaires.

Renée était certaine de s'évanouir. Non seulement à cause de la photo, des paroles de Lehman et de ses horribles doigts, mais aussi parce qu'elle craignait de perdre connaissance au milieu de cette conversation, dans l'ignorance de ce qui allait suivre...

– Pourquoi me dites-vous cela, docteur ? réussit-elle à demander. Pourquoi me montrer cette photo ?

– Parce que votre oncle souhaite vous faire comprendre que son organe a une certaine... autonomie. Le vicomte a souvent les plus grandes difficultés – c'est presque insurmontable – à résister aux femmes très jeunes, lorsqu'elles sont belles et bien bâties comme vous, lâcha le médecin qui transpirait visiblement. Il est conscient que vous êtes trop immature, trop inexpérimentée pour déterminer aujourd'hui s'il sera en mesure de vous épouser. Ce qui le préoccupe au plus haut point.

– Je ne comprends rien du tout à ce que vous dites, docteur, répondit Renée. Je crois que je vais me sentir mal.

Cet homme sentait l'ail, la sueur, et lui donnait la nausée Elle se leva, flageolante, imitée par Lehman qui ne l'était pas moins. Soudain il posa ses mains affreuses sur sa taille et tenta de l'attirer vers lui.

– Je suis bien moins monté que votre oncle, mademoiselle, dit-il. Je pense que, si je vous sondais avec mon propre membre, moins vigoureux... cela au seul bénéfice de la médecine, bien entendu... nous aurions à notre disposition des indications utiles sur vos propres dimensions et, par conséquent, sur votre capacité à vous accoupler, le moment venu, avec le vicomte !

– Êtes-vous malade ? s'écria Renée. Êtes-vous tous fous ? Ne me touchez pas !

D'instinct, elle ferma le poing et frappa le médecin au visage. Il la lâcha, recula en titubant et porta une main à son nez qui commençait à saigner.

– Mademoiselle, s'il vous plaît! Pardonnez-moi, je ne sais pas ce qui m'a pris. Peut-être cette conversation a-t-elle eu des effets qui... Je vous en prie, ne dites rien à votre oncle. Il me tuerait!

Renée s'enfuyait déjà en courant. Elle détacha son cheval, sauta en selle et le lança au galop, sans s'arrêter avant d'atteindre le Nil, où elle mit pied à terre, s'assit sur la rive et tenta de comprendre ce qu'elle venait de voir et d'entendre. Elle n'avait personne à qui se confier, surtout pas miss Hayes, qui, malgré les propos cyniques qu'elle tenait au sujet des Français et de leur moralité, était incapable d'imaginer, même dans ses pires cauchemars, la moindre bribe de cette histoire épouvantable. Renée pensa à son oncle, ses baisers, ses caresses, ses «je t'aime». Elle se rappela leurs soirées câlines, la chaleur qu'il lui communiquait, la raideur de son sexe pressé contre elle. Certes, dans l'écurie avec Julien, le palefrenier, elle avait eu une vague idée de ce qu'était un pénis en érection. Et, petite fille, elle avait aperçu la «chose» de Gabriel, comme elle l'appelait, en l'épiant depuis le coffre égyptien où elle se cachait. Plus récemment, elle l'avait touché une fois au milieu de la nuit, par inadvertance, alors qu'elle se retournait dans son sommeil. Mais ils n'en avaient jamais parlé, et cela n'était pas allé plus loin. Bien avant que le médecin lui soumette ce cliché explicite, Renée s'était rendu compte que, depuis ses premières règles, sa nubilité, tout avait changé entre elle et Gabriel. Confrontée aux nouvelles intentions de celui-ci, aux dégâts que, selon Lehman, la «chose» était capable de causer, elle était subitement effondrée. Elle ne voulait pas épouser son oncle, elle voulait que tout reste comme avant. Car elle l'aimait, l'aimait... lui, l'odeur de sa peau, sa force, même sa cruauté.

Elle regarda passer les bateaux aux voiles colorées, huma les senteurs foisonnantes du fleuve, et peu à peu son cœur se mit à battre moins fort. Une sorte de calme la gagna. Avec le recul, elle songea à la photo de son oncle sans tête – métaphore peut-être de ce membre disproportionné que Lehman avait qualifié d'«autonome». Elle imagina celui-ci et Gabriel mettant au point leur petite opération, son oncle se débrouillant pour atteindre l'érection tandis que Lehman s'occupait de la prise de vue.

Elle considéra ce médecin grotesque, dont la sueur sentait l'ail et qui, l'attrapant par la taille avec ses mains velues, lui proposait de la « sonder » avec son membre moins avantageux – au seul bénéfice, bien sûr, de la recherche médicale. Il lui apparut alors que ces hommes étaient totalement ridicules, et elle éclata d'un rire inextinguible. Elle se fit l'impression d'être la plus âgée, la plus avisée de toutes les filles de quatorze ans, et la vie semblait redevenir une merveilleuse aventure, qui valait parfaitement la peine d'être vécue.

Euphorique, soulagée, éprouvant une sensation nouvelle de liberté, elle décida de rejoindre un proche village arabe, où Gabriel lui avait strictement défendu de se rendre et qu'ils évitaient soigneusement lors de leurs randonnées dans la plantation.

Il se trouvait qu'on fêtait aujourd'hui al-Hijra, le nouvel an islamique, premier jour du mois de mouharram. Renée arriva au village alors que les fellahs se hâtaient de le regagner à travers champs, après une longue journée de labeur pour le pacha Gabriel. Pendant que les ouvriers lavaient leurs mains, dans des vasques d'eau comme le veut la coutume, les femmes voilées apportaient de grands plateaux de pâtisseries, de fruits et de légumes. Il flottait dans l'air l'odeur piquante du café maure et celle, alléchante, de la viande mise à rôtir sur les braseros. Dans la lumière du soir, le rougeoiement des charbons ardents était comme un reflet du soleil couchant. Les cuisinières s'activaient autour des feux, tandis que les hommes martelaient en cadence leurs darboukas, dans une langue à laquelle répondaient d'autres tambours à travers le désert, dans d'autres campements eux aussi en fête.

C'était un monde interdit auprès duquel Renée menait une sorte d'existence parallèle, sans jamais y pénétrer. Fascinée, elle s'en approcha, fredonnant au rythme des percussions, les yeux grand ouverts et l'eau à la bouche devant tant de mets succulents.

Une vieille femme la héla en anglais depuis son tabouret, avec un fort accent arabe :

– Petite princesse ! Prends cette chaise dorée et parle-moi !

Renée la rejoignit et la femme lui baisa la main.

– Je m'appelle Oum Hassan, leur mère à tous, dit-elle en riant, avec un geste du bras qui embrassait le village. Ravie de te compter parmi nous. Jamais tu ne nous rends visite. La princesse Adélaïde, notre Colombe, venait parfois partager nos repas. Nous n'étions pas pour elle des cailloux dans le fleuve, comme pour notre maître... Non, nous étions des êtres humains. Cela ne veut pas dire que ton oncle n'est pas un homme généreux... seulement qu'il n'a pas de cœur.

– Adélaïde ? Son épouse ? s'étonna Renée. Vous la connaissiez ?

– Bien sûr. Notre princesse Adélaïde aimait Armant, et nous aimait aussi. Mais la fleur de sa jeunesse s'est fanée ici même, et le maître a répudié la Colombe.

D'autres femmes qui, assises autour d'elles, écoutaient respectueusement, hochèrent la tête, renchérissant avec une sorte de fredonnement guttural – la voix des paysans, de leur éternel désespoir. Un tambourin retentit quand le soleil se coucha sur le Nil, on fit passer des pichets d'eau et de jus de fruits parmi les ouvriers, puis des plateaux d'aubergines grillées, de courgettes farcies, de riz et de viandes rôties.

Le rire aux lèvres, visiblement heureuse de se trouver parmi les fellahs, Renée partagea leur festin. Ces mets lui paraissaient si exotiques, tout cela était si loin de la plantation, de son univers colonial, de la nourriture européenne qu'on y servait.

Au milieu du repas, Alinda, la servante grecque, arriva en courant, essoufflée, et déclara :

– Votre oncle vous cherche partout ! Il est fou de rage ! Il vous croit enfuie avec Badr, le petit pacha ! Revenez tout de suite avec moi, je vous en supplie !

Renée n'avait aucune envie de partir mais, voyant Alinda affolée, elle s'excusa auprès de la vieille femme.

– Merci de m'avoir invitée, Oum Hassan. J'espère vous revoir bientôt. Que la paix soit avec vous.

– À toi de même, petite princesse. Merci d'être venue parmi nous. N'hésite pas à recommencer.

Tandis qu'elles quittaient le village, Alinda dit à Renée :

– Il va vous battre ! Férocement ! Il va vous tuer !

– Non, répondit Renée. Il ne me fera rien. Je suis une femme, maintenant. Il n'osera plus me toucher.

– Il vous aime comme un dément, murmura la servante.

– Vous a-t-il déjà frappée, Alinda ?

– Jamais. Il ne frappe que celles qu'il aime.

Renée décela une note de tristesse dans le ton.

– Êtes-vous amoureuse de lui ?

– Je suis à son service depuis dix ans. J'étais encore une enfant quand j'ai commencé. Mais il ne m'a jamais aimée, je ne suis qu'une employée.

Prenant la jeune femme par le bras, Renée l'entraîna vers un bosquet en bordure du village.

– Êtes-vous aussi sa maîtresse ? Dites-moi la vérité, Alinda, je ne répéterai rien, promis.

– Il me couche dans son lit quand il a besoin de moi et il crie votre nom lorsqu'il me prend. Il vous aime. C'est pour cela qu'il vous bat. Et il vous aime comme un fou. Il vous tuera si vous choisissez un autre homme. Comprenez bien une chose, mademoiselle Renée, il fera de vous son esclave. Ne lui parlez pas de moi, ni de ce que je vous ai dit. Il me chasserait s'il l'apprenait, il m'enverrait dans un village au milieu du désert.

– Est-il cruel au point de se débarrasser d'une servante loyale qui pourvoit à tous ses besoins ?

– Je ne suis rien pour lui.

– Et vous, Alinda... Êtes-vous adaptée à... sa taille ?

La fille hocha la tête.

– C'est pour cette raison que le pacha El-Banderah m'a offerte à lui. Je lui corresponds, pour ainsi dire.

– Alors vous êtes aussi son esclave ?

– Servante, esclave, quelle différence ?

Quand Renée fut ce soir-là retournée au palais, Gabriel surgit dans sa chambre, blême de rage, et, devant miss Hayes, la gifla violemment sur les deux joues.

– Où étiez-vous ?

Sans attendre de réponse, il la saisit par les cheveux et la traîna hors de la pièce.

– Monsieur le vicomte! Je vous en prie! Vous lui faites mal! protesta la gouvernante.

Gabriel leva un doigt tremblant à son intention.

– De quoi je me mêle? Cela ne vous regarde pas! Fichez-nous la paix!

Par les cheveux toujours, il tira sa nièce jusqu'à sa propre chambre et la jeta par terre après avoir claqué la porte.

– Je vous ai posé une question : où étiez-vous passée?

Malgré les vives douleurs qu'elle ressentait, tant aux joues qu'à la racine des cheveux, Renée ne pleura pas. Elle répondit d'une voix égale :

– J'étais au village en compagnie des employés de votre femme. Des gens très pauvres qui l'aimaient. J'ai bu du jus d'abricot, j'ai partagé leur nourriture. Ils m'ont appris que leur maître avait répudié la Colombe d'Armant, leur princesse bien-aimée. Peut-être est-ce ainsi que je finirai, moi aussi.

– Ne mentez pas! Je vous connais! Vous êtes allée voir le petit prince, n'est-ce pas?

– Mais non, bien sûr que non.

– Cela ne sera pas impunément! Demain à la hutte, je vous battrai jusqu'au sang. Vous avez failli me rendre fou!

– Nous sommes dimanche, demain, remarqua Renée. Le prêtre vient dire la messe.

– En effet. Eh bien, dans ce cas, je n'attendrai pas. Vous avez besoin d'une correction. Je vais vous apprendre l'obéissance, moi!

Il saisit une brosse à habits sur sa commode, colla sa nièce contre son genou, lui retira ses jodhpurs et lui flanqua une rossée comme jamais encore. Elle faillit se trouver mal, mais elle accepta stoïquement, sans une larme et sans un cri, les coups méthodiques qu'il lui portait. Plus tard dans le lit de son oncle, elle chercha vainement le sommeil, tant la peau lui cuisait dans le dos, sur les fesses et en haut des cuisses. Le vicomte lui prit la main.

– Dormez, mon amour, murmura-t-il doucement. Je vous aime, comprenez-vous? Je croyais que vous m'aviez abandonné.

Le lendemain, miss Hayes, horrifiée, aperçut les marques sur le corps de Renée.

– C'est abominable! s'écria-t-elle. C'est monstrueux! Je ne peux pas accepter ça!

Prenant son courage à deux mains, elle se rendit d'un pas vif au bureau de Gabriel, où elle entra comme une furie sans même frapper.

– Monsieur le vicomte! dit-elle, tremblante de colère et de peur. Elle a des contusions, des ecchymoses partout!

Levant les yeux, vaguement surpris, Gabriel ouvrit un tiroir et en sortit un pot de crème qu'il tendit à la gouvernante.

– Tenez. C'est une pommade que m'a donnée le Dr Lehman. Mettez-lui ça. Ses rougeurs partiront vite.

Stupéfiée par sa nonchalance, miss Hayes saisit tout de même le pot.

– Ça sera tout? dit Gabriel, impatient.

– Oui, monsieur, ça sera tout.

Revenue dans sa chambre, la gouvernante appliqua le baume sur les plaies de la petite.

– Il est fou, marmonnait-elle, pour Renée comme pour elle-même – hochant tristement la tête, terrassée par ce qu'elle savait, et son incapacité à y remédier. Votre oncle est fou. Il faudrait intervenir.

La nuit venue, tandis que des éclairs illuminaient l'horizon, que le vent du désert insufflait un sable fin à travers les volets, Gabriel fumait le cigare en faisant ses comptes dans son bureau, et Renée travaillait son arithmétique comme si de rien n'était.

– Nous repartons après-demain pour Le Caire, lui dit-il. *Sans* miss Hayes. Nous avons rendez-vous avec un médecin suisse, un professeur.

– Pour quoi faire? demanda Renée.

Le vicomte recula sur son fauteuil.

– Puisque vous êtes maintenant une femme, et non plus une enfant, je peux tout vous dire. Le Dr Lehman a tenté de vous l'expliquer, je ne suis pas fait comme la plupart des gens.

Ils n'avaient pas encore abordé le sujet, et Gabriel étudia sa nièce en essayant de lire dans ses pensées. Elle le regarda calmement.

– Oui, le docteur m'a montré une sorte de pièce à conviction, dit-elle sans révéler ce qu'il lui avait proposé ensuite, de crainte que son oncle assassine le pauvre homme.

– Quelle est votre opinion ?

Renée haussa les épaules.

– Cela ne m'inquiète pas. Je pense qu'un Fontarce doit être bâti comme un Fontarce. Par conséquent, vous m'épouserez avec ou sans la permission de votre professeur suisse.

– En voilà une tête bien faite ! dit-il. Vous avez réponse à tout, ma parole !

– J'ai eu un bon professeur. Et ce portrait de votre... *intimité...* a de quoi ouvrir les yeux d'une imbécile de mon genre.

Hochant la tête d'un air approbateur, il rit.

– Et si le professeur affirme qu'il ne faut pas nous marier ?

– Cela m'est égal. Je resterai avec vous même si je n'ai pas... la bonne taille.

Le vent sifflait dehors, l'orage grondait au-dessus du Nil. Le vicomte observa silencieusement sa nièce. Non, elle n'était plus la petite fille qu'il avait connue, qu'il avait dépouillée de son enfance et de tout reste d'innocence. En outre, il s'en fichait ; il ressentait plutôt une immense satisfaction, un immense pouvoir. C'était son œuvre, il avait réussi.

– Eh bien, nous verrons cela, dit-il finalement. Venez me donner un baiser, maintenant.

Elle s'exécuta et il lui demanda :

– M'aimez-vous ?

– À la folie, dit-elle, se rendant compte au même moment que sa mère ne répondait pas autre chose quand Gabriel, autrefois, lui posait la question.

MARIE-BLANCHE

La Héronnière
Whitchurch, Angleterre
Décembre 1933

1

On me laisse rarement venir le week-end à La Héronnière, surtout quand maman et oncle Leander ont des invités, à savoir presque toutes les semaines – surtout à cette époque de l'année quand la chasse a commencé. Mais ils ont fait une exception parce que j'ai eu treize ans jeudi, et Leander a promis que je pourrais chasser aussi. Vendredi après-midi, à la fin des cours, Mlle Bates, la surveillante du dortoir, m'a accompagnée à la gare, où j'ai pris le train pour Whitchurch. Je suis tellement contente de quitter l'internat et de me retrouver ici ; je n'y suis pas retournée depuis les grandes vacances, pendant que Leander et maman étaient en Amérique où ils sont restés près de deux mois. Surtout, c'est la première fois que je vais chasser à courre, et je suis enchantée.

M. Jackson était sur le quai à Whitchurch. En m'approchant, j'ai remarqué qu'il tenait un petit panneau avec l'inscription «Duc Louis Jean Marie de la Trémoïlle». La calligraphie était jolie, et cela ne pouvait être que l'œuvre d'oncle Leander, si doué pour tout.

– Il semblerait que vous attendiez quelqu'un d'autre, monsieur Jackson. Dois-je me trouver un autre chauffeur ?

– Bonjour, mademoiselle Marie-Blanche, m'a-t-il dit gentiment. Oui, un de nos invités arrive de Londres par le même train que vous. Comme je ne l'ai jamais rencontré, votre beau-père m'a confié ce panneau, a-t-il ajouté en agitant celui-ci. De la belle ouvrage, n'est-ce pas ? Ouvrez l'œil avec moi. Ce monsieur est un de vos compatriotes, peut-être le connaissez-vous ?

– Non. Qui est-ce, monsieur Jackson ?

– Le nom de la Trémoïlle vous est certainement familier. Une des plus anciennes et des plus illustres familles de la noblesse française. Une lignée ininterrompue depuis la campagne de Louis II contre les Vikings en 879. Le jeune duc est premier duc de France, douzième duc de Thouars, treizième prince de Tarente, dix-septième prince de Talmont. C'est un ami de M. McCormick, et il vient pour la chasse.

– Louis le Bègue.

– Je vous demande pardon, mademoiselle ?

– Louis II était bègue, ai-je expliqué. D'où son surnom. On vient de l'étudier à l'école. Je ne suis pas bonne en maths, monsieur Jackson, mais je me rappelle ces détails-là.

– Alors vous aurez sans doute lu quelque chose sur les ancêtres de ce gentleman.

– Regardez, dis-je en tendant l'index. Je parie que c'est lui.

Un monsieur très chic, vêtu d'un manteau en poil de chameau bien coupé, avançait vers nous sur le quai. Marchant à pas longs, énergiques, il était suivi par un porteur qui avait du mal à le suivre. Et pour cause : ce dernier avait sur son chariot un assortiment de bagages Louis Vuitton, de la grande malle jusqu'au carton à chapeau, lequel contenait sûrement une bombe de cheval.

– Pas étonnant qu'il ait mis du temps à descendre du train. A-t-il l'intention de s'installer définitivement à La Héronnière, monsieur Jackson ?

– Je crois qu'il ne reste qu'un week-end. J'ai cru comprendre qu'il voyagerait beaucoup pendant la saison de la chasse, en Angleterre et sur le continent.

– Je comprends. Il doit y avoir son cheval, là-dedans.

– Vous êtes fort drôle, m'a dit M. Jackson. En réalité, ses chevaux sont arrivés la semaine dernière. Soyez polie avec notre invité. C'est un gentleman très distingué.

– C'est vous qui le dites. Pourtant, vous en conduisez des personnages illustres et importants. Celui-ci a l'air de vous impressionner.

– À la vérité, mademoiselle, la noblesse française est chez moi une passion. C'est mon péché mignon.

Le duc se rapprochait avec un grand sourire. Blond, élégant, il avait une sorte de grâce aristocratique qui poussait les gens à se retourner sur son passage. Évidemment, le panneau dont s'était muni M. Jackson les y incitait aussi.

– Je pense que vous m'avez trouvé, dit le voyageur à ce dernier.

Lequel s'inclina profondément.

– Monsieur le duc, c'est un grand honneur de vous rencontrer. Je m'appelle Francis Jackson, je suis le chauffeur de M. McCormick et je vais vous conduire à La Héronnière. M. McCormick vous prie de l'excuser de n'être pas venu vous attendre en personne. Ses amis le capitaine Rodney et son épouse doivent arriver en voiture à la propriété, c'est pourquoi il ne voulait pas s'absenter.

– Mais bien sûr, monsieur Jackson, nul besoin de s'excuser. Mais qui avons-nous là ? a-t-il dit en se tournant vers moi, toujours aussi souriant.

Cet homme avait une telle prestance que j'étais soudain muette, incapable de prononcer un mot.

– Monsieur le duc, permettez-moi de vous présenter notre maîtresse de maison, intervint Jackson, me tirant d'embarras. Mlle Marie-Blanche de Brotonne, la fille de Mme McCormick.

Hésitant à le regarder dans les yeux, j'ai fait la révérence en marmonnant :

– Bonjour, monsieur le duc.

– Enchanté, mademoiselle Marie-Blanche, a-t-il dit en français. Ravi de faire votre connaissance. J'aurai moins le mal du pays en votre compagnie. Nous accompagnez-vous demain à la chasse ?

– Oui, monsieur. Ce sera une première, pour moi !

– Merveilleux ! S'il vous plaît, puisque nous devons chasser ensemble, oublions un peu le protocole. Si vous acceptez que je vous appelle Marie-Blanche, vous m'appellerez Louis.

J'ai rougi jusqu'aux oreilles.

– Oh, monsieur le duc, je ne sais si j'y arriverai.

Il rit : il était si franc, si sympathique que c'en était désarmant.

– Si cela vous met plus à l'aise, Marie-Blanche, appelez-moi prince Louis, comme certains de mes amis.

Le porteur et M. Jackson ont chargé les bagages dans le coffre et nous sommes partis à La Héronnière. À l'arrière avec le duc, encore un peu intimidée, je regardais la campagne défiler par la fenêtre. C'était une de ces froides journées d'hiver dans le Hampshire, le ciel était bas et sombre, et il soufflait un vent glacial. Avec ces arbres dénudés, ces champs déserts, c'était un paysage si différent de l'été dernier, quand tout débordait de verdure.

– Est-ce votre premier séjour ici, monsieur le duc ? ai-je dit enfin.

– Vous voulez dire prince Louis, Marie-Blanche ? a-t-il rectifié, amusé.

J'ai ri à mon tour.

– C'est cela même.

– Alors oui, je viens pour la première fois. J'ai beaucoup visité l'Angleterre, mais le Hampshire est nouveau pour moi.

– C'est plus joli à la belle saison. Aimez-vous pêcher, prince Louis ?

– Beaucoup, Marie-Blanche. J'aime tous les sports de plein air.

– Vous devriez revenir cet été pêcher dans la rivière avec oncle Leander. Il dit qu'aucune rivière au monde n'a plus de truites que la Test.

– Eh bien, je reviendrai. Si l'on m'y convie, naturellement. Votre beau-père est un remarquable chasseur et un remarquable pêcheur. Je parie qu'il trie ses invités sur le volet, et que les truites de la Test ne gobent pas n'importe quelle mouche sèche. Peut-être voudrez-vous me recommander auprès de lui, Marie-Blanche ?

– Mais avec plaisir, prince Louis ! ai-je répondu, ravie d'avoir sa confiance (et d'être jugée aussi influente).

– Vous savez, le nom de Brotonne ne m'est pas étranger. Peut-être ai-je rencontré certains membres de votre famille dans les cercles de chasse en France.

– Mon père est un chasseur, prince Louis. C'est presque toute sa vie.

– Un homme selon mon cœur, dit le duc. Oui, je suis sûr que nos chemins se sont croisés. Parlez-en à votre père, et transmettez-lui mon bon souvenir.

Je me suis demandé s'il connaissait vraiment papa, ou si c'était chez lui une habitude de vous faire mousser. Dans un cas comme dans l'autre, j'étais heureuse et flattée.

– Dites-moi une chose, monsieur Jackson, a-t-il continué. Avez-vous toujours vécu dans le Hampshire ?

– Depuis toujours, monsieur le duc.

En regardant dans le rétroviseur, j'ai vu que Jackson était stupéfait, flatté lui aussi de se voir conférer une telle importance, non seulement par quelqu'un à qui il devait le respect, mais en outre un duc de France ! Comme tous les bons chauffeurs, le nôtre était extrêmement circonspect et, en bon Britannique, respectueux des usages.

– Je suis né et j'ai grandi ici, comme mes parents et mes grands-parents.

– Admirable ! C'est un des grands plaisirs de l'existence d'avoir ce qu'on appelle une maison de famille. Moi-même, je ne suis rentré chez moi que récemment, après avoir fait mon service militaire dans la cavalerie – le onzième cuirassiers. À peine descendu de mon train à Thouars, j'étais envahi par une formidable sensation de bien-être. J'étais précisément là où il fallait que je sois, j'avais le sentiment d'appartenir à cette ville, même à tout le département. La France est dans mon sang, et moi dans le sien. Comprenez-vous ce que je veux dire, monsieur Jackson ?

– Tout à fait, monsieur, et, si je peux me permettre, vous l'exprimez fort bien. Vous êtes le douzième duc de Thouars, et vos racines remontent à loin.

– Connaissez-vous si bien ma famille, monsieur ?

– La noblesse française le passionne, prince Louis, ai-je commenté. C'est son péché mignon.

– Bravo, monsieur Jackson ! s'est esclaffé le duc. J'ai deviné tout de suite que vous aviez une bonne instruction. Mais c'est un péché véniel, n'est-ce pas ? Que savez-vous de nous, si je puis vous poser la question ?

– Eh bien, vous êtes originaires du Poitou, a fièrement répondu notre chauffeur, dont l'œil brillait dans le rétroviseur. Sauf erreur de ma part, on y récense un Pierre de la Trémoïlle dès le XIe siècle.

– Juste ciel ! Vous êtes un vrai spécialiste !

– Puis-je avoir l'impudence de vous poser à mon tour une question, monsieur le duc ?

– Je vous en prie.

– Vous descendez d'une telle lignée d'officiers et de militaires, aux prestigieuses carrières... Guy, capturé à Nicopolis en 1396 ; Georges prisonnier à Agincourt en 1415 ; Louis II de la Trémoïlle tué à la bataille de Pavie en 1525 ; Charles Armand René qui se montra si vaillant à Guastalla en 1734... Je pourrais continuer ainsi pendant...

– C'est de l'ostentation, monsieur Jackson ! a dit le duc, hilare. Je suis bigrement impressionné. Quelle mémoire encyclopédique ! Je vous soupçonne de connaître ma généalogie mieux que moi. Peut-être avez-vous raté votre vocation ? Vous auriez dû être historien.

– J'aurais tant aimé poursuivre des études, croyez-le bien. Voyez-vous, dans ce pays, les gens de ma condition doivent gagner leur vie à un âge très précoce. Les universités ne sont pas pour nous.

– Veuillez m'excuser, monsieur Jackson. C'est exactement la même chose en France, dit le duc, sincèrement désolé par tant d'injustice. Quelle question vouliez-vous me poser ?

– Je serais curieux de savoir si la politique, la vie militaire, l'esprit de conquête sont inscrits dans votre sang, transmis au fil des siècles par vos illustres ancêtres ? Vous sentez-vous tenu, contraint, de suivre le même chemin ?

– Voilà une question très intéressante. J'y ai longuement pensé moi-même, a dit le prince Louis, qui prit un instant pour réfléchir. Évidemment, de père en fils, nous sommes censés servir notre pays. C'est une constante dans la famille, comme vous le faites remarquer. Voyez-vous, mes parents ont d'abord eu quatre filles. Cela ne les a pas arrêtés puisque papa voulait un héritier, pour lui transmettre son titre. Et finalement, à son grand soulagement, je suis arrivé. Certes, c'etait une figure masculine qui exerçait une influence sur moi, ainsi qu'un bel exemple à suivre, mais que pouvait-il faire avec cinq femmes dans la maison ? Il est mort quand j'avais douze ans. Avec une éducation de cette sorte, je crois qu'un garçon aura tendance à porter un regard plus tolérant – je dirais même féminin – sur l'existence.

« Naturellement, j'ai été imprégné de l'histoire de ma famille, de ces ancêtres qui, comme vous le dites, ont mené tant de guerres, de campagnes, de croisades, de batailles. Nombre d'entre eux y laissèrent leur vie. Certes, j'ai été obligé de faire mon service militaire et, oui, mon père aurait voulu que j'embrasse la carrière des armes. Mais pour être tout à fait franc, monsieur Jackson, je suis plus un amoureux qu'un guerrier. Tel que vous me voyez, je suis très soulagé d'avoir quitté l'armée, et c'est un vrai plaisir de voyager, de me détendre, de chasser, de voir un peu de monde en Angleterre et dans le reste de l'Europe.

– Merci, monsieur le duc, dit M. Jackson avec un signe de tête. Voilà une réponse aussi complète qu'intelligente. Vous me pardonnerez, j'espère, de vous avoir posé cette question. Votre vie privée ne me regarde pas, et j'ai en quelque sorte outrepassé mes droits. Mais ces choses m'ont toujours fasciné. Je ne suis qu'un chauffeur de maître et, dans ma position, comment savoir si j'aurai encore l'occasion de converser avec le premier duc de France ?

Je voyais dans le rétroviseur son regard pétillant.

Le duc rit de nouveau.

– Nul besoin de vous excuser. Votre curiosité me flatte autant que votre connaissance de ma famille. J'ai été favorisé par l'existence et j'ai plaisir à m'en ouvrir à vous.

Il faisait froid et triste en ce mois de décembre 1933, mais ce fut une agréable promenade sur la route de La Héronnière. Je pensais que j'avais de la chance d'assister à cet échange entre un noble et un roturier, un Anglais et un Français – deux hommes aux origines et à la situation très différentes, qui se témoignaient cependant un grand respect. Pendant ce court trajet, la petite fille de treize ans que j'étais a beaucoup appris. Je me suis rendu compte que, depuis tout ce temps, je ne m'étais jamais intéressée à M. Jackson. Tout simplement, cela ne se faisait pas, à cette époque et dans ce milieu, ce qui rendait les bonnes dispositions de M. de la Trémoïlle d'autant plus remarquables.

Tandis que nous poursuivions notre chemin, j'ai soudain eu la sensation que nous étions liés tous trois par une sorte d'amitié. Dans un silence plaisant, nous regardions le paysage défiler derrière les fenêtres – les méandres de la Test, les hameaux pittoresques avec leurs toits de chaume. C'était un de ces moments qu'on aimerait conserver hors du temps. Bien sûr, nous n'avions pas idée des terribles événements qui allaient se produire.

Maman et oncle Leander sont apparus sur le seuil alors que M. Jackson arrivait au bout de l'allée. Louisa, la femme de chambre, et M. Grinsted, le majordome, sont sortis par la porte de service pour aider à décharger les bagages du jeune duc.

– Je serai en déplacement presque un mois encore, a-t-il expliqué d'un air contrit. J'ai dû emporter mes affaires de cheval, mais aussi une carabine, du matériel pour une battue en Écosse, plus quelques fusils de chasse, des munitions, l'entretien... Sans oublier mes tenues de soirée. La vénerie, ça n'est pas une mince opération...

– Ne vous excusez pas, prince Louis, a dit oncle Leander en embrassant son jeune ami. Renée est presque aussi chargée quand nous quittons Londres pour le week-end.

– Il exagère, monsieur, a minimisé maman. Enfin, un petit peu... Bienvenue à La Héronnière. J'espère que le voyage n'était pas trop pénible.

– Tout s'est très bien passé. Surtout les derniers kilomètres en compagnie de votre charmante fille. Nous sommes déjà de vieux copains.

Le compliment m'a fait rougir.

Pour faire bonne mesure, maman s'est tournée vers moi et m'a embrassée sur les deux joues.

– Bonjour, Marie-Blanche. Comme nous recevons, vous dormirez dans la chambre d'amis, à côté de celle de M. et

Mme Jackson, dans le pavillon des domestiques. Louisa va prendre votre valise.

– Entendu, maman, lui ai-je dit. Mais je peux la porter toute seule. Il n'y a pas grand-chose dedans.

– Oh non ! s'est attristé le duc. Ne me dites pas que je vous vole votre chambre, Marie-Blanche ?

– Ne vous inquiétez pas, je serai très bien, l'ai-je assuré.

Ma mère lui donnait celle que j'avais occupée l'année dernière. Cela m'était égal. Le personnel résidait dans un bâtiment distinct, où Toto et moi avions parfois dormi pendant l'été, quand les invités étaient nombreux. En réalité, il y avait d'autres pièces dans le manoir où j'aurais pu loger, mais de toute façon, pour maman, les enfants bien élevés devaient être tenus à l'écart des adultes.

– Dînerai-je avec vous ? lui ai-je demandé.

– Nous avons du monde, ma chérie, il vaut mieux que nous dînions séparément. Peut-être demain soir.

Je les connaissais bien, ses « peut-être ».

– Je vous accompagne, a-t-elle continué. Leander va s'occuper de M. le duc, pendant ce temps.

– Je crois qu'il m'aime bien, le prince Louis, maman, lui ai-je dit tandis que nous marchions vers le pavillon. Nous avons eu une discussion très agréable, en chemin. C'est un homme charmant.

– Pourquoi l'appelez-vous le prince Louis ? C'est un peu familier.

– Parce qu'il me l'a demandé.

– Ne vous faites pas d'illusions, ma chère. Il ne vous aime pas comme vous le croyez.

– Comment cela ?

– Eh bien, comme un homme aime une femme.

– Ce n'est pas ce que je voulais dire, maman.

– Les filles ne l'intéressent pas, vous comprenez ?

– Cela m'est égal, ai-je répondu, déconcertée. Il m'apprécie assez pour m'inviter à lui rendre visite chez sa famille en France.

– Simple politesse, Marie-Blanche. Il ne le pensait pas vraiment.

– Ah... ce n'est pas ce que j'ai compris.

Ma mère a toujours eu le chic pour déprécier les plus modestes de mes succès.

— Ses préférences mises à part, il est fils unique et il lui faudra bien un jour une femme pour assurer sa descendance.

— Je ne parlais pas de l'épouser, moi. Je n'ai que treize ans.

Je me suis aperçue à cet instant que maman ne m'avait pas souhaité un bon anniversaire.

— Toujours est-il que, dans quelques années, il aura besoin de se caser, et vous serez en âge de vous marier, a-t-elle dit, calculant à haute voix.

— J'aimerais seulement être son amie. Je n'ai pas l'intention de l'épouser.

— Comme disait miss Hayes, ma gouvernante, qui était sage et avisée : «Jour après jour dans le cours d'une vie, l'amitié compte plus que l'amour.» Souvenez-vous-en, Marie-Blanche. Avec l'éducation que vous avez reçue, vous serez plus heureuse avec un aristo qu'avec un paysan, croyez-moi. Il faut être pragmatique, dans ce domaine.

— Même sans dîner avec vous, je peux peut-être venir pour l'apéritif ?

— Non, seulement les grandes personnes, ce soir.

— Maman, c'était mon anniversaire, hier. J'ai eu treize ans... Vous ne me l'avez pas souhaité.

— Ah oui, bien sûr, le 7 décembre, a-t-elle dit. C'est pour cela que vous êtes venue ce week-end. Excusez-moi, Marie-Blanche, j'avais oublié. Mes dates d'accouchement ne font pas d'heureux souvenirs.

— En guise de cadeau, offrez-moi l'apéritif, alors ? S'il vous plaît...

Elle devait se sentir coupable puisqu'elle a fini par céder.

— D'accord, ma chérie, d'accord. Je suppose que cela ne vous fera pas de mal de nous rejoindre un moment. Les Rodney seront sûrement contents de vous voir. Bon, présentez-vous dans une heure, le temps de vous débarbouiller et de vous changer.

Quand je suis entrée, ils étaient déjà au salon, un cocktail en main. Le capitaine Rodney et sa femme, un couple que j'aimais beaucoup, m'ont accueillie chaleureusement.

– Comme vous avez grandi depuis l'été dernier, Marie-Blanche ! s'est exclamée Mme Rodney. Vous êtes presque une jeune femme, maintenant.

Américaine, originaire de Seattle, elle était très sympathique.

– C'était mon anniversaire, hier, ai-je annoncé fièrement. J'ai eu treize ans.

– Votre anniversaire ? m'a-t-elle répondu. Mais voilà ce qu'il faut célébrer ce soir !

– Vous n'avez rien dit dans la voiture, Marie-Blanche, m'a reproché le prince Louis. Et je suis là, les mains vides, sans rien à vous offrir.

– Nous non plus, a dit Mme Rodney. Renée, pourquoi nous avoir caché ça ? Nous lui aurions apporté des cadeaux !

– Marie-Blanche ne voulait pas vous encombrer de paquets inutiles, a prétendu maman. Elle avait insisté pour qu'on n'en parle pas. Je suis étonnée qu'elle le fasse maintenant.

Je n'ai rien perdu du regard courroucé qu'elle m'a jeté. Ma mère aime être le centre d'intérêt et déteste partager la vedette, surtout avec moi.

– Eh bien, je vais ouvrir une bouteille de champagne, a déclaré oncle Leander, en sonnant la clochette. Pour fêter les treize ans de Marie-Blanche, l'arrivée de nos amis à La Héronnière, et notre chasse de demain. Je crois que cette jeune fille est assez grande pour trinquer avec nous.

Le majordome apparut presque aussitôt.

– Vous pouvez apporter la bouteille, lui a dit Leander.

M. Grinsted est revenu sans tarder, muni d'un plateau, de coupes à champagne et d'une bouteille de Dom Pérignon dans un seau. Oncle Leander l'a débouchée lui-même, avant de remplir les verres, que le majordome a distribués.

– À Marie-Blanche, a dit mon beau-père en levant le sien. Et à sa quatorzième année.

Tout le monde l'a imité et m'a félicitée. Je me suis soudain prise pour une grande personne moi aussi. Je n'avais encore jamais bu de champagne, cela me piquait les narines, mais c'était délicieux.

Je me demande si cet épisode ne marque pas le début de ma vie de beuveries – ce premier verre, mémorable, à La Héronnière, pour mes treize ans ; une impression de maturité, et la proximité avec les adultes. Les bulles semblaient me monter droit au cerveau, je me sentais gaie et légère ; ma timidité, mes inhibitions, même ma peur de maman paraissaient s'évanouir. Je riais avec le prince Louis, flattée par ses attentions, amusée au fond de moi de voir ma mère un rien jalouse. Enfin, croyais-je, je lui faisais concurrence.

Remarquant que le duc avait vingt ans de moins que Leander et que les Rodney, mais aussi dix de moins que maman, je me suis posé deux questions. En dehors du fait, bien sûr, qu'il aimait la chasse et la pêche, pourquoi l'avait-on invité ? Pourquoi avait-il accepté ? De mon côté, j'avais exactement dix ans de moins que lui. Il aimait visiblement ma compagnie, et il n'a pas caché sa déception en apprenant que je ne resterais pas dîner.

Mon verre de champagne terminé, maman m'a fait signe de retourner au pavillon. J'ai traîné un petit peu, juste pour la contrarier.

– Marie-Blanche, je dois monter un instant dans ma chambre, a dit le prince Louis. Mais je reviens tout de suite. Surtout ne partez pas avant mon retour.

Il est redescendu avec un joli coffret décoratif, en bois gravé, qu'il m'a tendu.

– Un petit cadeau pour vous. S'il vous plaît, ouvrez-le.

Je l'ai posé sur une table et l'ai ouvert soigneusement. À l'intérieur, sur une garniture de velours, était fixée une plaque de bois servant de support à un sabot de cerf. Un médaillon de cuivre, en dessous, indiquait une date et un lieu.

– *Un pied d'honneur*, m'a dit le duc en français, avant de traduire pour les autres. C'est le premier qu'on m'a donné, quand j'avais moi-même treize ans, dans la forêt de Rambouillet. Cadeau de l'équipage de Mme la duchesse d'Uzès à Bonnelles, a-t-il déclaré, faisant référence à un veneur célèbre. Je ne m'en suis jamais séparé, c'est mon talisman, je l'ai toujours avec mes bottes et mon fusil. Je souhaite aujourd'hui vous l'offrir en témoignage de notre amitié, en l'honneur de votre quatorzième année et de votre première chasse à courre.

– Je ne peux accepter, prince Louis, ai-je protesté. Votre premier pied d'honneur, cela n'a pas de prix.

Je n'ai jamais oublié ce qu'il m'a expliqué alors.

– Un vrai cadeau, Marie-Blanche, a forcément une grande valeur pour celui qui l'offre. C'est un honneur pour moi de vous donner celui-ci, et je serais blessé que vous le refusiez. J'espère seulement qu'il vous portera chance autant qu'à moi.

– C'est extrêmement généreux de votre part, Louis, a dit oncle Leander.

J'étais tellement touchée par ce geste que je me suis mise à pleurer et n'ai pu dire au revoir que la voix brisée.

– Dormez bien, Marie-Blanche, m'a conseillé mon beau-père. Vous aurez besoin d'être en forme demain.

– À demain matin, sur nos chevaux, a ajouté Louis en m'embrassant sur les deux joues.

Je pleurais, j'étais rouge de fierté et de plaisir.

À ma grande surprise, M. et Mme Jackson, ainsi que les autres domestiques, m'ont fêté mon anniversaire au pavillon. M. Grinsted les avait avertis, et Mme Jackson avait fait cuire un gâteau. La chef cuisinière, Josie, et le reste du personnel préparaient le dîner des grands, mais ils avaient pris un moment pour me présenter leurs vœux. C'étaient de bonnes gens, si gentils avec moi. Tous étaient très impressionnés par le cadeau du prince Louis, qu'ils ont demandé plusieurs fois à revoir.

– C'est un jeune homme exceptionnel. Je ne crois pas avoir rencontré un autre duc de France aussi sympathique ! s'est exclamé notre chauffeur.

Oncle Leander nous avait réservé une bouteille de vin, dont on m'a servi un verre, et encore une goutte de brandy avec le gâteau. Après le champagne de l'apéritif, cela faisait beaucoup pour une jeune fille qui n'avait jamais bu. J'étais franchement pompette à la fin de la soirée.

Les Jackson se retirant dans leur chambre, j'ai décidé de me promener un instant pour m'éclaircir les idées. Il faisait froid, le vent du nord s'était levé. En passant devant le manoir, j'ai vu par la fenêtre du salon que tout le monde était encore debout. Un beau feu dansait dans la cheminée. Je me suis approchée aussi près que j'ai osé pour jeter un coup d'œil. Le prince Louis faisait des tours de cartes, et les autres s'amusaient beaucoup. On riait, on buvait, on fumait. Cette nuit est devenue une sorte de métaphore de mon enfance : j'étais dehors par une froide nuit d'hiver, et je regardais les grands, au chaud devant le feu, gais, joyeux, empourprés. Un jour, je veux faire partie moi aussi de ce monde-là, et profiter comme eux de mille bonheurs.

J'ai eu alors une de ces idées bizarres auxquelles, hélas, les ivrognes s'habituent au fil du temps – une de celles qui, sur le moment, paraissent excellentes, mais qui, le lendemain, à la lumière du jour, révèlent leur imbécillité. J'ai pensé qu'il serait très drôle de m'immiscer à l'intérieur et de les espionner. Je savais que maman serait furieuse si elle me surprenait, mais cela ne fit que renforcer mon excitation. Enhardie par l'alcool, je me croyais douée de pouvoirs surnaturels.

La porte de service était ouverte et je me suis faufilée dans La Héronnière. Il était tard, presque minuit. J'entendais résonner les voix et les rires, plus bruyants que tout à l'heure. À l'évidence, ils avaient descendu pas mal de verres. Seule ma mère, toujours sobre, avait sa voix habituelle. Marchant à pas de loup, je suis allée me tapir contre le mur à l'entrée du salon. Le cœur battant, j'ai risqué un regard dans la pièce. Le prince Louis exécutait de nouveaux tours devant le groupe admiratif qui, rassemblé autour de lui, l'observait attentivement.

– Mais mince, comment faites-vous ? s'est exclamé le capitaine. Montrez-nous encore une fois !

Le duc ne se fit pas prier.

– Ça marche toujours mieux quand les spectateurs sont légèrement ivres, et que l'illusionniste s'est abstenu, a-t-il remarqué. Ce qui, je l'avoue, n'est pas tout à fait le cas.

– Cela vaut pour tous les jeux de cartes, a dit Rodney. C'est la raison pour laquelle de jolies filles en tenue suggestive vous offrent des cocktails dans les casinos.

Maman n'a pas tardé à annoncer qu'elle allait se coucher. Mme Rodney a pensé qu'il était temps de l'imiter avec son mari, puisqu'il fallait se lever tôt demain.

– Louis, un dernier brandy avec moi ? a proposé oncle Leander. Cela nous aidera à dormir. Peut-être arriverai-je à vous convaincre de m'expliquer comment vous faites.

– Ah, mon cher ami. Vous pouvez me servir tout le brandy de votre cave, le secret d'un bon tour ne se révèle jamais.

– Gredin ! a dit le capitaine, et les autres se sont esclaffés.

J'ai battu en retraite dans la salle à manger, où les lumières étaient éteintes et le couvert déjà mis pour le petit-déjeuner. Maman et les Rodney sont montés dans leurs chambres, je les ai entendus se dire au revoir sur le palier, les portes se sont refermées et je suis revenue me cacher dans le couloir.

Leander et le prince Louis parlaient à voix basse, d'un ton grave, et il n'était plus question de cartes. Même en tendant l'oreille, j'avais du mal à les entendre.

– Je crains de n'avoir pas beaucoup de temps, ce week-end, chuchotait mon beau-père.

– Essayons quand même de nous ménager un instant, mon bon ami, a tendrement répondu le prince.

Un long silence s'est ensuivi. J'avais terriblement envie de jeter un coup d'œil par la porte entrebâillée. Mais ils étaient seuls, certainement attentifs, et j'avais trop peur d'être découverte. Je n'ai donc pas bougé. Ils ont fini par reprendre leur conversation, en murmurant à peine, si bas que je ne comprenais plus rien. Soudain, une porte s'est ouverte très doucement à l'étage et, prise de panique, je me suis réfugiée dans la salle à manger. Tout bruit parut cesser, et je me suis demandé si je n'imaginais pas quelqu'un en train de descendre l'escalier, pieds nus, à pas furtifs... Mon cœur s'est remis à battre, et je n'ai pas osé aller vérifier.

Puis la voix de ma mère, calme, mesurée, a brisé le silence dans le couloir du rez-de-chaussée.

– Pas chez nous, Leander, a-t-elle dit avec son fort accent français. Nous ne sommes pas mariés depuis six mois que vous violez déjà notre accord.

Elle s'est ensuite adressée au duc, toujours d'un ton égal, sans une once de colère :

– J'avoue que je préférais vous voir courtiser ma fille, monsieur, plutôt que mon mari. Je sais que vous êtes fils unique et que vos parents ont hâte que vous trouviez une compagne pour prolonger votre illustre descendance. Ce n'est pas en flirtant avec des hommes plus âgés que vous les aiderez. Je vous serais reconnaissante de bien vouloir épargner l'endroit où je réside. Comme aimait à le dire ma mère, la comtesse de Brotonne : « Évitons les scandales autant que faire se peut. » Pour l'instant, ce n'est pas allé bien loin, il n'y a que moi pour témoin. Alors restons-en là.

– Oui, madame, a répondu le prince Louis avec humilité. Veuillez m'excuser, je ne suis pas digne de votre hospitalité. Je vous promets désormais d'observer toutes les règles de la bienséance.

– Je n'en doute pas, monsieur le duc. Merci. Allez, oublions cela. Bonne nuit, mon cher Louis. À tout à l'heure au petit-déjeuner.

Tous trois se sont engagés dans l'escalier pour regagner leurs chambres respectives. J'étais encore trop jeune et trop naïve pour comprendre la teneur de cet échange, ou pour interpréter les chuchotements intimes qui l'avaient précédé. Qu'avait-il pu se passer entre les deux hommes qui puisse constituer un « scandale » ? Quel était cet « accord » qu'avait mentionné maman ? Voici les questions que j'avais en tête en reprenant le chemin du pavillon. Perplexe et troublée, mais convaincue, une fois de plus, que ma mère gardait les choses en main.

Peu après deux heures du matin, j'ai été réveillée par des coups répétés à la porte du pavillon. C'était maman qui criait :

– Au feu ! Vite, monsieur Jackson, vite !

Pendant qu'il ouvrait, j'ai bondi hors du lit et j'ai commencé à m'habiller.

– Il y a le feu à La Héronnière, lui a-t-elle dit. Dépêchez-vous !

– Tout le monde est-il dehors, madame ?

– Sans doute. Je les ai avertis, je leur ai dit de descendre, et tous ont répondu. Mais il y avait tant de fumée dans le couloir que j'ai dû passer par le toit pour atteindre la terrasse du salon. Et j'ai sauté à terre.

– Où est M. McCormick ?

– Parti chercher l'extincteur au bas de l'escalier, mais après, je ne sais pas. Venez vite, Jackson !

– J'arrive, madame. Je vais d'abord chez M. Gay prendre l'échelle, on risque d'en avoir besoin.

Malgré mon lourd manteau d'hiver, la bise était cinglante après la chaleur douillette du pavillon. Au premier étage du manoir, de la fumée s'échappait par les fenêtres, et certaines s'embrasaient déjà. Cela n'était plus ces flammes douces et rassurantes qui, quelques heures plus tôt, éclairaient le salon.

Tout s'est passé si vite qu'il fut ensuite difficile de replacer les choses dans le temps – des cris retentissaient, le personnel courait en tous sens, sans savoir quoi faire exactement. Apparaissant soudain, oncle Leander a pris maman dans ses bras.

– Dieu merci, vous êtes là, a-t-il dit. Je vous ai cherchée partout, Renée. Je ne savais pas si vous étiez arrivée à sortir. Impossible de remonter à l'étage avec l'extincteur. Et le téléphone est coupé. Je vais aller chez le batelier avec la petite voiture, et appeler les pompiers. Je ne serai pas long.

Nous nous sommes regroupés devant l'aile est du bâtiment, où nous avons trouvé Mme Rodney étendue sur la pelouse. Elle avait dû sauter par la fenêtre de sa chambre, d'au moins six mètres de haut, et elle gémissait de douleur. Puis elle s'était écartée en rampant, avec difficulté, pour que son mari ne lui tombe pas dessus. M. Fields, le jardinier, qui réside dans une dépendance avec M. Grinsted, l'a aperçue le premier.

– Ne me touchez pas ! a-t-elle lancé. C'est le dos, je ne peux plus bouger !

Avec effort, elle a indiqué le premier étage :

– Mon mari est encore là-haut.

Nous l'avons vu qui enjambait la rambarde, ainsi que, deux fenêtres plus loin, Louisa Krug, la femme de chambre de maman. C'est la seule domestique qui logeait dans le bâtiment principal. Elle aussi perchée sur la rambarde, elle hésitait, effrayée.

M. Jackson nous a rejoints.

– Ne sautez pas, monsieur ! J'ai l'échelle !

Trop tard, le capitaine venait de s'élancer, pour atterrir avec un bruit sourd sur le gravier gelé. Il relâcha un souffle de buée en réprimant un cri.

– Ça va, a-t-il dit, ça va. Chérie ! a-t-il ajouté en la voyant. Rien de cassé, ma chérie ?

Jackson a couru vers eux.

– Pouvez-vous vous lever, monsieur ? Je vais vous aider.

– Je pense que oui, a répondu Rodney au chauffeur qui l'épaulait déjà.

– Vous saignez à la main, capitaine. Je vais l'envelopper avec mon mouchoir. N'ayez crainte, il est parfaitement propre.

– Je me suis coupé en cassant le carreau.

– Louisa, ne sautez pas ! a dit ensuite Jackson à la femme de chambre. Accrochez-vous à la conduite et laissez-vous glisser !

Solidement bâtie, Mme Krug est parvenue à faire ce qu'il lui conseillait. Quelques instants plus tard, elle était hors de danger.

– Le duc ! Le duc n'est pas là ! Bon Dieu, quelqu'un l'a-t-il vu ? s'est soudain exclamée maman, d'une voix angoissée.

Attisé par le vent, le feu s'était étendu rapidement. Visibles à des kilomètres alentour, les flammes fusaient bien au-dessus de La Héronnière. M. Jackson a calé son échelle contre la fenêtre du prince Louis, et gravi les échelons. Protégeant sa main avec la manche de son manteau, il a brisé un carreau pour ouvrir le battant. Les lumières étaient encore allumées dans la pièce noire de fumée. Courageusement, le chauffeur s'est glissé à l'intérieur.

– Francis, sois prudent ! l'a mis en garde son épouse, qui le regardait faire avec nous.

Il réapparut bientôt, bredouille, un bras sur la bouche.

– Il n'est pas là, a-t-il crié. Je ne le trouve pas !

– Alors reviens, Francis ! a ordonné sa femme.

– Obéissez! a renchéri M. Fields. Vous avez fait votre possible, mon vieux. Ne restez pas là!

La voiture de mon beau-père s'arrêtait soudain derrière nous.

– Mitchell avait déjà appelé les pompiers d'Andover et de Whitchurch, a-t-il dit en descendant.

Mitchell est le batelier qui veillait au bon fonctionnement de la turbine hydraulique. Il résidait avec sa femme dans un cottage à un kilomètre environ de La Héronnière.

– Ils avaient vu les flammes depuis chez eux avant même que j'arrive, a rapporté oncle Leander. Les pompiers ne devraient pas tarder. Tout le monde est-il sain et sauf?

– Tout le monde sauf Louis, a dit maman. On ne sait pas où il est passé.

– *Quoi?* Mais il vous a parlé tout à l'heure! Il vous a dit de ne pas vous inquiéter, qu'il serait dehors dans une seconde!

– C'est ce que j'ai cru aussi, a répondu ma mère. Mais le couloir était envahi par la fumée. Moi-même, j'ai été obligée de sortir par la fenêtre. Jackson vient de monter dans sa chambre avec l'échelle, et il n'y est plus.

– Bon Dieu! a dit mon beau-père. Il doit être coincé à l'intérieur.

M. Jackson a reculé la voiture afin de pouvoir emmener les deux blessés à l'hôpital de Winchester. Nous avions tous peur de soulever Mme Rodney, de lui briser les vertèbres, et c'est elle-même qui, au prix de durs efforts, s'est traînée dans l'herbe gelée jusqu'au véhicule. Avec un peu d'aide, elle a réussi à se hisser à plat ventre sur la banquette arrière, en gémissant de douleur. Installé à l'avant avec M. Jackson, le capitaine s'est retourné pour soutenir sa femme en chemin.

Il a fallu attendre encore une demi-heure les pompiers de Whitchurch, suivis, peu après, par ceux d'Andover. Un vent violent avait continué d'attiser le feu, et La Héronnière n'était plus qu'un brasier. À l'évidence, le duc avait succombé à une mort atroce, mais, espérant un miracle malgré nous, nous nous attendions à le voir surgir d'un instant à l'autre.

M. Beale, le chef de la brigade d'Andover, a posé son échelle contre la fenêtre de sa chambre et il est monté voir à son tour.

Bien qu'il y eût beaucoup de fumée dans la pièce, l'incendie ne s'était pas propagé dans cette aile avec la même intensité qu'ailleurs. Les lumières étaient encore allumées, ce qui donnait une impression étrange, mais il n'y avait plus trace de l'occupant.

La rivière coulant à quelques mètres seulement de la maison, les pompiers avaient suffisamment d'eau pour alimenter la pompe motorisée de la brigade d'Andover et celle, manuelle, de Whitchurch. Après avoir combattu les flammes pendant plus de deux heures, les hommes ont maîtrisé la situation et pénétré au rez-de-chaussée. Ils ont commencé à sauver ce qui pouvait l'être, notamment des peintures que maman et oncle Leander avaient fait expédier depuis les États-Unis lors de leur dernier voyage. Certaines étaient encore en bon état, mais d'autres, des portraits, semblaient brûlées de l'intérieur. Un travail macabre de vandales, aurait-on dit.

M. Grinsted a demandé aux pompiers s'ils pouvaient tenter de récupérer l'argenterie, rangée dans l'office. Cela paraissait bizarre, dans ces circonstances, de se soucier de toiles et de fourchettes, alors que le premier duc de France venait sans doute de décéder. Mais après tout, le majordome ne faisait que son travail, et c'est finalement grâce à son sens du devoir qu'on a trouvé le corps du prince Louis.

Lorsqu'ils ont atteint l'office, un pompier l'a découvert inerte, face contre terre. Il y avait un grand trou dans le plafond : carbonisé, le plancher de l'étage au-dessus avait cédé. Par la suite, la police devait conclure qu'après avoir quitté sa chambre pour atteindre l'escalier, le duc avait rebroussé chemin à cause des flammes. Peu familier des lieux, désorienté, il avait tenté de revenir dans sa chambre, où il aurait pu, comme les Rodney et Louisa, sauter par la fenêtre. En tâtonnant dans le couloir, il était entré dans une salle de bains, où il s'était écroulé en suffoquant. Sans le savoir, il avait gagné le foyer de l'incendie, qui s'était déclaré précisément là, entre le plancher de la salle d'eau et le plafond de l'office.

Le pompier a prié un collègue d'apporter une civière. Quelques instants plus tard, ils ressortaient de la maison le corps de Louis de la Trémoïlle, couvert d'un drap. Tandis qu'ils descendaient les marches du perron, une rafale de vent a soulevé le drap qui, tel un ange blanc, s'est envolé dans l'allée où il s'est maintenu un moment. Quelqu'un a crié en voyant le corps. Les vêtements du prince avaient complètement brûlé, ses cheveux aussi ; de la fumée s'élevait encore de sa chair noire et calcinée ; sa bouche affichait un rictus grotesque, parodie d'un sourire qui avait été éclatant.

J'ai repensé à notre rencontre, à peine quelques heures plus tôt, au jeune homme élégant qui, sur le quai de la gare, nous rejoignait d'un pas décidé, et à ceux qui s'étaient retournés sur le passage d'un visiteur certainement renommé. Après celui du père Jean, j'assistais pour la deuxième fois au décès de quelqu'un, et la disparition de Louis était plus choquante encore. J'étais à nouveau frappée par l'indifférence de la mort à notre égard, ce corps soudain déserté, cette enveloppe que nous portons tout au long de notre vie et qu'il faut jeter à la fin. Glissant sur une plaque de verglas, un taxi transforme un prêtre en sac d'os brisés ; un feu aveugle s'abat sur un jeune homme qui se trompe de porte, pour ne laisser de lui qu'une masse charbonneuse, une odeur de viande brûlée sous la brise de décembre.

Le lendemain, la duchesse douairière Hélène de la Trémoïlle prenait l'avion pour Londres, afin d'identifier le corps de son enfant, puis de le rapatrier en France et de l'inhumer dans le cimetière de famille – dernier domicile du dernier duc de la Trémoïlle. Tant d'années après, j'ai encore les larmes aux yeux en repensant à sa douleur, au sentiment d'horreur qu'elle a dû éprouver devant les restes carbonisés de son seul fils. Nombre de ses prédécesseurs, pour certains héroïques, étaient tombés au champ d'honneur, dans le sang et la violence, mais dans cette longue lignée de ducs, il n'y eut pas de mort plus inutile, sans doute, que la sienne.

Lundi, le surlendemain, on ouvrit l'enquête au Church Hall de Whitchurch. Pour ajouter à la tragédie, le capitaine Rodney était décédé le dimanche matin. Aucune de ses blessures n'était spécialement grave, mais selon l'inspecteur, il avait été foudroyé par un infarctus, conséquence peut-être d'un choc émotionnel. Il avait succombé tandis qu'on lui faisait une anesthésie locale.

Oncle Leander étant issu d'une famille fortunée, la presse a prêté une attention particulière à l'incendie. De nombreux quotidiens et magazines américains, dont *Time* et le *New York Times*, ont publié des articles, et tous les journaux de Londres ont envoyé reporters et photographes pour suivre l'enquête.

Je suis rentrée à Londres en train, le dimanche après-midi. Personne n'a rapporté à la police ma présence à La Héronnière ce week-end. Je ne me trouvais d'ailleurs pas dans le manoir lui-même. Oncle Leander s'est arrangé pour que mon nom ne soit publié nulle part, pensant que cela ne me vaudrait rien de bon à Heathfield. J'avais suffisamment de problèmes comme ça à l'école.

Bien sûr, il ne m'a pas échappé que maman m'avait sauvé la vie, même involontairement, en préférant me loger dans le pavillon des domestiques – j'aurais autrement occupé la chambre du prince Louis. Elle et mon beau-père ont été dégagés de toute responsabilité dans l'affaire, mais je ne pus que me demander si ma mère aurait quitté la maison aussi vite si j'y avais dormi. On répéta pendant les auditions qu'elle avait alerté les Rodney, le duc et Mme Krug, leur conseillant de sortir aussi rapidement que possible, et que tous trois lui avaient répondu. Selon son témoignage, le prince Louis lui aurait dit : « Ça va, ne vous inquiétez pas pour moi. » Mais alors, puisqu'elle est passée par la fenêtre de sa chambre, le couloir et l'escalier étant envahis par la fumée, pourquoi n'a-t-elle pas incité les invités à sortir de la même façon qu'elle ? Maman a un instinct de survie très développé, et une prédisposition peu commune, c'est le cas de le dire, à retomber sur ses pieds.

Principal témoin de l'enquête, Leander a déclaré que, pensant maîtriser le feu, il avait couru à l'office des domestiques où se trouvaient les deux extincteurs. Il croyait y arriver lorsqu'un pan de mur, ou un cadre de porte, s'était brusquement effondré, libérant des gerbes de flammes qui l'avaient forcé à reculer.

Également interrogé par la police, M. Jackson expliqua qu'il était monté dans la chambre avec son échelle, et qu'il l'avait fouillée en vain ; puis que M. Grinsted et lui-même étaient entrés par la grande porte, du même côté de la maison, pour inspecter le rez-de-chaussée. Celui-ci était encore intact à ce stade des choses, l'air y était respirable, cependant le tapis brûlait en haut de l'escalier, et la fumée tournoyait dans le couloir à l'étage. Si la cause exacte de l'incendie n'a jamais été déterminée, on supposa qu'il s'était déclaré entre le plafond du rez-de-chaussée et le plancher du premier, suite à un court-circuit causé par de vieux fils électriques.

Les journaux américains ont prétendu que, conséquence du drame, les cheveux de M. McCormick avaient blanchi du jour au lendemain. C'est une absurdité ; mais oncle Leander était assez traumatisé pour décider avec maman, l'année suivante, de ne plus résider en Grande-Bretagne. Ils n'y sont revenus que pour de courts séjours et j'ai, quant à moi, poursuivi mes études au pensionnat d'Heathfield.

Eu égard à la notoriété de Leander, la presse française a aussi consacré de nombreux articles à l'incendie. Juste après celui-ci, il a envoyé un télégramme à papa, au Prieuré, pour lui apprendre que j'étais indemne, et que Toto nous rejoindrait en Angleterre, à Noël comme prévu. La fin de l'année était trop proche pour penser à un autre endroit, et Leander avait quelques affaires juridiques à régler, liées aux événements. J'ai passé les vacances avec eux à l'appartement de Londres. Pour dire le moins, ce furent de tristes fêtes.

Le dimanche matin à l'aube naissante, après le départ des pompiers et avant que M. Jackson me conduise à la gare, j'ai parcouru les pièces de façade du manoir. La Héronnière n'était plus qu'une coquille vide, l'ombre creuse de ce qu'elle avait été. Le couvert était encore mis pour le petit-déjeuner, la nappe et les assiettes étaient recouvertes de suie. Je ne devais plus jamais y revenir, et finalement je n'aurais pas eu ma première chasse à courre dans la forêt de Harewood. Si j'ai conservé toute ma vie le sabot de cerf du prince Louis, j'avais grand-peine à le regarder, et les plus vives difficultés à ouvrir ce coffret. Toute ma vie m'a suivie le sentiment coupable qu'il avait renoncé à la chance en me donnant son talisman. Qui ne semble d'ailleurs pas m'en avoir porté beaucoup.

RENÉE

Le Caire
Avril 1914

1

Les murs de la clinique étaient recouverts de bougainvillées en fleur, ce qui donnait à l'établissement un aspect presque accueillant. Il y avait de quoi rassurer Renée, qui redoutait d'être tâtée, sondée, par les mains sèches, froides et certainement poilues d'un autre vieux médecin lubrique. Quand l'assistante la fit entrer dans le cabinet du fameux professeur suisse, elle eut la surprise de constater que le Dr Lesbedeau était beau garçon, jeune et blond, avec des dents étincelantes.

Le médecin arrêta Gabriel, qui avait suivi sa nièce dans le couloir.

– Désolé, monsieur le vicomte, dit-il, la main levée tel l'agent de police au carrefour, mais je vous demande de bien vouloir retourner dans la salle d'attente. Seuls les patients sont admis dans le cabinet d'examen.

– Avant de faire votre diagnostic, docteur, répondit Gabriel en lui tendant une enveloppe de papier kraft, il vous sera peut-être utile de regarder cette photo.

– Je vous remercie, monsieur, dit le professeur en lui fermant la porte au nez d'un air indifférent.

Sans l'ouvrir, il jeta l'enveloppe sur un guéridon.

– Bien, jeune fille. Veuillez vous déshabiller et vous allonger sur cette table.

– Est-ce vraiment nécessaire ? demanda Renée, qui sentait le sang lui monter aux joues.

Elle était gênée d'avoir à se dévêtir devant le séduisant professeur, et regrettait presque qu'il ne soit pas vieux et velu.

– Vous êtes venue ici pour un diagnostic, non ?

– Si.

– Vous devez imaginer qu'il me sera difficile de procéder si vous restez habillée.

Elle fit ce qu'on lui demandait, retira sa robe et ses sous-vêtements qu'elle posa en tas par terre. Empourprée jusqu'au nombril, elle s'étendit sur la table d'examen. Le drap blanc amidonné était froid et impeccablement repassé.

– Fermez les yeux et détendez-vous. N'ayez crainte, je ne vous ferai aucun mal.

Méthodique, professionnel, Lesbedeau commença l'examen en lui frôlant le ventre, puis remonta le long de la cage thoracique, et sous les aisselles. Il s'attarda sur les seins, les flatta gentiment, saisit les mamelons entre le pouce et l'index et en joua un instant. Écartant les jambes d'une main, il glissa l'autre vers l'intérieur des cuisses, puis inséra un doigt, délicatement et adroitement, dans le vagin. Il l'explora d'un côté, de l'autre, avec une douceur qui ressemblait plus à celle d'un amant que d'un médecin. Les yeux fermés, Renée se laissa emporter par les caresses d'un homme qui était aussi agile et précis qu'un pianiste de concert.

– Parfait, dit-il en retirant son doigt d'un geste rapide, presque imperceptible. Vous pouvez vous rhabiller, jeune fille. Veuillez passer dans mon bureau. Par cette porte. Je vais demander à M. le vicomte de nous y rejoindre.

Lorsqu'elle entra dans la pièce, le gynécologue, assis derrière son bureau, étudiait la photographie de Gabriel avec une moue perplexe. L'oncle avait pris place en face de lui.

Levant les yeux vers Renée, le professeur déclara, avec une trace évidente d'ironie :

– Du point de vue anatomique, je ne vois rien qui empêcherait cette demoiselle de s'adapter au... à... euh... l'individu en question.

Renée fut si soulagée de l'apprendre qu'elle se jeta au cou du médecin pour l'embrasser sur les deux joues.

– Merci, professeur ! Merci !

Gabriel, lui, s'assombrit.

– Un petit point à éclaircir, monsieur le vicomte, poursuivit le Suisse. Ne m'avez-vous pas dit, en prenant rendez-vous, que cette demoiselle était votre fille ?

– Elle est *presque* ma fille, docteur. En d'autres termes, je l'ai adoptée. Renée est ma nièce, la fille de mon frère.

– Ah, fit le médecin, plus perplexe que jamais. Permettez-moi d'affirmer qu'elle est une des plus dignes représentantes du beau sexe qu'il m'ait été donné de voir. Quel âge a-t-elle ?

– Quatorze ans.

– Et vous pensez à l'épouser ? demanda Lesbedeau, toujours dubitatif. Votre nièce, votre... fille adoptive ?

– Pourquoi pas ? rétorqua Gabriel, visiblement contrarié par cette attitude. Je suis le maître chez moi, et je fais ce qu'il me plaît.

– C'est souvent ce qu'affirment les pachas de ce pays. Lorsqu'ils m'amènent, pour divers traitements, des jeunes filles à peine sorties de l'enfance. Et vous, mademoiselle, s'enquit-il, souhaitez-vous épouser votre oncle... votre père ?

– Moi ? Bien sûr ! Immédiatement !

– Je vois, dit le médecin qui, songeur, hochait la tête.

Il s'ensuivit un long silence glacial.

– Eh bien, admit le Suisse en haussant les épaules. Tout ce que je peux vous dire, monsieur, c'est qu'elle est... prête à vous accueillir. En parfaite condition physique... Rien à craindre... Les tissus sont élastiques, résistants, la structure est excellente... J'ai rarement vu mieux ! Je dois avouer que, dans cette clinique, nous recevons communément des jeunes femmes dont les organes génitaux ont été mutilés par les membres de leur famille. Quand elles ne sont pas atteintes de la syphilis. Savez-vous qu'en Égypte on suture les lèvres des filles, pour garantir leur virginité ? Comme on trousse une volaille ! Quoi de plus monstrueux ?

Il se leva, fit quelques pas vers Renée et saisit son bras.

– Je ne vous demande qu'une chose, monsieur le vicomte, c'est de ne pas contaminer ce magnifique spécimen. Attention aux petites concubines de ce pays, qui ne manquent pas de charme mais qui, croyez-moi, sont souvent contagieuses.

– Merci pour le conseil, docteur, dit Gabriel. Il est assez superflu.

– Oui, un spécimen réellement magnifique, insista le médecin qui, avec un air de regret, pinça une dernière fois le bras de Renée. Prenez soin d'elle, monsieur.

Gabriel marmonna en descendant l'escalier :

– J'ai l'impression que le jeune professeur aurait préféré vous garder pour lui. Vous le trouviez beau ?

– Je n'ai pas vraiment remarqué, dit Renée, évasive.

– Menteuse ! Vous l'avez embrassé !

Il la plaqua contre le mur de la cage d'escalier et l'embrassa passionnément à pleine bouche.

– Ce qui compte, ma petite, murmura-t-il, c'est que je n'ai plus d'inquiétudes à avoir. Vous êtes à moi, maintenant...

Il posa une main sur le creux de son ventre.

– ... et que ça vous plaise ou pas, je vous épouse dans six mois. D'ici là, comme on me le recommande, je fais vœu d'abstinence. Cela me fera le plus grand bien. Depuis le temps que le pauvre Lehman me parle de chasteté...

Sur le chemin du retour, Renée ne se faisait plus l'impression d'une enfant protégée par son oncle ou par son père ; elle était Cléopâtre avec son amant. Tandis qu'ils passaient devant la maison de Lady Winterbottom, Gabriel déclara :

– Nous allons envoyer tout de suite notre faire-part de mariage. Mais d'abord, je vous emmène dîner et danser, ma caille. Ce soir, nous fêtons officiellement votre passage à l'âge adulte et nos fiançailles.

Ils ne retournèrent aux Roses qu'à une heure fort tardive. Le pas cadencé des chevaux faisait un bruit creux en se réverbérant sur les pavés de la cour au milieu de la nuit. Les fenêtres illuminées de la maison donnaient à celle-ci une allure de palais de conte de fées. Omar, le gros eunuque chauve, leur ouvrit la porte. Au bas de l'escalier, Gabriel souleva Renée et la garda dans ses bras.

– Ma fille est fatiguée, expliqua-t-il au concierge en gravissant les premières marches. Je vais la coucher. Vous pouvez vous reposer, Omar, merci.

Le grand miroir doré de la chambre de maître était flanqué de deux candélabres qui éclairaient le lit du vicomte. Mme Mesori, la femme de chambre, avait paré celui-ci de draps de dentelle. Gabriel posa sa nièce sur ceux-ci.

– Je crois que tout ce champagne me monte à la tête, dit-elle.

Sans un mot, il déboutonna sa robe, la retira et contempla la jeune fille d'un air songeur.

– Quand même, il ne manque pas de toupet, ce toubib. Pour commencer, il vous pelote, et ensuite il met en doute ma qualité de père.

Cédant à une brusque impulsion – peut-être était-ce seulement le champagne, ou voulait-elle l'empêcher de se lancer dans une de ses diatribes –, Renée posa ses deux mains sur le torse de son oncle et le poussa brutalement. Avec un rire de surprise, il tomba à la renverse sur le matelas de plumes, et elle bondit sur lui.

– Vous allez me violer, maintenant ?

Elle se blottit contre son cou.

– Non, je ne suis pas votre fille, murmura-t-elle en tremblant. Ni vous mon père. Ce soir, je suis votre femme et vous êtes mon mari.

La retournant sur le lit, il la couvrit de baisers des pieds à la tête, puis il lui écarta les jambes. Elle sentit l'extrémité de son membre dressé contre elle.

– Vous ne me le reprocherez pas plus tard, mon amour ? demanda-t-il.

– Jamais ! Je vous aime... à la folie !

Il la regarda dans les yeux et posa une main sur sa bouche pour que le personnel ne l'entende pas crier.

– Vous aurez un petit peu mal, murmura-t-il, mais ensuite un long moment de plaisir.

Presque violemment, il la pénétra.

Un gémissement s'échappa entre ses doigts. La douleur ne fit que renforcer le sentiment d'exaltation qu'éprouvait Renée, devenue grâce à lui la femme qu'elle souhaitait être depuis que, petite fille, elle l'épiait en cachette.

Jamais elle ne lui reprocherait son acte. Elle se considérait comme l'architecte de ce dénouement, fruit de ses propres manipulations. C'est elle qui avait suivi et contrôlé l'opération depuis le début, elle obtenait aujourd'hui ce qu'elle avait toujours désiré, le seul homme qu'à la vérité elle aimerait toute sa vie.

Elle s'assoupit rapidement ensuite, ses jambes encore nouées aux siennes. Prenant appui sur un coude, Gabriel se redressa et déclara :

– On pourrait dire qu'une petite fille sage s'est vu récompenser de sa bonne conduite.

Il se pencha au-dessus d'elle et baisa son mont de Vénus.

– Nous devons quand même essayer d'éviter certains désagréments, poursuivit-il.

La prenant dans ses bras, il la porta jusqu'à la salle de bains et lui montra comment se laver après l'œuvre de chair – une forme de contraception certes inappropriée, comme Renée l'apprendrait plus tard.

– Un aspect de votre éducation qui aura peut-être échappé à miss Hayes, dit-il.

Renée s'esclaffa.

– À condition encore qu'elle y ait été initiée !

Il la ramena au lit, où elle se rendormit vite, tel un enfant dont les yeux se ferment malgré lui. Elle remarqua avec satisfaction le drap taché de sang. Ils passèrent le reste de la nuit à somnoler dans les bras l'un de l'autre, ne se réveillant que pour faire l'amour, échanger des paroles tendres, d'autres caresses et baisers. Gabriel était adepte de ce qu'il appelait «le savoir-faire oriental».

Alors qu'en fin de soirée le lendemain, ils étaient affamés après leur marathon amoureux, il appela Mme Mesori pour qu'elle leur prépare un «petit-déjeuner». Quelques instants plus tard, la vieille femme frappa doucement à la porte. Elle entra en évitant discrètement de les regarder, toujours enlacés dans un désordre de draps et de couvertures. Mme Mesori était depuis assez longtemps au service du vicomte pour ne plus s'offusquer de ses incartades et, bien sûr, elle n'avait pas d'observation à faire. Mais elle était bonne chrétienne et, s'ils avaient pu lire dans ses yeux, ils y auraient lu la désapprobation. Elle leur apporta toasts, confiture, café et jus de fruits.

Après quoi le vicomte annonça :

– Il va falloir penser à retourner à Armant, ma petite.

– Papa nous tuera s'il apprend ce qu'on a fait, dit Renée, revenant brusquement sur terre. Jamais il ne permettra qu'on se marie.

– Non, mon amour. Mais, si vos parents nous cherchent des ennuis, nous nous établirons ici tout simplement, et on les renverra en France.

– Et miss Hayes ?

– Nous lui donnerons congé et elle repartira en Angleterre. Une femme mariée n'a plus besoin d'une gouvernante.

– Elle me manquera, observa Renée. Comme la France, et mes parents aussi.

– C'est affaire d'habitude, vous vous y ferez.

De bonne humeur, il alla se laver et se raser en sifflotant. Se levant à son tour, Renée ouvrit les volets pour faire entrer l'air frais de la soirée. Elle vit, par la fenêtre, une voiture s'engager dans la cour, puis un homme et une femme en descendre.

– Zut ! Gabriel ! Ma mère ! s'exclama-t-elle, affolée.

– Qu'y a-t-il, ma chérie ? dit-il depuis la salle de bains.

– C'est maman, maman est là !

Mme Mesori ne tarda pas à frapper à la porte.

– Monsieur le vicomte ! dit-elle à voix basse et d'un ton pressant. Mme la comtesse vient d'arriver. Elle est accompagnée par un inspecteur de police.

– Dites à Omar de ne pas la laisser entrer. Préparez nos bagages en vitesse. On prendra le second escalier et on passera par le jardin. Et refaites soigneusement le lit, avec des draps frais. Elle va sûrement fouiller toute la maison. Rappelez-vous : nous ne sommes pas revenus ici depuis le nouvel an. C'est compris, Mesori ? Veillez à ce que les domestiques ne disent pas autre chose. Attention aux draps sales et à la robe de mademoiselle. Ne les jetez pas, cachez-les au fond d'une armoire. Cachez-les bien ! Henriette a un œil de lynx, elle cherchera des preuves partout. Entendu ?

– Oui, monsieur, répondit Mme Mesori. J'ai compris.

Omar fit attendre la comtesse et le policier à la porte, pendant que Renée et Gabriel s'échappaient en toute hâte par l'arrière de la maison. Le chauffeur les attendait et les conduisit en voiture jusqu'au Nil, où ils embarquèrent sur un *dahabieh* en direction d'Armant. Pour Renée, le monde avait un autre visage ; tout avait changé du jour au lendemain.

2

Deux jours après leur retour à Armant, le père de Renée se présenta à la plantation et fonça droit dans le bureau de Gabriel, où celui-ci ouvrait son courrier, pendant que Renée repassait ses leçons. Passablement agité, le comte de Fontarce parut rassuré par cette scène domestique, somme toute ordinaire. Son frère leva les yeux vers lui.

– Où étiez-vous passé, Maurice ? demanda Gabriel d'un ton nonchalant.

– Vous le savez fort bien. J'étais au Caire, chez Lady Winterbottom.

– Ah, très commode pour vous... Eh bien, vous auriez pu nous rendre visite aux Roses. J'étais moi aussi au Caire...

– Oui, avec la petite, je l'ai appris. On vous a vus dîner et danser dans un restaurant. Mais quand Henriette a sonné aux Roses le lendemain, on lui a affirmé que vous n'étiez pas revenus depuis le nouvel an. Qu'est-ce que cela signifie, Gabriel ?

– J'étais là-bas avec *Renée*, rectifia le vicomte, non pas avec « la petite ». C'est aujourd'hui une femme, Maurice.

– Une *femme* ? Mais, pour l'amour du ciel, elle n'a que quatorze ans ! J'aimerais discuter de tout cela en tête à tête avec vous.

Se tournant vers sa fille, Fontarce se rendit compte qu'il ne lui avait même pas dit bonjour.

– Laissez-nous, lui dit-il avec une brusquerie qui ne lui ressemblait pas.

– Non, restez, Renée, dit Gabriel. Elle a le droit de savoir.

– C'est moi qui demande à savoir ! dit Maurice. Et j'en ai le droit aussi ! Je suis son père !

– Très bien, répondit Gabriel. Je vais vous expliquer. J'ai l'intention de l'épouser. Et rien de ce que vous pourrez dire ou faire ne m'arrêtera.

Le comte étudia son frère un long moment, puis s'adressa en fait à Renée.

– Et vous, ma fille ? Vous voulez épouser mon frère ? Votre oncle ?

– S'il le désire, oui, dit-elle. Je le souhaite plus que tout.

Résigné, Maurice hocha la tête d'un air las.

– Vous savez qu'Henriette ne donnera jamais son accord. Elle va arriver ici d'un moment à l'autre, avec un médecin et le consul de France, pour dresser un procès-verbal. Vous risquez de graves ennuis avec les autorités. Je vous rappelle que la petite est mineure.

– Selon les lois françaises, monsieur mon frère, mais pas ici en Égypte.

– Non, vous restez un citoyen français, soumis aux lois de son pays, dit le comte.

– C'est parce que maman me déteste qu'elle recourt à ça ! lâcha Renée, folle furieuse.

– Silence ! coupa Gabriel.

– Non, je ne me tairai pas. Vous n'êtes pas un criminel. Si tout cela est arrivé, c'est parce que je l'ai voulu, prévu, organisé ! Alors qu'elle vienne, cette vipère ! Je lui mettrai son Sir Herbert dans la figure, et on verra bien qui est le plus embarrassé !

– Renée, ça suffit ! dit Gabriel. Je vous interdis de parler ainsi de votre mère.

– Écoutez-moi, dit le comte, ignorant leurs arguties. J'ai réfléchi. Nous allons mettre Renée en lieu sûr chez le pacha El-Banderah. Il est notre ami, il acceptera volontiers de nous éviter un scandale. Pour ce qui est d'Henriette et du consul, je m'occupe de calmer leurs ardeurs. Vous pouvez compter sur moi.

– Pourquoi prenez-vous notre parti, Maurice ? demanda le vicomte. Je m'attendais plutôt à ce que vous me provoquiez en duel, pour laver l'honneur de votre fille.

– Je devrais, Gabriel, je devrais. Mais je préfère vous aider, parce que vous êtes mon frère, qu'elle est ma fille et que, si le scandale éclate, il la poursuivra pendant des années, ainsi que le reste de la famille. Vous tuer en duel ne me dérangerait pas, mais cela ne ferait qu'aggraver les choses.

Pliant bagage de nouveau en toute hâte, miss Hayes et sa protégée levèrent le camp l'après-midi pour le domaine d'Ali El-Banderah, qui les accueillit à bras ouverts.

– Mon palais est le vôtre, mademoiselle Renée, dit-il avec effusion. Vous n'avez qu'un mot à dire et vos désirs seront exaucés ! Mon majordome est anglais, j'ai quinze domestiques à mon service, quatre eunuques, vingt concubines, et un bidet en or massif.

Le palais trônait au milieu d'un vaste parc, où la végétation abondait grâce à un système perfectionné d'arroseurs automatiques ; des sentiers partaient dans l'herbe verte entre les arbres exotiques, traversaient des parterres soigneusement entretenus, ponctués de statues d'apollons en marbre blanc, posant sous des arcades de fleurs lumineuses. Malgré tant de splendeurs, Renée se sentait encore prisonnière, une fugitive bannie de son propre domicile. De crainte que, mise au courant, la comtesse la fasse enlever par ses hommes de main, le vicomte lui avait interdit de quitter la propriété, même à cheval. Il avait ordonné à sa gouvernante de proscrire toute promenade dans le jardin.

– S'il vous plaît, miss Hayes, la supplia Renée un après-midi, une semaine après leur arrivée. J'ai besoin de me dégourdir les jambes. C'est bon pour les pensionnaires du harem, de ne rien faire. Elles restent au lit toute la journée à engraisser...

– Je reconnais que l'oisiveté est le passe-temps des imbéciles, dit la gouvernante. Mais votre oncle m'a donné des ordres très stricts à ce sujet.

– Je suppose que les concubines n'ont pas le choix. Elles sont esclaves, comme la plupart des femmes partout dans le monde. Mais c'est encore pire ici. Le seul exercice qu'on leur permette consiste à se mettre sur le dos et à ouvrir les cuisses.

– Vous dites de ces choses, mon enfant ! Vous avez grandi un peu vite...

– Je vous en prie, chère miss Hayes. Les voyous de ma mère ne viendront pas me kidnapper dans le jardin. De toute façon, les gardes de M. Ali ne les laisseront pas entrer dans le domaine. Allons, juste quelques pas, que je respire un peu...

– Nous autres Britanniques savons depuis des siècles que les sorties au grand air sont bonnes pour la santé. Il est vrai que ce pays, ici, est cruellement dépourvu de jardins.

– L'Angleterre ne vous manque-t-elle pas ?

– Si, beaucoup.

– Vous la retrouverez peut-être bientôt, dit Renée. Gabriel pense qu'une femme mariée n'a plus besoin d'une gouvernante.

– Et vous resterez ici ? Une fois vos parents retournés en France, à vivre seule avec votre oncle ? C'est vraiment ce que vous souhaitez ? Il ne vous manque pas, votre pays, à vous ?

– Oh si, terriblement.

– Je vous permets de marcher un instant. Mais ne sortez pas de mon champ de vision.

Des perroquets aux couleurs vives jasaient dans les palmiers, les parterres de pavots en fleur ondulaient sous une brise légère. Tandis qu'elle s'engageait dans un sentier, sous la surveillance de miss Hayes, Renée sursauta au son d'une voix dans les buissons.

– Approchez, petite princesse, il faut que je vous parle...

Se figeant, elle jeta un coup d'œil à la gouvernante qui, les yeux fermés sur la terrasse, semblait assoupie au soleil. Puis elle fit quelques pas vers les buissons.

– Qui est-ce ? Que voulez-vous ? C'est ma mère qui vous envoie ?

– Mais non, c'est moi, Badr. S'il vous plaît, j'ai besoin de vous dire un mot.

– Montrez-vous !

– Non, votre dame va vous rappeler si je me montre.

– Et si mon oncle vous...

– Impossible. Il est au Caire. Je l'ai vu hier soir chez Lady Winterbottom.

– Vraiment? demanda Renée, sceptique. Il vous a dit que j'étais ici?

– Pas du tout. C'est mon père. Je suis revenu aujourd'hui car j'embarque bientôt pour l'Angleterre, et je voulais vous revoir avant de partir.

– Si vous partez, je n'ai plus qu'à me jeter dans le fleuve...

– Pourquoi vous moquez-vous de moi? Vous ne comprenez pas que je suis amoureux de vous?

– Et moi d'un autre.

– Votre mère répète à tout le monde au Caire qu'elle veut vous envoyer dans un couvent jusqu'à vos dix-huit ans.

– Non! C'est faux! Je reste ici avec Gabriel!

– Vous êtes mineure, et le consul s'y opposera, dit Badr. De toute façon, si vous restez avec ce fou que vous prétendez aimer, Dieu sait ce qu'il adviendra de vous.

– Je dois rentrer, maintenant.

– J'ai quelque chose pour vous. Un cadeau d'adieu. Retrouvons-nous sur la terrasse.

Quelques minutes plus tard, vêtu d'un costume chic de Savile Row, Badr se présenta devant miss Hayes comme s'il venait d'arriver au palais. Il s'inclina devant elle, puis devant Renée, avec l'élégance étudiée d'un sujet de Sa Majesté, mais aussi une certaine grâce orientale.

– Puis-je solliciter un entretien en privé avec la jeune fille? demanda-t-il à la gouvernante, dans son parfait anglais d'Oxford.

– Je crains que cela ne soit pas possible, prince. Le vicomte m'a priée de ne pas la quitter un instant.

– Nous sommes ici chez mon père, observa le jeune homme. Tant que je suis avec elle, il ne peut rien lui arriver.

– Navrée, déclara fermement miss Hayes, mais j'ai des consignes précises.

– Permettez-moi de lui parler, prince, dit Renée.

– Je vous en prie, acquiesça le garçon, avant de s'incliner à nouveau et de s'éloigner poliment.

– S'il vous plaît, miss Hayes, accordez-nous juste un petit instant.

– Si le vicomte devait soudain apparaître et vous surprendre, il me congédierait. Et il en aurait parfaitement le droit, puisque j'aurais manqué à mes engagements. Non, je ne peux pas vous laisser faire.

– Mais on ne risque rien, il est au Caire.

– Comment le savez-vous, jeune fille ?

– Un esprit me l'a soufflé dans le jardin...

La gouvernante étudia le prince, nonchalamment adossé à la balustrade.

– J'admets tout de même qu'il est bien élevé, ce jeune homme. Une mère écossaise, des études à Eton puis à Oxford, à ce que j'ai compris. C'est intéressant, comme croisement, du sang écossais et arabe... D'un côté, le climat froid du Nord, de l'autre, le désert brûlant d'Arabie. Chacun ayant un aspect sauvage, impétueux... Entendu, je vous accorde une faveur. Je retourne dans mon fauteuil pour vous surveiller. Mais ne quittez pas mon champ de vision, et n'essayez pas de filer, j'ai un œil de faucon.

Pendant qu'elle se rasseyait, Renée rejoignit Badr.

– Dites-moi ce qu'il se passait chez Lady Winterbottom, où vous avez vu Gabriel, lui demanda-t-elle.

– Vous m'embrasserez si je vous le dis ?

– Certainement pas.

– Je veux vous montrer quelque chose. Venez.

– Où ça ?

– Au mausolée de mes ancêtres. Le caveau d'un grand saint musulman, le saint de tous les saints.

– C'est un piège pour me voler un baiser...

Il rit.

– Peut-être. Mais d'abord, nous allons danser.

– Danser ? Qu'est-ce que vous racontez ? Depuis quand danse-t-on dans les mausolées ? Miss Hayes ne voudra jamais, je ne dois pas m'éloigner d'elle.

– Regardez-la, dit-il avec un petit signe de tête. Elle est déjà en train de ronfler.

De fait, la gouvernante avait fermé ses « yeux de faucon » et paraissait dormir à poings fermés.

– Bon, mais juste une minute.

Badr mena Renée au bout du parc, vers un grand édifice en pierre dont il ouvrit la porte. L'intérieur était à peine éclairé par quelques chandelles. Au centre, se trouvait le tombeau du saint.

– Entrons, dit-il en prenant la jeune fille par le bras. Vous vous habituerez vite à l'obscurité.

Soudain inquiète, Renée hésita.

– Mais si nous dérangeons l'esprit de votre ancêtre ? S'il se réveille et qu'il veut s'enfuir ?

– Nous ne sommes ni en Angleterre ni en France, dit Badr, mais dans un pays vieux de plusieurs millénaires, où ce valeureux saint dort depuis dix siècles. Il repose paisiblement, il n'a aucune intention de s'échapper et il ne saurait pas où aller.

À sa grande surprise, Renée découvrit un petit gramophone, posé sur le tombeau.

– Votre cadeau. Je vous ai rapporté les derniers airs en vogue à Londres, dit le prince, qui actionna la manivelle et plaça l'aiguille sur le disque. C'est la nouvelle danse noire américaine, ça s'appelle le charleston.

Les murs du mausolée semblaient amplifier la musique.

– Venez, mademoiselle Renée, la pria-t-il, je vais vous apprendre.

Impossible pour elle de résister à une telle invitation, encore moins dans le caveau d'un saint. Elle bondit joyeusement dans les bras du garçon. Le rythme était envoûtant, endiablé et, même s'ils n'avaient dansé qu'une valse au soir du nouvel an, elle se rappela quel merveilleux cavalier était Badr. Elle était bonne élève, et les pas ne lui posèrent aucune difficulté. Ensemble, ils dansèrent comme des fous, en éclatant de rire.

Le disque arriva à sa fin, et Badr garda Renée dans ses bras.

– Alors, ce baiser ? dit-il.

– Sur la joue. Pas sur la bouche. Il ne faudrait pas que j'attrape quelque chose.

Il s'esclaffa.

– Comment ? Que pourriez-vous attraper ?

– Je ne sais pas. La coqueluche ?

– C'est votre oncle qui vous met ces bêtises dans la tête ? demanda-t-il, hilare. Il invente tout cela pour vous attacher. À votre place, j'aurais peur que ce soit lui qui vous rende malade.

– Remettez la musique. Le fantôme de votre saint aimerait encore danser. Et moi aussi !

– Très bien...

Badr donna un coup de manivelle et replaça l'aiguille au début.

– ... et je me contenterai de vous embrasser sur les joues.

Ce qu'il fit, et ils se laissèrent de nouveau entraîner par le charleston. Jusqu'à ce qu'une ombre, apparaissant à la porte, s'abatte sur eux tel un vent glacial.

– Le fantôme ! murmura le garçon.

– Non, dit Renée en se figeant, Gabriel !

3

— Qu'est-ce que cela signifie, miss Hayes?
Se réveillant en sursaut, la gouvernante
aperçut le vicomte qui poussait Renée vers elle, et le prince Badr
qui les suivait à quelques mètres.

– Voulez-vous m'expliquer ce qui s'est passé? Je la trouve en
train de danser avec ce gosse, et de l'embrasser, qui plus est!
C'est *abominable*! beuglait Gabriel. Tout ça est votre faute!

– Navrée, monsieur le vicomte, dit l'Anglaise qui se leva, incer-
taine, en essayant de rassembler ses esprits. J'ai dû m'assoupir au
soleil, je suis vraiment désolée.

– Inacceptable! Absolument inacceptable! Je vous ai donné
une mission, et une seule. Vous étiez censée surveiller ma fille.
Enfin, je vous le demande, est-ce aussi difficile?

– Sans doute, sans doute, monsieur le vicomte, fit la gouvernante d'une petite voix. Vous avez parfaitement raison, j'ai
manqué à tous mes devoirs. Je n'ai d'autre choix que vous
présenter ma démission, à la date d'aujourd'hui. À l'évidence,
je ne sais plus me faire obéir par cette petite. Peut-être n'y suis-je
jamais arrivée. D'ailleurs, elle n'est plus une enfant. Il faudra
vous en occuper vous-même... Je vous souhaite bonne chance,
monsieur.

– Non! s'écria Renée. Chère miss Hayes, ne m'abandonnez
pas, je vous en prie! J'ai trop besoin de vous!

– Je me passe de votre démission, dit Gabriel, dédaigneux.
C'est moi qui vous licencie.

Non sans une certaine assurance, Badr prit la parole.

– Monsieur le vicomte, nous sommes ici chez mon père, et cet endroit n'est pas une prison pour votre *fille*. Miss Hayes n'est pour rien dans ce qui vient de se produire, et Mlle Renée non plus. J'en prends toute la responsabilité. C'est moi qui l'ai attirée dans le tombeau pour l'inviter à danser, et j'ai demandé avec insistance la permission de l'embrasser. Tout simplement, elle a fait preuve de courtoisie envers son hôte et moi-même.

– De la courtoisie ? rétorqua Gabriel. J'ose à peine imaginer où cela mène, cette sorte de courtoisie... N'en doutez pas, jeune homme, je porterai cet incident à la connaissance du pacha.

À la dernière minute, Ali El-Banderah organisa ce soir-là une réception dans la grande salle de son palais. Il voulait souhaiter la bienvenue à Gabriel et célébrer le départ de celui-ci et de Renée, prévu le lendemain matin. Illuminée par des appliques en métal et des lustres en cristal suspendus à un plafond d'une hauteur stupéfiante, parcouru de longues poutres, l'immense pièce blanche était ornée de bustes en bronze, de sculptures et d'antiquités égyptiennes. D'une valeur inestimable, ces œuvres avaient été rassemblées au cours des siècles par les ancêtres du pacha, descendants en ligne directe de l'illustre saint, dans le mausolée duquel Renée et Badr avaient dansé. Enfin, de magnifiques tapis persans, fort anciens, couvraient le sol.

Ali El-Banderah installa la jeune fille à droite de son petit trône. À sa gauche se trouvait le prince, vêtu comme son père d'une ample robe blanche. D'humeur maussade après les événements de l'après-midi, Gabriel, debout, paraissait isolé. Une dizaine de domestiques déambulaient sans bruit, pieds nus, proposant obséquieusement aux convives boissons et mets délicats. Drapées de tissus moirés, les concubines du harem étaient mi-assises, mi-étendues aux pieds de leur maître, tels les sujets d'un seigneur médiéval.

– Mademoiselle Renée, commença le pacha en se penchant vers elle. Je regrette tant que vous nous quittez. Vous représentiez chez nous un peu de votre belle France, et un ennui profond

nous attend en votre absence. Vous allez me manquer terriblement. Enfin, regardez mes femmes, fit-il en les désignant d'un
geste méprisant. Elles sont bêtes, grasses, laides. J'ai presque
envie de toutes les renvoyer... Dites-moi, êtes-vous sûre de ne
pas vouloir épouser Badr ? C'est un beau jeune homme, qui vous
assurerait une vie délicieuse en Angleterre. Je serais si honoré,
quant à moi, de vous recevoir ici avec mes petits-enfants.

– Je ne sais comment vous répondre, pacha, dit Renée qui,
pendant la semaine écoulée, s'était prise d'affection pour l'affable
vieil homme à la barbe et aux cheveux blancs. Vous avez été
si bienveillant à mon égard, et je serais très fière de vous avoir
pour beau-père. Mais je suis encore mineure, et il revient à mon
père de prendre de telles décisions.

– Vicomte ! dit Ali El-Banderah. Je vous en supplie, donnez
votre princesse à mon fils ! Ils formeraient un si joli couple.
Ils sont faits l'un pour l'autre, voyons !

– Non ! lança Gabriel avec rudesse. Il n'en est pas question !

Énervé, il fit signe à Renée de le rejoindre. Celle-ci était
surprise par son comportement grossier au domicile même du
pacha. Le vicomte ne lui avait-il pas recommandé la plus extrême
politesse envers leur bon voisin ? Leur offrant sans rechigner son
hospitalité, Ali ne les aidait-il pas à traverser une période difficile pour toute la famille ? Si elle n'avait que quatorze ans, Renée
savait quel gamin capricieux Gabriel pouvait être lorsqu'il n'obtenait pas ce qu'il désirait. L'ignorant, elle resta auprès du pacha, ce
qui, elle n'en doutait pas, ne ferait qu'irriter davantage son oncle.

Le pacha ne parut pas vexé par l'attitude du vicomte ; du
moins, s'il l'était, il ne le montra pas. Souriant aimablement,
il frappa deux fois dans ses mains, et deux eunuques firent entrer
une fort jolie brune, du même âge que Renée, sans voile sur le
visage, et nue sous une djellaba diaphane. Elle ressemblait aux
statues de bronze qui luisaient sous la lumière des innombrables
chandelles, et elle portait un petit paquet dans ses mains.

Ali murmura quelques mots en arabe à l'intention du vicomte,
puis expliqua à Renée :

– Ma dernière acquisition, mademoiselle. Une princesse
turque. Elle est encore vierge, je ne l'ai pas touchée. Elle devrait

certainement intéresser votre oncle. Regardez, elle a même son trousseau avec elle. J'espère que vous ne serez pas offusqué par l'éventualité d'un tel échange, mon cher, dit-il ensuite à Gabriel. Une princesse française contre une princesse turque !

Le pacha sourit affectueusement à Renée et poursuivit à son intention :

– Si seulement vous acceptiez d'épouser mon fils, nous irions tous ensemble en Angleterre admirer mes chevaux. Je possède une splendide écurie là-bas, et plusieurs pur-sang de grande valeur. Comme cadeau de mariage, je vous permettrais d'en choisir un, celui qui vous plaira. D'ailleurs, je vous les donne tous !

– C'est fort généreux de votre part, répondit-elle. Mon père serait sûrement ravi d'accepter comme présent cette charmante jeune femme. Il est vrai qu'en ce moment, il a besoin d'une nouvelle maîtresse, puisqu'il a envoyé la précédente, Alinda, dans un village perdu au fin fond du désert.

– Quel dommage, dit le pacha en fronçant les sourcils. Je la lui avais confiée alors qu'elle sortait à peine de l'enfance.

– Mademoiselle Renée, intervint Badr, qui, élevé dans la bonne moralité britannique, semblait perturbé par cette conversation. Pendant que nos parents respectifs discutent de leur arrangement, permettez-moi de vous inviter dans une partie du palais que vous n'avez peut-être pas eu l'occasion de visiter. J'aimerais vous montrer personnellement le petit musée qui abrite les collections d'art de ma famille. C'est une des plus belles de tout le pays.

Sans laisser à Gabriel le temps d'objecter, il se leva et tendit la main à Renée.

– Votre père a l'air encore très en colère, dit-il après avoir quitté la pièce.

– J'aurai sans doute droit à une bonne dérouillée quand nous serons rentrés. D'abord, parce qu'il nous a surpris dans le mausolée, et maintenant parce que je m'enfuis avec vous.

– Il vous bat ? Oh, je suis navré de vous causer tous ces ennuis.

Renée haussa les épaules.

– Cela n'a pas d'importance, j'ai l'habitude. Je chérirai le souvenir de cette danse jusqu'à la fin de ma vie. Chaque fois que j'entendrai un... comment appelez-vous ça ? Un charleston ? Eh bien, je penserai à vous, mon petit prince. Et dans le tombeau d'un valeureux saint ! Combien de filles peuvent en dire autant ?

– Vous êtes donc décidée ? demanda Badr. Vous ne m'épouserez pas ? Alors que mon père offre au vicomte cette délicieuse princesse turque ?

– Je ne pense pas que Gabriel acceptera l'échange. Nous sommes déjà fiancés.

– Je vous ai dit que votre mère s'opposera à ce mariage. Elle veut vous envoyer dans un couvent en Grande-Bretagne, dont vous ne sortirez pas avant l'âge de dix-huit ans. Cela serait si terrible de m'épouser moi, plutôt que lui ?

– C'est d'un autre que je suis amoureuse, voilà tout.

– De votre *père* ?

– Il n'est pas mon *vrai* père.

Le garçon s'esclaffa.

– D'accord, le frère de votre père... votre oncle.

– Mes lectures m'ont appris que, dans l'ancienne Égypte, l'inceste était considéré comme un devoir religieux chez les classes dirigeantes, observa Renée.

– C'est parfaitement vrai, admit le garçon, et c'est encore une pratique courante, destinée à préserver les lignées ancestrales, malgré l'apparition fréquente d'idiots congénitaux. Mais je suis autant anglais qu'arabe, mademoiselle, et je désapprouve ces pratiques barbares.

C'était maintenant elle qui riait.

– À propos de sang royal et d'attardés consanguins, est-il une race plus incestueuse que les Anglais ?

– Les Français, peut-être ?

– Bien vu, Badr ! Mais pourquoi ne l'épousez-vous pas vous-même, la petite princesse turque ? Elle ne manque pas d'attraits.

– C'est que, moi aussi, j'en aime une autre...

Le « musée » était réparti dans sept pièces reliées entre elles, chacune consacrée à une période artistique, de l'Antiquité égyptienne au modernisme américain. Il y figurait plusieurs chefs-d'œuvre, tous des originaux – de Michel-Ange, Rembrandt et Vermeer notamment.

– Ces collections devraient être au Louvre ! s'exclama Renée, émerveillée.

– Je suppose qu'on ne cracherait pas dessus, à Paris.

Comme elle s'en doutait, Gabriel n'allait pas les laisser seuls très longtemps.

– Il est temps de rentrer à Armant, dit-il, toujours d'humeur exécrable, en les retrouvant.

– Ce soir ? Je croyais que nous partions demain matin.

– J'ai changé d'avis. La voiture est là.

Le vicomte prit Renée par le bras et l'entraîna avec lui, sans un mot pour le prince qui, d'un œil plein de tristesse, les regarda s'éloigner.

– Ce que vous pouvez être grossier avec ces gens, lui dit-elle. Après tout ce qu'ils ont fait pour nous.

– Qui vous a parlé d'Alinda ?

– Je ne sais plus.

– Vous mentez !

– Dans ce cas, j'ai un bon professeur.

– Je m'en suis séparé parce que je n'ai plus besoin de ses services.

– Vous l'avez expédiée dans un village au milieu du désert. Charmante façon de se débarrasser d'une fidèle servante. Une fille qui s'est consacrée à vous depuis l'âge de dix ans. Et quand je parle de servir, elle n'a rien oublié... Vous finissez toujours par chasser tout le monde, n'est-ce pas ?

– Vous, jeune fille, vous allez surtout recevoir une bonne correction, et cela dès que nous serons à la maison. D'abord, pour votre insolence, ensuite parce que vous me désobéissez.

– Et la jolie princesse turque, elle nous accompagne ?

Le retour à Armant, ce soir-là, se fit dans le silence. Comme bien souvent, la colère de Gabriel s'était évaporée. On aurait dit le calme qui suit certaines tempêtes. Assise en face d'eux sur la banquette, miss Hayes voyait les deux amants, réconciliés, blottis l'un contre l'autre. Il n'était plus question de la mettre à pied. En réalité, le vicomte avait encore besoin d'elle pour surveiller Renée quand ses affaires l'appelaient au Caire ou ailleurs.

À une heure avancée de la nuit, dans l'intimité de sa chambre, il apprit à la jeune fille que ses parents repartaient ensemble à Paris dans quelques jours. Comme prévu, elle allait rester avec lui en Égypte, en attendant leur mariage six mois plus tard. Renée était comblée de joie à cette nouvelle, car elle n'aurait plus à se cacher de sa mère.

La vie à Armant reprit son cours normal, pour autant qu'une telle vie puisse être qualifiée ainsi. Les tournées dans la plantation, deux fois par semaine, étaient entrecoupées de séjours à la capitale. Le reste du temps se partageait entre les leçons de Renée, les registres comptables, les caresses et baisers de «l'amour oriental» – que la pauvre miss Hayes, devenue malgré elle complice, s'efforçait d'ignorer au moyen d'un garde-vue et de boules Quies.

Renée fut plus heureuse pendant cette période qu'elle ne l'avait été de sa jeune existence, et qu'elle ne le serait jamais. À présent la seule femme du vicomte, elle détenait le titre incontesté de reine du palais. Armant était son fief, et le personnel ne la traitait plus comme la jeune favorite, mais comme la maîtresse de maison. Elle avait ses propres fellahines, attentives à tous ses désirs, et le vicomte lui-même lui témoignait un respect inattendu, qui faisait presque d'elle une égale. Il ne la frappait plus. Elle aurait dû comprendre que tout cela était trop beau pour durer.

Quelques courtes semaines plus tard, deux lettres arrivèrent de France. Gabriel fit exprès de les laisser sur son bureau, afin sans doute que Renée les vît. L'une provenait de son assistant à Paris, un certain M. Dugond ; et Renée ne reconnut pas l'écriture sur la seconde enveloppe. Le dîner terminé, cette soirée au bureau ressemblait à toutes les autres, excepté l'odeur d'ozone qui planait dans l'air, signe que le temps était à l'orage. On l'entendait déjà gronder sur les rives du Nil. Comme d'habitude, le vicomte mettait ses comptes à jour, et Renée repassait ses leçons. Il leva soudainement les yeux vers elle.

– Il faut préparer vos valises, dit-il d'une voix froide et sèche.

– On repart au Caire ? Pourquoi ? On vient seulement de rentrer. Cela m'ennuie d'aller là-bas maintenant. J'aime vraiment mieux rester ici.

– Non, pas au Caire. Vous rentrez à Paris.

Elle devina le reste au ton qu'il employait.

– Sans vous ?

– Sans moi.

– Non ! Vous m'aviez dit que non ! Je ne retourne pas en France ! Encore moins à Paris ! Je suis chez moi ici ! Vous l'avez dit vous-même, je suis votre seule femme aujourd'hui !

– Vous n'allez pas passer votre vie enterrée dans le désert, soupira Gabriel. Il est temps de reprendre pied dans la réalité.

– La réalité ? Je croyais que nous étions chez nous. Que vous vouliez me garder auprès de vous ? Que nous allions nous marier ?

– Je crains que cela ne soit plus possible.

En pleurs, Renée se jeta à plat ventre sur le canapé.

– Vous disiez tout le contraire, Gabriel ! Comme quoi j'étais à vous. Vous allez me remplacer, n'est-ce pas ? Comme vous le faites avec tout le monde ! Si vous prenez une autre femme, je vous préviens ! Je vous tue, je le jure, je les tuerai toutes !

Il se leva et vint s'asseoir près d'elle. Le vent du désert s'était levé, et un des Soudanais fit irruption pour fermer les volets. La pièce étant plongée dans la pénombre, il alluma la lampe à huile sur le bureau et disparut sans un bruit.

– Je n'ai aucune envie de vous remplacer, dit Gabriel. Ne vous inquiétez pas pour ça, ma chérie.

– Mais pourquoi, alors ? Vous disiez que nous serions bientôt mariés.

– Avant que vos parents quittent l'Égypte, votre mère m'a fait promettre de ne pas vous épouser tant que mon mariage avec Adélaïde ne serait pas officiellement annulé. Si je n'avais pas cédé, ils seraient repartis avec vous et vous auriez fini chez les sœurs en Angleterre. C'est grâce à moi que vous échappez à ce triste sort, et vous pourriez me remercier.

– Votre mariage n'est pas annulé? Pourquoi ne pas l'avoir dit plus tôt?

– Non. Adélaïde a refusé. Elle a toujours eu peur que j'en profite pour épouser Henriette.

– C'est le même mensonge que vous avez servi à maman pendant des années. C'est vous qui ne voulez pas de cette annulation, qui ne voulez pas vous remarier, qui ne voulez pas renoncer à l'argent de votre femme!

– Quel cynisme!

– Du cynisme? Parce que je ne crois plus à vos mensonges... Et vous, quand retournez-vous en France?

– Pas avant un certain temps. Je vais faire l'aller et retour entre Le Caire et Armant jusqu'à la fin du printemps. Je dirige cette plantation, et vous êtes en mesure d'apprécier le travail et le soin que cela demande.

– Si je dois repartir, j'aime autant que ce soit pour La Borne-Blanche, pas pour Paris. Au moins, j'ai mes chevaux et mes chiens là-bas.

Passant un bras autour du cou de Renée, Gabriel l'aida à s'asseoir correctement.

– Ne faites pas l'enfant. Vous savez qu'on a vendu La Borne, et c'est donc impossible. J'ai reçu aujourd'hui un courrier de Dugond. Il vous a inscrite dans un excellent collège de filles à Paris. Vous reviendrez vivre au 29 avec vos deux parents.

– Cela fait longtemps que vous avez tout planifié, n'est-ce pas? Vous attendiez juste de vous lasser de moi.

– Non.

– Je ne veux pas revenir avec mes parents. Je veux rester ici avec vous. Vous me l'aviez promis.

– Écoutez-moi. L'autre lettre que j'ai reçue est signée du médecin de vos parents en France. Il me prévient que, si nous nous marions, nous risquons de donner naissance à des enfants arriérés.

– Arriérés? Encore un beau prétexte. Cela ne vous avait pas effleuré l'esprit avant cette lettre? Très bien, Gabriel, trouvez-vous une autre imbécile pour meubler vos nuits et vos siestes. Couchez avec toutes les femmes que vous voudrez, je m'en fiche. Je m'aperçois que, si vous m'avez gardée ici, c'est parce que vous aviez besoin d'une maîtresse pour remplacer Alinda... et qui soit à votre taille !

– Vous aurez eu vite fait de perdre votre innocence ! dit Gabriel sans percevoir, apparemment, l'ironie de la remarque.

– Oui, je suis peut-être devenue trop vieille, trop avisée pour vous, répondit Renée avec un rire amer. À vivre dans cette famille, on la perd vite, son innocence. Il suffit de vous regarder faire – vous, ma mère, mon père, tous. C'est vous qui m'avez pervertie. Vous abîmez ce que vous touchez. Vous détruisez tout le monde autour de vous. Vous n'avez jamais aimé ma mère, ni moi non plus. Vous n'aimez personne, en fait, personne d'autre que vous.

Il tenta maladroitement de prendre Renée dans ses bras, moins pour la consoler que pour interrompre un discours qu'il supportait mal, tant il sonnait vrai.

Elle le repoussa de toutes ses forces.

– Ne me touchez pas ! Vous êtes trop vieux pour moi ! Un vieux, un sale vieux ! Vous finissez par m'écœurer, mon... *mon oncle* ! Un vieil homme répugnant, voilà ce que vous êtes !

L'orage se déchaîna sur le palais à cet instant précis – un coup de tonnerre assourdissant, suivi d'une brusque averse qu'un vent violent poussa à travers les volets fermés. L'éclair, simultané, éclaira le visage de Gabriel, soudain très pâle, presque exsangue. Blessé au plus profond d'un orgueil pourtant sans limites, il paraissait assurément bien vieux.

Les deux protagonistes se turent un moment. Il n'y avait plus que les rugissements de la tempête. Le vicomte hocha finalement la tête, comme s'il venait de prendre une décision.

– Bien, dit-il d'une voix sourde. Très bien, ma petite. Rappelez-vous que tout cela...

D'un geste, il embrassa non seulement Armant, mais aussi Le Caire, l'Égypte et tout ce qu'ils y avaient partagé.

– ... n'était rien de plus qu'un mirage dans le désert.

MARIE-BLANCHE

Londres
Décembre 1937

1

Oncle Leander a proposé de nous adopter, Toto et moi. Après plusieurs mois de correspondance entre ses avocats et ceux de papa, celui-ci a fini par accepter de signer les papiers. Maman, bien sûr, chapeaute tout ça depuis le début, et elle est ravie. Elle pense que notre avenir est assuré, car en tant qu'enfants adoptifs nous hériterons partiellement de la fortune de Leander.

Je viens juste d'avoir dix-sept ans et, dans quelques mois, je m'appellerai Marie-Blanche de Brotonne McCormick. En ce qui me concerne, papa n'est pas trop contrarié, puisque je suis une fille et que, de toute façon, je changerai de nom en me mariant. En revanche, il est très mécontent que Toto, son aîné, ne porte plus le sien. Toto a seulement quinze ans, et comme maman nous a fourré dans le crâne – moult exemples à l'appui – que l'argent est indispensable au bonheur, il se réjouit d'être bientôt un distingué McCormick. C'est le patronyme d'une célèbre famille d'indus-triels, à la tête d'une fortune considérable. Pour un jeune garçon comme lui, le nom de naissance n'a pas un caractère sacré.

« Maurice de Fontarce, mon propre père, a expliqué maman, n'était pas très avisé en affaires. Ce qui ne l'empêchait pas d'avoir l'esprit pratique. Il me disait toujours : "Rien ne coûte plus cher que le temps libre" et, faute de mieux, il me conseillait d'épouser un grand négociant pour continuer à vivre dans l'oisiveté, car c'est ainsi que j'avais grandi. "L'argent, ça compte, de nos jours", insistait-il. Je reconnais que Leander se situe bien au-dessus dans l'échelle sociale, mais l'argent compte plus que jamais et, lorsqu'on a le choix entre épouser une bourse pleine ou une bourse vide, croyez-moi : il est aussi facile de tomber amoureuse d'un riche que d'un traîne-misère. »

Il devait s'écouler peu d'années, finalement, avant que mon frère ne revienne en France, à la fin de la Deuxième Guerre mondiale. Pour parer à toute éventualité, oncle Leander nous avait rapatriés aux États-Unis avant que ceux-ci prennent part aux hostilités – un autre avantage lié à sa fortune, comme le remarquait maman. Dans le même ordre d'idées, il avait réussi à dénicher pour Toto un poste relativement sûr, puisque son fils, maintenant citoyen américain, était appelé sous les drapeaux américains. C'est ainsi que Toto faisait l'interprète pour un éminent général et que, parcourant la France après la Libération, il s'était un jour retrouvé à Châtillon-sur-Seine, à une trentaine de kilomètres de Vanvey.

Pendant la guerre, papa avait décidé de rester sur place avec tante Nanisse et Tino, mon demi-frère qu'il avait eu avec elle. La région faisait partie de la zone occupée et les Allemands avaient réquisitionné Le Prieuré pour y loger leurs officiers ; plusieurs gradés s'étaient installés au rez-de-chaussée, tandis que la famille se regroupait à l'étage. Selon mon père, ces messieurs étaient de parfaits gentlemen qui, malgré les inconvénients de l'Occupation, ne lui causèrent aucun ennui. Certains étaient d'excellents cavaliers et l'avaient même accompagné, l'automne venu, à une de ses chasses à courre. Évidemment, en cette période, ses amis habituels ne lui rendaient plus souvent visite. En outre, contrairement à la population locale, les Allemands recevaient de la nourriture et d'autres produits difficiles à obtenir, qu'ils partageaient généreusement avec la famille, laquelle en distribuait une partie aux domestiques. De leur côté, maman et oncle Leander s'étaient ralliés à l'organisation de la France libre. Bien en sécurité à Chicago, ils donnèrent d'innombrables dîners pour collecter des fonds, sans compter les réceptions et les déjeuners à la Pump Room.

Comme il traversait le pays de son enfance, Toto décida de téléphoner à son père. Ils ne s'étaient plus parlé depuis son adoption, quelque sept ans plus tôt.

Papa, c'est moi, Toto, ton fils ! Je suis à Châtillon avec l'armée américaine. Je dispose d'une voiture cet après-midi pour venir au Prieuré. Comment va tante Nanisse ? Et Tino ? J'ai tellement hâte de vous revoir !

Il y eut un long silence à l'autre bout du fil, après quoi mon père a finalement répondu :

– Vous devez vous tromper, monsieur. Je n'ai plus de fils qui s'appelle Toto. Les Allemands ont brûlé tous les ponts, ici, et... vous aussi, monsieur McCormick.

Il lui a raccroché au nez et ils ne se sont plus jamais rien dit.

Dans un avenir lointain, trente ans après ma propre mort, mon fils Jimmy ira rendre visite à son oncle Toto dans sa résidence de Pinehurst, une petite ville de Caroline du Nord connue pour son parcours de golf, où il avait pris sa retraite. Après ma disparition, et celle de Bill, ils n'entretiendront pratiquement plus de relations, ne se croisant que pour les obsèques de ma mère, longtemps après les miennes. Jimmy apprendra que son oncle a la maladie d'Alzheimer, comme maman. Il a aussi celle de Parkinson, et mon fils voudra le rencontrer tant qu'il jouit de la plupart de ses facultés. Assis tous les deux au salon, ils regarderont de vieux albums de photos et, curieusement, Toto aura de cette époque des souvenirs extrêmement précis.

– Ça, c'est Ethel Wallace, dira-t-il, le doigt pointé sur un cliché datant d'une soixantaine d'années. C'était ma petite amie à Londres en 1938.

À peine fini sa phrase, il lèvera les yeux pour montrer, à l'autre bout de la pièce, le vase posé sur le manteau de la cheminée.

– C'est un de vos copains ? demandera-t-il. Il est venu avec vous ?

– Oui, ne vous inquiétez pas, il est très cool, il ne nous embêtera pas.

– Comment s'appelle-t-il ?

– Jack.

Tournant la page, Toto tombera sur une photo de Guy de Brotonne.

– Mon père, expliquera-t-il. Il m'en voulait beaucoup à cause de l'adoption. J'étais en France avec l'armée, après la guerre.

Comme interprète, vous le saviez ? Un jour, nous approchions de Châtillon-sur-Seine, alors je téléphone à papa, pour aller le voir au Prieuré, avec tante Nanisse et Tino. Cela faisait tellement longtemps. Vous savez ce qu'il me dit ? « Les Allemands ont brûlé tous les ponts, ici, et... vous aussi. » Il a raccroché aussi sec.

Tout à la fin de sa vie, le vieux Toto regardera mon fils avec l'air blessé et soucieux d'un petit enfant.

– Papa n'a pas voulu que je vienne. Nous ne nous sommes plus jamais parlé.

Il se mettra à pleurer comme un gosse.

Voilà la leçon qu'il a apprise à l'automne 44. Le prix à payer pour l'abandon de son vrai nom. Une leçon qui le hantera jusqu'à la fin de ses jours.

Mon père n'ayant pas encore signé les papiers d'adoption, maman m'a poussée à lui écrire une lettre. Elle sait qu'il m'adore, que je suis la seule à exercer une influence sur lui. Devrait-elle la rédiger elle-même, cette lettre, cela ne mènerait à rien puisqu'il la déteste. Elle m'a dit exactement quoi mettre :

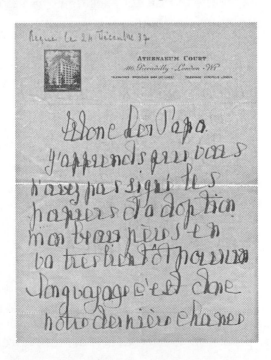

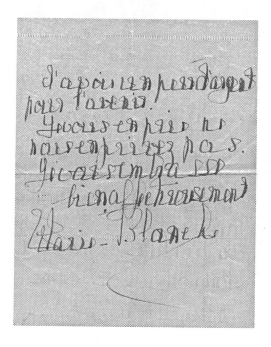

[*Mon cher Papa. J'apprends que vous n'avez pas signé les papiers d'adoption mon beau-père s'en va très bientôt pour un long voyage c'est donc notre dernière chance d'avoir un peu d'argent pour l'avenir. Je vous en prie ne nous en privez pas. Je vous embrasse bien affectueusement, Marie-Blanche.*]

Aujourd'hui, tant d'années plus tard, je m'en veux toujours de l'avoir envoyée, cette lettre. J'en veux à maman de m'avoir forcée à l'écrire, même d'avoir lancé la procédure d'adoption. Comme son propre père, c'est un esprit matérialiste. Et finalement, notre statut nous a desservis. Les McCormick ont trouvé une faille dans le testament d'oncle Leander et, en tant qu'enfants adoptifs, nous n'avons pu toucher qu'une infime partie de la succession. Encore a-t-il fallu pour cela se battre longtemps et à grands frais devant les tribunaux. Je vois une sorte de justice immanente dans cette conclusion : notre avidité a été punie, ainsi que notre défection à l'égard de papa.

Un jour du début 1947, mon père a enfilé son costume, noué sa cravate, chaussé ses sandales et pris sa serviette en cuir. Il est allé à la gare prendre le train pour Paris, avec les factures de la maison. Comme chaque mois depuis un quart de siècle, années de guerre exceptées, il rendait visite à son comptable. Sauf que, cette fois, lorsqu'il est arrivé boulevard Raspail dans le 7ᵉ arrondissement, le bureau de M. Renaud était fermé et il y avait un panneau « À louer » sur la porte. Papa s'est adressé au cordonnier à côté, pour lui demander ce qu'il était advenu du comptable. Le regardant par-dessus la monture de ses lunettes, l'homme a légèrement haussé les épaules, comme le font les Français, et lui a répondu :

– Je n'en ai aucune idée, monsieur. En fermant un soir le mois dernier, assez tard, je l'ai vu par la fenêtre travailler à sa table, comme d'habitude. Le lendemain matin, quand j'ai ouvert, son bureau était vide. Complètement vide : il n'y avait plus rien, ni meubles ni classeurs. Une semaine plus tard, le propriétaire est passé pour faire le ménage et fermer les volets, et il a mis le panneau sur la porte.

– Lui avez-vous parlé ? a dit papa, sentant l'angoisse lui serrer la gorge. Avez-vous demandé si M. Renaud avait laissé sa nouvelle adresse ?

– Je n'avais pas de raison de le faire, monsieur. Ce n'est pas mon comptable, je n'ai pas besoin de le contacter. Nous étions voisins depuis plus de vingt ans, et si parfois nous nous disions bonjour, nous n'étions pas spécialement amis. Le proprio a indiqué que M. Renaud avait quitté Paris en pleine nuit. Il a pris la fuite, quoi. D'autres clients sont venus, ce mois-ci, qui ne l'ont pas trouvé non plus. Je leur ai dit la même chose qu'à vous. Il est peu probable que votre homme ait laissé une adresse. Je pense qu'il ne tient pas à ce qu'on lui remette la main dessus. C'est sans doute un escroc.

– Mais il a mon argent, a fait mon père d'une petite voix.

Abasourdi, il avait des picotements aux oreilles et jusqu'en haut du crâne.

– *Tout* mon argent, a-t-il précisé.

– C'est ce que les autres ont dit, aussi. Je suis navré pour vous.

Baissant les yeux, le cordonnier a posé un regard étonné sur les sandales de papa.

– Il faudrait les ressemeler, monsieur, a-t-il remarqué.

– Je supporte mal les chaussures, a fait mon père en baissant les yeux sur ses pieds.

– Oui, je vois. Je vous fais ça pour demain, si vous voulez. Gratuitement.

– Non, je vous remercie, a dit papa avant de se retourner, abattu. Une autre fois, peut-être.

Il avait noté le numéro du propriétaire à qui il a téléphoné, ce qui ne l'a avancé à rien. M. Renaud avait disparu dans la nature, et mon père était ruiné. Tante Nanisse et lui durent prendre des pensionnaires au Prieuré pour joindre les deux bouts. Comme il était le notable du village et, jusque-là, le plus riche de ses habitants, il exerçait depuis longtemps la fonction de maire. Il recevait un petit salaire que, magnanime, il confiait aux familles moins fortunées de Vanvey. Désormais, humilié, il serait obligé de garder son indemnité – une aumône en réalité, mais signe que M. de Brotonne était tombé bien bas.

J'étais alors mariée à Bill depuis presque sept ans. Billy était mort récemment, et j'avais perdu tout contact avec papa. Je me suis rendu compte que nous avions arrêté de nous écrire dès que je n'ai plus rien eu à lui demander. Il est décédé d'une cirrhose à peine trois ans plus tard, âgé de cinquante-deux ans, bouffi et ictérique après des années d'abus.

2

Mais je prends de l'avance sur mon existence. C'est pour l'instant le printemps à Londres, nous sommes en mars 1938, je n'ai que dix-sept ans et toute la vie devant moi. J'ai aussi de bonnes nouvelles à annoncer à papa, à qui maman me demande d'écrire à nouveau.

– ... n'oubliez pas, Marie-Blanche, dit-elle, de lui réclamer un peu d'argent régulièrement. Cela fait des mois qu'il ne contribue plus à votre éducation, ni à celle de Toto. Il serait temps qu'il s'en souvienne.

Je proteste :

– Mais vous dites qu'oncle Leander est très riche et qu'il va nous adopter. Papa pense sûrement qu'il n'est plus nécessaire de contribuer à quoi que ce soit.

– Oui, mais il reste votre père, répond-elle, sans se soucier de mes hésitations. Et un père est responsable de l'éducation de ses enfants.

56, CURZON STREET,
MAYFAIR, W.1.
GROSVENOR 4121.

Mon cher Papo.
Je vous écris pour
vous annoncer une
grande nouvelle qui
je crois vous fera
plaisir, j'ai rencontré
un garçon charmant
d'une des plus
grandes familles de

l'Angleterre il
s'appelle yoho yuwi
il a une situation
merveilleuse, et
nous vaillons nous
marier, Maman
apprauve, je suis
très heureuse car
je l'aime beaucoup
j'espère pour cas

vous le présenter
cet été, je suis sûr
qu'il vous l'aimerez
beaucoup.
J'aimerai bien
que vous m'envoyez
un peu d'argent
tou les mois car
maintenant je
m'habille avec
l'allavance que
Maman me fait

par mois, elle fait
déjà un très grand
effort pour moi
cela m'a déçue
beaucoup si vous
pouviez m'envoyer
quelque chose tout
les mois.

Yohn et moi pensons
nous marier dans
6 mois bien entendu
je tiens à ce que
vous le connaissiez
et que vous soyez

d'accord votre entier
consentement,
mais nous sommes
connus chez Jody
Wilkinson il y a
6 mois.

Y' mi amuse beaucoup
nous avons eu un
temps superbe,
Londres est en
pleine saison maintenant
Ecrivez moi.

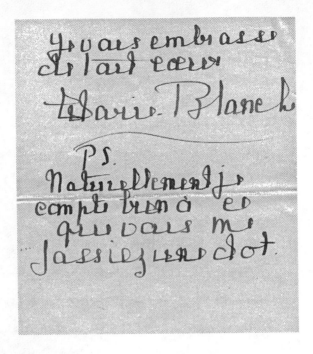

[*Monsieur de Brotonne*
Le Prieuré
Vanvey Côte d'Or France

Mon cher Papa,
    Je vous écris pour vous annoncer une grande nouvelle qui je crois vous fera plaisir, j'ai rencontré un garçon charmant d'une des plus grande famille [sic] *de l'Angleterre il s'appelle John Guest il a une situation merveilleuse, et nous voulons nous marier, Maman approuve, je suis très heureuse car je l'aime beaucoup j'espère pouvoir le présenter cet été, je suis sûre que vous l'aimerez beaucoup.*
    J'aimerais bien que vous m'envoyiez un peu d'argent tous les mois car maintenant je m'habille avec l'allowance [sic] *que Maman me fait par mois, elle fait déjà un très grand effort pour moi cela m'aiderait beaucoup si vous pouviez m'envoyer quelque chose tout* [sic] *les mois.*
    John et moi pensons nous marier dans 6 mois bien entendu je tiens à ce que vous le connaissiez et que vous ayez donné votre entier consentement, nous nous sommes connus chez Lady Wilkinson il y a 6 mois.
    Je m'amuse beaucoup nous avons un temps superbe, Londres est en pleine saison maintenant. Écrivez-moi
    Je vous embrasse de tout cœur
    Marie-Blanche
    PS.
    Naturellement je compte bien à ce que vous me fassiez une dot.]

Pauvre papa. Pas étonnant qu'il se soit saoulé à mort. Sa première épouse l'a abandonné en pleine nuit, lui laissant deux enfants en bas âge. Quelques années plus tard, ceux-ci l'ont quitté à leur tour. S'ils ont renoncé à porter son nom, ils ont continué à lui demander de l'argent, au moment même où les juges validaient la procédure d'adoption. Dire qu'il avait fini par en accepter le principe ! Prête à épouser le rejeton d'une des familles les plus riches et les plus célèbres d'Amérique, sa fille avait le culot de lui réclamer une dot. Et son ex-femme, bien sûr, n'avait pas la moindre intention de l'inviter au mariage.

J'ai honte d'avoir agi ainsi, d'avoir profité de mon statut d'enfant chérie pour lui soutirer du fric, sans le moindre égard pour ses sentiments. Voilà le fardeau, les remords et la mauvaise conscience que l'on traîne, comme un sac de pierres, toute sa vie. Un sac si lourd que, depuis mon balcon à Lausanne, devant le Léman et les lumières d'Évian, je m'imagine dans les airs, en apesanteur, légère comme une plume, enfin débarrassée.

Mes prétendues études à Heathfield ne m'ont pas rendue beaucoup plus maligne, mais je vois la réaction de papa devant ce courrier immature et mal écrit. Il n'est pas dupe – derrière la scène, maman tire les ficelles de sa marionnette : moi. À table, le verre à la main, il la couvre d'injures, la caricature devant ses amis, puisant dans l'humour et le cynisme de quoi le protéger, du moins le détacher un peu de son chagrin.

J'étais folle amoureuse de John Guest et je pense souvent que ma vie aurait suivi un tout autre cours si nous avions été mari et femme. Nous nous étions rencontrés à l'automne 1937 chez Lady Wilkinson, pendant le week-end qu'elle organisait chaque année dans son domaine du Yorkshire. C'était un des grands événements mondains de la saison – et pas la moindre des chasses à courre. Y être convié tenait presque de l'exploit. Les invités arrivaient le vendredi, et il y avait bal le samedi soir. Merveilleuse hôtesse s'il en est, Lady Wilkinson aimait la compagnie des jeunes. Elle avait la réputation d'une entremetteuse et s'arrangeait toujours pour réunir des personnalités de différents groupes d'âge. J'étais venue avec maman, oncle Leander étant parti à la pêche je ne sais où, avec ses amis habituels. Il était moins sociable que ma mère, et ne dédaignait pas la solitude de temps en temps.

John avait quelques années de plus que moi et venait de recevoir son diplôme à Cambridge. Il était issu d'une richissime famille d'industriels, et la plus grande usine sidérurgique du monde avait un jour porté son nom. Le Yorkshire, tellement romantique, était l'endroit idéal pour tomber amoureux. John et moi étions assis côte à côte dans l'immense salle à manger. La table était si longue qu'il fallait crier pour se faire entendre d'un bout à l'autre et, contre toute attente, notre proximité offrait une sorte d'intimité. Lady Wilkinson avait eu la bonne idée de placer maman loin de moi, ce qui m'arrangeait. Je suis mal à l'aise en la présence de ma mère. Si elle m'écoute attentivement, c'est pour me reprocher ensuite d'avoir dit ce qu'il ne fallait pas, et j'en ressors à chaque fois profondément humiliée.

Je n'avais pas encore dix-sept ans. Jeune, naïve et frivole, je m'étais rarement confrontée à la réalité et j'ignorais tant de choses en dehors de mon petit univers. Les rares sujets que j'abordais avec un minimum d'assurance – les magasins à Londres, les mondanités, et mes quelques amis, pour l'ensemble ennuyeux – ne présentaient que peu d'intérêt pour quelqu'un comme John, plus cultivé et plus intelligent que moi. Mes seuls avantages se limitaient à cet accent français que l'on trouvait charmant, et au rire gai que j'avais hérité de maman. J'ai joué toute ma vie de l'un et de l'autre auprès des Anglais et des Américains. J'avais derrière moi une adolescence pénible et ma mère m'avait fait refaire le nez chez son fameux chirurgien esthétique. Sans être aussi belle qu'elle, j'étais une assez jolie fille, menue, enjouée, pleine de joie de vivre et j'adorais m'amuser – des qualités qui me permettaient de cacher à mes soupirants un côté immature et superficiel. Du moins pendant un certain temps.

Si elle était parfois sévère, maman était bon professeur ; ayant étudié les hommes depuis sa plus tendre enfance, elle avait appris, non seulement à les comprendre, mais aussi à penser comme eux. « Mon père disait toujours que les femmes sont bêtes, répétait-elle. Ce qui est souvent vrai, et la plupart des hommes le croient. Vos opinions ne les intéresseront pas,

Marie-Blanche. Ils vous poseront peut-être des questions, mais seulement pour prouver qu'en définitive ce sont eux qui ont raison. Dans l'ensemble, ils se moquent bien de ce que vous pouvez dire sur quoi que ce soit, sauf s'il s'agit d'eux et de ce qu'ils font. Votre oncle Leander est une exception à la règle, mais... voilà, il est d'un genre à part. Des comme lui, vous n'en aurez pas parmi vos amoureux. N'oubliez pas qu'il vous revient de les interroger, de vous intéresser à eux, et de vous extasier sur ce qu'ils vous racontent. C'est ainsi qu'on gagne leur cœur et, si vous vous débrouillez bien, ils risquent de ne pas remarquer que vous n'êtes pas spécialement brillante. D'ailleurs, ça leur sera peut-être égal. »

John Guest fut tout de suite charmé par sa jeune voisine française. La conversation a démarré sur nos relations communes, et je me suis vite attachée à sa personne, comme me l'avait enseigné maman. S'il faisait semblant de se soucier de moi, il le faisait fort bien, car il a écouté mes réponses avec attention. Naturellement, nous avons parlé aussi de la chasse du lendemain.

– Allez-vous monter votre propre cheval, Marie-Blanche ? Ou un de ceux de Mme Wilkinson ?

– Le mien. Mon premier cheval de chasse, qui s'appelle Hubert. Mon beau-père me l'a donné quand j'avais douze ans.

– Un nom bien choisi ! Saint Hubert est le patron des grandes chasses.

– Exactement ! Quand Leander me l'a offert, j'ai trouvé ça ridicule, mais il m'a expliqué et cela m'a plu, finalement.

– Que pensez-vous de la vie en Grande-Bretagne ? Vous vous y plaisez ? Votre patrie ne vous manque pas ?

– Si, beaucoup. Mais je vais souvent rendre visite à mon père et ma belle-mère. Cependant, j'aime beaucoup votre pays et ses habitants. Comme j'ai fait pratiquement toutes mes études ici, je me considère presque anglaise.

– Je crains qu'on ne puisse se méprendre, Marie-Blanche, avec ce doux accent qui chante à mes oreilles. Et vous avez de bonnes joues roses, contrairement aux Anglaises, avec leur teint si pâle.

– C'est que vous me faites rougir! ai-je répondu en riant.

– Quel rire charmant!

Voilà comment tout a commencé – le frisson des amours naissantes qui donne la chair de poule, deux jeunes gens qui se regardent dans les yeux, pleins d'espérance et d'émotion, un de ces moments si brefs, mais décisifs, dont on se souvient toute sa vie et qui, malgré tous nos efforts, ne reviendront jamais. Je n'avais pas besoin de paraître intelligente avec John. Au début de nos aventures, il lui suffisait que je sois cette jolie Française au rire gai.

Les mois suivants furent une période de grâce, de joies, de découvertes. Comme il est merveilleux de tomber amoureux! D'autres parties de chasse nous attendaient, nous avons fréquenté les bals... À Londres, nous sommes allés au théâtre et à l'opéra, nous avons longuement déjeuné et dîné ensemble. Maman était enchantée: John était tout ce qu'une mère peut souhaiter pour sa fille: beau, raffiné, spirituel, attentif – et riche, évidemment. Terrifiée à l'idée que je commette une gaffe, elle m'expliquait chaque jour comment me comporter afin qu'il ne se lasse pas de moi. «S'ils pensent que nous sommes folles d'eux, que nous les aimons plus qu'ils nous aiment, les hommes prennent la fuite, Marie-Blanche. Les miens ont continué de me courir après une fois que je les ai quittés. Et savez-vous pourquoi? Parce que je me fichais bien d'eux. Et ça, quand ils sont attachés à nous, c'est au-dessus de leurs forces.»

J'étais trop jeune, trop ingénue, pour suivre ce genre de conseil. Je n'avais pas non plus l'aptitude bien connue de ma mère pour le mépris. «Je m'en fous», disait-elle comme un leitmotiv. Si je ne l'ai pas entendu mille fois, je ne l'ai jamais entendu. «Je m'en fous», disait-elle, et c'était la vérité vraie. Mais j'étais éprise de John, je ne lui cachais pas mes sentiments, et n'avais aucune envie de le faire.

– Cela n'est pas bon signe qu'il ne vous ait pas encore présentée à sa famille, a-t-elle remarqué alors que nous nous voyions, lui et moi, depuis plus de cinq mois. S'il était sérieux, il y aurait pensé. Un jeune homme bien élevé demande l'accord de ses parents, avant de poursuivre une relation.

John avait fait partie de l'équipe d'aviron de Cambridge, aussi m'a-t-il invitée, un beau jour de printemps, à une promenade sur la Tamise – pas dans un de ses canots de course, bien sûr, mais dans une barque normale. Au bout d'un moment, il a arrêté de ramer et, relevant ses avirons, il a laissé le petit bateau dériver avec le courant. Posant un genou devant moi, il a sorti de sa poche un écrin en satin, qu'il a ouvert avant de me le présenter.

– Marie-Blanche, a-t-il dit, me ferez-vous l'honneur de devenir ma femme ?

L'écrin contenait une bague de fiançailles en platine, sertie de diamants et de saphirs.

Je tremblais tellement que je n'ai pas osé la toucher – j'avais trop peur qu'elle tombe dans l'eau ou que le bateau chavire.

– Chérie, permettez-moi de la mettre à votre doigt.

– Oui, mon cher John, j'aimerais beaucoup être votre épouse.

Il a dégagé la bague de son support et il a saisi ma main.

– Si vous n'arrêtez pas de trembler, elle va finir au fond de la Tamise et nous avec, a-t-il plaisanté.

Il m'a glissé l'anneau au doigt.

– Je vous emmène demain chez mes parents, a-t-il dit. J'ai attendu un certain temps, car je voulais être vraiment sûr de moi. Je n'ai maintenant plus aucun doute que nous sommes faits l'un pour l'autre, et pour rester ensemble. Toujours.

3

Toujours... De ma courte vie, jamais je n'avais été aussi amoureuse. Et voilà que, sur la Tamise, John m'offrait cette superbe bague qui scintillait au soleil du printemps. Cependant, «toujours» – la vie se charge justement de nous le rappeler – ne dure jamais très longtemps.

Les parents de John avaient un appartement à Londres, ainsi qu'une propriété à la campagne, près de Bath, où il m'a conduite ce week-end-là. Son père, sa mère, son frère et sa sœur étaient là pour accueillir la petite Française. Sans être intimes, les Guest entretenaient des relations depuis des années avec les McCormick et ils aimaient bien Leander. Bien sûr, maintenant qu'il était remarié, ils connaissaient aussi maman. Cependant les Anglaises, depuis des temps immémoriaux, entretiennent une certaine méfiance à l'égard des Françaises. Peut-être est-ce simplement de la jalousie, ou sont-elles persuadées que leurs voisines d'outre-Manche sont, au mieux, d'une propreté douteuse, et au pire, carrément dépravées. Après plusieurs mariages, ma mère avait en outre la réputation d'une aventurière. Elle en était consciente, et traitait la chose avec le haussement d'épaules et l'interjection habituels : «Pff, je m'en fous.»

J'étais donc suspecte aux yeux des Guest, notamment à ceux de Lady Harriet et de Beatrice, sa fille. Dès les présentations, elles m'ont examinée d'un air soucieux, vaguement sceptique, sans rien dissimuler de leurs réticences. Cela m'a aussitôt rendue mal à l'aise. En revanche, le père et le frère paraissaient enchantés de voir enfin la «Française», ce qui n'allait rien faire pour m'aider vis-à-vis des deux autres.

Une fois que nous fûmes installés dans nos chambres respectives, John m'a fait faire le tour du domaine, qui était ravissant, avec des jardins à l'anglaise menant à un petit étang parfaitement idyllique. Nous nous sommes assis sur un banc de pierre, devant les cygnes qui semblaient glisser sur un miroir, et mon compagnon m'a embrassée.

– Je n'ai pas l'impression de beaucoup plaire à Lady Harriet, ni à Beatrice.

John a ri.

– Ne dites pas de bêtises, elles viennent juste de vous rencontrer. Elles n'ont pas encore pu se faire une idée.

– J'ai la sensation d'être observée, comme si on me mettait à l'épreuve.

– Mais bien sûr qu'on vous observe, ma chérie. Bien sûr qu'on vous étudie. C'est une formalité nécessaire, pour ainsi dire. Vous devrez en passer par là avant qu'on vous accepte. Ma famille vous aimera autant que... non, peut-être pas autant que moi. Allons, détendez-vous, soyez naturelle et ils tomberont sous le charme. Vous n'avez rien de plus à faire pour gagner leur affection.

Nous nous sommes retrouvés au salon pour l'apéritif. Sir Guest était un homme jovial, dont le teint rougeaud et le nez couperosé indiquaient un penchant manifeste pour la boisson.

– En l'honneur de votre visite, Marie-Blanche, a-t-il dit, j'ai pensé qu'un peu de champagne était *de rigueur*[1].

– Mais vous parlez français !

– Très mal, ma chère. Je fais semblant, c'est tout. En vérité, je parle surtout la langue du vin.

Précisément, le majordome, M. Stanley, est arrivé avec un seau à glace et des verres sur un plateau.

– Bollinger 1929, a annoncé le maître de maison. Cela vous conviendra-t-il ?

---

1. En français dans le texte.

– Il est sûrement très bon, Sir Guest, lui ai-je répondu. J'adore le champagne.

– Parfait ! Je crois que nous allons bien nous entendre, tous les deux. Et, je vous en prie, appelez-moi Sir Ralph.

M. Stanley a ouvert la bouteille et rempli les verres.

– Pour que vous vous sentiez ici chez vous, Marie-Blanche, j'ai remonté quelques bouteilles de la cave pour le dîner. Du vin français, bien sûr. Mon Dieu, comme s'il y avait autre chose !

– C'est fort aimable à vous, merci. Moi qui pensais qu'en Angleterre on ne buvait que du gin.

Il s'est esclaffé.

– Ah oui, l'élixir incolore qui sert de fondation à l'Empire britannique ! Vous êtes originaire de Bourgogne, à ce que m'a dit John. Est-ce bien exact ?

– Oui, de la Côte-d'Or. J'y ai toujours de la famille.

– Pour une jeune Française, cela doit être terrible de ne plus avoir ces excellents crus à portée de main. J'espère que mon fils vous offre une bonne bouteille, de temps en temps ?

– Oui, ai-je répondu en souriant. John est très attentionné. Mais je ne bois pas beaucoup. Cela me monte vite à la tête.

Le majordome nous avait servis et j'ai levé mon verre.

– Rarement plus d'un, ai-je affirmé.

Préférant attendre la fin du dîner pour parler de ses intentions et créer la surprise, John m'avait priée de ne pas porter ma bague de fiançailles. C'est donc moi qui fus étonnée lorsqu'il déclara :

– Père, j'avais l'intention de n'aborder ce sujet qu'au dessert, mais, comme nous dégustons ce merveilleux millésime, le moment me paraît approprié.

Sortant l'écrin de sa poche, il l'a ouvert et lui a montré la bague.

– J'ai demandé à Marie-Blanche de m'épouser, a-t-il dit en la passant à mon doigt. Et elle a accepté.

– Bravo, fils ! s'est écrié Sir Ralph, levant son verre à son tour. Portons un toast à l'heureux couple ! Quelle magnifique occasion !

Je n'ai pu ignorer le regard qu'échangèrent alors Lady Harriet et Beatrice. S'il ne dura qu'un instant, il révélait leur déception profonde, voire leur consternation, que leur fils et frère puisse convoler avec cette poule qui, forte de son accent français et de son rire stupide, se croyait irrésistible. Une poule initiée par sa mère à l'art de mettre le grappin sur de riches héritiers. Les deux femmes trinquèrent avec un sourire mou. Le champagne me piquait les narines, je me suis esclaffée et étranglée dans la foulée, avant de franchement éclater de rire. Eh oui, mesdames les Anglaises qui êtes si bien élevées : nous sommes un peu frustes, nous autres Françaises. John riait avec moi, et Sir Ralph aussi. J'avais au moins gagné à ma cause un second membre de la famille. Les bulles semblaient fourmiller partout dans mon corps et je me détendais, je prenais un peu d'assurance.

John m'avait parlé de son jeune frère et de sa sœur. S'il était lui-même le bon élément, responsable et travailleur, Arthur faisait plus ou moins office de voyou, et Beatrice, déjà presque vieille fille, ne sortait pas de chez elle. Âgé de dix-neuf ans, et donc plus proche de moi, Arthur était joli garçon, un fanfaron doté d'une bonne tignasse frisée. Il devait être porté sur la chose, car je l'ai surpris plusieurs fois en train de me reluquer, une lueur grivoise dans l'œil, comme s'il faisait de moi sa complice.

On servit le dîner dans la grande salle à manger. Les domestiques portaient la livrée, on ne les entendait pas arriver sur le tapis d'Aubusson, ils annonçaient les plats à voix basse, dans un anglais parfait. Il n'y avait d'autre bruit dans l'immense pièce que le cliquetis de l'argenterie sur les assiettes.

Tel un sommelier, M. Stanley présentait solennellement les bouteilles qu'avait sélectionnées Sir Ralph. J'étais assise à gauche de celui-ci, et il me détaillait les spécificités de chaque millésime, comme si, compte tenu de mes origines, j'étais l'experte qui allait confirmer le bien-fondé de ses choix.

– Pour la seconde entrée, j'ai pensé à un montrachet 1906 de la maison Bouchard, a-t-il dit. C'est un voisin pour vous, n'est-ce pas ? Une excellente année, quoiqu'on ait peut-être un peu trop attendu. Voyons...

Il fit tourbillonner le vin dans son verre, le leva à la lumière pour admirer sa belle teinte dorée. Puis il le huma longuement, préleva une petite gorgée qu'il fit rouler songeusement dans sa bouche avant de l'avaler.

– Oui, c'est le bouquet caractéristique d'une fort vieille bouteille, a-t-il ajouté. Mais je dois avouer que cela n'est pas mal, pas mal du tout. Donnez-moi votre avis, Marie-Blanche, dit-il tandis que M. Stanley me servait.

Flattée par ses attentions, j'ai fini par me prendre pour une vraie spécialiste. Maman buvait peu mais, au fil des années, j'avais tant de fois entendu papa parler de vins à table que j'étais en mesure d'apprécier les bouteilles de valeur que Sir Ralph avait remontées de sa cave.

– Maintenant, pour le plat de résistance, a-t-il annoncé, quelque chose de vraiment exceptionnel : un Château Lafite 1900.

Je commençais à être éméchée et je riais très fort, d'un rire de plus en plus aigu. Malgré les regards hostiles des deux Anglaises, je m'amusais follement. J'ai cependant remarqué l'expression soucieuse de John, assis en face de moi. À ma gauche, son frère affichait un sourire narquois. J'ai cru à un moment qu'il me faisait du genou, mais peut-être n'était-ce que mon imagination. En revanche, quelques instants plus tard, j'ai nettement senti son pied – il s'était déchaussé – remonter le long de ma jambe. Comme ce n'était pas désagréable, je n'ai pas bougé. Incroyable comme quelques verres de vin peuvent vous désinhiber.

Le reste du dîner se perd un peu dans ma mémoire. Je me rappelle quand même avoir ri bruyamment chaque fois que Sir Ralph disait un mot, ce qui ne semblait pas le déranger. Et je n'ai pas oublié les sourires suffisants de Lady Harriet et de Beatrice, qui voyaient, satisfaites, John s'effondrer devant elles.

– Vous avez peut-être assez bu, Marie-Blanche, a dit celui-ci alors que son père me resservait. À l'évidence, vous n'avez pas l'habitude, chérie.

– Mon cher John, ce serait criminel de gaspiller cet excellent Lafite. Pensez, il date du premier anniversaire de ma mère. À maman ! ai-je lancé, portant un toast d'un geste théâtral.

– Ah, et pour le dessert, très chère, a dit Sir Ralph qui, loin de se rendre compte que j'allais faire un genre de scène, inspectait la bouteille que lui soumettait M. Stanley. Un Château d'Yquem 1921, considéré par la plupart comme leur meilleure année depuis 1847. Voilà qui est plus proche de votre propre naissance, si je ne me trompe ?

Nouveau rire suraigu de ma part.

– Un Lafite pour maman et un sauternes pour moi ! Mais c'est extraordinaire !

Après le dessert et ce dernier verre, j'étais complètement, désespérément saoule. L'expression triomphante de ces dames les Anglaises m'a brusquement exaspérée. Me levant en vacillant, je leur ai jeté une telle insulte à la figure qu'en y repensant aujourd'hui, je rougis encore. J'allais faire bien pire dans ma longue carrière d'ivrogne, mais c'était la première fois. S'ensuivit un silence stupéfait, et Arthur, interloqué, éclata de rire. J'ai repoussé mon siège, m'apprêtant, indignée, à quitter la pièce. Mais j'en fus incapable, j'avais la tête qui tournait et, perdant l'équilibre, je me suis écroulée sur la table dans un fracas d'assiettes brisées.

– Marie-Blanche ! s'est écrié John, se levant lui aussi. Marie-Blanche, ça va ?

Sans répondre, je me suis mise à vomir, secouée de tremblements.

– Enfer ! a crié son frère qui, dégoûté, s'écartait de moi. Elle dégueule son dîner sur la nappe. Qui parlait de gaspillage ?

– La ferme, Arthur ! a hurlé John.

– Sapristi ! s'est exclamé Sir Ralph. Je lui ai peut-être donné trop de vin.

– Peut-être ? a relevé John. Enfin, vous n'avez pas cessé de lui remplir son verre !

Accourant de mon côté, il tenta vainement de me redresser.

– Elle n'a que dix-sept ans et elle est toute menue. Elle ne peut boire comme vous, père, a-t-il dit.

– Vous avez raison, fils, parfaitement raison. Tout cela est ma faute. Je vous prie de m'excuser.

– Mère, je vous en prie, appelez Stanley, l'a sommée John. J'ai besoin d'un peu d'aide.

– Enfin... a dit sa sœur, sans la moindre intention d'intervenir. ... personne ne l'a forcée à boire, n'est-ce pas ? Elle aurait pu se contenter d'une petite gorgée de chaque vin, comme nous.

– Elle était mal à l'aise, a-t-il répondu en prenant ma défense. Cette façon que vous avez eue de l'observer depuis son arrivée, toutes les deux, avec cet air méprisant... Elle voulait faire plaisir à père, tout simplement, apprécier ses bons vins. Pour l'amour de Dieu, me donnera-t-on un coup de main ?

– Je ne la toucherai pas, a dit Arthur. Elle baigne dans son vomi.

Avec une infinie lenteur, comme si rien ne pressait, Lady Harriet a agité sa clochette.

– Stanley, a-t-elle fait d'une voix plate, comme celui-ci arrivait. Je crois que notre invitée s'est trouvée mal. Un petit accident.

– Oui, madame, a dit le domestique sans se départir de son flegme. Je vois cela.

– Veuillez aider M. Guest à la faire monter dans sa chambre. Peut-être voudrez-vous demander à Lilian de lui faire couler un bain ? Il serait bon qu'elle se lave. Et qu'on envoie sa robe à la buanderie.

– Bien sûr, madame, obéit Stanley avec une courte révérence. Je m'occupe de tout.

– Eh bien John, annonça Lady Harriet. Je crois que vous pourrez un jour remercier votre père d'avoir révélé les penchants de cette malheureuse jeune femme.

– Que voulez-vous dire ?

– Rien de spécial, mon chéri. Mais au vu des circonstances, vous serez sans doute amené à reconsidérer ces fiançailles un peu... hâtives. Du moins attendre pour cela que vous sachiez mieux à qui vous avez affaire. Je n'ai pas besoin de vous dire qu'un tel goût pour l'alcool se transforme aisément en maladie chronique.

Je n'étais qu'à demi consciente, si affaiblie que je n'aurais pu marcher toute seule. Dans ma stupeur, cependant, j'ai bien compris que John n'a pas objecté.

Si mon attitude à table n'avait pas suffi à compromettre mes fiançailles, le reste de la soirée y serait largement parvenu. M. Stanley et John m'ont aidée à gagner ma chambre, puis la bonne, Lilian, est venue me retirer ma robe souillée et me préparer un bain. Je me suis prélassée pendant une heure dans l'eau parfumée, Lilian se chargeant d'en faire couler d'autre à mesure qu'elle refroidissait. Elle m'a aussi apporté une tasse de thé. Une fois purgée d'une bonne partie de l'alcool que j'avais absorbé, j'ai réussi à reprendre mes esprits.

– Mon Dieu, mais qu'ai-je fait ? ai-je marmonné. John ne voudra jamais m'épouser, maintenant. Je crois que j'ai insulté sa mère et sa sœur.

Lilian, qui avait le teint laiteux et sûrement le même âge que moi, a baissé les yeux sans répondre.

– Vous m'avez entendue, n'est-ce pas ? lui ai-je demandé.

– Tout le monde vous a entendue dans la cuisine. Et on en parle encore.

– Qu'ai-je dit ? Je ne me souviens pas. Je vous en prie, rappelez-le-moi.

– Je préférerais ne pas le répéter, mademoiselle, a-t-elle admis en rougissant.

– Non, s'il vous plaît. Dites-moi exactement ce que je leur ai dit, Lilian.

– Y tenez-vous vraiment ?

– Oui.

– « Arrêtez de me regarder comme ça, espèces de vieilles connes desséchées. »

Elle était littéralement écarlate. Elle n'avait sûrement jamais prononcé de telles paroles dans sa vie.

– Voilà exactement ce que vous leur avez dit, mademoiselle.

– Horreur ! Ensuite, je me suis levée et je suis tombée sur la table, c'est ça ?

– C'est ça.

– Et j'ai vomi.

– Oui, mademoiselle.

– John ne voudra plus rien savoir. Que vais-je dire à maman ?

Il n'est pas revenu ce soir-là s'inquiéter de moi comme je l'espérais. Dans d'autres circonstances, comme lors des week-ends de chasse où nous nous retrouvions, il se serait faufilé dans ma chambre, une fois tout le monde couché, et se serait allongé avec moi. Nous aurions fait l'amour, sans bruit, à la sauvette. Oui, il m'avait fait perdre ma virginité – sans doute la raison pour laquelle, en vrai gentleman, il m'avait proposé le mariage. Mais il n'est pas venu, du moins pas au moment voulu. Avant de m'endormir, j'ai décidé de lui promettre que, s'il avait assez de cœur pour me pardonner, je ne boirais plus jamais une goutte d'alcool. Et j'aurais tenu parole.

Me réveillant plus tard dans la nuit, j'ai cru qu'il était venu malgré tout, car je le sentais remuer sur moi. Je me suis vite rendu compte que ce n'était pas lui, mais son frère, et j'ai tenté de le repousser.

– Qu'est-ce que vous faites ?

– L'amour, a-t-il murmuré. Comme vous, d'ailleurs. Ne dites pas le contraire. J'ai bien vu que vous me désiriez, tout à l'heure. C'est plutôt bon, non ?

– Bon sang, mais comment suis-je tombée si bas... Que m'arrive-t-il ?

– Vous avez royalement foutu en l'air votre dîner de fiançailles, pas vrai ? Et vous avez encore de la chance que j'aie envie de vous après cette scène ! Je suis sans doute le seul ami qu'il vous reste dans cette famille, et je veux bien fermer les yeux. En revanche, pour ce qui est de la bouche... Vous avez une haleine chargée... Ne m'en veuillez pas si je ne vous embrasse pas...

Essayant à nouveau de le repousser, je me suis mise à pleurer et la porte s'est ouverte. J'ai reconnu la voix de John :

– Marie-Blanche ! Que se passe-t-il ici ? *Marie-Blanche ! Arthur ! Arthur ! Au nom du ciel !*

Et donc jamais je n'épousai John Guest.

RENÉE

Paris
Avril 1914

1

Renée et miss Hayes arrivèrent à la gare de l'Est le 3 mai 1914 peu après minuit. Elles avaient fait en train, depuis Brindisi, la dernière partie du long voyage depuis l'Égypte. En descendant de son wagon-lit de première classe, Renée ressentait une exaltation proche de l'ivresse, car elle retrouvait son pays. Elle ne s'attendait pas à ce que sa mère soit venue l'attendre, mais elle était sûre que son père, lui, serait là. Scrutant le quai avec enthousiasme, elle eut la surprise de reconnaître deux anciens domestiques de La Borne-Blanche – Adrien le majordome et Rigobert le chauffeur, affichant tous deux un grand sourire de bienvenue.

– Rigobert! Adrien! s'écria-t-elle.

Ils surgissaient d'un lointain passé, et elle était tellement ravie qu'elle en oublia l'absence de son père et sa déception.

– Mais que diable faites-vous là? demanda-t-elle.

Les larmes aux yeux, le vieux Rigobert embrassa sa jeune patronne, bientôt imité par Adrien.

– Nous sommes de nouveau au service de M. le comte, répondit le majordome.

– Tata aussi? dit Renée.

– Oui, mademoiselle. Elle aussi, bien sûr. Elle vous attend au 29.

– Moi qui pensais ne jamais vous revoir!

– Les nouveaux propriétaires ont voulu nous garder, Tata et moi, à La Borne-Blanche, dit Adrien, mais nous n'étions pas satisfaits de ce qu'ils nous proposaient. Nous avions toujours travaillé pour votre famille et, quand votre père, M. de Fontarce, est revenu d'Égypte, il a offert de nous reprendre à son domicile des Champs-Élysées. Il aurait été difficile de refuser.

– Pareil pour moi, dit Rigobert. Il me manquait tant que j'étais tout prêt à venir à Paris. Vous le savez, j'ai une longue expérience des rues de cette ville. Je vous y ai bien souvent conduits, les uns et les autres, avant les automobiles d'aujourd'hui. La première fois que vous êtes montée dans ma voiture, elle avait des chevaux et vous étiez bébé ! Mais laissez-moi vous regarder ! Ce que vous avez grandi !

– Vous êtes devenue fort jolie, ajouta Adrien. Quoiqu'un rien maigrichonne, et blanche comme un linge. Miss Hayes, que lui avez-vous donné à manger, là-bas en Égypte ? Allons, Tata lui mettra une côtelette crue dans du bouillon bien chaud. Cette petite a besoin d'un peu de rose aux joues et de chair autour des os.

– Papa ne vous a pas accompagnés ?

Ils prirent un air lugubre et Renée comprit qu'il était arrivé quelque chose.

– Il est parti avec Mme la comtesse chez vos grands-parents en Champagne, expliqua Rigobert. Navré de devoir vous l'annoncer moi-même, mais votre grand-père, le comte Armand, est décédé.

– Il était malade ? s'étonna Renée. Personne ne me dit jamais rien.

– Oui, cela faisait un certain temps, et cela s'était aggravé, ajouta Adrien. Votre grand-père était très attaché à votre mère, il a demandé à la voir avant de mourir. Bien sûr, le comte tenait lui aussi à être près de son père.

– Mon oncle Gabriel va-t-il rentrer pour l'enterrement ?

– Je ne pense pas, mademoiselle Renée, dit froidement Adrien.

Malgré l'heure tardive, les boulevards étaient loin d'être déserts. Un peu plus de six mois s'étaient écoulés depuis le départ de Renée, et les automobiles semblaient avoir envahi les rues. Rigobert, qui conduisait maintenant la Renault du vicomte, ne paraissait pas à sa place dans cette voiture moderne.

Ils dépassèrent aisément plusieurs attelages de chevaux, qui roulaient dans une file réservée, proche du trottoir. Ces voitures-là étaient appelées à disparaître – vestiges du siècle précédent, et de l'enfance de Renée. Les sabots claquaient sur les pavés, les cochers en costume donnaient du fouet, et elle imagina les passagers au retour d'un restaurant, d'un théâtre, d'un ballet, ou en route vers un rendez-vous galant. Elle se représenta des amants, blottis l'un contre l'autre, leurs corps suivant le lent balancement du véhicule – comme avec Gabriel, quelques semaines plus tôt, au Caire. Regardant par la vitre les lumières de Paris, l'Opéra, la Madeleine, la Concorde, elle se sentait en sécurité sous la tutelle du vieux Rigobert. Adrien, toujours affable, était là lui aussi, et elle avait sa fidèle gouvernante, la rondelette miss Hayes, assise avec elle à l'arrière. Renée s'aperçut que son oncle avait eu raison : ces quelques mois en Égypte n'avaient été qu'un mirage dans le désert, miroitant et déjà indistinct.

Au 29, le personnel fêta son retour. Tata, la vieille cuisinière bourguignonne, épouse du majordome, s'exclama de plaisir, la prit dans ses bras et la serra contre son ample poitrine. Renée remarqua qu'elle sentait toujours le pain frais de son enfance. Mathilde, l'ancienne gardienne, était elle aussi ravie.

– Comme vous avez grandi, mademoiselle ! s'exclama cette dernière. Une petite fille nous quitte, et on nous rend une femme !

– Vous ne savez pas à quel point c'est vrai, dit Renée.

Ils dînèrent simplement, dans la bonne humeur, à la table de la cuisine. Les domestiques demandèrent une sorte de compte rendu de voyage. À la grande surprise de Renée, et pour leur grand plaisir, miss Hayes ne trouva rien d'élogieux à dire, ni sur l'Égypte, ni sur leur séjour. Elle énuméra les tracas quotidiens – la chaleur, le vent, le sable, et ce désert qui n'en finissait pas.

– Un endroit réellement épouvantable, expliqua-t-elle. On recherche au fond de son âme, de son cœur, un havre de verdure où se promener à l'ombre des arbres.

– Mais les pyramides, chère amie ? lui rappela Renée. Et les monuments ! Ces momies dont vous me parliez sans cesse !

– Eh bien oui, les momies ! dit Adrien.

– Mais qu'avez-vous mangé ? coupa Tata. Vous êtes si maigre, ma fille. Votre oncle vous aurait-il affamée ?

– Il aime que ses maîtresses soient minces, répondit Renée.

– Tiens donc, ses maîtresses ! fit Tata, les sourcils levés. Eh bien, vous êtes revenue chez vous, ma petite. Et Tata va se charger de vous remplumer un peu.

Quelques jours plus tard, un garçon livreur se présenta au 29 avec un grand bouquet de roses pour la gouvernante. Y était épinglée une carte de visite, portant le nom du vicomte Gabriel de Fontarce, et le mot MERCI inscrit en grandes lettres. Hochant la tête, incrédule, miss Hayes marmonnait :

– Il est fou... il est fou... fou comme un lièvre de mars !

– Pourquoi mon oncle vous envoie-t-il des fleurs ? demanda Renée.

– Aucune idée, ma chérie. Peut-être pour me remercier de vous avoir ramenée à bon port.

– Ça me paraît normal, vous êtes ma gouvernante. Si vous ne le faites pas, qui le fera à votre place ?

– Eh bien, c'est sans doute une gentille attention de sa part. Il veut me montrer qu'il est satisfait de mes services.

Renée ne put réprimer un petit rire amer.

– Gabriel, attentionné ? Et puis quoi encore ? Jamais il ne vous a envoyé de fleurs. Monsieur est un grand manipulateur, je m'en suis rendu compte suffisamment. J'ai plutôt l'impression qu'il vous a chargée de quelque chose, et qu'il vous rappelle à votre devoir. N'est-ce pas, chère miss Hayes ?

– Je ne vois pas à quoi vous faites allusion.

À l'évidence, la gouvernante ne disait pas toute la vérité.

Le lendemain matin, pendant que l'Anglaise bavardait avec Tata à la cuisine, Renée, toujours reine de l'espionnage, se faufila dans la chambre de miss Hayes et dénicha son carnet dans le premier tiroir de la commode. Elle découvrit entre deux pages une lettre du vicomte :

1) Prenez rendez-vous avec le Dr Vaquez: elle est très pâle, elle s'est évanouie deux fois.

2) Emmenez-la aussi chez le dentiste.

3) Achetez-lui des robes blanches et grises chez Lanvin (faites-vous conseiller par ma vendeuse habituelle. Elle connaît mes goûts et sait comment j'aime habiller Renée).

4) Empêchez-la de se mettre du parfum ou de l'eau de Cologne.

5) Qu'elle ne se fasse pas couper les cheveux ; je les préfère longs.

6) Que jamais elle ne mange ni fromage, ni oignon, ni ail, ni poisson. L'odeur reste sur la peau, et c'est désagréable.

7) Ni alcool, d'aucune sorte, ni tabac.

8) Ne lui parlez pas de moi, qu'elle ne parle jamais de moi en présence de qui que ce soit.

9) Emmenez-la chaque semaine voir sa tante Yseult à la campagne. J'ai prié celle-ci de lui présenter des gens de son âge. Lui ai également demandé de trouver un bon parti à Renée, un garçon qui ait mon assentiment lorsqu'elle aura dix-sept ans. J'apporterai une belle dot à Renée. Qui, de toute façon, restera mon héritière.

10) Surtout, surtout, miss Hayes, faites-la travailler ! Il faut qu'elle étudie ! Emmenez-la avec vous chez le notaire au moment de régler les factures de la maison. Je souhaite qu'elle sache précisément de quoi il s'agit. Qu'elle épluche tous mes comptes bancaires à Paris. Il est indispensable que cette jeune fille sache compter correctement !

11) J'attends de vous un compte rendu hebdomadaire. Dites-moi exactement comment elle se comporte, rapportez-moi tout ce qu'elle fait.

12) Achetez des fleurs pour la maison.

Il n'y avait pas là de quoi surprendre Renée. Elle entendait presque la voix impérieuse de son oncle relire après elle. Même à distance, après l'avoir rapatriée, il cherchait encore à gouverner son existence. Jusqu'à la marier à quelqu'un de son propre choix.

Si le contenu ne l'étonnait pas, Renée était en revanche profondément déçue par sa gouvernante bien-aimée. Elle l'avait toujours considérée comme sa seule vraie amie – une alliée, un rempart contre la folie collective de la famille. Et voilà qu'avec une simple douzaine de roses, Gabriel se l'était appropriée – elle, miss Hayes, qui pouvait témoigner de ses violences, elle qui savait tout, même si elle fermait les yeux. N'y avait-il plus personne en qui avoir confiance ?

– Il n'a pas tout à fait tort, affirma l'Anglaise quand Renée lui mit la lettre sous le nez. Vous avez besoin qu'on vous serre la vis. Vous êtes insupportable dès qu'on vous refuse quelque chose. Vous ne vouliez pas quitter Armant et, plutôt qu'écouter les arguments de votre oncle, vous avez piqué une crise de rage, comme une petite gamine.

– Je ne veux pas les connaître, ses arguments.

– Peut-être devrais-je vous les rappeler ?

– Bravo, madame l'agent-chef du vicomte ! Moi qui vous ai toujours prise pour *ma* gouvernante.

– Je défends vos intérêts, ma chère. Cependant votre oncle est mon employeur. Je me réjouis qu'il soit revenu à la raison et qu'il vous ait renvoyée ici. Il ne peut prendre le risque de vous épouser et d'avoir des enfants attardés.

– Oui, oui, c'est ce qu'il dit... enfin, c'est une de ses excuses. Je m'en fiche pas mal, des enfants. En fait, ça me terrifie, les gosses. J'aime beaucoup mieux les animaux.

– Pour une fois dans votre vie, jeune fille, sortez la tête des nuages et mettez les pieds sur terre. On se marie pour en avoir, des enfants.

– Pas dans ma famille, en tout cas.

Miss Hayes leva les yeux au ciel. Elle aurait toutefois eu du mal à affirmer le contraire.

– De plus, vous êtes encore bien jeune. Vous n'aurez vos quinze ans qu'au mois de juillet. Dans ce pays, les gens respectables ne marient pas leurs filles à cet âge.

– Les gens respectables ! s'exclama Renée, moqueuse. J'ai un oncle fort respectable, en effet ! Mon jeune âge ne l'a pas empêché de me mettre dans son lit ! La vérité, c'est qu'il voulait se débarrasser de moi, comme il se débarrasse un beau jour de toutes les femmes. Et maintenant, il voudrait que j'épouse n'importe quel crétin assommant, pourvu qu'il soit à *son* goût.

Je n'en ferai rien. J'ai d'ailleurs décidé que je me marierai à quinze ans – et avec quelqu'un de *mon* choix. Je pense même sérieusement à accepter la proposition du prince Badr. Ce garçon m'adore. Et ça lui apprendrait, au vieux !

La gouvernante hocha la tête, visiblement peinée par l'intransigeance de sa protégée.

– Vous êtes impossible ! J'espère que vous changerez d'attitude. Nous nous sommes tous efforcés de bien vous conseiller, et même le vicomte, d'une certaine façon. Il a tenté de vous mettre en garde, contre vous-même et contre lui. Il vous a corrigée, il vous a tirée par les cheveux, il vous a humiliée avec ses maîtresses. Mais rien ne vous atteint. Voilà pourquoi il a été obligé de vous renvoyer, pour que vous reveniez dans le droit chemin, comme une fille bien élevée.

– Je ne suis pas bien élevée, et personne n'en doute. Je suis même très, très mal élevée. C'est votre faute à tous, vous y compris, miss Hayes. Et pour ce qui est de revenir dans le droit chemin, c'est un peu tard.

Soupir attristé de la gouvernante.

– J'ai fait de mon mieux dans ces circonstances. Navrée de vous avoir déçue, mais vous ne m'avez pas rendu la vie facile, ni à moi ni aux autres. Vous êtes une entêtée, impulsive, coléreuse, vous finissez toujours par agir à votre guise, sans penser aux conséquences. Je reconnais, en ce qui vous concerne, que je n'ai pas toujours été à la hauteur des responsabilités qu'on m'a confiées, c'est pourquoi j'ai voulu plus d'une fois donner ma démission. Alors, puisque vous êtes si mécontente, je vais à nouveau leur demander de l'accepter. Vous êtes aujourd'hui une jeune femme avisée, sûre de vos intentions et vous n'avez sans doute plus besoin d'une gouvernante.

– Votre démission ? dit Renée.

Sa lèvre inférieure commençait à trembler, signe qu'elle allait pleurer. Malgré ce qui était pour elle une trahison, sa nounou bien-aimée était tout ce qui lui restait de son enfance. L'idée de la perdre elle aussi, la seule personne qu'elle avait toujours eue à ses côtés, était insupportable. Elle se jeta dans ses bras, comme elle le faisait, petite fille.

– Pardon ! Je vous en prie, excusez-moi ! Vous n'allez pas m'abandonner, vous aussi ! Vous êtes tout ce que j'ai !

La gouvernante la serra contre elle et apaisa ses sanglots.

– Vous voyez donc ? Vous n'êtes pas aussi forte que vous le croyez...

– Un jour, Gabriel reviendra en France, fit Renée d'une voix chevrotante. Et il me réclamera. Vous savez ce que je lui dirai ?

– Non. Que lui direz-vous ?

– D'aller coller son gros engin dans le premier trou à rats.

– Mon Dieu ! fit la gouvernante, mortifiée. Les horreurs que vous proférez !

Mais elle ne put réprimer un rire surpris.

– Je voudrais le tuer, dit Renée.

Miss Hayes suivit à la lettre les ordres du vicomte. Trouvant la jeune fille anémique, le Dr Vaquez lui recommanda de faire de l'exercice, et préconisa le tennis. Il prescrivit également des compresses chaudes au citron à appliquer sur le front – pour calmer ses nerfs, car elle était selon lui « irritable ». L'odeur rappelant trop à Renée celle des citronniers dans la vallée du Nil, elle jeta vite dans la Seine le paquet à peine entamé. Quant au dentiste, il déclara que ses dents étaient aussi solides, blanches et brillantes que celles d'une jeune louve.

Chez Lanvin, malgré les conseils de l'obséquieuse vendeuse, elle ne parvint pas à se décider, s'insurgeant contre les tenues de vieille fille – blanc et gris – qui avaient la préférence du vicomte, et que miss Hayes tentait de lui imposer.

– S'il tient vraiment à me trouver un bon parti, il doit arrêter de m'habiller comme une institutrice.

– Pourquoi ne pas revenir avec votre père ? proposa la vendeuse, servile. Il vous aidera dans votre choix.

– Je crains que cela soit impossible, répondit Renée. Il a fui la France pour se cacher à l'étranger, et on lui interdit de repasser la frontière.

– Ah bon ? dit la fille, stupéfaite. C'est vrai, il y a bien longtemps qu'il ne nous a pas rendu visite. Et pourquoi diable se cache-t-il ?

– On l'accuse d'avoir eu des relations sexuelles avec une mineure. C'est un crime, que je sache, dans ce pays.

– Renée ! Je vous en prie ! intervint miss Hayes. Au nom du ciel, taisez-vous ! Excusez-la, mademoiselle, il ne faut pas croire un mot de ce qu'elle raconte.

À l'expression de la vendeuse, Renée voyait bien, au contraire, qu'elle la croyait ; elle la soupçonnait d'ailleurs d'avoir été une des nombreuses maîtresses de son oncle.

– Il a séduit sa propre fille alors qu'elle n'avait que quatorze ans, dit-elle, sur le ton de la confidence.

La pauvre femme était manifestement embarrassée.

– Mais... mais... n'êtes-vous pas... sa fille ?

– Si, en effet, dit Renée qui, s'approchant, lui murmura à l'oreille, une main devant la bouche : N'est-il pas monté comme un âne ?

– *Seigneur !*

2

Renée n'était pas rentrée depuis une semaine que sa cousine Amélie lui téléphona au 29 pour l'inviter le week-end suivant à Chantilly, où la famille avait un élevage de chevaux. Renée était ravie de retourner à la campagne, mais elle éprouvait une certaine appréhension, ce vendredi après-midi-là. La propriété se trouvait à proximité de La Borne-Blanche, et le train traversait la forêt, d'où elle aperçut le château. En reconnaissant les volets, le toit d'ardoise grise et la vieille girouette qui s'agitait mollement sous une brise légère, elle mit une main devant ses yeux. Elle imagina le fantôme d'une jeune Renée, regardant passer les trains derrière la fenêtre, comme elle le faisait, petite, sauf qu'elle se voyait elle-même dans celui-ci, avec miss Hayes à son côté.

Tante Yseult et sa fille Amélie vinrent les accueillir à la gare. Amélie observa sa cousine avec une sorte d'étonnement muet, comme si elle était un animal exotique, ce qui embarrassa vite Renée.

– Vous ne m'avez envoyé que trois cartes postales en votre absence, dit Amélie. Nous voulons tout savoir de vos aventures au pays des pharaons et des pyramides.

Renée s'esclaffa en repensant à la canicule, à la sueur qu'elle sentait encore couler dans son dos, au désert dont elle ne partagerait le souvenir avec personne – un monde de fruits défendus qui, depuis son retour en France, lui paraissait perdu dans une tout autre existence.

De nombreux parents jeunes et vieux, proches et éloignés, s'étaient rassemblés pour l'accueillir. Elle lut sur leurs visages un mélange troublant d'ironie et de curiosité. Qu'avaient-ils appris de sa vie à Armant, de ses séjours au Caire, de ses relations avec son oncle? Henriette, pourtant soucieuse d'éviter tout scandale, s'était-elle confiée à sa sœur? Une famille sait-elle garder de tels secrets? De retour parmi la sienne, dans ce cercle royaliste et collet monté, il était nécessaire pour Renée de redevenir, selon l'expression de miss Hayes, «une jeune fille bien élevée de son temps». Elle étudia sa cousine qui, bien qu'ayant le même âge qu'elle, n'était encore qu'une gamine aux ongles sales et aux cheveux gras, flottant dans des vêtements trop amples. Renée en conclut qu'en l'espace d'un an, elle-même avait considérablement mûri.

Amélie lui proposa une promenade dans la forêt. Quand les deux filles descendirent aux écuries, Renée découvrit, enchantée, qu'on avait sellé Ulst, son premier cheval. En la reconnaissant, il hennit et piaffa dans son box, impatient de galoper avec son affectueuse maîtresse.

Dans cette forêt familière, Renée retrouva une facette d'elle-même qu'elle croyait perdue – l'odeur d'un sol fertile, chargé des mille feuilles mortes de son enfance. Mettant pied à terre avec sa cousine pour ramasser des champignons de printemps, elle se rappela une autre promenade, pas si lointaine, avec des girolles cette fois, et un premier baiser qui devait à jamais changer sa vie.

Posant leurs paniers pleins, elles s'étendirent dans l'herbe entre les fleurs nouvelles, dans une petite clairière ensoleillée. Renée savait qu'Amélie n'attendait que ce moment depuis son arrivée, et la cousine demanda alors, intrigante:

– J'ai des nouvelles de votre oncle en Égypte. Dois-je vous raconter?

– Je n'y tiens pas spécialement, dit Renée, feignant l'indifférence. Malgré elle, elle demanda:

– Qui répand ces nouvelles?

– Lady Winterbottom. Elle est venue il y a deux jours s'occuper de ses chevaux. Nous avons ici quelques-uns des siens.

– Et qu'a-t-elle dit?

– Je croyais que cela ne vous intéressait pas ?

Renée haussa les épaules.

– Pas spécialement, non.

Amélie s'empressa de déclarer :

– Elle dit que le vicomte vous battait jusqu'au sang. Que vous viviez chez lui comme... comme une...

– Une quoi ?

– Une maîtresse ! dit Amélie avec jubilation.

– Grotesque, persifla Renée. Lady Winterbottom n'est qu'une vieille pipelette, tout le monde le sait. Elle invente n'importe quoi. Mon oncle n'est pas mon amant. Il est bien trop âgé. Fichez-moi la paix avec ces histoires.

– Elle dit aussi que votre mère a été sa maîtresse avant vous. Que vous l'avez détournée de lui. C'est vrai, Renée ? S'il vous plaît, dites-le-moi !

– Bien sûr que non. La vérité, c'est que maman fréquente depuis un bon moment Sir Herbert, le mari de Lady Winterbottom. Voilà pourquoi cette commère colporte des horreurs sur mes parents.

– Vous êtes bien la fille d'Henriette, tiens ! Vous mentez comme vous respirez, toutes les deux.

– Je ne mens pas, réfuta Renée. Et mes parents non plus.

– À ce que j'ai compris, Sir Herbert l'a plaquée pour une petite rousse, une Américaine, qu'il a rencontrée au Caire. Lady Winterbottom rapporte aussi que le vicomte a tout fermé chez lui, qu'il a l'intention de vendre sa maison là-bas.

– Lady Winterbottom ne sait pas ce qu'elle dit.

– Si j'ai d'autres nouvelles, je vous tiendrai au courant. Je suis bien triste pour vous, Renée. Vous avez l'air en mauvaise santé, vous avez perdu du poids, vous avez la peau jaune comme un citron. C'est une maladie ou une peine de cœur ?

– Je fais de l'anémie. Le médecin pense que c'est à cause de la nourriture égyptienne.

Amélie hocha la tête comme si elle n'avait rien entendu.

– Si c'est ça, l'amour, je m'en passerai, dit-elle.

– Arrêtez de parler d'amour, je vous en prie, vous êtes ridicule. Et rendez-moi un service, vous voulez bien ? Dites à vos parents que les affirmations de Lady Winterbottom n'ont aucun sens. J'ai appris de mon côté que ce n'est pas Sir Herbert, mais en fait Gabriel qui fréquente cette rouquine, et qu'il a l'intention de l'épouser.

Se doutant que ses propos parviendraient aux oreilles de son oncle, Renée savourait une petite vengeance à sa façon. Le vicomte détestait les rousses, prétendant qu'elles sentaient mauvais.

– À propos de rouquins, demanda-t-elle, où est passé Julien, le jeune palefrenier ? Il travaille toujours pour vous ?

– Ah, mon adorable Lancelot, dit Amélie, la bouche en cœur. Je peux vous confier un secret, Renée ? Maman nous a surpris dans la grange, en train de nous embrasser sur une botte de foin. Elle en a fait un drame ! Et elle a envoyé Lancelot en Angleterre chez un autre éleveur. Il va devenir le roi des jockeys, vous savez ?

Renée se mit à rire.

– Oui, je sais. Il n'est pas allé bien loin, finalement, après que mon père l'a licencié.

Elle n'était déjà pas de bonne humeur, mais voilà qui n'arrangeait rien. D'abord ces allégations la concernant, elle et Gabriel, certes pas entièrement fausses ; ensuite l'image de celui-ci, claquemuré à Armant, dans ce domaine dont elle avait été, bien que brièvement, la reine incontestée. Elle se prit à espérer que son oncle mourût d'ennui et de solitude. Maintenant, pour faire déborder le vase, le petit palefrenier, celui-là même qui, l'année précédente, lui avait déclaré son amour éternel, promettant de l'épouser lorsqu'il serait célèbre – Julien donc embrassait sa cousine, ce laideron aux cheveux gras et aux ongles sales.

– Dites-moi, poursuivit Renée, sentant la bile lui monter dans la gorge. Qu'avez-vous fait d'autre avec Julien ?

– Rien, dit Amélie, sur la défensive. Nous nous sommes embrassés, c'est tout.

Renée pouffa.

– Comme quoi on retrouve aussi chez vous un certain don pour le mensonge. Il paraît que votre mère vous a surprise en train de lui tripoter la bite.

– *Quoi ?* Mais jamais de la vie ! Qui a dit ça ?

Voyant à l'expression de sa cousine qu'elle ne se trompait pas, Renée s'esclaffa.

– Lady Winterbottom, bien sûr ! De passage à Paris, elle le répétait à qui voulait l'entendre. Même que vous ne l'aviez pas en main, son membre, mais carrément dans la bouche !

– *Menteuse !* hurla Amélie. *C'est ignoble ! Dégoûtant !*

– Elle a dit... commença Renée, marquant un temps pour faire durer le plaisir... que vos parents ont décidé de vous envoyer dans un couvent en Angleterre jusqu'à l'âge de dix-huit ans. Ce qui devrait donner aux sœurs le temps de vous faire expier vos péchés. À coups de fouet, sûrement. Je parie que vous ne sucerez plus grand-monde, après ça !

Terrifiée, Amélie fondit en larmes.

– Menteuse, taisez-vous ! Elle n'a pas dit ça ! Jamais ils ne m'enverront au couvent !

Renée se remit à rire.

– Cela vous apprendra à colporter des ragots, chère cousine.

Entre deux sanglots, Amélie réussit à répondre :

– Vous êtes infecte, Renée ! Infecte et perverse !

– Oui, je sais, tout le monde le pense.

3

Suivant les conseils de son médecin, Renée décida d'apprendre le tennis, dans le but, notamment, de contrarier son oncle. Gabriel se méfiait en effet de ce sport, pensant qu'il favorisait l'émancipation des femmes, puisqu'il développait leurs biceps et leurs capacités de résistance. Il les préférait minces, faibles, incapables de se défendre lorsqu'il les frappait... Ou encore molles et grasses comme sa servante nubienne... Voire soumises comme cette pauvre esclave d'Alinda qu'il avait envoyée se perdre au fin fond du désert.

Renée se fixa comme double objectif de remporter le tournoi des débutants qu'organisait sa tante chaque année à la fin de l'été, mais aussi de gagner par la même occasion les faveurs d'un jeune fiancé. Gabriel, à n'en pas douter, serait vert de rage.

Tennis, donc, le week-end à Chantilly, et le reste de la semaine, elle poursuivait ses études et se réhabituait à la vie parisienne. Le matin, Rigobert la conduisait dans son coupé Renault au lycée privé de Mlle Fessard où, comme on pouvait s'y attendre, elle restait à l'écart des autres filles. Elle s'estimait trop mûre, trop éclairée, pour les fréquenter, et leur puérilité l'agaçait. De leur côté, elles l'enviaient d'avoir un chauffeur attitré et, apprenant qu'elle avait vécu dans une plantation en Égypte, elles la surnommèrent «la fille du pacha», ce qui laissait Renée parfaitement indifférente.

Rentrant un après-midi au 29 après les cours, elle trouva dans l'étroit escalier Adrien qui, en sueur et jurant à voix basse, portait les encombrants bagages de la comtesse à l'étage.

— Puis-je vous aider ? proposa-t-elle.

— Non, je vous remercie, mademoiselle. Je vais demander à Rigobert. Votre mère est revenue à Paris.

— Je vois ça. Pourquoi ne prenez-vous pas l'ascenseur ?

— J'ai peur de le détraquer, avec ce fourbi. Ça doit être du cuir de rhinocéros, tellement c'est lourd. Et rempli de plomb !

— Non, c'est du crocodile. Du Nil, même, remarqua Renée.

— Voilà pourquoi ! dit Adrien. Un crocodile qui s'appelle M. le vicomte, peut-être ?

Ce commentaire acide était pour elle une surprise. Contrairement à Tata, son épouse, qui ne faisait pas mystère de ses opinions, Adrien était la discrétion incarnée, un modèle de domestique.

— Vous n'appréciez pas mon oncle, alors ?

— Pardonnez-moi, répondit le vieux majordome. Il est incorrect de ma part d'avancer ce genre de chose. Je l'ai connu tout petit, ce monsieur.

— Et vous ne l'avez jamais aimé ?

— Je ne dirais pas cela, mademoiselle.

Renée planta ses yeux dans les siens. Elle lut dans son regard triste qu'il en savait certainement beaucoup, et elle se rendit compte que, bien sûr, le personnel avait eu vent des rumeurs. Enfant, elle avait constaté elle-même que rien ne lui échappait et elle pensa qu'à cet instant précis, Larose, le barbier nain, répandait soigneusement la nouvelle autour d'Orry-la-Ville.

— Où est ma mère ?

— Au salon, dit Adrien. Avec son frère, votre oncle Louis. Elle sera sûrement heureuse de vous retrouver, mademoiselle.

La comtesse, qui portait le deuil, embrassa sa fille sans tendresse. Elles ne s'étaient pas revues depuis que, chassée d'Armant, Henriette avait embarqué sur un *dahabieh* en direction du Caire.

En revanche, l'oncle Louis embrassa sa nièce affectueusement. C'était un personnage haut en couleur, atteint d'une certaine «maladie», disait-on sans jamais s'étendre sur le sujet.

— Eh bien, comme tu as changé, ma cocotte ! s'est-il exclamé. Six mois ont suffi à te transformer en Anglaise ! Tu n'as que la peau sur les os ! Il va falloir rembourrer ça !

– Son oncle les préfère maigres, couina Henriette avec un sourire amer.

– J'étais navrée d'apprendre le décès de grand-père Armand, dit Renée à sa mère. Je pensais que vous m'enverriez chercher pour les obsèques.

– Malheureusement, tout s'est passé trop vite, expliqua la comtesse, tout le monde arrivait en même temps, vous étiez à peine revenue d'Égypte...

Elle ne termina pas sa phrase.

– Mais j'ai de bonnes nouvelles pour vous, dit-elle, changeant de sujet. Nous allons bientôt emménager dans un haras en Normandie. Et oncle Louis sera là pour nous aider.

– Depuis quand avons-nous un haras en Normandie ?

– Depuis que votre grand-père nous l'a légué sur son lit de mort. Enfin, c'est à moi qu'il le lègue. Il m'aimait beaucoup, comme vous le savez. Il ne voulait pas que je divorce, c'est pourquoi il m'en a fait cadeau, à condition que je reste parmi vous. Maurice est déjà parti en Angleterre à la recherche de bonnes poulinières. Nous allons nous installer là-bas, lui et moi, et si tout se passe bien, vous nous rejoindrez à l'automne avec miss Hayes.

L'argent, l'argent, pensa Renée – c'est lui qui gouverne notre famille, fonde les mariages, les brise ou les cimente – et nous nous conformons à ses ordres sans hésiter.

– Maintenant, ma petite cocotte, dit Louis en faisant de grands gestes, je vais m'occuper de toi personnellement ! Que ce soit ta garde-robe, tes manières, tes habitudes alimentaires, ton maintien... tout ce qu'une jeune fille bien élevée doit savoir pour faire bonne impression.

– Cela veut-il dire que vous allez m'envoyer chez les sœurs ? demanda Renée à sa mère.

– Non, non, pas du tout ! dit Louis, rejetant l'idée d'un revers de sa main gantée. Sauf si tu trouves cela nécessaire pour ton éducation. Dis-moi, ma cocotte, aurais-tu besoin de te délivrer de quelque chose ? Tu peux tout dire à ton vieil oncle.

– Me délivrer de quoi ?

Nouveau geste de la main, ressemblant à l'envol d'une colombe...

– Oh... peut-être un péché que tu aimerais confesser ?

– Quel genre de péché ?

– Dis-moi, ma petite, dit-il d'une voix grave et basse – comme un curé dans son confessionnal. Et n'aie pas peur, Louis est là pour t'aider. Alors, Gabriel t'a-t-il mise dans son lit ?

– Comment ? dit Renée, feignant l'ébahissement. Que ferais-je dans son lit ?

La comtesse s'interposa.

– S'il vous plaît, Louis, ça suffit. Gabriel m'a juré qu'il ne l'a jamais touchée, ni même embrassée. N'est-ce pas, miss Hayes ? dit-elle en se tournant vers celle-ci.

Assistant sans rien dire à la scène, la gouvernante était assise sur une fragile chaise Louis XIV, apparemment instable. Elle donnait l'impression d'un éléphant perché sur un tabouret.

– Vous n'avez pas quitté Renée, dont vous aviez la charge, poursuivit Henriette. Contrairement aux rumeurs que se plaît à répandre Lady Winterbottom, cette immonde pipelette, le vicomte n'a eu aucun geste déplacé envers sa nièce, n'est-ce pas ?

Regardant sa mère d'un air ahuri, Renée se demanda si elle n'allait pas éclater de rire. Mais c'était une des stratégies qu'employait la comtesse pour minimiser les turpitudes familiales : tout nier en bloc, quels que soient les témoignages fournis.

– Je n'ai rien vu que de parfaitement honnête, répondit miss Hayes, tenant consciencieusement son rôle. L'oncle de mademoiselle s'est comporté à tout moment comme il fallait.

– J'ai pourtant eu vent de certaines choses, ma petite... insista Louis, feignant toujours la bienveillance. Il paraît que tu voudrais l'épouser...

– Quoi ? s'écria Renée. Mais vous êtes fou ! C'est à la fois mon oncle et mon père adoptif !

Louis avait autrefois rêvé d'une carrière théâtrale... La tactique du bon confesseur n'ayant pas porté les fruits escomptés, il changea de registre, jouant maintenant les inspecteurs de police agressifs.

– Ah, ah ! On persiste à nier ! Dire que, pendant des mois, on s'est fait un sang d'encre, nous autres ! Lady Winterbottom a pourtant rapporté à votre tante Yseult que vous dansiez avec le vicomte dans les palaces du Caire, qu'il a fait de vous sa concubine, qu'il vous battait comme plâtre ! Faut-il que j'aille en Égypte lui demander quelles sont vraiment ses intentions ?

– Je ne comprends rien à vos histoires. Quelles intentions ? Gabriel ne me doit rien. C'est plutôt lui qui nous entretient tous. Cela n'est-il pas assez ? Pourquoi ne pas écouter miss Hayes ? Elle ne m'a pas lâchée d'un centimètre et elle vient d'affirmer qu'il s'est comporté honorablement.

La comtesse étudia sa fille, sans marque d'affection, mais avec une certaine gratitude, peut-être, de la voir se rallier et faire cause commune.

– Il n'avait d'autres intentions, Louis, que celles d'un père envers sa fille adoptive. Il n'y a pas lieu d'en douter, dit-elle.

– Gabriel a écrit à Yseult, récemment, pour lui demander de me trouver un bon parti, indiqua Renée. Quelqu'un qui cherche à m'épouser ferait-il ça ? De plus, elle m'a répété ce que lui a dit Lady Winterbottom, à savoir que Gabriel s'est fiancé avec une rousse, une Américaine qu'il se propose d'épouser, dès que son mariage avec Adélaïde sera annulé.

– Qu'est-ce que c'est que ces histoires ? dit Henriette, se départant de son flegme. C'est impossible ! Il déteste les rousses ! Et les Américaines. Que je sache, cette petite garce s'est installée chez Sir Herbert.

– Il semble justement qu'elle l'ait plaqué pour Gabriel, maintint Renée, ravie de ce nouveau mensonge – comme quoi deux hommes auraient quitté sa mère pour une autre.

Elle ajouta en souriant :

– N'importe qui aurait fait comme elle.

La comtesse braqua un regard furieux sur Renée. À l'évidence, la vie chez les Fontarce reprenait son cours habituel. Malgré leur brève alliance, mère et fille se détestaient plus que jamais.

4

Déprimée par le lycée et la vie au 29, Renée attendait avec impatience le vendredi après-midi et le train de Chantilly qu'elle prenait avec miss Hayes. Conformément aux souhaits de Gabriel, Yseult invitait chaque week-end des jeunes gens de la région. Tout ce petit monde jouait au tennis la journée et se retrouvait le soir autour du gramophone pour écouter les disques les plus récents. Certaines des demoiselles, provinciales, enviaient les robes Lanvin de Renée, sa coiffure à la mode parisienne... De plus, elle savait déjà danser le charleston, cette danse vaguement obscène des Noirs américains. Mais Renée avait l'habitude des querelles avec les autres filles, et leurs simagrées lui étaient indifférentes. Elles n'étaient que des concurrentes, d'ailleurs pas vraiment sérieuses – surtout jalouses de voir Yseult s'ingénier à lui présenter des garçons qui, pour la plupart, lui témoignaient un intérêt dont elles étaient privées. En fin de compte, ce rôle d'intruse lui convenait parfaitement.

L'un d'eux en particulier, Olivier Moussy, grand et hautain, courtisait Joséphine, la sœur aînée d'Amélie, comme le souhaitaient leurs parents respectifs. Joséphine n'était guère plus charmante qu'Amélie, et Olivier fut immédiatement séduit par Renée. Lorsqu'il lui demanda un samedi si elle voulait bien être sa partenaire lors du tournoi qu'organisait Yseult, elle sauta de joie.

Le plus doué, et de loin, parmi les garçons, il lui expliqua toutes les finesses du jeu, la conseilla utilement au plan de la stratégie et l'aida à améliorer ses coups, avec tellement de tact et d'assurance que jamais elle ne se découragea ni ne s'énerva. C'était d'autant plus remarquable que, d'habitude, elle n'appréciait guère qu'on lui explique ce qu'elle avait à faire.

Toujours vigilante, miss Hayes s'aperçut qu'ils étaient sans cesse fourrés ensemble, tant sur les courts qu'en dehors. Un dimanche, alors qu'elles rentraient à Paris par le train du soir, elle demanda à sa protégée :

– Il en a des choses à vous raconter, ce garçon ! De quoi parlez-vous tout le temps ?

Le soir tombait, et Renée, sans répondre, restait plongée dans la contemplation du paysage.

– Il ne vous quitte pas d'une semelle, poursuivit la gouvernante. Les deux font la paire, dirait-on. Il n'est pas censé fréquenter plutôt votre cousine Joséphine ?

Renée s'esclaffa.

– Cela commence à bien faire ! se fâcha miss Hayes. Je ne les connais que trop, vos petits rires ! Répondez-moi !

– Joséphine est laide comme une vache. En quoi cela vous concerne-t-il, ce que nous nous disons ? Je n'ai plus le droit de parler aux garçons ?

– Il se trouve justement que j'ai reçu des ordres de votre oncle. Je ne dois plus vous laisser aborder les garçons.

– Quoi ? De nouveaux ordres du général ? Mais enfin, il y a quelques semaines, il tenait à ce que je rencontre un époux digne de ce nom. Comment faire, maintenant ? En plus, je n'ai pas besoin de les aborder, ils le font à ma place.

– Les ordres sont les ordres.

– Vous lui envoyez un rapport chaque semaine, n'est-ce pas ?

– Votre oncle est mon employeur, ma chère. Et je suis responsable de vous. Vous comprenez très bien que je n'ai d'autre choix que lui obéir.

En réfléchissant une seconde, Renée comprit que, si miss Hayes devait l'incriminer dans un de ses rapports, Gabriel lui interdirait de passer ses week-ends à Chantilly, ce qu'elle regretterait amèrement.

– Puisque vous tenez à le savoir, dit-elle, soudain plus conciliante, nous parlons surtout de tennis. C'est un sujet qu'il connaît très bien. Son père a joué en compétition à Wimbledon ! J'apprécie ce garçon et je pense que nous sommes capables de gagner le tournoi à la fin de l'été. Mais je ne suis pas amoureuse de lui, si c'est à cela que vous faites allusion. Comme vous le disiez, ses parents ont des vues sur la cousine Joséphine. Quand Mme l'agent secret écrira sa prochaine lettre, j'espère qu'elle en informera le général.

Cela parut satisfaire la gouvernante. Comme celle-ci ne perdrait rien de sa vigilance, Renée devrait être d'une discrétion absolue si elle souhaitait détourner les soupçons. Elle jouait cette partie-là contre sa famille, et elle avait appris à ne compter que sur ses propres ressources.

Elle mourait d'envie d'aller au cinéma, mais personne ne voulait l'y emmener et on lui interdisait de s'y rendre seule. C'était maintenant une distraction très à la mode à Paris, et le personnel du 29 ne faisait pas exception. Chaque semaine, Tata et Adrien racontaient à Renée les aventures d'une belle Indienne sioux et d'un trappeur dans le Far West. Pour rien au monde, ils n'auraient manqué le prochain épisode de ce feuilleton romantique et mélo. Ils pleuraient encore en en parlant, et la jeune fille brûlait d'impatience de se rendre compte par elle-même. Elle se serait bien vue à la place de la jolie squaw, loin de la vie ennuyeuse du 29 Champs-Élysées.

– Emmenez-moi avec vous vendredi prochain, Adrien ! S'il vous plaît, Tata !

– Désolé, mademoiselle Renée, répondait le majordome, compatissant. Nous le ferions volontiers, mais miss Hayes dit que votre oncle s'y oppose. Nous ne pouvons pas contrevenir.

– Même depuis l'Égypte, il faut qu'il arrive à me garder enfermée...

Ce que Renée prenait pour une prison était pour la famille davantage un lieu de séjour qu'un vrai domicile. Tous débarquaient et décampaient à n'importe quel moment du jour et de la nuit, chargés d'innombrables bagages qui menaçaient d'endommager le petit ascenseur et d'envoyer Adrien et Rigobert à l'hôpital avec une hernie. Oncle Louis et son « secrétaire » du moment rappliquaient chaque semaine, logeant au deuxième étage dans une grande chambre au vaste lit. La comtesse résidait souvent chez d'autres parents ou amis à la campagne, consacrant également une partie de son temps à réaménager sa nouvelle propriété de Normandie. Elle faisait irruption à Paris et repartait sans prévenir – seuls les grognements de l'ascenseur et du personnel annonçaient ses départs et ses arrivées. Renée la voyait rarement. De retour d'Angleterre où il avait acheté ses poulinières, le comte de Fontarce n'habitait au 29 que lorsque son épouse n'y était pas, bien qu'ils fussent toujours censés occuper leur haras ensemble. Il occupait fréquemment une chambre dans l'immeuble de son club.

Un matin, miss Hayes réveilla Renée de bonne heure.

– Pas d'école aujourd'hui, lui annonça-t-elle. Nous allons rendre visite à votre tante Adélaïde.

– Pour quoi faire ? demanda Renée, qui connaissait à peine celle-ci.

– Parce que votre oncle y tient.

Elles prirent le tramway jusqu'à Neuilly, puis un fiacre qui les conduisit en banlieue proche, jusqu'au couvent. En apercevant cette construction grise, repoussante, Renée se vit confortée dans l'opinion que le mariage était de loin préférable à l'internement dont ses parents la menaçaient régulièrement. De fait, elle était prête à tout pour éviter ce triste sort.

Elles actionnèrent la cloche en examinant les grandes portes en fer de cette quasi-forteresse, jadis édifiée pour repousser des pillards normands qui ne reculaient devant aucun acte barbare. Quelques instants plus tard, elles entendirent le lourd verrou glisser de l'autre côté, et le portail s'ouvrit sur une religieuse, petite et ronde comme un ballon. Sans un mot, celle-ci leur fit signe de retirer leurs chaussures et d'enfiler les chaussettes en flanelle qu'elle leur tendait. Elles la suivirent ensuite dans un couloir où la sœur donnait l'impression d'avancer sur roulettes, ses jambes étant couvertes jusqu'aux pieds par une ample blouse noire. Le long couloir étant mal éclairé par de rares candélabres, Renée et sa gouvernante croyaient patiner sur un parquet qui, après des siècles d'entretien minutieux, miroitait comme de la glace. Pour l'empêcher de perdre l'équilibre, Renée tenait solidement miss Hayes par le bras...

Lorsqu'elles arrivèrent au bout, la religieuse frappa doucement à une petite porte, qu'elle ouvrit. La cellule aux murs de pierre était minuscule. Assise sur un lit étroit, bordé d'une simple couverture grise, Adélaïde avait revêtu l'habit de novice. Sur un banc de bois à côté d'elle, brûlait une unique chandelle sur son bougeoir. Renée se fit la remarque que sa tante ressemblait à une souris dans son trou. Miss Hayes resta au-dehors pendant que la sœur refermait la porte, laissant Renée et Adélaïde dans le silence et la pénombre. Elles gardèrent leurs distances ; Adélaïde ne se leva même pas.

– Je suis venue vous voir, ma tante, dit finalement la jeune fille.

– C'est vrai, répondit Adélaïde. Mais je ne suis plus votre tante.

– Comme vous voudrez.

– Asseyez-vous près de moi. Savez-vous que je reviens du Caire ?

– Non. Que faisiez-vous là-bas ?

– Le Dr Lehman m'avait envoyé un télégramme pour me dire de le rejoindre au plus vite. Gabriel a été très malade. Il était mourant.

– Personne ne m'a rien dit. De quoi était-il malade ?

– De vous.

– De quoi voulez-vous parler ?

– Vous le savez. Il a failli mourir de chagrin après votre départ. Il vous demande de lui pardonner de vous avoir renvoyée précipitamment.

– Précipitamment ? Il faut toujours qu'il s'excuse, mais *après*, n'est-ce pas ? Il m'a jetée dehors, puisqu'il ne voulait plus de moi. Il veut que j'épouse quelqu'un à sa convenance, maintenant.

– Non, il veut vous retrouver.

– Pas moi. J'en ai assez d'être ballottée dans tous les sens, frappée, traitée comme un chat de gouttière. S'il vous plaît, madame, je ne veux plus entendre parler de lui. Allez vous-même le retrouver. Oum Hassan, la vieille Arabe du village qui se présente comme la « mère de tous », m'a priée de vous dire qu'elle vous baise les mains. Elle vous supplie de revenir. Vous êtes la «colombe d'Armant», votre place est là-bas, et ce n'est pas la mienne.

– C'est impossible, répondit Adélaïde, car Gabriel vous aime. Nous nous sommes finalement mis d'accord pour annuler notre mariage. C'est pour vous que j'ai signé les papiers.

– Pour moi ? Mais je le hais ! dit Renée qui, malgré elle, se mit à pleurer. Je le hais, madame. Je ne veux pas retourner là-bas. Je le déteste. Il affirme que nous aurions des enfants arriérés. C'est ce que lui a écrit le médecin de ma mère. Il nous tyrannise déjà tous, et il voudrait faire de moi son esclave.

– Cette affaire d'enfants arriérés est une absurdité, dit Adélaïde. Pensez aux poulains impeccables que l'on obtient en protégeant les races. Des races pures.

– Je ne suis pas une poulinière, madame.

– Vous ne le haïssez pas. Vous l'aimez depuis votre tendre enfance et vous savez très bien que vous n'épouserez personne d'autre. N'oubliez pas qu'il est devenu votre mari. Vous ne pourrez jamais l'oublier.

Renée pensa soudain que sa tante était au courant de tout.

– Non, ce n'est pas mon mari ! cria-t-elle. Je le déteste !

– Vous êtes une petite imbécile, irascible comme lui. Vous lui ressemblez de plus en plus.

Témoignant enfin un peu d'affection à la jeune fille, Adélaïde lui passa une main dans les cheveux.

– Soyez raisonnable, dit-elle. Gabriel a besoin de vous. Repartez à Armant. Promettez-moi de ne pas abandonner votre époux.

– Mais je suis tombée amoureuse d'un garçon !

Prenant Renée dans ses bras, Adélaïde se mit aussi à pleurer.

– Mais non, vous ne pouvez pas le laisser. Je sais mieux que quiconque à quel point il est difficile, mais cela n'est pas une raison pour vous venger. Il est ce qu'il est, ce n'est pas sa faute. Ne l'abandonnez pas au moment où il a le plus besoin de vous.

Enfant, Renée n'avait jamais aimé cette femme. C'était la plus laide de ses tantes, disait-on, on se moquait d'elle dans son dos – la «bondieusarde», la «bigote». Elle comprit à ce moment que, malgré tout – son oncle l'avait épousée pour son argent, ils n'avaient pas « consommé » leur mariage, il l'avait trompée sans arrêt, notamment avec sa belle-sœur et sa nièce –, Adélaïde l'aimait toujours. Sentant ses larmes chaudes lui couler dans le cou, Renée éprouva soudain une immense tendresse, une immense compassion pour cette pauvre femme, enfermée dans une cellule aussi grise qu'elle. Oum Hassan, la vieille Arabe, avait raison : c'était une colombe, et Renée eut envie d'ouvrir toutes les portes pour qu'elle s'envole... car elle aussi, dans cette triste prison, était à sa façon captive de Gabriel.

– D'accord, ma tante, je vais essayer, dit-elle, plus pour la réconforter qu'autre chose. Mais je ne suis pas une douce colombe comme vous.

Dans le fiacre sur le chemin du retour, Renée se blottit contre le corps généreux de sa gouvernante, cherchant auprès d'elle, comme dans son enfance, la sécurité et le réconfort.

– Saviez-vous qu'Adélaïde revient tout juste du Caire ? lui demanda-t-elle. Et que Gabriel a été très malade ?

– Oui.

– Pourquoi ne m'avez-vous rien dit ?

– Parce que votre oncle me l'a ordonné.

– Elle l'aime toujours.

– Ils se protègent l'un l'autre.

Puis, de cette façon détournée qu'elle avait parfois de prodiguer ses conseils, miss Hayes ajouta :

– Ma chérie, rappelez-vous que, jour après jour dans le cours d'une vie, l'amitié compte plus que l'amour. Peut-être votre oncle l'aura-t-il appris au contact de cette femme.

5

À huit heures du matin, quelques jours après la visite au couvent, Adrien frappa énergiquement à la porte de Renée.

– Un jeune prince vous demande, mademoiselle. Je lui ai dit que c'était un peu tôt, mais il insiste pour vous parler.

– Un prince ? s'étonna Renée. Je ne connais pas de prince, moi. Comment s'appelle-t-il ?

– Il m'a donné sa carte de visite, répondit Adrien, tendant à la jeune fille son plateau en argent, sur lequel était placé un élégant bristol en carton gaufré.

– Seigneur, mon petit pacha ! s'exclama Renée en lisant son nom. Faites-le patienter au salon, Adrien, je suis là dans une seconde.

Elle appela sa gouvernante dans la pièce à côté.

– Miss Hayes ! Vite, brossez-moi les cheveux !

Vêtue de sa plus jolie robe de chambre, ses chaussons de satin aux pieds, Renée descendit recevoir Badr El-Banderah. Elle était si heureuse de le retrouver qu'elle se jeta en riant dans ses bras.

– Que diable faites-vous ici ? Moi qui pensais ne plus jamais vous revoir !

– Sans vous, ma chère, Armant est devenu mort ! répondit le jeune prince, romantique invétéré. Je viens de rendre visite à mon père, et j'ai décidé de faire un crochet par Paris avant de retourner à Londres. Je voulais vous demander une dernière fois de m'épouser.

Renée parut réfléchir un instant.

– Navrée, Badr, dit-elle, je viens juste de me fiancer à un autre garçon.

Adrien entrait alors dans le salon et l'entendit. Il était tellement ébahi par cette nouvelle que son plateau tremblait dans ses mains. Les tasses s'entrechoquaient et il eut toutes les peines du monde à poser l'ensemble sur la table.

– Pourquoi toujours vous moquer de moi ? dit Badr. Comment avez-vous pu vous fiancer, alors que vous êtes à peine rentrée en France ?

– Cela s'est fait très rapidement, répondit Renée en faisant claquer ses doigts. C'est souvent comme ça, l'amour.

– Que savez-vous de l'amour ?

– Bien plus que vous ne l'imaginez, mon petit prince.

– Votre père adoptif ne donnera jamais son accord.

– Bien au contraire, il sera trop heureux de se débarrasser de moi. Et qu'importe s'il n'est pas d'accord. Mon fiancé se fiche complètement de la dot. Il est beaucoup plus riche que Gabriel.

– Votre dot ne m'intéresse pas non plus.

– Contrairement à nos pères, qui voulaient réunir leurs propriétés.

– Ce qui m'amène à la raison de ma visite, mademoiselle, dit Badr d'un ton grave. Votre père n'est pas bien.

– Oui, je viens de l'apprendre.

– Si le Dr Lehman et Lady Adélaïde n'étaient pas intervenus, il serait mort. Depuis votre départ, il avale des somnifères et n'arrête pas de fumer.

Renée rit doucement.

– Le vicomte a toujours aimé les cigares. J'ai l'impression qu'on exagère, qu'il n'est pas si malade que ça. Il adore être le centre d'intérêt.

– Ne faites pas l'enfant, rétorqua le prince. Il ne s'agit pas de cigares, mais d'opium. Le vicomte est devenu opiomane. Les Allemands se servent de la petite princesse turque pour lui fournir de la drogue. Elle lui prépare ses pipes pendant que les fritz sont à l'affût de nos terres. Je crois qu'elle est à leur service depuis un certain temps.

– Ah, Gabriel s'en est fait une maîtresse, finalement ? Le scélérat. J'aurais dû m'en douter...

– Cet aspect-là est secondaire, coupa Badr, repoussant la remarque avec agacement. Essayez un instant de penser à autre chose qu'à vous-même et à votre orgueil blessé ! Vous entendez ce que je vous dis à propos des Allemands ?

– Non. De quels Allemands voulez-vous parler ?

– Ceux qui ont réussi à s'infiltrer chez nous. Ils s'insinuent dans les bonnes grâces des villageois, de nos fellahines, et maintenant ils tentent de nous acheter nos terres. Les Allemands ! Comprenez-vous ce que cela signifie ?

– Je suis navrée, mais non, pas du tout.

– Non, évidemment. Vous êtes trop jeune pour vous soucier des affaires de ce monde, et trop égocentrique pour prendre à cœur ce qui ne vous touche pas de près. Mais croyez-moi, tout cela peut être lourd de conséquences pour vous, votre famille et votre pays. La guerre va éclater, c'est une certitude. Et si Gabriel vend Armant aux frisés, alors mon père vendra aussi. Il est aussi facile de le berner qu'un pèlerin à La Mecque.

– Votre père vendrait les terres de ses ancêtres ?

– Il ne veut pas d'Allemands pour voisins.

Le garçon faisait les cent pas dans la pièce, et son sérieux, comme ses inquiétudes, effrayait Renée. Elle avait bien sûr entendu le comte et ses amis évoquer à voix basse le conflit imminent. La nouvelle circulait dans les rues de Paris, les journaux en parlaient, mais tout cela était si loin de ses préoccupations quotidiennes – les cours, les week-ends à la campagne, le tennis, les flirts...

– Qu'est-ce que j'y peux ? dit-elle. Je ne vais pas empêcher une guerre !

– Non, ma petite Narcisse, vous avez bien des qualités, mais cela, vous n'y parviendrez pas, dit Badr en riant. En revanche, vous pouvez peut-être empêcher Gabriel de céder sa plantation. Il n'a pas toute sa tête, en ce moment. Il n'y a que vous pour le faire revenir à la raison. Comprenez-vous bien ce que je dis ? *Port-Saïd aux mains des Allemands...* cela n'est pas acceptable.

– Où est-il, en ce moment ?

– Ici, grâce à Adélaïde.

– Ici ? À Paris ? Mais je l'ai vue il y a quelques jours, s'étonna Renée. Elle ne m'a rien dit.

– Il suit une cure de désintoxication dans une clinique privée.

– Oui, eh bien, tout cela est sa faute. Ça lui apprendra. Il m'a jetée dehors, et je ne lui courrai pas après. Je me fiche bien de ce qui peut lui arriver.

Miss Hayes entra alors dans le salon, en peignoir et pantoufles.

– Bonjour, prince, dit-elle avant de venir se placer, tel un bouclier, auprès de Renée.

N'ayant pas oublié les ennuis que ce jeune homme lui avait causés, elle n'avait pas l'intention de le laisser à nouveau seul avec sa protégée.

– Comment allez-vous, madame ? demanda Badr avec une courte révérence. Réfléchissez, mademoiselle Renée, poursuivit-il pour celle-ci. Je vous demande seulement de ne pas lui fermer votre porte quand il viendra. Car il viendra. C'est très important pour nous tous. Vous avez de l'influence sur lui, il faut vous en servir. Je dois maintenant prendre congé. Au revoir.

Posant un regard prudent sur la gouvernante, il embrassa Renée sur les deux joues et lui murmura à l'oreille :

– Je vous aime toujours.

Puis il tourna les talons, salua miss Hayes d'un signe de tête et quitta la pièce d'un pas vif.

– À l'évidence, je rendrai compte à votre oncle de la visite de ce jeune homme, annonça fermement la gouvernante.

– Pourquoi ne m'avez-vous pas dit que Gabriel était à Paris ? Il faut toujours que j'apprenne les choses par la bande. Pourquoi ne me dites-vous jamais rien ?

– Parce qu'une fois de plus, on m'a priée de me taire. Comme vous le savez, votre oncle a eu des problèmes de santé. Il craignait que son état l'empêche de venir et il préférait ne pas vous informer de son retour.

– Vous ne m'avez pas dit non plus qu'en fait de « problèmes de santé », il était devenu opiomane. Pourquoi me traitez-vous comme une enfant, miss Hayes ?

– Parce que vous êtes une enfant.

– Pas quand il me couche dans son lit. Il paraît que je suis une femme, dans ce cas.

La gouvernante s'empourpra.

– Vous dites de ces choses, mademoiselle !

Le tournoi de tennis commençait ce week-end-là. Comme d'habitude, Renée et miss Hayes prirent le train le vendredi après-midi. C'était une journée pluvieuse, venteuse et, le soir venu, la famille se rassembla au salon devant la cheminée.

– S'il n'arrête pas de pleuvoir, dit Yseult d'un air sombre, les courts seront trop humides pour jouer demain.

Renée n'avait d'yeux que pour les flammes ; soudain le tournoi ne l'intéressait plus.

– Ce temps et le bon feu me rappellent La Borne-Blanche, remarqua-t-elle, nostalgique.

– Je n'ai jamais compris pourquoi vos parents l'ont vendue, dit sa tante.

– Parce que M. le vicomte détestait cet endroit, se hâta de répondre miss Hayes.

Il n'était pas question, bien sûr, d'évoquer la trésorerie défaillante du comte de Fontarce, encore moins devant cette branche-là de la famille.

– Ah, ce vicomte... commença Yseult. C'est un despote ! Et capricieux, avec ça ! D'abord, il me demande de trouver un bon parti pour Renée. Puis, il y a quelques jours, je reçois un télégramme dans lequel il m'annonce qu'elle est trop jeune pour se marier, et je ne dois plus lui présenter personne. M. Moussy, le père d'Olivier, va être ulcéré. Il avait fini par autoriser son fils à fréquenter cette petite, alors qu'il s'y opposait au début...

Elle dévisagea la jeune fille.

– ... et dire que ce garçon a délaissé la pauvre Joséphine pour vous, Renée. Mais soyez franche, tout le monde meurt d'envie de le savoir : Gabriel est-il vraiment amoureux de vous ?

Renée rougit.

– Amoureux de moi ? C'est ridicule. Dois-je passer ma vie à répéter que cela n'a aucun sens ?

– Lady Winterbottom prétend qu'il vous embrassait à pleine bouche dans les rues du Caire, lâcha sèchement Yseult.

– Lady Winterbottom doit avoir la berlue, coupa miss Hayes. J'étais constamment en leur compagnie, et il n'est jamais rien arrivé de la sorte.

Yseult se tourna vers sa fille Amélie.

– Au fait, où est Olivier ? lui dit-elle. Je lui ai demandé de jouer aux dominos avec votre sœur. Maintenant qu'il est rede-venu... disponible, peut-être voudra-t-il à nouveau l'entourer de ses attentions ?

– Il est reparti, dit Amélie, ravie de voir sa mère mettre Renée sur la sellette. Il avait la migraine.

– Ou le cœur brisé, pensa Yseult à haute voix.

– Ai-je la permission de me retirer, ma tante ? demanda Renée. Je tombe de fatigue.

Yseult la jaugea un instant avant de répondre.

– Bien sûr, ma chérie. Avec un peu de chance il fera meilleur demain, et vous aurez besoin d'être reposée. Votre service reste médiocre mais, à l'aide d'Olivier, vous devriez pouvoir remporter le tournoi. Les autres garçons sont beaucoup moins doués que lui.

Renée avait compris assez tôt qu'entre représentantes du beau sexe, les jalousies et les rivalités se transforment souvent en haines féroces. Elle se rendit compte que toutes les femmes de sa famille – non seulement sa mère, mais aussi sa tante et ses cousines – la détestaient maintenant. Sans oublier Lady Winterbottom, Sophie Corday, et les débutantes attendues le lendemain sur les courts. Elles l'enviaient, l'exécraient, parce qu'elle avait séduit Gabriel, puis Olivier, et parce que la plupart des hommes tombaient sous son charme. Mais Renée s'en fichait. Ou plus exactement, elle en retirait une sensation de pouvoir et s'en félicitait.

En montant dans sa chambre, elle s'engagea dans le couloir en haut de l'escalier et se trouva nez à nez avec Olivier, qui paraissait l'attendre. Il la plaqua contre le mur.

– Je vous aime ! dit-il, au bord du désespoir.

Renée n'osa pas crier.

– Lâchez-moi ! fit-elle à voix basse. Je croyais que vous aviez la migraine.

– Est-ce vrai que vous l'aimez ? Votre oncle ?

– Lâchez-moi, dit-elle à nouveau.

– Je suis fou de vous, je vous veux ! Vous êtes mon premier amour. Je vous en prie, ne me rejetez pas !

– Laissez-moi. Je suis trop jeune pour vous.

– Pas pour *lui*, en tout cas ! J'ai supplié mon père de me laisser vous voir. Il vous trouve ravissante, mais il se méfie car on lui a dit que vous étiez la maîtresse de ce vieil homme. Tout le monde le sait. C'est répugnant.

– C'est mon mari arabe, dit Renée. Les choses se passent ainsi en Égypte, voilà. Maintenant fichez-moi la paix.

Olivier se détendit un instant et elle en profita pour se dégager. Se hâtant de regagner sa chambre, elle répéta en se retournant :

– Je vous dis de me ficher la paix. Je suis une femme mariée.

Il cessa de pleuvoir tard dans la soirée, mais le vent soufflait encore. Dans son lit, Renée l'entendait secouer volets et fenêtres et repensait aux orages du désert.

– Quelque chose vous empêche de dormir, ma petite ? demanda miss Hayes depuis la pièce adjacente, dont la porte était restée ouverte. Je vous entends vous retourner dans votre lit. C'est le tournoi qui vous inquiète, demain ?

– Non, ça ne m'inquiète pas.

– Alors quoi ? Votre oncle Gabriel ?

– Non plus. C'est terminé avec lui. Mais il va refaire apparition, je le sens. Je l'ai toujours su, d'ailleurs.

La gouvernante se leva et vint s'asseoir au bord du lit.

– Il est temps d'arrêter ces enfantillages, dit-elle, et d'avancer dans votre vie.

– Ces enfantillages ? Vous me sous-estimez, miss Hayes. Et donc vous n'avez jamais rien compris.

Avec cette franchise brutale qui surgit parfois dans le calme de la nuit, Renée décida de tout raconter. Elle n'avait personne d'autre pour s'épancher, et elle était lasse de mentir, de nier, de tricher.

– Entre mon oncle et moi, c'est une longue histoire, commença-t-elle. Quand j'étais petite, j'ai appris que maman voulait divorcer de papa et épouser Gabriel. Elle l'aimait depuis toujours, et ils avaient une liaison. Vous ne l'ignorez pas, je pense. Mais je ne voulais pas de ce divorce, alors j'ai décidé de tout mettre en œuvre pour l'éviter. Au fil des années, j'ai réussi, insensiblement, à m'interposer entre ma mère et mon oncle, à les opposer jusqu'à ce qu'ils se détestent. Il suffisait de jouer comme eux – oh, je n'ai eu qu'à les regarder faire... Je connaissais leurs faiblesses et leurs peurs, leurs goûts, leurs aversions, leurs espoirs et leurs rêves. C'est fou ce qu'on apprend de choses en se cachant derrière les armoires, si l'on sait écouter.

La gouvernante frissonna dans la pénombre, et le lit trembla légèrement.

– C'est monstrueux, dit-elle. La vie n'est donc pour vous qu'un jeu ? Dans lequel on manipule les autres ? Mais qui êtes-vous vraiment ? N'aimez-vous personne ?

– Oh si, répondit Renée. Je vous aime, vous, et Tata, Adrien, Rigobert, Ulst mon cheval, papa... et peut-être encore un peu Gabriel. Mais ne nous voilons pas la face, s'il vous plaît. Vous avez bien vu qu'il s'est conduit comme un salaud avec moi. Il ne mérite pas d'être pardonné.

– Je vous en prie, ne parlez pas comme cela de votre oncle.

– Quels mots faut-il employer pour décrire un homme qui dépucelle sa nièce ? Un homme dont le souvenir m'empêchera à jamais d'aimer qui que ce soit ? Qui se débarrasse de moi et demande à ma tante de me trouver un mari ?

Miss Hayes hocha la tête.

– Il a juré à votre mère qu'il ne vous a pas touchée.

Il y avait quelque chose d'obstiné dans cette dénégation et Renée faillit éclater de rire.

– Juré ? Qu'est-ce que cela signifie ? Dans cette famille, on a tendance à confondre sa parole avec la vérité. Tout le monde ment et tout le monde le sait. Vous-même en avez pris le chemin, miss Hayes. Vous savez parfaitement ce qui s'est passé en Égypte, avec Gabriel. Cependant vous préférez fermer les yeux, et prétendre qu'il n'y a rien eu. Cela fait de vous une menteuse, comme les autres.

— Vous devez comprendre, ma chérie, que j'ai pour profession de ne rien voir et de ne rien entendre. Faute de quoi on change de métier. Je ne suis pas habilitée à juger mes employeurs, ou à leur dicter une conduite. Ensuite, permettez-moi de vous rappeler que, malgré ses mauvais traitements, vous vouliez encore épouser votre oncle, il n'y a pas si longtemps. Vous me l'avez dit vous-même.

— Je n'y pensais pas sérieusement. Je ne nie pas qu'il a beaucoup d'emprise sur moi, qu'au fond j'ai terriblement besoin de lui. Mais il est temps d'échapper à ses griffes.

— Et s'il revient vous chercher ?

— Quoi qu'il arrive, je veux me marier en connaissance de cause. S'il revient me chercher, je remporterai la partie une bonne fois pour toutes. Car je déteste perdre. Je lui dirai d'aller se faire voir, que c'est un vieux débris et que c'est terminé. Je me moquerai de lui, je me foutrai de sa gueule. Voilà ce qu'il déteste plus que tout. Ça fait un moment que j'y pense. *Voilà, je lui rirai au nez.*

La gouvernante poussa un profond soupir, puis se releva lourdement. Elle se sentait vieille, épuisée.

— Vous êtes devenue glaciale, brutale, dit-elle d'une voix grave et triste. Et cynique avant l'heure. Peut-être avez-vous raison de penser qu'il vous a abîmée. Et rendue insensible à l'amour.

6

L'orage s'était dissipé pendant la nuit, le vent avait dégagé le ciel qui, aux premières lueurs du jour, était d'un bleu limpide. C'était un matin frais, humide, et Renée alla à la messe avec sa tante et ses cousines. Assis dans la rangée devant elle, Olivier se retourna et lui sourit. Il ne semblait pas lui reprocher ses mots durs de la veille, ce dont elle lui était reconnaissante. Renée lui rendit son sourire ; inutile de se fâcher avec son partenaire le jour du tournoi.

On déjeuna rapidement chez Yseult où, sur le conseil d'Olivier, Renée ne mangea qu'un peu de salade.

– Je vous assure, lui dit-il, que vous jouerez mieux comme ça.

Arrivant en début d'après-midi, les spectateurs prirent place sur les gradins empruntés pour l'occasion au collège voisin. Joséphine, la grande sœur d'Amélie, gagna sa place avec un sourire hautain – une façade sous laquelle cacher une vive jalousie. Pâle, fragile, avec un visage oblong, elle méprisait le tennis, une activité qui, selon elle, « manquait de distinction ». La vérité était surtout – sa cousine ne l'ignorait pas – que Joséphine n'était douée pour aucun sport et qu'elle craignait de se couvrir de ridicule, aurait-elle tenté d'en pratiquer un.

Olivier et Renée remportèrent haut la main les trois premières manches.

– Écoutez-moi, lui dit-il, ce n'est pas parce que nous avons gagné facilement jusque-là qu'il faut se relâcher. L'équipe qu'on affronte maintenant est d'une autre trempe que les précédentes.

Je suis meilleur qu'Éric, mais Nadine a plus d'expérience et elle est très musclée. Ils vont tenter d'exploiter nos faiblesses.

Renée s'esclaffa ; de fait, ces victoires faciles la rendaient un peu trop sûre d'elle.

– Si c'est moi que l'on désigne par le terme de « faiblesses », je proteste !

Le tirage au sort étant favorable à leurs adversaires, ce fut à Nadine de commencer. Elle avait un bon service et marqua le point. Penaude, Renée regarda Olivier, qui lui fit un sourire encourageant. Il marqua à son tour et, au coup suivant, sa partenaire renvoya la balle, qui dépassa cependant la ligne de fond. Renée entendit Joséphine ricaner gaiement sur les gradins. Olivier égalisa le score, mais Nadine servit à Renée un deuxième ace. À la balle de jeu, Olivier, en bon gentleman, fit un coup croisé à Nadine, qui monta au filet et frappa assez fort pour que la balle s'écrase devant Renée. Le coup étant gagné, on applaudit dans les gradins, et Renée rougit de colère et d'humiliation. Levant les yeux, elle remarqua Joséphine qui rayonnait de plaisir.

– À votre tour de servir, dit Olivier à sa partenaire tandis qu'ils changeaient de côté. C'est du sérieux, maintenant. Et ravalez-moi cette langue, vous allez finir par la mordre !

Renée se rendit compte que, tendue et concentrée par l'effort, elle pointait en effet sa langue à la commissure des lèvres. Mais la gentillesse et le calme d'Olivier firent effet, et elle retrouva le sourire.

– Allez, lancez ! lui dit-il, rassurant. Je me charge du reste.

Elle servit correctement, avec force, une balle que Nadine renvoya mollement. Olivier la rattrapa au filet et marqua le point.

– Bien joué, ma fille ! s'exclama-t-il, et Renée reprit confiance.

Elle plaça astucieusement son prochain coup, quoique légèrement perturbée par un mouvement subit dans les gradins, qu'elle aperçut du coin de l'œil – un retardataire, qui s'asseyait à côté de tante Yseult. Elle vit tout juste la balle que lui renvoyait Éric. Cela pouvait-il être...? Non, cet homme était trop maigre... Bien qu'elle le reconnût à peine, elle comprit, bien sûr, que c'était

Gabriel. En un quart de seconde, Renée fut prise d'une rage incompréhensible, sans rapport avec la partie en cours. Visant directement Nadine, qui était au filet, elle frappa de toutes ses forces la longue balle d'Éric. Si fort que sa jeune adversaire ne sut ni placer sa raquette, ni s'écarter, de sorte qu'elle reçut la balle en pleine poitrine avec un bruit retentissant. Cédant à la surprise et à la douleur, Nadine se laissa tomber sur les genoux, tandis qu'un murmure inquiet s'échappait de la foule.

– Il semble que vous l'ayez impressionnée... murmura Olivier à l'oreille de Renée. Mais on n'est pas obligés de les tuer, vous savez, pour gagner.

Pour permettre à Nadine de récupérer, on décida de faire une pause, pendant laquelle Renée veilla à ne pas s'attarder sur ce curieux homme efflanqué, près de sa tante dans les gradins.

Quand la partie reprit, Éric parut animé d'une énergie nouvelle, oubliant pour ainsi dire le code tacite selon lequel les garçons sont censés frapper la balle avec un minimum de douceur lorsqu'ils l'envoient aux filles. Au contraire, il se mit à bombarder Renée de coups puissants. Mais son agressivité ne fit que renforcer l'esprit de compétition de la jeune fille. Sans arrêter de courir, elle lui renvoya presque toutes ses balles, Olivier se chargeant des autres, flottant au-dessus du court comme un oiseau, toujours détendu et souriant. Renée remporta son service.

Après quoi, le match perdit légèrement de son intensité. Nadine devint plus hésitante, et Éric, en essayant de compenser, commit de nombreuses fautes. En face d'eux, Renée était déterminée et s'agitait comme un beau diable, en évitant sciemment de risquer un coup d'œil vers les gradins. Quant à lui, Olivier continuait de jouer avec son aisance habituelle, plaçant ses balles chaque fois au bon endroit.

Renée était si concentrée qu'elle ne prêtait même plus attention au score. Brusquement, à sa grande surprise, la partie fut terminée, et les spectateurs applaudirent avec enthousiasme. Olivier l'entraîna vers les bancs et, galant homme, couvrit ses épaules avec son polo.

– Bravo, partenaire ! Vous avez joué avec beaucoup d'esprit et de vigueur ! Vous êtes une vraie championne !

Renée entendit à peine ses compliments car, voilant le soleil, une ombre se posait sur elle.

– Bonjour, Gabriel, dit-elle d'une voix soumise.

– *Bonjour, Gabriel!* s'exclama le vicomte. C'est tout ce que vous trouvez à dire après une aussi longue absence! *Bonjour, Gabriel!* Vous ne pourriez pas embrasser votre pauvre père?

Déchirée par des sentiments antagonistes, Renée était incapable de le regarder dans les yeux; elle haussa les épaules sans s'approcher de lui. Amélie les rejoignit soudain en courant.

– Dépêchez-vous, Renée et Olivier! leur dit-elle avec enthousiasme. Il faut venir sur l'estrade, qu'on vous remette le prix! Félicitations! Allez, suivez-moi!

Renée profita de l'occasion pour échapper à son oncle. Arrivée devant le podium, elle ne voulut pas monter seule, par pudeur, à cause de sa jupe courte. Toujours attentionné, Olivier la sortit d'embarras et la prit dans ses bras.

– Je vous adore, murmura-t-il en la posant sur l'estrade. Laissez ce vieux bonhomme.

Se hissant adroitement à ses côtés, il poursuivit:

– Venez à la maison. Mon père et moi sommes décidés à vous protéger. Oubliez ce sale type!

Yseult leur remit la coupe sous les acclamations de la foule, et le jeune homme embrassa chaleureusement sa partenaire.

– La tradition veut que, le soir venu, l'équipe gagnante ouvre le bal. Je vous attendrai.

Baissant les yeux, Renée aperçut Gabriel qui, au milieu des spectateurs, l'observait d'un air furibond.

S'approchant du podium, miss Hayes fit signe à la jeune fille d'approcher.

– Votre... *père*... veut que vous le rejoigniez immédiatement, dit-elle. Il vous attend dans sa voiture. Je vous en prie, ne faites pas de scandale.

– C'est un peu tard de ce point de vue-là, non? rétorqua Renée.

Elle embrassa sa tante en la priant d'excuser son absence au bal.

– Ce n'est pas très poli de la part des vainqueurs de ne pas y assister, dit Yseult. Je suppose que c'est votre despote qui a mis son veto ? Il ne faut pas que vous dansiez avec plus jeune que lui ! Eh bien, partez... Puisque vous avez fait votre choix.

— Je n'ai fait aucun choix, répondit Renée. Jamais aucun.

Gabriel était au volant de sa nouvelle automobile, un cabriolet Voisin rouge, dont le moteur tournait au ralenti.

— Dépêchez-vous ! Montez ! ordonna-t-il. Vous en avez mis, un temps ! J'ai pourtant dit à miss Hayes qu'il fallait vous grouiller.

— Elle me l'a dit, a confirmé Renée en s'enfonçant dans le siège-baquet. J'ai fait aussi vite que possible.

Elle se trouvait vraiment stupide et regrettait de ne pas être invisible. « J'aurais dû accepter la proposition d'Olivier, pensait-elle, et je serais en sécurité chez lui. » Mais en présence de son oncle, elle perdait tous ses moyens. Il enclencha une vitesse et la voiture s'élança le long de l'allée, pétaradant sur les nids-de-poule, sous les regards et les sourires ironiques de la petite foule rassemblée devant la maison. Serrant les dents, Renée ne put retenir un frisson.

— Vous avez froid ? lui demanda Gabriel.

S'arrêtant brusquement, il saisit derrière son siège un châle qu'il posa sur les épaules de la jeune fille. Ses tempes étaient plus grises que dans son souvenir, il avait les joues creuses et les veines saillaient sur son front haut. Le tout lui conférait une certaine élégance. Alors il sourit à Renée – ce vieux sourire tendre et familier qui, une fois de plus, prenait possession de sa chair.

— Avez-vous vendu Les Roses ? dit-elle.

— Non. La maison est à vous. C'est pour vous que je l'ai gardée.

— Je n'en veux pas.

— Tout ce que j'ai est à vous.

— Je ne veux rien du tout.

Ils roulèrent jusqu'à Paris sans échanger un autre mot, et il faisait nuit lorsqu'ils arrivèrent au 29. En descendant de voiture, Renée remarqua la cravache que son oncle avait en main, et elle n'eut guère de doutes sur ce qu'il comptait en faire.

Mathilde les accueillit à la porte.

— Apportez du thé et des fruits dans ma chambre, demanda Gabriel. Et dites à Adrien de prendre ma valise dans l'auto.

– Oui, monsieur le vicomte, tout de suite, dit la domestique. La bouilloire est sur le feu.

Renée s'engagea la première dans l'escalier.

– Où allez-vous comme ça ? s'enquit son oncle.

– Dans ma chambre, dit Renée. La journée fut longue, et je suis épuisée. Bonne nuit.

Il la suivit et la rattrapa dans le couloir à l'étage.

– Vous voulez dire : *notre* chambre.

– Il n'y a pas de « notre chambre », fit-elle en se retournant.

– Je vous ordonne d'aller dans notre chambre.

– Vous n'avez plus à m'ordonner quoi que ce soit.

La saisissant par les épaules, il se mit à la secouer comme un prunier.

– Qui est ce garçon qui vous fait chavirer ? C'est lui que vous voulez épouser ? Celui qui vous a embrassée ! Vous avez couché avec lui ? Allez, répondez !

– Qu'est-ce que ça change ? Vous ne voulez plus de moi. Vous ne vous rappelez pas ce que vous m'avez dit ? Vous êtes revenu sur votre décision, peut-être ? Eh bien, tant pis. Ce que vous décidez ne m'intéresse plus. Allez-vous-en. Fichez-moi la paix. J'en ai fini avec vous, c'est terminé.

Gabriel se calma brusquement et la lâcha.

– Très bien, dit-il, acquiesçant. Je comprends. Je ne vous retiens pas. Allez dans votre chambre. Demain, vous retrouverez votre petit ami. Puisque vous ne voulez ni de moi ni des Roses, je repars au Caire vendre la propriété.

Renée le regardait, abasourdie. En un tournemain, il venait de remporter la partie. Presque sans effort. Il lui donnait encore une leçon. Elle s'adossa au mur en baissant les yeux. Tout ce qu'elle s'était répété cent fois, toutes les choses qu'elle voulait lui lancer à la figure, à commencer par un grand rire, tout avait disparu.

– Eh bien, allez-y, dit-il. Qu'attendez-vous ?

Elle secoua la tête.

Il enroula une mèche de ses cheveux dans sa main et l'attira vers lui.

– À genoux. Suppliez-moi de vous pardonner, dit-il d'une voix lente et glaciale.

– De me pardonner quoi ?

– D'avoir séduit ce gosse pour qu'il demande votre main. Vous, une gamine de quatorze ans ! Il a dû vous baiser, salope !

– Vous êtes fou. Laissez-moi !

– Vous m'avez traité de vieux, en plus. Vous croyez que j'ai oublié, sans doute ? À genoux ! Demandez pardon !

– Non.

– Obéissez !

Cédant à une nouvelle crise de rage, il déchira sa robe de tennis et, la tirant par les cheveux, la força à s'agenouiller pendant que, de l'autre main, il lui cinglait les cuisses à coups de cravache.

– Suppliez-moi, traînée ! Sale petite pute !

Mathilde arrivait dans l'escalier avec le thé.

– Monsieur le vicomte ! cria-t-elle. Mais que faites-vous ? Vous allez la tuer !

Prise de panique, elle lâcha son plateau. La théière et le reste dégringolèrent sur les marches, produisant un chahut qui parut ramener le vicomte à la raison. Il se pencha pour tendre la main à Renée.

– Ne me touchez pas ! hurla-t-elle. Vous m'avez fait mal ! Vous m'avez blessée !

– N'ayez crainte, Mathilde, dit-il d'une voix étrangement calme. Je l'ai peut-être frappée un peu fort, c'est vrai. Mais elle a l'habitude. Je crois que Paris lui a tourné la tête. Elle a besoin d'être matée. Emmenez-la dans ma chambre et préparez-la à se coucher. Je vais faire ma toilette, pendant ce temps.

Laissant sa nièce agenouillée dans le couloir, il monta seul au deuxième étage. Mathilde, qui pleurait, aida la jeune fille à se relever. Elles entendirent l'ascenseur qui, au rez-de-chaussée, se mettait en marche. Il s'arrêta devant elles et Adrien en sortit avec la valise du vicomte.

– Mon Dieu, mais que s'est-il passé ? dit le majordome. Seigneur, que vous est-il arrivé, mademoiselle Renée ?

– J'ai glissé dans l'escalier, c'est tout, Adrien.

— Mais non, c'est cette espèce de fou, souffla Mathilde.

— Je suis tombée, il n'y est pour rien, insista Renée. D'ailleurs ça va déjà mieux.

— C'est en tombant que vous avez déchiré votre robe ? Et ces marques sur vos jambes ? Je ne tolère pas qu'on se conduise ainsi dans cette maison. Je vais parler moi-même au vicomte.

— Non, Adrien, n'en faites rien, le supplia la jeune fille. Cela ne ferait qu'aggraver les choses. Je vous promets que ça va. Portez sa valise dans sa chambre et redescendez. C'est fini, ne vous inquiétez pas.

— Quelqu'un doit mettre le holà ! dit-il.

— S'il vous plaît, pas ce soir ! Je vous en supplie, laissez-nous ! Si vous intervenez, il se vengera sur moi, et il risque de vous congédier. Vous le savez. Il vous mettra tous à la porte, et j'en souffrirai également. Je vous en prie, vous êtes mes seuls amis.

Hésitant, le majordome réfléchit aux conséquences que lui exposait Renée. Décidant finalement d'obéir à sa jeune maîtresse, il monta au deuxième étage et posa la valise de Gabriel devant sa chambre. Renée et Mathilde le suivirent.

— Appelez-moi tout de suite si cela recommence, dit Adrien à cette dernière, avant de répéter : Je ne tolérerai pas qu'on se conduise ainsi dans cette maison. Même si l'on doit me congédier.

Mathilde ouvrit la porte pour Renée. Elles entendirent l'eau couler dans la salle de bains, et le vicomte qui fredonnait.

— C'est un fou, marmonna la domestique tandis qu'elle asseyait sa jeune maîtresse sur le lit avant de la dévêtir.

— Mon Dieu, qu'est-ce qu'il vous a fait ! Regardez-moi ces marques rouges !

— Ce n'est rien, dit Renée. Je vous assure. Il a raison, j'ai l'habitude. Il n'arrive plus vraiment à me faire mal.

Simplement enveloppé d'une serviette, Gabriel ressortit de la salle de bains.

— Ce sera tout, Mathilde, dit-il en la voyant. Merci.

Elle ferma les yeux.

— Dois-je quand même vous apporter du thé et des fruits, monsieur le vicomte ? demanda-t-elle timidement.

– Non, je vous remercie. Je pense que nous n'avons plus besoin de rien, ce soir.

– Très bien, monsieur, dit la domestique en se dirigeant vers la porte.

Se retournant, elle fit une courte révérence.

– Bonne nuit, monsieur, bonne nuit, mademoiselle Renée.

Elle regarda sa maîtresse d'un air affligé et partit.

Gabriel prit Renée dans ses bras et l'allongea. Du plat de la main, il effleura les zébrures dont ses jambes étaient couvertes. Tressaillant, Renée ferma les paupières, s'étira comme un chat, tout en écartant légèrement les jambes. Elle sentit ensuite les lèvres de son oncle sur son corps blessé – un mélange de douleur et de volupté.

– Vous aviez oublié que vous êtes à moi, lui dit-il.

MARIE-BLANCHE

Chicago
Septembre 1938

1

Maman et moi avons rejoint oncle Leander à Chicago, où sa demande d'adoption a reçu aujourd'hui l'aval des autorités. Compte tenu des troubles que traverse l'Europe, il pense que ni la Grande-Bretagne ni la France ne nous garantissent une sécurité suffisante dans un avenir proche. Nous voici donc établis à Chicago, du moins pour un certain temps. Toto termine son année scolaire en Angleterre, et nous rejoindra à l'automne.

Je serai bientôt citoyenne américaine. Tout cela est pour moi nouveau et enivrant. De plus, après mes mésaventures avec John, je ne demandais pas mieux que changer de décor. C'est incroyable comme on a rapporté partout mes écarts de conduite chez ses parents. Je soupçonne son frère Arthur d'être une commère. La fameuse phrase que j'ai lâchée à table a fait le tour, mot pour mot, de la plupart de nos relations. À ma grande honte, ma bonne amie Moyra Brown, la seule que j'aie vraiment eue là-bas, me l'a répétée elle-même.

– C'est vrai, Marie-Blanche, que tu as dit ça ? m'a-t-elle demandé.

Penaude, j'ai hoché la tête.

– Mais comment une telle chose a-t-elle pu te traverser l'esprit ?

– Aucune idée.

En revanche, ce qui s'est passé ensuite n'a circulé nulle part. Soit la plupart des gens, y compris Moyra, ont trop de tact pour aborder le sujet, soit les Guest ont décidé de garder le secret pour ne pas davantage humilier John. Quoi qu'il en soit, j'ai rapidement cessé de recevoir des cartons d'invitation, les visites sont devenues plus rares à la maison, et finalement maman a eu vent de l'incident. Préférant le mensonge, évidemment, je lui avais dit que John avait rompu nos fiançailles sans explication – ce qui n'était pas entièrement faux. Le lendemain matin, Stanley, le majordome, était monté dans ma chambre chercher ma valise et me dire que leur chauffeur m'emmenait à la gare. J'avais quitté les lieux sans revoir personne et, bien que j'aie tenté de le contacter à plusieurs occasions, je n'ai jamais plus reparlé à John. Quelques années plus tard, après la guerre, j'ai appris qu'il avait épousé une Anglaise de son milieu, qui lui avait donné plusieurs enfants. Ils menaient entre Londres et leur domaine à la campagne une vie confortable et tout à fait conventionnelle. J'ai souvent repensé à lui et, en fin de compte, il a eu bien de la chance de ne pas m'épouser. Il peut presque me remercier de m'être si mal comportée.

– Votre père est un ivrogne et un bon à rien, Marie-Blanche, m'a dit maman quand elle a su. Je l'ai entendu comme vous insulter les gens lorsqu'il avait bu, et je ne doute pas que vous étiez ivre. Je crois d'ailleurs que, si vous n'aviez pas subi son influence, vous n'auriez jamais dit une chose pareille. Maintenant, c'est à vous de décider si vous voulez l'imiter ou pas. Si c'est ça, j'aime autant que vous renonciez aux avantages dont vous profitez ici en Angleterre, grâce à moi et à votre oncle Leander, qui a la gentillesse de vous adopter. Retournez à Vanvey. Vous pourrez boire au Prieuré autant que vous voudrez avec votre cher père, et injurier impunément qui vous plaira à la table du dîner. Est-ce vraiment ce que vous attendez de la vie ?

– Non, maman, ce n'est pas ce que j'attends.

– Vos frasques vous ont fait perdre un fiancé remarquable. Un jeune homme qui vous aurait assuré une existence merveilleuse. Gardez cela à l'esprit, la prochaine fois. Vous n'en rencontrerez pas à tous les coins de rue, des comme lui, il faut s'accrocher à sa chance.

– Oui, maman.

Nous logeons tous trois dans une suite de l'Ambassador East Hotel. Ma mère n'a qu'à descendre à la Pump Room, où elle prend ses repas plusieurs fois par semaine, pour recevoir ses amis. C'est là aussi qu'elle s'entretient avec les chroniqueurs mondains, et qu'elle me présente à la bonne société. J'avoue que les usages ne ressemblent en rien à ceux de l'Europe. Il paraît que New York est une ville plus raffinée que Chicago, qui m'a l'air parfaitement ennuyeuse, comme la plupart de ses habitants. Maman souhaite que je fasse bientôt «mes débuts dans le monde», et je m'y refuse déjà. Les garçons du cru me fatiguent. Ils passent leur temps à se prévaloir des collèges – Andover, Choate, Hotchkiss – et des universités – Yale, Princeton, Harvard – qu'ils fréquentent. Ils ne parlent que de leurs parcours de golf ou de leur future carrière dans l'entreprise familiale. Tout ça me sort par les yeux. Seulement, maman veut à tout prix me trouver un beau parti, et il faudra bien que je coopère un peu.

– Le nom que vous porterez désormais, m'a-t-elle expliqué, vous rendra plus intéressante pour la jeunesse d'ici.

– Peu m'importent les gens qui s'intéressent à moi pour cette raison !

– Marie-Blanche, on tire parti de ce que l'on a. Vous n'êtes ni assez jolie ni assez intelligente pour envoûter un homme. Le nom de McCormick est une manne formidable. À ce propos, maintenant que l'adoption est officielle, vous appellerez votre beau-père papa.

– Je ne peux pas ! J'en ai déjà un, de papa. Il serait terriblement vexé. Toto et moi lui avons fait assez de peine en donnant notre accord pour l'adoption.

– Il n'aura pas besoin de le savoir.

– Moi, je le sais. C'est un peu compliqué d'avoir deux pères.

– Vous repartez à zéro dans une ville nouvelle, dans un pays nouveau, avec un autre père. Vous serez bientôt citoyenne américaine. Tout cela grâce à Leander McCormick, que vous voudrez bien remercier en l'appelant papa. Votre premier père réside en France, et c'est une époque révolue de votre existence. Si j'en juge par les événements en cours, des années peuvent s'écouler avant que vous le revoyiez, si vous le revoyez jamais.

Il sera votre papa là-bas, si vous y tenez, mais en Amérique, c'est Leander.

Cela n'était pas spécialement agréable, mais maman, comme je l'ai souvent dit, est quelqu'un d'avant tout pragmatique.

– D'accord, d'accord, j'essaierai, ai-je répondu. J'aurai quand même besoin d'un peu de temps avant d'y arriver.

Maintenant les déjeuners et les thés de cinq heures se succèdent dans la Pump Room, où l'on me présente ces garçons immatures, assommants, avec qui je n'ai strictement rien de commun. Ce que je suis et ce que j'ai à dire les captive aussi peu qu'ils m'attirent. Ma mère a raison, la mention de mon nouveau nom suscite parfois une vague lueur d'intérêt. Cela n'est pas spécialement flatteur, d'ailleurs on ne me considère pas comme une vraie McCormick, tout au plus comme une sorte d'aspirante. La vie mondaine, dans cette ville, me rappelle le chenil où papa allait acheter ses chiens de « race pure ». Quelques-unes des familles les plus en vue de Chicago servent de matrice, acceptant à l'occasion d'être associées à un étalon ou à une bonne femelle, provenant d'une branche voisine de Saint Louis ou de Cincinnati. On importe aussi parfois du sang bleu – dûment documenté – de Long Island ou du Connecticut, à condition, bien sûr, que ces gentlemen sortent des bons établissements de la Ivy League[1]. Ainsi établit-on des ménages stables, qu'on installe à Lake Shore Drive ou au manoir de Lake Forest, avec une position enviable et une nichée de gamins qui préserveront une lignée exemplaire. Lorsque de temps à autre une femelle d'un genre plus exotique, française par exemple, atterrit en ville, on ne sait pas très bien quoi en faire, et l'on craint surtout de corrompre la race par des ascendants incertains.

Après plusieurs semaines de ce régime à la Pump Room, je n'en pouvais tout simplement plus. Dieu merci, la plupart des « beaux partis » s'en étaient retournés à l'automne dans leurs internats, et je n'avais plus à endurer ces rendez-vous guindés. Il restait cependant leurs mères, qui, fortes d'un discernement affirmé de génération en génération, évaluaient soigneusement

---

1. Grandes universités du nord-est des États-Unis.

mes aptitudes au mariage. Je m'attendais souvent à ce qu'elles inspectent mes dents et mes jarrets, à la recherche d'un défaut de fabrication. Leur seule préoccupation consistera bientôt à préparer le retour de leurs enfants chéris, pour le week-end de Thanksgiving, qui servira de prélude aux vacances de Noël, pendant lesquelles les débutantes feront leur entrée dans le monde... Franchement, il y a quoi vous pousser vers la première bouteille.

J'ai annoncé à maman que, pour échapper à cette prison de classe, je me suis inscrite ce mois-ci à la Goldman School of Theatre, dans l'intention de devenir comédienne. Ce qu'elle peut difficilement me reprocher puisque c'est elle qui me l'avait suggéré – de fait, je pense qu'elle est une actrice refoulée, qu'elle a toujours rêvé sans le dire d'une carrière sur les planches ou à l'écran. Enfin, elle joue tout de même dans le beau monde... En témoigne cet article paru dans les pages mondaines du *Chicago Herald-American* :

Depuis l'arrivée de Renée à l'automne, Chicago succombe au charme français. Pour ceux qui ne le sauraient pas encore, Renée est le prénom de Mme Leander McCormick. Vivrions-nous des temps meilleurs, avec l'effervescence sociale d'autrefois, nous dirions volontiers qu'elle fait un malheur. Dans l'état actuel des choses, nous affirmons quand même qu'une réception sans son esprit agile et son visage gracieux manquerait singulièrement d'intérêt. Plus envoûtant encore est son anglais, et ce qu'elle parvient à exprimer dans notre idiome. C'est qu'on retient son souffle autour d'elle, de peur de rater quelque chose. Déroulant ses longs tentacules, la radio s'est déjà emparée de Renée, qui bientôt chantera pour nous, avec son merveilleux accent. Il nous faudra ensuite la télévision pour découvrir vraiment celle qui se cache derrière le micro.

Leander McCormick a adopté la jeune fille de Renée, aujourd'hui Marie Blanche McCormick, qu'on a vue dernièrement en compagnie des futures débutantes de la bonne société.

Ma mère découpe toutes les brèves dans lesquelles on parle d'elle et d'oncle Leander, puis elle les colle dans ses albums. Elle suit ainsi au jour le jour leur cote de célébrités mondaines. Elle a déjà de nombreuses pages remplies avec des coupures de journaux de Londres, et de Kitzbühel, où mon beau-père a acheté une maison, un an après l'incendie qui a détruit La Héronnière. Mais cela n'est rien à côté de Chicago, un petit royaume dont les McCormick occupent le trône, et où l'on consigne leurs moindres faits et gestes. Maman a une collection de chapeaux qui lui a déjà valu plusieurs articles entiers. Elle ne se prive pas de critiquer le manque de raffinement de nos nouveaux concitoyens, mais elle adore qu'on s'intéresse à elle. C'est devenu une gloire locale. Je n'en reviens pas de voir comment le simple fait d'être bien né vous mène à la notoriété, sans qu'on ait pour cela besoin de lever le petit doigt. J'ai d'autres ambitions en ce qui me concerne, et je serais enchantée par une carrière dans le théâtre. Certainement plus drôle que le thé à la Pump Room avec une escouade de commères, que les sorties en ville avec les «futures débutantes», ou les jeunes raseurs égocentriques du gratin local.

2

LE CARNET MONDAIN
de Lee CARSON
(Chicago Daily Times, 3 mars 1939)

Selon la comptine enfantine, L'enfant du samedi travaillera dur toute sa vie[1]... *L'espiègle Baby (Marie Blanche) est née, elle, un mercredi avec une cuiller en or dans la bouche. Elle a apporté de France son petit air mutin, après le mariage de sa mère, il y a trois ans, avec Leander McCormick du clan Harvester. Contrairement aux autres débutantes, Baby refuse de frayer avec l'élite de Lake Forest/Lake Shore Drive. À peine descendue du train, pourrait-on dire, elle a filé droit vers la Goodman School of Theater. Les vieilles conventions, les rendez-vous imposés, les thés dansants, les potins et le mariage au bout, bref les habituelles entrées en matière de nos jeunes femmes, cela n'est pas pour elle. [...]*

Depuis son inscription au cours de théâtre, Baby travaille toute la journée et souvent tard dans la nuit. [...] Son but n'est pas d'emménager dans une «cabane» de vingt pièces à Lake Forest, ni de trouver une place agréable en haut de l'échelle sociale, mais de se confronter au répertoire, et peut-être un jour de décrocher un rôle à Broadway.

---

1. Voir en fin de chapitre, p. 416.

Pendant que ses semblables préparent leurs débuts dans le monde, Baby a vaincu un accent français tenace, appris à se faire entendre des dernières rangées, et consacré des heures à toutes sortes de mystères, tels la présence scénique, la réplique bien envoyée, les entrées fracassantes, le choix des accessoires, le maquillage et, bien sûr, la mémorisation. «Je me suis beaucoup amusée pendant mes études, à Paris puis à Londres, mais ça suffit comme ça, dit-elle. Je me suis calmée, et mon objectif est maintenant d'arriver à quelque chose sur les planches.»

*

* *

Trouvant la vie difficile avec sa mère et son beau-père, elle s'est installée dans un petit appartement avec deux autres élèves de Goodman, loin des tourbillons de la vie mondaine. Ces jeunes dames apprennent leurs textes le soir, se font elles-mêmes leur petit-déjeuner le matin à sept heures et prennent l'autobus pour se rendre au «travail». Pour la plupart, leurs condisciples ignorent ou se moquent de savoir que Baby est la fille d'un comte et d'une comtesse, qu'elle a été adoptée par un des héritiers McCormick (qui est l'époux de sa maman). Baby, une «fille comme les autres», tient à se détacher du côté superficiel des choses, et cherche dans l'art dramatique l'intensité qui leur manque souvent.

Fuir les mondanités et la fréquentation des Gens-Comme-Il-Faut ne lui pose guère de problème. Cette vie-là ne l'attire pas, les soirées l'ennuient, et lorsqu'il faut se divertir, le cinéma, le patinage, le ski, la natation ou le bowling font très bien l'affaire.

Elle déteste et évite les réceptions. [...] Si vous lui demandez ce qu'elle pense de l'Onwentsia Club, du Racquet Club et des autres chapelles, elle vous répondra sans mettre de gants: «Ils sont vraiment ennuyeux. Je n'ai rien à leur dire, et je ne suis pas leur genre.»

Dès son arrivée, on l'a confrontée aux notables de Chicago dans leurs palais de Lake Forest. Le résultat fut désastreux: Baby a refusé tout net de se conformer au moule; et ces messieurs dames furent choqués par une jeune fille de dix-sept ans aux idées arrêtées, pour qui les toilettes, les garçons, les établissements de renom, le bridge et le premier bal des demoiselles ne signifient rien.

*
* *

« *Cela n'a pas duré longtemps. Mes parents ont eu vite fait de baisser les bras et je me suis inscrite chez Goodman* », *conclut Baby avec un sourire furtif.*

À propos de garçons, elle trouve les nôtres immatures et bien moins intéressants que leurs semblables outre-Atlantique, qui ont déjà souvent, à vingt ans, un travail, un logement à eux et une épouse. Elle préfère, d'ailleurs, les gars du centre-ville à nos riches banlieusards, qu'elle traite volontiers de « provinciaux ».

Pas question de mari, en tout cas, avant quelques années. Baby veut d'abord vérifier si une vraie carrière l'attend sur les planches... dans ce cas, le mariage s'y ajoutera, sans la remplacer.

Si elle a adopté sans tarder la décontraction et le style vestimentaire des jeunes Américaines, elle déplore en revanche la curiosité mal placée et les cancans. « Au début, cette sorte de propos me blessait, dit-elle avec regret, fronçant deux sourcils noirs. Mais il n'y a rien à faire, il faut qu'elles fourrent leur nez là où il ne faut pas, et ensuite ça jase. J'ai appris à ne plus y prêter attention. »

Baby n'est pas tentée de retourner en France. Être ici est pour elle une chance, et elle a bien l'intention de rester aux États-Unis. Les raffinements du Vieux Continent ne lui manquent plus. [...] Elle désire plutôt décrocher un rôle d'ingénue et voir briller les feux de la rampe à Broadway – côté scène.

Baby apprend en ce moment le texte de Consuelo dans Larmes de clown. *Mais le rôle qu'elle préfère est celui de Frankie dans* George *et* Margaret. *À l'affiche du Goodman le 18 mars prochain, elle jouera en alternance avec Lee Smith. [...] Petite, mince, quoique bien proportionnée, jolie à sa manière avec de beaux yeux noirs, l'énergique miss McCormick devrait réaliser son rêve le plus cher : devenir un « enfant du samedi ».*

145 E. Ontario.   Le 12 Novembre.
Chicago, Illinois.

Mon Papa chéri
J'étais tellement contente de
recevoir votre lettre, j'étais bien
inquiète à votre sujet.
Je suis bien contente que
malgré cette terrible guerre vous
allez très bien.
Écrivez moi souvent me donnant
de vos nouvelles.
Moi je vais bien je suis
toujours à Chicago, je travaille
au Goodman. Theatre.

Je compte rester ici encore 1 an.
J'ai un très joli appartement
avec 2 amies, nous nous amusons
beaucoup, comme vous pouvez
vous imaginer. —
Il fait très froid glacial et
je crois que nous aurons un
hiver terrible. —
J'espère que vous n'aurez pas
à aller en guerre encore une
fois, j'espère aussi que vous
ne souffrirez pas trop...
Vous savez que l'Amérique
va en guerre.

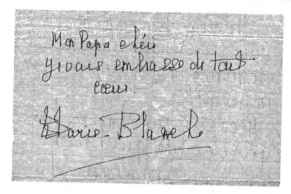

[145 E. Ontario
Chicago, Illinois

Le 12 novembre 1939

Mon Papa chéri,

J'étais tellement contente de recevoir votre lettre, j'étais bien inquiète à votre sujet.

Je suis bien contente que malgré cette terrible guerre vous allez [sic] tous bien.

Écrivez-moi souvent me donnant de vos nouvelles.

Moi je vais bien je suis toujours à Chicago, je travaille au Goodman Theatre.

Je compte rester ici encore 1 an

J'ai un très joli appartement avec 2 amies, nous nous amusons beaucoup comme vous pouvez imaginer.---

Il fait un froid glacial et je crois que nous aurons un hiver terrible. –

J'espère que vous n'aurez pas à aller en guerre encore une fois, j'espère aussi que vous ne souffrirez pas trop.

Croyez-vous que l'Amérique ira en guerre ?

Je serai bien contente de vous revoir, nous sommes si loin, cela semble presque impossible.

J'espère que Tino va bien quelle chance qu'il soit trop jeune espérons que la guerre sera fini bien avant qu'il ai [sic] l'âge.

J'espère que vous recevrez cette lettre.

Embrassez Nanisse, Tino.

Mon Papa chéri

Je vous embrasse de tout cœur.

Marie-Blanche]

– Ça vous fait quel effet de relire ces lettres et ces articles, madame Fergus ?

– À votre avis, Dr Chameau ? Ça me rend triste, évidemment. Quand je regarde ces photos, j'ai l'impression d'un échec, d'un gâchis. Elles ressemblent à la vie de quelqu'un d'autre, pas à la mienne. Tout cela est fini maintenant, c'est comme si rien n'était jamais arrivé.

– Pouvez-vous m'expliquer ce surnom, « Baby » ?

– Ma gouvernante, Louise, m'appelait ainsi quand j'étais petite. Au Goodman, pratiquement tout le monde en avait un – surtout lorsqu'on porte un nom étranger. Bien des gens prononçaient le mien à l'américaine, avec l'accent nasillard de Chicago – *Mayry-Blench*. Comme le personnage de Tennessee Williams, Blanche Dubois, que je trouvais plutôt antipathique. Les autres élèves m'appelaient « Baby » parce qu'ils avaient lu dans le journal que Leander m'avait adoptée. C'est resté et je suis devenue Baby McCormick.

– Pensez-vous qu'un tel surnom ait pu vous maintenir dans l'enfance, faire de vous un adulte immature ?

– Possible. Un bébé a besoin qu'on veille sur lui. Et il faut de grandes personnes pour ça.

– Exactement, dit le médecin. Avez-vous pensé que, si votre mère a conservé ces lettres, ces articles, et qu'elle les met aujourd'hui à ma disposition, c'est parce qu'elle vous aime réellement ? Qu'elle souhaite sincèrement votre guérison ? Et qu'à sa façon, elle essaie de prendre soin de vous ?

– Êtes-vous en train de me dire que ma mère est une bonne mère ?

– Je pose simplement la question.

– Si elle m'aime tant, si elle veut vraiment s'occuper de moi, pourquoi refuse-t-elle de me voir ? Pourquoi m'interdire de lui rendre visite ?

– Pour la même raison que votre premier fiancé, John Guest, a rompu avec vous, madame... Pour la même raison que votre mari vous a envoyée ici, et demande le divorce... Pour la même raison qu'on vous a séparée de votre frère et de vos enfants... Vous la connaissez, cette raison, madame Fergus, n'est-ce pas ?

– Ce n'est pas parce qu'on m'appelle Baby qu'il faut me traiter comme une enfant. Bien sûr que je la connais, je suis alcoolique.

– Votre mère sait d'expérience – elle l'a appris à ses dépens – que, si elle vous ouvre sa porte, vous en profiterez pour recommencer à boire.

– Vous boiriez aussi, si c'était la vôtre.

– Puis-je quand même vous faire remarquer que, jusque-là, elle a accédé favorablement à toutes mes demandes. Elle paraît sincèrement préoccupée par votre santé. Dans le même ordre d'idées, si vous tenez à guérir, la première chose à faire serait de ne plus rejeter sur les autres vos propres responsabilités.

– Elle a réussi à vous enjôler ! C'est qu'elle ne manque pas de charme. Il est moins efficace avec les femmes, certes, mais avec les messieurs, ça fonctionne parfaitement. Même à son âge... soixante-six ans... elle parvient toujours à obtenir ce qu'elle veut. Cela étant, si je bois, c'est ma faute, les autres n'y sont pour rien. Je n'ai jamais accusé personne de me tenir la bouche ouverte pour me forcer à picoler.

– Si je vous comprends bien, votre mère a une forte personnalité. Je crois que nous serions tous gagnants si j'arrivais à la convaincre de venir ici et de participer au traitement.

– Il n'en est pas question. Je ne veux pas la voir dans cette clinique. C'est *ma* thérapie, et l'ivrogne, c'est moi.

– Fort bien, madame. Cela n'était qu'une suggestion. Nous sommes d'accord : vous restez maître des opérations. C'est vous qui donnez le cap, et je vous suis. Et si vous me parliez un peu plus de Chicago ? Il semble que vous y étiez heureuse, que vous vous démeniez pour faire carrière dans le théâtre.

– Ah oui, je me voyais à Broadway ! Une carrière sur les planches, et le mariage ensuite ! Quelle petite imbécile j'étais, et je suis encore...

– Pourquoi vous traitez-vous d'imbécile, madame Fergus ?

Je balaie la chambre du regard, m'attarde sur la fenêtre. Les arbres verts se détachent sur le ciel bleu. Je finis par répondre :

– C'est un endroit très agréable, ici, docteur. Je m'y plais assez. Mais nous sommes tout de même loin de Broadway, non ?

– Bien des gens ne réalisent pas leurs rêves, madame. Bien des gens empruntent des chemins très différents de ceux qu'ils avaient prévus. Certains fondent une famille avec quelqu'un d'inattendu, font carrière dans un domaine qu'ils n'auraient pas imaginé. Mais très souvent, ils sont heureux comme ça.

– Cela vaut certainement pour *bien des gens*, comme vous dites. Moi, je ne vois pas en quoi cela devrait me rassurer, dans ma situation.

– Cela n'est pas censé vous rassurer. C'est juste une observation, quelque chose à considérer. Pour vous rendre compte qu'il est possible de voir la vie différemment, et que l'avenir n'est pas totalement dépourvu d'opportunités. Vous pouvez choisir une route qui vous sorte de votre alcoolisme, de son cortège d'impuissance et de désespoir.

– Vous ne croyez pas que j'aie encore un avenir dans le théâtre, alors ? demandé-je en riant.

– À ce que j'ai cru saisir, et si cet article des pages mondaines dit vrai, vous étiez un peu non-conformiste dans votre jeunesse. Même, compte tenu de l'époque, assez révoltée contre votre milieu. Est-ce aussi votre avis ?

– Pas vraiment. J'étais une Européenne en Amérique, et je m'ennuyais facilement. J'étais jeune, immature, je cherchais des distractions et la compagnie de gens intéressants. Comme je l'ai déjà indiqué, la bonne société de Chicago était débilitante, surtout pour quelqu'un qui avait vécu à Paris et à Londres. Cela ne dérangeait pas trop maman, car elle a vite pris une place prépondérante dans ce milieu. Elle se distinguait des autres femmes, elle était étrangère, elle avait épousé un membre d'une famille prestigieuse et, de plus, elle avait tellement de charisme que même les vieilles rombières s'inclinaient devant elle. Je pense d'ailleurs qu'elle a ouvert les horizons de ces gens, qu'elle est arrivée à les dégrossir un peu. En ce qui me concerne, j'aimais particulièrement le monde du théâtre, qui était animé, vivant, et je m'amusais beaucoup avec mes amies à l'appartement.

– Vous buviez déjà ?

– Jamais pendant la semaine, parce que nous travaillions. Ni le week-end, quand il fallait jouer. Mais quand nous avions le temps, oui, nous allions dans les bars, et là, je buvais. Je n'ai jamais franchement supporté l'alcool. Je me sentais bien après un premier verre, ça me détendait, c'était agréable d'être un peu gaie, mais au second j'étais ivre, et au troisième complètement paf. Ensuite, je ne savais plus me tenir. Je rentrais à la maison avec de drôles de types... Il suffisait qu'ils demandent. C'est à ça que je fais allusion, dans l'article, quand je parle de cancans et de curiosité mal placée. J'avais déjà une petite réputation, on jasait sur mon attitude. Mais les gens du théâtre étaient plus compréhensifs. Dans ce métier, l'alcool et le libertinage seraient presque considérés comme des titres de noblesse. Alors que les gens comme il faut ne voyaient en moi qu'une ivrogne et une salope. Maman était soulagée quand j'ai refusé qu'on tienne un bal en mon honneur, car en vérité elle avait peur que je me saoule et que je fasse scandale. Elle a certains côtés rebelles, mais elle est très conformiste malgré tout.

– Excepté l'alcool, qu'est-ce qui vous a poussée à ces excès... sexuels ?

– J'étais jeune, je voulais faire la fête, me sentir proche de quelqu'un. Qu'on fasse attention à moi. Qu'on m'aime.

– Et c'était amusant, de boire et de coucher ? Cela vous contentait ?

– Je pensais que oui mais, bien sûr, ce n'était pas toujours le cas. Je n'avais pas les idées claires quand je buvais, et j'ai parfois ramené de parfaits salauds.

– Vous avez dit plus tôt que vous étiez immature. Manquiez-vous d'assurance, étiez-vous angoissée, ce qui expliquerait ce rapport à l'alcool et au sexe ?

– Probablement. J'ai été immature et angoissée toute ma vie. Bill disait que je n'arriverais jamais à être mère, car j'étais restée un bébé.

– Qu'avez-vous fait après la mort de votre enfant, madame Fergus ? Vous avez bu ?

– Pourquoi cette question, docteur ? Je croyais que nous étions en 1939, que j'avais dix-neuf ans, que je suivais des cours de théâtre. Je n'ai pas encore rencontré Bill. Il n'existe même pas. Je vous ai dit que je ne voulais pas en parler. J'ai envie de rester encore un moment dans mon appartement d'Ontario Street, avec mes copines Rhonda et Gail, qui suivent les cours avec moi. Qu'on continue à faire la fête, qu'on se retrouve dans les bars, le week-end avec nos amis du théâtre, à boire et faire l'amour avec de drôles de types. C'est le bon temps.

– Vraiment, madame Fergus ? Est-ce là que vous voulez vous trouver ?

– Ce serait déjà mieux qu'ici. Peut-être que Baby McCormick aura un autre avenir. Peut-être n'épousera-t-elle pas Bill Fergus, et ils ne feront pas de petit Billy. Dans ce cas, Billy ne mourra pas, parce qu'il ne sera pas né. Et peut-être que Baby jouera à Broadway, finalement, qu'elle aura son nom en haut de l'affiche. Elle est encore jeune en 1939, les choses peuvent se passer différemment.

– Les choses sont comme elles sont, ce qui est fait est fait, dit gentiment le Dr Chameau. Nous avons déjà abordé ce sujet. Vous pouvez revenir sur le passé – et je vous encourage à le faire –, mais vous ne pouvez pas le changer, le vivre une deuxième fois pour dévier le cours de l'histoire. Vous pouvez parler de vous à la troisième personne, mais vous êtes maintenant Mme Fergus et nous sommes en 1965. Votre vie vous a conduite à la clinique de La Métairie, à Lausanne en Suisse, pour une cure de désintoxication. Vous avez épousé Bill Fergus, votre fils Billy est né, et il est mort. Nous sommes ici, vous et moi, pour essayer d'y voir plus clair, essayer de comprendre comment vous en êtes arrivée là. Nous voulons savoir comment vous allez vous rétablir, afin que vous puissiez aller de l'avant.

– Que voulez-vous comprendre à la mort d'un enfant ? Je vous l'ai dit, je ne veux pas parler de Billy. Vous devriez me laisser, maintenant. Je suis fatiguée.

– Très bien, madame Fergus, dit le Dr Chameau sur un ton apaisant. Pas de problème. Nous parlerons seulement de ce que vous déciderez. Je vous laisse tranquille. À demain.

– Demandez à la réception de me monter un cocktail, s'il vous plaît. Ou mieux, carrément une bouteille.

Il sourit. Le Chameau n'est pas complètement dépourvu d'humour.

– Inutile de vous rappeler, madame, que cette maison n'est pas un palace, et qu'on n'y sert pas d'alcool.

– Non, non, je sais. Mais on peut toujours faire semblant, n'est-ce pas ?

COMPTINE ENFANTINE

« Blond, l'enfant du lundi,
Gracieux celui du mardi,
L'enfant du mercredi aura une vie de chagrins,
Celui du jeudi ira loin,
L'enfant du vendredi sera tendre et généreux,
Celui du samedi travaillera dur toute sa vie.
Mais l'enfant qui naît un dimanche
Est bon, joyeux, vif et heureux. »

Monday's child is fair of face,
Tuesday's child is full of grace,
Wednesday's child is full of woe,
Thursday's child has far to go,
Friday's child is loving and giving,
Saturday's child works hard for a living,
But the child who is born on the Sabbath Day,
Is bonny and blithe and good and gay.

3

Je partage mon appartement avec deux filles. L'une, Rhonda, est rousse, dégingandée, adorable, originaire de Milwaukee. Elle a une voix puissante qui porte loin dans la salle. L'autre, Gail, vient de Kansas City. Elle est un peu forte et joue souvent les rôles de matrone dans les pièces que nous montons. Comme je suis brune et assez petite, nous formons un trio pour le moins coloré. En bonnes représentantes du Middle West, où elles ont eu une enfance sans problème, elles me trouvent diablement originale. Le simple fait que je sois française a pour elles une odeur de scandale, et quand je parle de mon existence, elles ouvrent de grands yeux étonnés. Ce que je leur apprends de Paris, de Londres ou de Kitzbühel, sans rien enjoliver pourtant, leur paraît si extraordinaire que je pourrais aussi bien débarquer de la planète Mars.

Résultat, bien qu'elles aient un an ou deux de plus que moi, je suis *de facto* le chef de notre petite bande – mais aussi le maître-queux de la maison. Ces filles ont de solides appétits (j'ai eu le temps de remarquer que les Américains, notamment ceux du Middle West, avalent des quantités impressionnantes de nourriture), et j'ouvre un peu leurs horizons culinaires en les initiant à la cuisine française. Nous nous amusons terriblement toutes les trois. Je leur prépare des coqs au vin, du bœuf bourguignon, et d'autres choses simples de la campagne que j'aimais bien quand j'étais petite. J'ai appris tout cela au Prieuré, en regardant faire Nathalie, notre cuisinière, qui avait vécu toute sa vie à Vanvey et ne connaissait que les plats de la région. J'aimais rester à la cuisine, avec elle et les autres domestiques. C'était la seule pièce où il faisait toujours chaud. Été comme hiver, on entretenait le feu de la grande cheminée qui couvrait presque tout un mur, ainsi que celui du fourneau. Des odeurs merveilleuses flottaient dans l'air – celle du pain frais, des soupes dans les marmites, du gibier qui rôtissait dans l'âtre.

Rhonda et Gail s'exclament devant mes modestes préparations, comme si on était Chez Maxim's, ou que je suivais les recettes compliquées d'Escoffier. Cela n'est pourtant que de la cuisine paysanne. Je ne me plains pas – comme je disais : elles ont bon appétit et me couvrent de compliments.

Les cours à l'école demandent beaucoup d'efforts, mais au moins je n'ai pas à m'embêter avec les sciences et les mathématiques, des matières pour lesquelles je n'ai aucune disposition. J'ai en revanche bien du mal à prendre l'accent américain, et je ne sais si j'y arriverai un jour. Je pense que le théâtre offre un éventail de métiers merveilleux, on y est entouré par des gens intéressants et créatifs, et c'est un vrai soulagement après la Republican Society de Chicago, à laquelle maman a tenté en vain de me présenter.

J'ai rencontré au théâtre George Connor, qui est devenu mon petit ami. Originaire de Detroit, il veut devenir auteur. Son père est militant syndicaliste dans l'industrie automobile. Lui-même ardent socialiste, George a les cheveux bouclés, ébouriffés, un regard bleu et pénétrant qui semble deviner vos plus sombres secrets avant même que vous ayez ouvert la bouche. Il n'a que du mépris pour McCormick et les autres magnats de la région, et il se lance souvent dans de longues diatribes contre l'exploitation des classes laborieuses. Mais c'est peut-être ma famille qui l'a attiré vers moi ; lorsqu'on n'a rien, la haine de ceux qui ont tout s'accompagne souvent d'une certaine fascination, mêlée d'un sentiment de jalousie. Les extrêmes s'attirent.

– Vous n'avez rien retenu de votre Révolution, vous les Français ? me demande-t-il.

– Oh si, on a appris à se méfier des Jacobins et de tous ces enragés qui n'ont pour but que de voler notre argent, nos terres, puis de nous envoyer à la guillotine.

– Exactement ce que je voulais dire, répond-il, vous n'avez rien retenu. C'est la raison pour laquelle ça recommencera, et cela arrivera en Amérique aussi. On ne peut indéfiniment réduire les ouvriers à l'esclavage, dans le seul but d'enrichir encore ceux qui ont déjà toutes les richesses. Voilà ce que les classes dominantes refusent de reconnaître et qui rend les révolutions inévitables.

George n'a pas le sou. C'est un vrai artiste, qui surgit d'un monde dont je ne connais rien. Il habite une pension infestée de rats dans le quartier irlandais du sud de Chicago – un endroit où je ne mettrai jamais les pieds. Il cumule les petits boulots – il fait la plonge dans plusieurs restaurants, le ménage dans les immeubles de bureaux la nuit et le week-end. On ne peut pas être plus différent des jeunes gens que ma mère m'a présentés. Elle serait consternée si elle savait que je le fréquente. Bien sûr, je ne lui en dirai rien. Si cela devait parvenir à ses oreilles, elle me retirerait du Goodman.

J'invite parfois George à dîner avec d'autres camarades du théâtre. Par comparaison avec son taudis infect, il appelle notre appartement « le château ». Notre logement est pourtant modeste, petit, même si maman l'a fait arranger par un décorateur et qu'elle a choisi presque tous les meubles. S'il voyait les vrais châteaux dans lesquels j'ai grandi, George et ses copains cocos me feraient décapiter.

Les amis apportent toujours du vin et du whiskey, et je prépare un de mes plats bourguignons. Tout le monde fume, boit, mange, rit, discute d'art et de politique, et nous passons d'agréables moments.

Je nourris une certaine appréhension à l'idée que ma mère débarque sans prévenir par une de ces soirées. Elle comprendrait tout de suite que j'ai une liaison avec George ; son intuition est infaillible pour ce genre de chose, et on risque des explosions à confronter ces deux-là. Elle détesterait ses manières frustes, surtout quand, en bon Irlandais, il a un coup dans le nez. De son côté, il ne manquerait pas de trouver ridicules sa toque, son étole de renard ou de vison, et son impeccable tailleur Lanvin. Je le vois très bien dévider son chapelet révolutionnaire, galvanisé par la présence de quelques copains enivrés. Selon l'heure, évidemment, je suis susceptible d'être saoule. Rhonda et Gail s'emploient de leur mieux à m'empêcher de boire, et je m'applique à ne pas avaler une seule goutte avant que le repas soit prêt. Mais ensuite, lorsque nous sommes assis à table, ou qu'au salon nous nous lançons dans des impros, je ne résiste plus. Quand chacun a un verre en main, que les rires fusent de tous côtés, je ne vais quand même pas me priver. La vie est tellement plus drôle dans les brumes accueillantes de l'alcool, dans cette bulle de bonne humeur qui se forme autour de nous. S'exclure en restant sobre, en braquant sur les autres un jugement froid et distant, très peu pour moi. Au contraire, j'ai envie de les rejoindre et de m'amuser.

Ce que je craignais s'est produit. Ma mère a fait un crochet par chez nous, alors qu'elle se rendait à un dîner en ville. Il était assez tôt, nous n'avions pas mangé et, contrairement à nos invités, je n'avais encore rien bu.

— Pardonnez-moi, chérie, a-t-elle dit à la porte, je ne pouvais pas deviner que vous aviez du monde. Mais j'aimerais bien rencontrer vos amis. Je ne resterai qu'un instant.

— Bien sûr, maman. Je suis contente que vous soyez venue. Je suis si occupée au théâtre, et vous sortez tellement que nous ne nous voyons plus.

Je l'ai débarrassée de son manteau. C'était l'hiver, et elle portait en dessous une veste bien coupée, une robe de soirée noire et simple, parée d'une énorme broche en diamant. Et elle était coiffée de ce qu'un chroniqueur mondain avait appelé sa « malicieuse toque de fourrure ».

Tout a commencé sous les meilleurs auspices. George et les autres garçons se sont levés respectueusement quand elle est entrée dans la pièce. J'ai fait les présentations. Rhonda et Gail, bien sûr, connaissaient déjà ma mère, qui les intimidait légèrement, comme il se doit.

— Puis-je vous servir un whiskey, ma petite dame ? lui a demandé George.

— Je vous remercie, a-t-elle dit avec un sourire pincé, n'appréciant guère ces familiarités. Je ne bois pas de whiskey.

– Un verre de vin, alors ?

– Je bois assez peu.

– Comment il s'appelle, le toutou ? lui a-t-il dit.

– Je vous demande pardon ?

Il m'a fait un sourire espiègle, discret, mais maman s'en est aperçue. J'ai hoché la tête avec un visage implorant pour qu'il ne nous conduise pas à la catastrophe.

– Votre toutou, m'dame. C'est pas un petit chien que vous avez sur la tête ? Un chat, alors ? Il est bien élevé, en tout cas, le pioupiou. N'a pas moufté depuis que vous êtes là.

Tout le monde, y compris Rhonda et Gail, s'est esclaffé.

– Il aime les cacahuètes ? a continué George.

Il en avait une entre le pouce et l'index, qu'il a proposée au « chien ».

– Il mord pas ?

– Très drôle, jeune homme. Mais je ne suis pas votre petite dame et vous m'appellerez Mme McCormick.

– 'scusez-moi, ma petite dame, a-t-il dit avec un sourire désarmant. La force de l'habitude, faut croire. Ça n'est pas tous les jours, voyez, que je croise les têtes couronnées de notre belle ville. Ils se font rares dans mon quartier, les McCormick.

– Je le suppose, en effet. À l'exception de ma fille, évidemment.

– Ah, votre excellente fille, a-t-il dit en me dévisageant affectueusement. Sans l'esprit démocratique du théâtre, ma petite dame, les tristes gens de ma sorte et les Willy Shakespeare n'auraient pas l'occasion de rencontrer de jeunes femmes comme elle. Ça nous ouvre un peu les horizons, ça nous élève un peu, voyez ? Les idées se pressent sous la plume, ensuite.

– Ravie de l'apprendre. J'en conclus que vous êtes un futur auteur dramatique, monsieur Connor ?

– En effet, madame McCormick. Je travaille d'ailleurs à une nouvelle pièce, qui traite des conflits de classes. Je potasse le carnet mondain pour m'initier au mode de vie de la haute.

– J'imagine qu'il est difficile d'aborder un sujet dont les portes vous sont, pour ainsi dire, fermées. Les pages du carnet mondain manquent un peu de profondeur.

Se redressant, George a pris la pose et commencé à déclamer :

– «M. Leander McCormick et sa charmante épouse française, Renée, résident en ce moment chez M. et Mme Leslie Wheeler dans leur manoir de Lake Forest. Leur emploi du temps est surchargé. Voyez plutôt : à peine descendent-ils du train qu'ils doivent se précipiter à l'apéritif offert par M. et Mme Billy Clow, suivi aussitôt d'un déjeuner au Shore Acres Club, animé par Ralph Hines ; ensuite thé et baignade au Noble Judah, et enfin un de ces dîners mémorables que personne, je dis bien personne, ne sait mieux organiser que Mme Clifford Rodman, avec le charme qu'on lui connaît. » Pas besoin de sonder les profondeurs, n'est-ce pas ?

– Vous avez une bonne mémoire, monsieur Connor. Et un certain talent d'imitateur. Cependant l'art ne se réduit pas à la caricature.

– *Touche !* a dit George, comme recevant un coup d'épée. Je n'ai jamais déjeuné au Shore Acres Club, je ne pense pas que cela m'arrivera, mais je me représente très bien ce que c'est. Question d'imagination.

– Croyez-vous ?

– Oui, j'imagine que c'est d'un ennui mortel, ma petite dame. C'est là où l'écrivain entre en jeu : son rôle est d'en rajouter pour séduire le public.

– Marie-Blanche, puis-je vous parler un instant, avant de partir ? Il faut vérifier que le repas est prêt, sans doute ?

– Oui, maman.

– Je veux que vous quittiez cet homme sur-le-champ, m'a-t-elle dit en entrant dans la cuisine. C'est un de ces Irlandais sarcastiques, alcooliques, irascibles... Il ne vous vaudra que des ennuis. Et il est communiste, par-dessus le marché.

– Je l'aime bien, maman. Il est drôle, il me fait rire et il a du talent.

– Cela m'est égal. Vous rompez, et tout de suite.

– Non, ai-je répondu, lui tenant tête pour une fois. J'ai dix-huit ans et je suis libre de choisir mes amis.

– Comme vous voudrez, Marie-Blanche, a-t-elle dit en haussant les épaules. Dans ce cas, puisque vous tenez à votre indépendance, vous allez commencer par payer votre loyer vous-même et pourvoir à vos besoins. Ce qui inclut vos frais de scolarité au théâtre. Rien ne vous empêche de vous installer chez M. Connor, il vous entretiendra selon les exigences dues à votre rang. Oui, c'est très romantique, la vie d'artiste, surtout chez les crève-la-faim, vous verrez. Je ne doute pas qu'il habite les beaux quartiers. Bonne soirée, ma chérie, on m'attend à dîner.

Ce soir-là, quand les autres furent partis, et mes amies retirées dans leurs chambres, George et moi avons bu un dernier verre au salon. Pour une fois, je n'avais pas dépassé la dose, car je voulais avoir les idées claires pour lui parler de l'ultimatum de ma mère.

– Ça m'étonne de ma part, a-t-il dit, mais elle me plaît plutôt.

– Je crois que c'est réciproque.

– J'en suis moins sûr ! s'est-il esclaffé. En tout cas, elle aime la bagarre. Une adversaire digne de ce nom. Je parie qu'elle arrive souvent à ses fins.

– Pari gagné.

– Je vois qu'elle te fait peur, d'ailleurs. Une force de la nature, pas très grande, mais irrésistible.

– Qui a dit que j'avais peur d'elle ?

Il rit de nouveau.

– Tout le monde s'en est aperçu. Dès l'instant où elle a passé la porte, tu ressemblais à un petit chien tremblant, qui se demandait ce qu'il avait fait de mal et craignait de continuer. J'imagine que ça n'est pas facile tous les jours d'avoir une mère comme ça.

– George, maman veut que je te quitte.

– Mais tu as dit qu'elle m'aimait bien ? fit-il en souriant.

– Oui, certainement. Elle t'a trouvé charmant, intelligent, cependant elle pense que tu es un emmerdeur.

– Oui, bon, je suis peut-être un peu emmerdant sur les bords, Baby, mais est-ce une raison suffisante pour me quitter ?

– Elle dit aussi que tu es colérique, sarcastique, alcoolique...

– Ah, euh, c'est possible, oui... Et alors ? J'attends une vraie raison, moi.

– ... et que tu me frapperais probablement.

– Comme tout bon Irlandais qui a bu un coup de trop, n'est-ce pas ? En rentrant du pub, mon père nous fichait des tartes parfois, à ma mère, mes frères et moi. Non qu'on lui ait désobéi ou quoi que ce soit, il croyait qu'on les méritait de toute façon. Mais dis-moi vraiment pourquoi tu veux qu'on se quitte, Baby ?

– OK, George, c'est parce que tu es fauché.

– Ah, la vérité ! Quand même ! Merci...

– Maman pense que je ne me plairais pas dans ton quartier.

Il rit de bon cœur.

– Pas que ça me plaise spécialement moi-même ! Donc une poulette chic comme toi n'y serait pas bien à l'aise, non. Mais qui t'a demandé de t'installer chez moi ? Je ne t'ai pas posé la question, que je sache. Et pourquoi quitterais-tu ton beau château, princesse ?

– C'est ce que m'a dit maman. Si je continue de te fréquenter, elle me coupe les vivres et je n'ai plus qu'à emménager chez toi.

– *Aaaaah*, voilà ! fit George en hochant la tête. Tout s'éclaire ! Évidemment, la vieille tactique de la carotte – la sainte finance qu'invoquent les nantis pour garder la main sur leur progéniture ! L'étoffe même de la pièce que j'écris, Baby. Alors, qu'as-tu répondu à ta mère, chérie ?

– Que je t'aimais bien...

– Bien sûr que tu m'aimes bien. Mais encore ?

– C'est tout. Elle est partie sans me laisser le temps de me retourner.

– Et maintenant, tu as réfléchi ?

– George, elle m'obligerait à payer moi-même mes études chez Goodman, à me trouver un appartement, à subvenir à mes besoins, lui ai-je avoué en pleurant. Je suis désolée, mais je n'ai jamais travaillé de ma vie. Je ne sais rien faire de mes dix doigts.

Il m'a prise dans ses bras.

– Mais non, bien sûr, tu ne sais rien faire... Où aurais-tu appris ? Allons, ne t'inquiète pas, Baby, je te ferai une petite place. Certes, il faudra que tu sacrifies une partie de ta garde-robe... Ce n'est pas vraiment une suite au Drake[1]... mais on y arrivera. Tu viendras avec moi faire le ménage dans les bureaux le soir et les week-ends. On travaillera ensemble, c'est pas chouette, ça ?

1. Grand hôtel de Chicago.

Je me suis effondrée en sanglots, au point de ne plus pouvoir parler.

George s'est amusé du vilain tour qu'il venait de me jouer.

– Pleures-tu parce que ta mère te coupe les vivres ? Parce que tu m'es tellement reconnaissante de te prendre sous mon aile ? Ou bien parce que nous allons rompre ? Vois-tu, Baby, avant cette discussion – en fait, dès que ta mère t'a emmenée à la cuisine pour un petit conciliabule –, j'ai compris ce qu'elle allait te dire, et ce que tu allais faire. Ça n'est pas un choix très difficile, n'est-ce pas ? D'un côté, la fortune des McCormick, de l'autre un avenir incertain avec un auteur irlandais, mal luné, alcoolo et sans le sou. Hm... Moi-même, je choisirais le fric, tu sais. Et je ne t'en veux pas. Allons, buvons un dernier verre, et envoyons-nous en l'air comme deux ivrognes débraillés. «Si douce est la tristesse de nos adieux», comme disait mon vieux pote Willy.

– Ça ne serait pas les mots de Juliette, plutôt ?

J'avais le hoquet d'avoir tant pleuré.

Si, ma chérie, bien entendu, a-t-il pouffé. Juliette donne les répliques que Willy a créées. C'est un personnage, une actrice, comme toi, Baby. Sans dramaturges pour vous pondre un dialogue, vous ne seriez que des marionnettes désincarnées, sourdes et muettes !

Tout en m'embrassant, George a déboutonné mon corsage et, d'un geste adroit, libéré mes seins de mon soutien-gorge. Puis il m'a allongée sur le canapé, m'a retiré ma jupe et ma culotte, de sorte que j'étais nue devant lui. Ce dernier verre m'a fait l'effet d'un baume, je sentais l'alcool me griser, m'emporter dans ce monde chaud et rassurant où me guettait toujours l'envie d'une resucée.

– J'ai l'impression d'être une marionnette désincarnée.

RENÉE

Biarritz
Août 1914

1

Par une chaude journée de juillet 1914, la comtesse Henriette de Fontarce procédait chez sa couturière au dernier essayage d'une robe rose-thé aux épaules bordées de dentelle, lorsqu'elle ressentit brusquement une violente douleur à l'estomac. Deux jours plus tard, elle décédait.

Toute la maison reprocha à Renée de ne pas pleurer suffisamment la disparition de sa mère. Quelques jours plus tard, lors de la cérémonie religieuse qui réunit les amis et la famille à l'église Saint-Augustin, elle ne versa pas une larme. Assise sur son banc sans rien dire, affichant un visage de pierre, elle tentait encore de trouver un sens à ses relations avec cette femme froide et distante que la mort n'éloignait guère plus. Sans doute était-elle vaguement contrariée que les obsèques aient lieu le jour même de son quinzième anniversaire que, bien sûr, on ne fêta jamais.

Peu après avoir enterré sa belle-sœur et ex-maîtresse, Gabriel de Fontarce quitta Paris en hâte pour Londres où il voulait consulter ses associés. Désintoxiqué, revenu dans les bonnes grâces de sa nièce, il pouvait de nouveau se consacrer pleinement aux affaires. Il était d'ailleurs temps. Sous protectorat britannique, l'Égypte paraissait relativement intouchable, et le vicomte, comme J. P. Morgan en Amérique et les financiers qui contrôlent largement l'économie mondiale, évaluait les énormes profits à tirer d'une guerre qui allait prendre des dimensions internationales. Il faudrait des quantités illimitées de coton pour fabriquer les millions d'uniformes dont l'Angleterre aurait besoin si elle engageait son armée, ce qui ne faisait guère de doute. Gabriel était également convaincu que les Français, bien qu'attachés à l'apparence vestimentaire de leurs soldats, renonceraient tôt ou tard aux tenues de laine rouge et bleu, étouffantes, dans lesquelles Napoléon III les avait envoyés combattre en 1870. Elles faisaient d'eux des cibles bien trop faciles pour une artillerie moderne. En outre, aucune armée ne pourrait se passer d'une denrée aussi essentielle que le sucre.

Le 3 août 1914, l'Allemagne déclarait la guerre à la France et, sans surprendre personne, envahissait la Belgique le lendemain, violant sa neutralité. Le 5 août, alors que Renée, miss Hayes, l'oncle Louis et Balou prenaient leur petit-déjeuner au 29 avenue des Champs-Élysées, ils perçurent de curieux cliquètements dans la cage d'escalier. Un instant plus tard, Maurice de Fontarce faisait une apparition théâtrale dans la salle à manger. Il portait l'uniforme d'été – neuf et impeccable – des dragons lourds : tunique bleu foncé, culotte rouge vif, gantelets blancs, et un casque en argent dont on pouvait imaginer la longue crinière, pour l'instant au repos, flotter au vent sur le champ de bataille. Les bruits métalliques provenaient de ses éperons, de son plastron de cuirasse et du fourreau de son sabre, lequel rappelait, si besoin, son glorieux passé de bretteur. De fait, il avait tout du cuirassier de l'armée de Napoléon III. À cela près que, compte tenu de sa corpulence, de son ventre piriforme et de son âge avancé, l'ensemble avait quelque chose d'incongru. Muette d'étonnement, la maisonnée contempla l'héroïque soldat.

– Oui, c'est ainsi, annonça le comte. Ma bien-aimée venant de disparaître, je n'ai plus de raison d'attendre. La patrie est en danger et je suis né pour la défendre jusqu'à ma dernière goutte de sang.

Les larmes qu'avait retenues Renée depuis le décès de sa mère se pressèrent dans ses yeux, la guerre devenant brusquement pour elle une réalité.

– Et moi, papa ? s'exclama-t-elle. Vous ne pouvez pas m'abandonner !

– Je suis navré, ma chérie, mais ce sont les sacrifices qu'on demande aux soldats en temps de guerre. La patrie avant tout !

Se levant, Balou fit le salut militaire.

– Mon vaillant compagnon, je vais m'engager moi aussi, lui dit-il. Tu as raison, il n'y a plus un instant à perdre. Nous ne laisserons pas les Boches poser un seul de leurs souliers cloutés sur la terre sacrée de notre belle France.

Se redressant à son tour, l'oncle Louis brandit sa coupe matinale de champagne.

– Comme j'aimerais vous suivre au front, mes courageux amis, dit-il avec un léger soulagement dans la voix. Mais à l'évidence, il faut que quelqu'un de la famille reste s'occuper de la petite. Feu ma chère sœur n'en attendrait pas moins de ma part. N'ayez crainte, Maurice, vous pouvez compter sur moi, je ne manquerai pas à mon devoir.

Il s'interrompit, songeur, avant d'ajouter :

– Dussé-je y laisser la vie !

Comme si cette maigre contribution à l'effort de guerre devait faire de lui un héros.

– Enfin, dit Renée, s'occuper de moi n'est pas mortel ! Je suis peut-être difficile parfois, mais quand même pas à ce point !

– Puisque tout le monde a une déclaration à faire, commença miss Hayes, bien calée sur sa chaise, je vais en faire une aussi. Les hostilités étant engagées, je me sens tenue de rentrer dans mon pays.

Renée fondit à nouveau en larmes. C'était peut-être le matin le plus affreux de sa vie. Quelques courtes semaines plus tôt, elle ne se souciait que de remporter le tournoi des débutants, et aujourd'hui, sa mère était à peine enterrée que deux des personnes qu'elle aimait le plus la quittaient.

– Comment ? s'écria-t-elle. Vous ne pouvez pas me laisser, chère miss Hayes ! Maman a disparu, papa part à la guerre, et Gabriel ne s'intéresse qu'à son argent. Je suis seule au monde. Je vous en supplie, ne m'abandonnez pas !

– Je suis réellement navrée, répondit la gouvernante. Mais en temps de guerre, un citoyen est d'abord responsable devant son pays et sa famille. Il faut que je retourne chez moi.

– Cela fait vingt-cinq ans que vous n'y êtes pas revenue ! Vous êtes pratiquement française. Votre famille, c'est nous. Où irez-vous là-bas ?

– Je ne suis certainement pas française ! rétorqua miss Hayes, que cette soudaine assimilation n'enchantait pas. J'irai chez mon frère, dans son presbytère. À ce qu'on dit, la Grande-Bretagne s'alignera bientôt sur la France, et il aura besoin de tout mon soutien pour desservir sa paroisse.

– Ne t'inquiète pas, ma petite cocotte, dit Louis à Renée. Ton vieil oncle prendra soin de toi. Nous allons tout de suite nous mettre en quête d'une autre gouvernante.

– Je ne veux pas d'une autre gouvernante, lâcha Renée entre deux sanglots. Je veux celle que j'ai.

– J'ai pris un peu de temps pour réfléchir à tout cela, dit le comte. Votre excellente mère serait encore de ce monde, elle aurait vite su prendre les décisions utiles.

Comme cela arrive souvent, la comtesse avait acquis dans la tombe le caractère d'une sainte.

– Quelles que soient les rumeurs, poursuivit Fontarce, l'issue de cette guerre reste inconnue. Je ne doute pas que notre pays trouvera la force de repousser l'envahisseur dans les meilleurs délais. Mais avant que nous en soyons sûrs, je trouve plus sage que ma fille soit éloignée du théâtre des opérations. Le front se rapproche chaque jour de Paris. C'est pourquoi je vous demande, Louis, d'emmener Renée à Biarritz. Le Dr Vaquez lui recommande le soleil et l'air de la mer, qui lui permettront de se rétablir totalement et de fortifier ses os. J'insiste pour que vous partiez rapidement.

On passa le reste de la journée à remplir les valises et à pleurer le départ des uns et des autres. Il fut décidé que Mathilde accompagnerait Louis et Renée sur la Côte basque. Trop âgé pour servir sous les drapeaux, Adrien resterait avec Tata au 29 aussi longtemps que possible, ainsi que le vieux Rigobert. Balou et Maurice auraient un endroit pour dormir lorsqu'ils reviendraient en permission, et le vicomte garderait un pied-à-terre à Paris pour ses séjours d'affaires. Renée et son oncle Louis y retourneraient également, une fois le danger écarté. Au pire des cas, si les Allemands entraient dans Paris, les trois domestiques fermeraient la maison et prendraient la fuite.

Le comte occupa l'essentiel de ses dernières journées dans la capitale à faire ses adieux à ses maîtresses. Elles étaient si nombreuses que Balou l'aida à établir une liste de noms et d'adresses, puis un savant itinéraire pour s'acquitter de la tâche avec la meilleure efficacité. Alliant le romantisme à l'héroïsme, Fontarce se présenta à chacun de ses rendez-vous en uniforme complet, conduit par le fidèle Rigobert d'une résidence à l'autre.

Très affligé, ce dernier avait appris le matin même par sa femme, qui résidait encore au pavillon familial d'Orry-la-Ville, que leurs deux petits-fils, pris de ferveur patriotique, s'étaient portés volontaires. Ils étaient âgés respectivement de dix-sept et dix-huit ans, et on les avait immédiatement expédiés au front. Comme toujours, c'était l'infanterie – composée de très jeunes gens à peine sortis de l'adolescence – qu'on envoyait se battre en première ligne. Au nom de sa belle « stratégie offensive », le général Joffre ne fit pas exception à la règle. Si bien qu'à la fin de l'année, quatre mois seulement après le début de la Grande Guerre, trois cent mille soldats français avaient trouvé la mort au champ de bataille, et six cent mille autres étaient blessés et mutilés. Toutefois, en août 14, il n'était pas question d'interrompre le déjeuner de « papa » Joffre, obèse après des années de gloutonnerie, pour lui annoncer ces chiffres. Il serait plus tard nommé maréchal de France, décoré de la grand-croix de la Légion d'honneur, de la médaille militaire et de la croix de guerre.

Des unités de cavalerie lourde devaient défiler dans Paris avant de partir au combat. Avant de rejoindre la sienne, le comte fit des adieux émus aux siens, ainsi qu'au personnel et à miss Hayes, qui prenait le train pour Calais vers midi. Fontarce saisit les mains de la vieille gouvernante et lui dit :

– Vous êtes plus qu'une amie pour nous. Nous vous considérions comme un membre de la famille. Vous étiez l'ange gardien de notre Renée, et je n'oublierai jamais votre dévouement. Je ne sais comment vous remercier et vous témoigner ma reconnaissance. Vous prierez pour moi, n'est-ce pas, miss Hayes ?

Et il lui baisa les mains affectueusement.

Comme les troupes empruntaient l'avenue des Champs-Élysées, elles passèrent devant le 29. Renée, l'oncle Louis, Balou, Adrien, Tata, Rigobert et Mathilde se mélangèrent à la foule devant leur maison. Ils aperçurent le comte à la tête de son régiment de dragons, et l'acclamèrent bruyamment. Il chevauchait sa monture préférée – nommée Abaster, comme l'un des quatre coursiers noirs du char de Pluton, censés courir plus vite que les étoiles. C'était un grand hongre noir, assez vigoureux pour supporter le poids de son cavalier. Renée, qui avait eu du mal à maîtriser son chagrin depuis vingt-quatre heures, s'enflamma à la vue de son valeureux père qui, dans son uniforme bleu et rouge, le front haut et le port aristocratique, savourait chaque instant du spectacle qu'il offrait.

– Ce qu'il est beau ! s'écria sa fille.

– Oui, il fait dix ans de moins avec son casque et sa fière crinière, renchérit Balou. Il retrouve sa jeunesse. Je crois que, toute sa vie, il a attendu ce jour, pour pouvoir servir et défendre sa chère patrie. Les Boches feraient bien de prendre garde, ou il va les pourfendre à coups de sabre.

Se détachant du petit groupe, Renée s'élança dans l'avenue, se faufilant entre les chevaux jusqu'à atteindre celui de son père.

– Papa ! Papa ! criait-elle.

S'agrippant à sa tunique, elle se hissa derrière lui sur sa monture. Puis, le serrant dans ses bras, elle couvrit de baisers son dos et ses épaules.

– Je viens avec vous, papa chéri, dit-elle. Emmenez-moi. Je prendrai soin de vous et d'Abaster.

Le comte rit de bon cœur, bientôt imité par quelques-uns de ses pairs autour de lui. Les défilés étaient le meilleur moment de la guerre ; des soldats frais et propres dans des uniformes impeccables, qu'ils seraient seuls à voir maculés de sang et de viscères ; glorieux et d'excellente humeur, tous certains que la victoire était au bout du chemin.

– C'est vrai que nous avons besoin de recrues. Mais la cavalerie française n'enrôle pas de jeunes dames. Du moins pas encore. Selon le cours que prendront les choses, peut-être fera-t-on appel à vos services, ma petite ? Pour l'instant, je vous demande de descendre. Un officier des dragons ne peut dignement conduire ses troupes avec sa fille accrochée à ses basques !

– Oui, papa, je voulais seulement vous dire à nouveau au revoir. Je sais qu'on ne me laissera pas vous accompagner. Que Dieu vous protège ! Dépêchez-vous de rentrer !

– Ma fille ! lança Fontarce, se rappelant soudain une chose. Mon frère, voyez-vous, votre cher oncle Gabriel se trompait, en définitive ! Cette guerre *sera* menée à coups d'épée par des lourdauds à cheval !

Renée retrouva sur le trottoir le reste de la famille, qui regarda silencieusement le comte disparaître au bout de l'avenue.

2

M algré sa promesse d'emmener aussitôt Renée dans le Sud-Ouest, Louis fit traîner les choses pendant presque deux semaines, au bout desquelles il dut se résoudre à un départ précipité.

– La guerre sera terminée avant les premières feuilles d'automne, répétait-il sans cesse. Alors il faudra rebrousser chemin pour accueillir ton père comme un héros !

Certes, Paris acclama l'entrée des troupes françaises à Mulhouse, mais les Allemands les en chassaient le surlendemain. D'autres mauvaises nouvelles arrivèrent du front : l'infanterie perdait la Lorraine, où vingt-sept mille soldats français furent massacrés, dont les deux petits-fils de Rigobert, tués deux jours à peine après leur incorporation – cibles faciles, dans leurs uniformes bleu et rouge du XIXe siècle, pour les mitrailleuses modernes de l'ennemi. Quelques jours plus tard, la 2e armée française, après avoir pénétré en Belgique, était repoussée au sud de la frontière ; la 1re armée et l'armée d'Alsace subissaient de leur côté un sort analogue ; les 3e et 4e armées étaient décimées dans les Ardennes ; et la 5e à Charleroi. En quatre journées mortelles, du 20 au 23 août, quarante mille Français moururent au combat, et les autres battaient en retraite.

Lorsqu'on apprit que les Allemands ne se trouvaient plus qu'à une quarantaine de kilomètres de Paris, l'oncle Louis, comme des milliers d'autres riches Parisiens, décida enfin qu'il était temps de fuir.

– Ils ont pris Orry la Ville, ma cocotte, déclara-t-il, hébété, comme s'il recevait un coup sur la tête.

– La Borne-Blanche aux mains des Boches ? s'exclama Renée. Mais c'est monstrueux, oncle Louis !

– Il faut quitter Paris immédiatement. Tout est perdu ! Mon Dieu, comment est-ce possible ? Tes valises sont-elles prêtes, ma cocotte ?

– Depuis quinze jours, dit-elle. Pendant que tu faisais ribote avec tes petits copains Chez Maxim's et à Montmartre, nous avons tout préparé, Mlle Ponson et moi. Papa nous a ordonné de fiche le camp, il y a presque trois semaines maintenant !

Thérèse Ponson était la nouvelle gouvernante que Louis avait engagée aussitôt après la démission de miss Hayes, pour que sa charge de tuteur ne déborde pas trop sur une vie de plaisirs dont il ne voulait rien céder à la guerre. Mlle Ponson était une jeune femme efficace, rationnelle, dotée d'une silhouette fine et d'un teint éblouissant. Remarquablement jolie pour quelqu'un de sa profession, elle avait embrassé celle-ci quand son fiancé était parti au front. C'était pour elle la perspective d'un travail régulier, avec une possibilité de fuite, au cas où Paris deviendrait invivable, ce en quoi elle avait vu juste.

– Je n'aurais jamais cru qu'on en arriverait là, ma cocotte, admit l'oncle Louis. Comment peut-on imaginer les frisés aux portes de Paris ? En quelques semaines ! Je demande à Adrien de faire mes bagages. Nous levons le camp demain.

Mais l'on faisait déjà la queue aux guichets des gares, qui grouillaient de monde. Les wagons étaient chargés jusqu'au toit, les trains avaient du retard à cause de milliers de Parisiens cherchant refuge dans le sud – alors qu'autant de jeunes recrues, sinon plus, s'efforçaient de gagner le nord du pays. Impossible d'obtenir au dernier moment des couchettes dans le train de Bayonne, et c'est en troisième classe que durent prendre place Louis, Renée, Mlle Ponson et Mathilde. Renée et son oncle n'avaient certes pas l'habitude de s'abaisser ainsi, ni leurs fessiers douillets de quitter leurs coussins moelleux pour de durs bancs de bois.

– Je croyais que nous étions riches. Pourquoi faut-il voyager avec les pauvres ? demanda Renée.

Ce qu'entendant, Mlle Ponson se mit à rire :

– Une sage leçon que vous apprenez là. Voyez-vous, les riches ne sont après tout que des pauvres avec de l'argent.

Après deux journées d'un voyage plus qu'inconfortable – dans un train express qui, curieusement, s'arrêtait à presque toutes les gares –, ils atteignirent enfin, un après-midi, la Côte d'Argent. Oncle Louis décida de faire étape à Bayonne et de dormir à l'hôtel.

– Je louerai une voiture demain pour Biarritz, déclara-t-il. Nous sommes trop fatigués pour continuer. Pour l'instant, nous avons besoin d'un bain et d'un dîner correct.

Lorsqu'ils sortirent de l'hôtel le lendemain, délassés après une bonne nuit de sommeil sur des matelas en plume, un landau les attendait devant le trottoir. Comme il était d'usage dans la région, le cocher portait une livrée de couleur et un tricorne qui le faisaient ressembler aux postillons d'antan. On distinguait à distance les crêtes enneigées des Pyrénées, perçant au-dessus des brumes matinales. Paris et la guerre semblaient brusquement fort loin.

– Eh bien, dit gaiement l'oncle Louis, ce fut certes un voyage pénible, mais nous sommes presque arrivés. À Biarritz, nous choisirons un hôtel au bord de la plage.

Ils devaient vite se rendre compte que la plupart des hôtels biarrots avaient été réquisitionnés par l'armée et transformés en hôpitaux. Ils eurent finalement la chance d'en découvrir un, à la clientèle très sélecte, où rien n'était disponible à moins de 125 francs la nuit. En fait, rien n'était disponible du tout, la réception était encombrée et l'on refusait du monde. Mais Louis parvint à soudoyer le jeune réceptionniste, et même à convenir d'un rendez-vous avec lui dans la soirée.

– Ah, ma cocotte, c'est que j'en fais des sacrifices pour toi, dit-il, claquant la langue et faisant sonner au bout de ses doigts les clefs qu'on venait de lui confier. Non seulement je te loge dans l'établissement le plus luxueux de la ville, mais je suis prêt à me compromettre pour ta sécurité.

– Je croyais que papa et Gabriel prenaient tous les frais à leur charge ? observa Renée. En vérité, c'est nous qui t'offrons une excursion dans le Pays basque et qui payons l'hôtel, non ? Je vois qu'il est très mignon, le garçon de la réception, mais jamais je ne te demanderai de te prostituer.

Louis fit une grimace de dégoût.

– Mon Dieu, comme tu es devenue vulgaire ! C'est à l'évidence la mauvaise influence de ton oncle Gabriel. Tu es restée trop longtemps avec ce dégénéré. L'argent, l'argent, l'argent... dit-il en agitant la main, mimant des billets de banque flottant au vent. Tu n'ignores pas que ton père, le comte, est trop délicat, trop bien élevé, pour aborder ce genre de détails...

Se redressant fièrement, il ajouta :

– Et je le suis moi aussi.

Plusieurs amis du cercle familial s'étaient également réfugiés dans le Sud, dont Mme de Granville, une riche veuve qui séjournait dans le même hôtel avec sa nièce Françoise, laquelle avait deux ans de plus que Renée. Louis, qui aimait la mode féminine, mais aussi courir les magasins et jouer les commères, était le compagnon idéal des veuves, et il ne tarda pas à se lier d'amitié avec Mme de Granville. Au bout de quelques jours, ils décidèrent de louer ensemble une maison à l'extérieur de la ville. Avec l'aide d'un agent immobilier, ils en dénichèrent une rapidement, et les deux familles s'installèrent à La Sans-Souci, une charmante villa à cinq kilomètres au nord de Biarritz. Située en haut d'une colline, elle dominait une crique abritée avec plage privée.

Comme bien souvent au Pays basque, les murs étaient chaulés, les balcons, les volets et les fenêtres peints dans un rouge sombre, produit à partir d'un pigment local. Décolorées par le soleil, les tuiles rose-orange du toit changeaient de couleur au rythme des saisons et selon les heures de la journée. Sous les mimosas, les roses et les hortensias se disputaient le jardin. Depuis la terrasse, on apercevait parfois des randonneurs derrière la grande haie de tamaris.

L'automne arriverait bientôt, et les courlis, annonciateurs de grands vents, rasaient un océan gris et menaçant. À l'arrière, les arbres commençaient à perdre leurs feuilles, qu'un vent d'est balayait vers la mer.

Si Renée avait toujours entretenu des relations houleuses avec les autres jeunes filles, elle se prit vite d'affection pour Françoise. Celle-ci avait un tempérament rebelle, et connaissait déjà de jeunes Basques en ville. Elle promit à Renée de faire le mur un soir, pour aller danser avec eux dans les collines.

– C'est peut-être dangereux, pensa Renée à voix haute.

– Mais non, ils sont très gentils, la rassura Françoise. Il n'y a aucun souci à se faire. Bon, si tu as peur...

– Je n'ai peur de rien ! Je suis peut-être plus jeune que toi, mais tu n'as aucune idée de ce que j'ai pu vivre. Et j'adore danser.

– Formidable ! J'ai hâte que tu me racontes tout ça. Je crois que nous allons devenir de grandes amies.

3

Des trains entiers continuaient de déverser des soldats blessés dans les hôtels de Biarritz où, déjà, l'on commençait à manquer de lits. Un jour, Mme de Granville et Mlle Ponson emmenèrent Renée et Françoise, munies chacune d'un panier plein d'oranges et de paquets de cigarettes, dans un de ces hôpitaux de fortune. Les soldats étaient ravis, non seulement qu'on améliore leur ordinaire, mais aussi que la distribution soit assurée par deux jolies jeunes filles.

Un étage de l'hôtel était interdit d'accès. L'infirmière qui montait la garde dans le couloir arrêta le petit groupe lorsqu'il se présenta.

– Navrée, pas de visiteurs.

– Pourquoi ? demanda la gouvernante.

– Parce que ces hommes sont horriblement défigurés. C'est difficilement supportable pour les civils, et cela perturbe les autres patients. Voilà pourquoi ces malheureux sont rassemblés ici.

– Vous voulez dire isolés ? En quarantaine ?

L'infirmière haussa les épaules.

– Appelez ça comme vous voudrez.

– Il n'y a pas de raison qu'on ne leur donne pas d'oranges et de cigarettes, comme aux autres, dit Mlle Ponson. Pourquoi leur refuser cela ?

– Vous pouvez me confier vos paniers. Je veillerai à ce qu'on en distribue à tous ceux qui en veulent.

– Quelle tristesse! Un jeune homme part défendre son pays, revient défiguré du champ de bataille et, en guise de remerciements, on le cache comme un lépreux pour ne pas heurter la sensibilité de ses camarades. Je vais laisser un instant ces demoiselles, madame, et rendre visite à ces malheureux. Ils ont sûrement besoin d'un peu de réconfort.

– Fort bien, dit l'infirmière. Puisque vous insistez. Mais je vous préviens que...

– Si vous y allez, Mlle Ponson, dit Renée, j'y vais moi aussi.

– Moi aussi, dit Françoise.

L'infirmière s'effaça devant elles.

– Entendu. Comme vous voudrez. Je vous assure que vous n'avez pas idée de ce qui vous attend.

Livides, sans voix, la gouvernante et les deux filles quittèrent l'étage comme on reviendrait de l'enfer. Dans la voiture, sur le chemin du retour, Mlle Ponson déclara d'une voix sourde :

– Si tous les citoyens de tous les pays voyaient ce que nous venons de voir, il n'y aurait plus jamais de guerres.

– Il y aura toujours des fous pour en déclarer d'autres, assura Mme de Granville qui, retrouvant la Villa Sans-Souci, interdit à Renée et Françoise de revenir à l'hôpital.

– Ce ne sont pas des endroits pour les filles de votre âge. La vue du sang, des bandages, ces pauvres types mutilés et leurs cris de souffrance... cela risque de vous marquer à vie. Désormais, nous enverrons le cocher avec nos paniers, et les infirmières se chargeront de la distribution.

Les filles protestèrent vivement, mais la vieille dame tint bon.

– Je m'en occuperai moi-même, pendant mes jours de congé, annonça Mlle Ponson. Je pense que les soldats sont contents de rencontrer des civils, parfois. Notamment des femmes. Cela leur redonne un peu d'espoir.

– C'est tout à fait votre droit, dit Mme de Granville. Vous êtes libre de faire ce que vous voulez en dehors de votre service. Mais j'insiste : vous irez seule, sans les filles.

À la surprise de tout le monde, et c'était tout à son honneur, l'oncle Louis, pourtant réputé délicat sinon impressionnable, se porta lui aussi volontaire.

– Je ne suis pas allé combattre, expliqua-t-il, car je me suis engagé à veiller sur ma nièce. Contrairement à son père, je n'ai rien d'un guerrier, je suis incapable de tuer un être humain, même un sale Boche. Mais il faut essayer de leur remonter le moral, à ces pauvres gars. Alors, pourquoi pas moi ? Je leur chanterai des chansons, je danserai pour eux. Je peux les aider à écrire à leur fiancée. D'accord, je dois dominer la répulsion que m'inspirent le sang et la violence, mais c'est un tout petit sacrifice, comparé à ce qu'ils ont enduré.

Quant à elles, Françoise et Renée adoptèrent des «filleuls de guerre» – qu'elles choisirent en répondant aux petites annonces des soldats dans l'hebdomadaire *La Vie parisienne*. Elles entamèrent ainsi plusieurs correspondances avec des garçons au front. À en juger par leurs réponses enfiévrées, ceux-ci étaient enchantés de recevoir du courrier des demoiselles de Biarritz, bien loin des fusillades et des obus. Certains se prirent à rêver de se rendre dans le Sud-Ouest, à la fin des hostilités, pour les rencontrer en personne.

Faute d'avoir pu être remises, les lettres des filles revenaient parfois avec la mention «retour à l'expéditeur», et l'on présumait que le destinataire était mort pour son pays. D'autres fois, leurs missives restaient sans réponse, et l'on en tirait les mêmes conclusions. Renée et Françoise se lassèrent vite de ces lettres d'amour impersonnelles et pourtant déchirantes, dans lesquelles le chagrin le disputait à l'espoir d'une vie meilleure après les horreurs de la guerre. Elles arrêtèrent d'écrire et se tournèrent vers les jeunes gens du coin, beaucoup plus accessibles. Oubliant leurs «filleuls», improbables «amoureux», elles tentèrent de ne pas penser à leur déception lorsqu'ils ne recevraient plus de courrier de leur part.

En revanche, Mlle Ponson, persévérante, poursuivit une correspondance avec les soldats, ainsi qu'avec son véritable fiancé.

– Ils en valent la peine, disait-elle. Cela ne demande pas tant d'efforts, c'est important pour eux, et je n'aurais jamais cru en retirer un tel plaisir. Nous vivons souvent la moitié de notre vie avant de savoir quoi en faire.

Du coup, elle avait droit à un déluge de lettres enthousiastes, de photographies, même parfois de fleurs pressées, pourtant si rares au front – où elles étaient foulées à grands coups de bottes, retournées dans la boue, pulvérisées par les tirs d'artillerie qui, creusant le sol, le dépouilleraient pendant de longues années.

Dès sa première permission, le comte descendit rendre visite à sa fille. Il avait beaucoup maigri mais paraissait en forme, le teint rougeaud après des semaines en plein air. Il avait emmené une de ses maîtresses parisiennes, Yvonne d'Audenard, une femme mariée qu'il prétendait avoir rencontrée dans la rue alors qu'il arrivait à Biarritz. Le hasard voulait aussi, disait-il, qu'ils aient pris des chambres dans le même hôtel. Renée, qui n'avait jamais trop apprécié Mme d'Audenard, supplia son père de séjourner à la villa. Il déclina.

– Je viens de passer plusieurs mois en pleine campagne, ma petite, et j'ai besoin des distractions qu'apporte une ville – les restaurants, les clubs, les casinos. Je n'ai pas beaucoup de temps, et je tiens à en profiter pleinement. Mais nous nous verrons tous les jours. Sois je viendrai à la villa, soit vous viendrez à Biarritz.

Dînant à son hôtel avec lui le premier soir, Renée et Françoise lui posèrent mille questions à propos du conflit, et de la situation à Paris. Il leur décrivit le front de l'Ouest d'un air farouche.

– Les journaux rendent compte de la guerre en termes élogieux... Pour inciter les jeunes gens à s'engager... Moi, je vous assure que ça n'a rien de romantique. Tout baigne dans le sang, la crasse, et c'est épuisant. En même temps, je dois admettre qu'on s'y amuse beaucoup. Je ne raterais ça pour rien au monde.

– On s'y amuse ? s'étonna Renée. Avez-vous tué beaucoup d'Allemands, papa ?

– Quelques-uns, oui, répondit Fontarce, qui se retourna vers sa maîtresse. Pensez, Yvonne, je me suis battu en duel avec l'un d'eux. Il est tombé raide comme une pierre. Je n'avais encore jamais visé aussi juste – exactement au milieu du front.

– Je réprouve les duels, dit Mme d'Audenard. Vous feriez mieux de vous intéresser à des choses plus modernes – aux poètes d'aujourd'hui, par exemple.

Le comte éclata de rire.

– Certainement, ma chère ! Voilà qui nous serait très utile, là-bas ! Un recueil de poèmes ! Pourquoi s'encombrer d'un pistolet ? J'aurais pu lui en réciter un ou deux, à mon Boche, pour qu'il me transperce avec sa baïonnette !

– Ce que vous êtes terre à terre, Maurice ! Comment pouvez-vous ignorer à ce point les mouvements actuels ? Vous ne parlez que d'armée, de chevaux, de duels...

– C'est vrai, Yvonne. D'autres l'ont déjà remarqué, je suis un produit du siècle dernier. Et pour ce qui est de mes goûts littéraires, je pencherais plutôt pour Victor Hugo. Ça, c'était un écrivain ! Et un grand patriote.

Seule avec son père après le dîner, Renée lui demanda sans ambages :

– Pourquoi êtes-vous venu avec cette femme, papa ? Je ne peux pas la supporter.

– Allons, ma biquette, vous la connaissez à peine. C'est un ange. Je l'adore et elle aussi. C'est même la seule femme que j'aurai réellement aimée.

– Vous dites cela de toutes vos maîtresses avant de vous en lasser. Ou qu'elles se lassent de vous.

– Oui, mais cette fois, je le crois.

– Je n'arrive pas à comprendre ce que vous lui trouvez.

– Il faudrait être aveugle pour dire cela. Vous avez tout de même remarqué qu'elle est fort jolie.

– C'est une imbécile, rétorqua Renée. Et une imbécile préten-tieuse, par-dessus le marché.

– Une imbécile ? dit le comte. C'est le plus séduisant de ses charmes, ma chérie. Les filles intelligentes sont une vraie plaie. Il est déjà assez difficile d'expliquer les choses à une femme stupide. Mais si elles ont un cerveau, cela devient impossible. Au fait, avez-vous des nouvelles de votre oncle Gabriel ?

– Je n'ai reçu qu'une lettre depuis son retour en Égypte. Il est trop occupé à amasser des fortunes, là-bas.

– Un bon prétexte, en effet, pour éviter de se battre. Gabriel est un excellent homme d'affaires, mais surtout pas un soldat.

– Et oncle Balou, papa, où est-il ?

– Je suis navré de vous l'apprendre, il a été gazé par les Allemands. On le soigne actuellement dans un hôpital en Bretagne. Il a obtenu une citation pour son courage.

– À quoi bon leurs fichues citations ! s'exclama Renée, horrifiée. Pauvre Balou !

De l'imaginer, les poumons brûlés, sur un lit d'hôpital, elle eut soudainement mal au cœur. Balou, l'aimable plaisantin, toujours serviable, qui avait si longtemps vécu avec eux.

– Pour vous les hommes, tout va bien tant qu'on peut vous épingler des médailles, n'est-ce pas ? s'insurgea-t-elle.

– Vous recommandez plutôt la poésie moderne ?

– Non, votre idiote de maîtresse s'en est déjà chargée.

4

Se sentant peut-être coupable de consacrer plus de temps à sa dulcinée qu'à Renée, le comte acheta des bicyclettes pour les deux filles et Mlle Ponson, qu'il leur fit livrer à la villa.

– Cela vous raffermira les muscles ! annonça-t-il.

Françoise et Renée étaient enchantées, car elles mettaient beaucoup moins de temps, à vélo, pour rejoindre Gogo et Carlos, les jeunes Basques qu'elles fréquentaient en cachette.

Un soir qu'elles les retrouvaient, comme d'habitude dans les collines, Gogo leur apprit qu'il avait emprunté l'automobile de son oncle.

– Nous avons une surprise pour vous. Nous vous emmenons dans une auberge sur la montagne, de l'autre côté de la frontière. Il y aura un bal et nous sommes invités par une amie du village.

– Mais nous n'avons pas de passeport, objecta Renée.

– Aucune importance. Mon amie nous attend à la frontière et elle nous fera passer par la vieille piste des contrebandiers.

– Formidable ! s'exclama Françoise.

Au bout d'une heure de route, ils aperçurent Kattalin, l'amie de Gogo, qui les attendait à l'embranchement d'un chemin de terre désert, à quelques kilomètres de la frontière. Ils garèrent la voiture sur le bas-côté et poursuivirent à pied, éclairés par un gros croissant de lune.

– Toutes les filles du village seront au bal ce soir, leur dit-elle. Elles se font une joie de rencontrer des Parisiennes !

– Elles ne connaissent pas de Françaises ? demanda Renée.

– Notre village est très isolé, répondit Kattalin, et il est rare qu'on s'en éloigne beaucoup. Vous verrez peut-être quelques-uns de vos compatriotes à l'auberge. Des déserteurs de l'armée française, venus se cacher en Espagne.

– C'est révoltant ! dit Renée. Et indigne, comme comportement. Ces gens-là ne sont pas mes compatriotes ! Vous feriez mieux de ne pas me les présenter, je leur cracherais à la figure !

– Une lâcheté pareille, ça me fait vomir, renchérit Françoise, véhémente.

– Oh, c'est bien beau d'être un héros, dit Kattalin avec un petit rire, mais vous savez, ce n'est pas très pratique de ne plus avoir de jambes jusqu'à la fin de sa vie.

– Où irions-nous si les Français pensaient tous la même chose ? dit Françoise.

– Ils ne le pensent pas tous, admit la jeune Basque. Mais je ne suis pas là pour juger.

– Et si les gardes-frontière nous arrêtent ? pensa Françoise.

– Mais non, assura Kattalin. Faites-moi confiance. Les chemins des contrebandiers leur font peur. Ils craignent de se perdre, de mourir de faim dans la montagne, ou d'être assassinés.

Les cinq jeunes traversèrent plusieurs ravins et ruisseaux, en s'accrochant prudemment aux branches des noisetiers ; longèrent des bosquets de figuiers, aux troncs noueux dressés au clair de lune comme des fantômes ; foulèrent des tapis de menthe sauvage qui libéraient une odeur puissante sous leurs espadrilles. Enfin, ils distinguèrent un petit village à peu de distance, perché comme un nid d'aigle sur une saillie rocheuse.

– Nous voici en Espagne, dit leur guide.

Un cri perçant, entre hululement et hennissement, retentit dans les bois. Terrifiées, Renée et Françoise se figèrent. La jeune Basque leur tapota gentiment sur le bras.

– N'ayez crainte, c'est l'*irrintzina*. C'est ainsi que nous communiquons dans les montagnes, dit-elle avant de pousser un cri analogue.

Un instant plus tard, des silhouettes sortirent de l'ombre – des amies de Kattalin qui lui murmurèrent quelques mots en basque.

On fit les présentations. Les nouvelles arrivantes ne parlaient pas français, ni Françoise et Renée le basque. Pendant que les autres chuchotaient, Kattalin, qui était bilingue, rapporta aux Parisiennes :

– Selon la légende, le diable est resté sept années dans notre pays pour apprendre la langue, mais il n'a réussi à retenir que trois mots.

L'auberge se trouvait à dix minutes de la frontière. Cachée sur trois côtés par la forêt, elle était enveloppée d'un silence profond que les lointains cris des chouettes, apportés par un vent léger, effleuraient seulement. En approchant, les filles entendirent de la musique et aperçurent les lanternes qui éclairaient faiblement les fenêtres. En regardant de plus près, elles virent des hommes assis, buvant à la régalade sans qu'une seule goutte de vin ne tombe entre l'outre et la bouche ; d'autres dansaient avec de jeunes femmes les fandangos qu'enchaînaient un guitariste et un joueur de castagnettes. Accrochés au plafond telles des guirlandes, des *ristras*[1] de piments donnaient un air de fête.

Un long couloir menait à la salle enfumée. Les hommes sourirent et examinèrent Françoise et Renée en hochant la tête. Ils avaient des traits anguleux, taillés à la serpe. Leurs compagnes étaient brunes et jolies, vêtues de robes aux couleurs exubérantes, la poitrine mise en valeur par un corselet. Leurs bras étaient couverts de bracelets cliquetant au rythme de la musique, et leurs yeux semblaient lancer des éclairs.

Renée crut deviner dans un coin de la salle quelques-uns des déserteurs dont il était question plus tôt – fumant et buvant à l'écart, le front baissé, si différents des autres clients qui riaient, chantaient, frappaient des mains et des pieds. L'Espagne n'était pas entrée en guerre, et ces hommes, voûtés dans l'ombre au-dessus de leur table, rappelaient l'atmosphère lugubre dans laquelle la France était plongée au nord.

– Ça sent la vache, ici, dit Françoise à Renée, discrètement et en anglais.

---

1. Chapelets.

– Et alors ? dit Renée. Quelle importance ? Regarde comme tout le monde s'amuse. Il n'y a qu'à en faire autant. Ce que j'ai envie de danser !

– Pas un mot sur les déserteurs, conseilla Kattalin à voix basse. C'est un sujet sensible. On risque de vous prendre pour des espionnes et de vous trancher la gorge.

– Charmant ! dit Françoise.

Gogo et Carlos étaient soudain fort discrets. Plus jeunes que la plupart des messieurs, ils paraissaient intimidés par les regards peu amènes que certains leur jetaient. Coupés du monde extérieur, les villageois formaient visiblement un clan soudé, plein de méfiance à l'égard des inconnus. Renée pensa que, si c'était ici un monde d'hommes, il se distinguait en ce que les femmes semblaient y tenir une place prépondérante. Elle se demanda si cette odeur de vache qu'avait remarquée Françoise n'était pas, tout simplement, un mélange de sueurs masculines et féminines, exacerbées par les passions charnelles ; elle lui rappelait la sienne et celle de son oncle, dans leur chambre à Armant, au terme d'une longue nuit d'amour.

Peu après leur arrivée, deux costauds quittèrent leur table et, sans plus de cérémonie, entraînèrent les deux filles dans le tourbillon de leurs danses. Pensant toujours à Gabriel, Renée, amusée, l'imagina fou de rage, impuissant, en train de la regarder dans les bras d'un autre... des bras si épais que jamais il n'oserait défier ces gaillards-là, pas plus que les pauvres Gogo et Carlos qui, renfrognés, buvaient à leur table en détournant les yeux.

Françoise et Renée furent vite envoûtées par le fandango. Un chanteur et un joueur de *cajón* avaient rejoint le guitariste et son compagnon aux castagnettes. Le rythme prenant de l'ampleur, plusieurs couples quittèrent les lieux pour poursuivre leur farandole sur le sol frais et tendre de la forêt.

Françoise et Renée continuaient elles aussi de danser, haletantes, empourprées, le sourire aux lèvres et le rire au ventre. Certaines des villageoises paraissaient soudain hostiles, jalouses peut-être de leurs chemisiers roses et de leurs tailleurs sur mesure, à côté desquels leurs habits de paysannes avaient l'air si vieillots. En outre, leurs hommes s'intéressaient de trop près à ces intruses et se disputaient leurs bonnes grâces. Le vin décuplant ses effets au fil de la soirée, il y eut bientôt quelques empoignades. Finalement, un grand brun arracha Françoise à son cavalier et, sans plus de manières qu'un ours de foire, la fit tournoyer à perdre haleine.

– Estebé! cria le premier. Sale fils de pute! Laisse-la ou je t'éventre! Je vais te faire sécher les boyaux au soleil, moi! Pas étonnant que ta femme t'ait quitté pour El Matador, pauvre cocu!

Le grand brun lâcha Françoise et se figea. D'un geste théâtral, il retira son boléro, l'enroula autour de son bras et dégaina le poignard qu'il portait à la taille.

– C'est toi, Alesander, fit-il en se rapprochant de l'autre, qui va crever en hurlant comme un chien!

Tirant Françoise et Renée par leurs jupes, Kattalin les écarta du groupe.

– Il vaudrait mieux que vous partiez, dit-elle avec un signe de tête à l'intention de Gogo et Carlos. Les garçons vont vous raccompagner à la frontière.

Elles se rapprochèrent de la porte, tandis que les deux hommes se défiaient d'un air menaçant et que d'autres bagarres éclataient entre leurs partisans respectifs.

Les quatre jeunes gens s'élancèrent dans la forêt.

– Des sauvages, des brutes et des déserteurs! s'exclama Françoise, euphorique. Quelle soirée formidable! En voilà une bande de canailles et de surineurs!

– Mais plutôt beaux gars! Mon Basque voulait m'emmener dehors, et maintenant je ne le reverrai plus! dit Françoise.

– Ton Basque? releva Gogo, vexé. Je croyais que c'était moi!

– Non, mon chéri. Tu es mon petit Basque. Celui-là était grand et gros, et tu as bien fait de rester à l'écart. Ce n'est pas un reproche: ces gens sont du genre chatouilleux, comme nous l'avons constaté. Cela dit, je préfère tes gentils câlins, mon garçon.

L'aube pointait à l'est, et le vent avait dégagé les premières brumes sur les montagnes.

– J'espère que ta tante et Mlle Ponson dorment à poings fermés dans leur lit, dit Renée à son amie. Pas besoin de s'inquiéter pour oncle Louis, il est sûrement avec un de ses mignons. Ce n'est pas lui qui nous punira, mais les dames ne seront pas très contentes que nous soyons parties à l'aventure.

– Que veux-tu qu'elles nous fassent ? demanda Françoise en haussant les épaules.

– Nous interdire de quitter la villa, tiens.

– Eh bien, on fera le mur comme d'habitude !

De chaque côté de la frontière, les cloches des églises commencèrent à sonner, rivalisant d'intensité, tandis qu'un berger solitaire entonnait un chant mélancolique dans les collines. Quand Gogo et Carlos déposèrent les deux filles à cinq cents mètres de chez elles et sortirent leurs bicyclettes du coffre pour le reste du chemin, le soleil s'était levé.

MARIE-BLANCHE

Chicago, Illinois
Novembre 1940

MRS. WILLIAM D. FERGUS
The former Marie Blanche McCormick.

Chicago Evening American, 24 novembre 1940

Mlle McCormick, épouse de guerre
(Légende photo : Mme WILLIAM D. FERGUS, ex-Marie Blanche McCormick)

'Baby' and Polo Star Married in Dayton

A telegram this morning woke up Mrs. Leander McCormick to the fact that her 19-year-old daughter, Marie Blanche, had eloped and was a war bride.

Marie Blanche, known in social circles as "Baby," and Lieut. William D. Fergus, polo star of the 124th Field Artillery, were married last night in Dayton and are on their way east today.

DUE AT CAMP.

Lieut. Fergus is due at Camp Peay, Tenn., January 3 to begin a year's military duty with the Illinois National Guard. His bride will live near camp.

"Baby," the daughter of Mrs. McCormick by an earlier marriage, was born and brought up in France and England, but was adopted by Leander McCormick two years ago, dropping her own name of Brotonne and taking his.

When Lieut. Fergus took her to Troy, O., to the home of his parents, Mr. and Mrs. Guy Carleton Fergus, for Thanksgiving, no one suspected it was an elopement.

CLASSMATE BEST MAN.

John R. Rothermel of Reading, Pa., a classmate of the bridegroom's at the University of Pennsylvania, was best man. "Baby" was unattended.

The newlyweds will go on to Washington, New York and Boston, and return by way of Reading to celebrate Pennsylvania's Thanksgiving with Rothermel, who will give a dinner in their honor.

When they get back to Chicago they will be at 2136 Lincoln Park West while the bridegroom prepares for camp.

WILLIAM D. FERGUS
Goes to camp soon.

«Baby» épouse une star du polo à Dayton

C'est un télégramme qui a réveillé ce matin Mme Leander McCormick, pour lui apprendre que sa fille Marie Blanche, âgée de 19 ans, s'était mariée à son insu.

Connue dans les cercles mondains sous son nom de «Baby», Marie Blanche a épousé hier soir à Dayton le Lt. William D. Fergus, un joueur émérite de polo du 124ᵉ régiment d'artillerie de campagne. Ils devaient reprendre la route aujourd'hui depuis l'Ohio.

Attendu à Camp Peay

Le Lt. Fergus doit commencer le 3 janvier son service militaire dans la garde nationale de l'Illinois, à Camp Peay, Tennessee. Son épouse habitera à proximité.

«Baby», née en France du premier mariage de Mme McCormick, a grandi dans ce pays et en Angleterre avant d'être adoptée il y a deux ans par Leander McCormick. Elle a alors renoncé à son nom de Brotonne pour prendre celui de son beau-père.

Quand le Lt. Fergus l'a emmenée à Troy, Ohio, fêter Thanksgiving au domicile de ses parents, M. et Mme Guy Carleton Fergus, personne ne se doutait que les deux amants s'étaient enfuis.

Un camarade d'université pour témoin

John R. Rothermel, un ancien camarade de M. Fergus à l'université de Pennsylvanie, lui a servi de témoin. «Baby» n'en avait pas.

Les jeunes mariés partiront en lune de miel à Washington, New York et Boston et reviendront en Pennsylvanie fêter de nouveau Thanksgiving avec M. Rothermel, qui donnera un dîner en leur honneur.

À leur retour à Chicago, ils résideront au 2136 Lincoln Park West, où M. Fergus préparera son incorporation dans l'armée.

(Légende photo : WILLIAM D. FERGUS bientôt incorporé.)

1

J'ai fichu le camp avec Bill. Maman va être absolument furieuse. Je lui ai envoyé un télégramme ce matin, à elle et papa McCormick, depuis l'Ohio où l'on nous a unis hier soir. Je n'ai pas encore reçu de nouvelles. J'imagine la réaction de ma mère. Je n'ai pas osé lui dire que j'avais l'intention d'épouser Bill, car je savais qu'elle voudrait s'y opposer, de la même façon qu'elle m'a forcée à rompre l'année dernière avec George Connor. Je suis incapable de lui tenir tête, sinon en faisant les choses comme ça, lâchement, dans son dos.

Sur le moment, cela semblait si romantique, si audacieux. Nous sommes partis en voiture dans l'Ohio, à Dayton, où un juge de paix nous a mariés. Les parents de Bill habitent tout près, à Troy, où nous sommes allés dîner ensuite avec eux le soir de Thanksgiving. Ce sont des gens très comme il faut, très petite-bourgeoisie Middle West. Bill a trente et un ans, onze de plus que moi, et c'est une des choses qui m'ont attirées chez lui. Il est bien plus mûr que tous ces gamins de Chicago. Je me sens en sécurité, il me donne l'impression de pouvoir prendre soin de moi. Ses parents paraissent très âgés. Son père s'appelle Guy, comme le mien, ce qui nous a beaucoup fait rire, mais ils sont vraiment à l'opposé l'un de l'autre. Guy Fergus dirige une entreprise d'électricité. Classe moyenne, austère, républicain, avec des cheveux blancs, un visage anguleux, un regard noir et inquisiteur. Il n'a pas l'air d'avoir beaucoup d'humour, et je ne lui ai sûrement pas plu au premier abord – ça se voyait tellement dans ses yeux que j'ai tourné la tête. À l'évidence, je ne suis pas le genre de fille qu'il souhaitait pour son fils. Il me trouve trop «différente», trop «française», pense que je ne suis pas assez sérieuse... et peut-être a-t-il raison. Sa femme semble plus aimable ; épaisse, imposante, elle garde les cheveux relevés dans un tout petit chignon, porte des robes imprimées, informes, aux couleurs ternes, qu'elle coud sans doute elle-même et qui lui donnent l'allure d'une institutrice. Ils n'ont vraiment rien de *glamour*, dans aucun sens du terme. J'entends déjà la réaction de maman...

J'ai rencontré Bill cet été, à un match de polo à Lake Forest. Il a le grade de lieutenant dans l'armée, et joue dans l'équipe du 124e régiment d'artillerie de campagne, basé à Chicago – elle représentait les États-Unis contre celle de l'armée cubaine à La Havane en 37. Bill est très connu dans le monde du polo – les journaux l'ont surnommé Wild Bill, car il prend pas mal de risques sur le terrain. Il est brun, séduisant, assez réservé, avec un humour malicieux. Le polo est un sport pratiqué dans l'ensemble par les riches, alors que Bill est sans le sou. Pour l'instant, il vend des assurances à mi-temps, et certaines des familles aisées de Chicago et de Lake Forest font appel à lui pour entraîner leurs enfants. Bien sûr, elles ont les moyens et leur achètent les meilleurs poneys. De son côté, Bill parcourt la campagne à la recherche de chevaux bon marché qu'il dressera lui-même – et il a l'œil pour ça. Il arrondit parfois ses fins de mois en les revendant au gratin.

Après tous les efforts qu'a faits ma mère pendant deux ans pour me présenter aux rejetons de la bonne société, elle sera folle furieuse que je me sois enfuie pour l'épouser en douce. Papa et elle l'ont vu aux matchs de polo, et maman m'avait mise en garde contre lui dès le départ. «Ce n'est rien qu'un paysan de l'Ohio, un fana de sport, un arriviste qui vit en marge de la bonne société, mais ne l'intégrera jamais, car il n'a ni argent ni éducation.»

Avant de le rencontrer, je fréquentais en cachette Ernest Eversz Junior. Les pages mondaines avaient plusieurs fois parlé de nous, quand nous allions dîner à la Pump Room, ou que nous nous rendions à une réception. George Connor, fâché et amer que je l'aie quitté après l'ultimatum de maman, s'amusait à apporter les journaux au théâtre, pour lire le carnet et me ridiculiser devant tout le monde.

– Voyons ce que nous avons aujourd'hui... commençait-il en ouvrant le *Herald Examiner*. Ah oui, rubrique « le beau monde »... Je ne sais pas ce que vous en pensez, mais moi, c'est ce que je préfère dans cette feuille. Peu importent la politique, les relations internationales, la guerre en Europe, tout ce qui m'intéresse, c'est les combines du beau linge. Et, excusez du peu, nous avons une photo de notre Baby avec son chéri.

« Élève assidue, poursuivait-il d'une voix théâtrale, la charmante fille de Leander McCormick, Baby la petite brune, sort de ses cours chez Goodman presque chaque jour à l'heure du thé. Nous la voyons ici lors d'un bal au Vassar Club en compagnie d'Ernest Eversz, toujours en bonne place parmi ses soupirants. On parle beaucoup de fiançailles dans les milieux autorisés, mais Baby maintient qu'elle poursuivra ses études jusqu'au bout. Calme et sérieuse, elle vous explique qu'elle adorerait visiter Sun Valley, Hawaii, les Bermudes, tous les endroits fréquentés par la jeunesse dorée. « Mais, conclut-elle, sereine, il n'en est pas question tant que je n'ai pas terminé ma troisième année chez Goodman. » À moins, bien sûr, note votre serviteur, qu'Ernie la persuade de suivre la route toute tracée qui la conduirait à l'allée centrale de la très chic église Saint-Chrysostome de Chicago.

Les autres élèves du cours n'aimaient rien tant que l'entendre déclamer ce genre de choses. Pour la plupart, ils étaient loin d'être aussi engagés que lui, et George exerçait une vive influence sur eux. Tous reconnaissaient son talent, voyaient en lui un vrai artiste, alors que nous étions, pour beaucoup, de simples dilettantes. Moi plus que les autres, apparemment, car j'étais la petite McCormick. C'est la nature humaine, on aime se moquer des riches.

Cela va sans dire, Ernest avait les faveurs de maman, puisqu'il était issu du gratin local. Un soir que j'avais bu – nous nous voyions alors depuis plusieurs mois –, je l'ai invité à l'appartement. Nous avons fait l'amour, et c'était lamentable. J'étais complètement ivre et il avait peu d'expérience en la matière.

Je pense qu'il a eu honte par la suite – et pour cause –, car il ne m'a plus jamais rappelée.

Évidemment, les pages mondaines ne rapportèrent pas ce fâcheux épisode, cependant Rhonda et Gail durent en parler au Goodman, et tout le monde a vite paru au courant. À sa décharge, George n'a jamais ironisé sur mon comportement, il s'est même montré plutôt attentionné pendant un certain temps. S'il tenait de grands discours socialistes, c'est aussi parce qu'il avait un cœur et qu'il prenait en compte les souffrances des autres. Voilà peut-être ce qui faisait de lui un bon écrivain. Je me suis souvent demandé ce qu'il était devenu car, après mon départ du théâtre, je n'en ai plus entendu parler. Plus tard, je me poserais la question de savoir quelle existence j'aurais menée, si je n'avais pas cédé à maman et que j'étais restée avec lui – ce qui était bien sûr impossible. C'est toujours étrange de considérer les alternatives. John Guest, George Connor, Ernest Eversz... représentent trois vies différentes, avec trois hommes qui le sont autant. J'ignore ce que l'avenir m'aurait réservé avec eux, mais Billy ne serait pas né et ne serait pas mort non plus. Je sais ce que vous allez me répondre, Dr Chameau : «Madame Fergus, vous n'avez épousé aucun de ces garçons. Vous n'avez pas vécu d'autre existence. C'est Bill Fergus que vous avez épousé, puis Billy est né, et il est mort.»

J'ai rencontré Bill entre deux chukkers, alors que je me promenais le long du terrain de polo avec mon amie Moyra Brown, qui était venue de Londres nous rendre visite. Je ne peux pas dire que je me sois fait beaucoup d'amies dans notre milieu, et mon aventure avec Ernest n'a rien arrangé aux rumeurs qui circulent à mon sujet. J'ai la réputation d'une «fille facile» – d'une Française débauchée, une «poule» dont on profite facilement, surtout lorsqu'elle a bu un ou deux verres. Ça me rend peut-être intéressante, mais pas assez pour envisager le mariage. Les garçons privilégiés de Lake Forest et Chicago sont presque aussi prudes que leurs sœurs ; ils veulent des épouses vierges, glaciales et, pour la plupart, elles se conforment très bien à l'idéal. Vous risquez-vous à «coucher», aussitôt l'on vous déclarera «usagée», et de fiançailles, il ne sera question avec personne. Voilà pourquoi les filles dites faciles proviennent généralement des classes inférieures. Bien sûr, elles remplissent une tout autre fonction, ou alors, comme moi, elles sont d'origine étrangère. En tout cas, nous ne sommes pas de celles que ces jeunes messieurs aiment présenter à leur maman.

Je portais une jupe rouge avec un motif à fleurs, un corsage blanc tout simple, et j'avais un œillet blanc dans les cheveux. C'était une belle journée, et Bill dessellait un cheval écumant pour en seller un autre, frais et prêt pour le prochain chukker. Il avait déjà marqué trois buts, c'était de loin le meilleur joueur du lot, et le plus expérimenté. Bill transpirait car il faisait chaud, il sortait du terrain et avait allumé une Camel. Moi, je trouve ça sexy, un homme en bottes et culotte de cheval. Son maillot était trempé, et les odeurs de sueur – humaine et animale – se mélangeaient avec celles du cuir et du tabac blond. Contrairement au reste de l'équipe, Bill n'était pas un gamin, mais un homme, parfaitement dans son élément entre l'écurie et le terrain, dans les riches senteurs de l'herbe d'été fraîchement coupée, le gazon noir et gras retourné par les sabots.

Je me rendrais compte plus tard que, fatalement, il n'était pas aussi à l'aise partout; bien sûr, il n'avait pas grandi dans mon milieu. Comme maman l'avait observé, on ne le tolérait que pour ses qualités sportives, et elle avait raison, jamais il ne serait entièrement accepté par ces gens. Il resterait un étranger à la porte – ou mieux, à la fenêtre. Ce n'était pourtant pas un arriviste, il lui importait peu d'être intégré dans ce groupe. Quelques années plus tard, nous devions finalement emménager à Lake Forest. Bill prit alors sa carte de l'Onwentsia Club – où j'avais fait sa connaissance avec Moyra –, parce que les parents des autres enfants, à l'école, en étaient aussi membres. Eh bien, il n'y allait pas pour autant. Il détestait Lake Forest et son arrogance bourgeoise, se sentait contraint, gêné, en présence des nantis, et n'avait pas de vrais amis dans le voisinage. Il n'avait consenti à vivre ici que dans l'intérêt des enfants. En fait, il a toujours eu envie de revenir à la campagne, dans une petite ferme avec quelques chevaux. C'est ce qu'il avait en tête quand nous avons divorcé. Mais je prends encore de l'avance sur mon existence...

Je portais donc une jupe rouge avec un motif à fleurs, un corsage blanc tout simple, et j'avais un œillet blanc dans les cheveux. C'était une belle journée, et Bill dessellait un cheval écumant pour en seller un autre. Nous allions le croiser, Moyra et moi, et il m'a tapé dans l'œil. Retirant la cigarette qu'il avait à la bouche, il a dégagé un brin de tabac collé sur sa langue et m'a souri. Un grand et beau sourire.

– Comment faites-vous pour avoir l'air aussi fraîches par cette chaleur ?

– Nous n'étions pas sur le terrain, *monsieur*[1] *!* ai-je répondu en jouant de mon accent français.

– Vous êtes la fille de Leander McCormick, non ? a-t-il demandé en contournant son cheval pour nous rejoindre. Je vous ai déjà vue aux matchs. Bill Fergus, a-t-il dit en me tendant sa main.

Je l'ai serrée.

– Mais oui, nous vous connaissons. Voici mon amie Moyra Brown, de Londres, et je suis Marie-Blanche McCormick.

– Ravi de vous rencontrer, mademoiselle McCormick... de même, mademoiselle Brown, a-t-il dit en serrant également sa main.

Il avait de jolies dents blanches, dont certaines étaient fausses, comme je l'apprendrais ensuite (il s'en était cassé plusieurs sur le terrain).

– J'espère que vous appréciez le match ? a-t-il dit à mon amie.

– Appelez-moi Moyra, je vous en prie. Oui, c'est un très beau match.

– Et appelez-moi Marie-Blanche, lui ai-je suggéré. Ou Baby, si vous préférez. Vous jouez remarquablement bien.

– Vous me flattez. Mais c'est l'un des avantages de ce sport, il y a plein de jolies filles dans les tribunes.

– Je comprends pourquoi les journaux vous ont surnommé «Wild Bill». Vous êtes un sacré cavalier, monsieur.

---

1. En français dans le texte, comme les suivants.

– Personne ne m'appelle jamais «monsieur»! s'est-il exclamé, avec un accent français si prononcé que je me suis esclaffée. Allons, ne soyons pas formalistes, Marie-Blanche!

– Comment faut-il vous appeler, alors? Wild Bill?

Il a ri.

– Bill, ça va très bien. Vous devez vous y connaître un peu, pour faire ce genre de compliment. Je sais bien que ça n'est qu'un jeu, mais c'est mon tempérament: il faut que je donne le meilleur de moi-même.

– Voilà ce que je trouve admirable chez vous. J'aime les gens qui se donnent à fond.

Sans vergogne, j'appliquais les bons principes de ma mère: user de flagornerie pour m'insinuer dans ses bonnes grâces. Ce qu'elle aurait condamné en l'occurrence, puisqu'il s'agissait d'un paysan.

Je n'ai pas fait cela vainement car, deux jours plus tard, il me téléphonait à Chicago pour m'inviter à dîner. N'étant pas membre de notre petite société, il ignorait sans doute la réputation qu'on m'avait faite – d'une Française aux mœurs dissolues – ou, dans le cas contraire, il n'y accordait pas d'importance.

Il m'a emmenée dans un grill qui occupait le sous-sol d'un vieil immeuble de Randolph Street. Un endroit simple, mais charmant, avec nappes blanches et chandelles. Le personnel l'appelait par son prénom, et le garçon nous a placés à une table à part. Bill a été attentif et courtois toute la soirée; il m'a posé des questions sur ma vie, et mes réponses parurent vivement l'intéresser. De son côté, il s'est montré plutôt modeste sur ce qu'il avait accompli – moins enclin que les gosses de riches à s'étendre sur lui-même. Il buvait du scotch, deux verres avant le dîner et un troisième en mangeant, ce que j'ai trouvé étonnant. Il m'a expliqué qu'il n'était pas amateur de vin, du fait surtout qu'il en avait rarement goûté, sinon lors des repas de famille, dans l'Ohio. À l'occasion, ses oncles apportaient une sorte de décoction, douceâtre et gorgée de fruits, qu'ils produisaient eux-mêmes et appelaient du «vin». J'avais décidé de bien me conduire et je m'en suis tenue à une seule coupe de champagne. Bill me plaisait et je ne voulais pas tout compromettre lors de notre premier rendez-vous.

Le dîner fini, il a bu un dernier verre, et il ne semblait pas ivre. Nous sommes restés très tard au restaurant, à parler gaiement, puis il m'a raccompagnée à mon appartement d'Ontario Street. Les filles étaient à la maison, et je ne l'ai pas invité à monter. Arrivés à la porte, il m'a embrassée poliment sur la joue. Il sentait le whisky et les Camel, et j'admets que cela n'était pas désagréable.

2

—J'ai bien écouté votre récit, madame Fergus, et la première question que j'aimerais vous poser est celle-ci, me dit le Dr Chameau. Avez-vous épousé votre mari pour défier votre mère, ne serait-ce qu'un peu, puisque vous saviez qu'elle réprouverait ce choix ?

— Tout le monde pensait qu'on avait tort. Non seulement elle, mais aussi les parents de Bill. On n'était pas faits l'un pour l'autre, disaient-ils, et ils avaient raison.

— Vous ne répondez pas à ma question.

— Non, sans doute pas. Je me suis enfuie avec lui car j'étais sûre de rendre maman furieuse. Mais c'était aussi une façon de lui échapper, de ne plus être sous sa coupe.

— Aimiez-vous votre mari ?

— Oui. Du moins je le pensais. Ça n'était peut-être qu'un béguin. J'étais une épouse de guerre, c'était si romantique. Comme il partait à Camp Forrest au début du mois de janvier, nous avions décidé de nous marier le week-end de Thanksgiving pour que je puisse le rejoindre là-bas. J'étais si jeune, si bête, si immature. Surtout, je cherchais quelqu'un d'autre que ma mère pour s'occuper de moi.

— Et l'avez-vous trouvé ?

— Oui, Bill en paraissait capable et il avait une forte personnalité.

— Vous aviez donc besoin qu'on s'occupe de vous ?

— Je vous l'ai déjà dit : pourquoi croyez-vous qu'on m'appelait Baby ?

– Diriez-vous que vous étiez heureuse, au début de votre mariage ?

– Oh oui. Je ne me souviens pas bien, mais je pense, oui. Pourquoi est-ce que je ne me rappelle pas ? Vers où s'envolent les sentiments ? Voilà ce que j'aimerais savoir, docteur. Ces gens que nous étions, où sont-ils partis ? Que leur est-il arrivé ? Pourquoi leur donner notre cœur aussi vite, s'ils ne sont que des illusions ?

– Parlez-vous des gens ou des sentiments ?

– Les deux. Les sentiments, les gens... sont tout aussi illusoires les uns que les autres...

– Mais tout cela était bien réel, sur le moment, non ?

– Non, cela *paraissait* réel. Ce n'est pas ça, une illusion : quelque chose qui *semble* réel ?

– Vous dites que vous aimiez votre mari, et même si ce n'était qu'un béguin, ces sentiments-là étaient vrais. Et vous, madame Fergus, étiez quelqu'un de bien réel, pas une illusion. Votre mari n'en était pas une non plus. C'était peut-être une personne différente, à l'époque, mais tout aussi réelle. Les gens changent avec le temps, ils changent de contexte, de comportement. Le changement est un aspect fondamental de la vie. Mais il n'infirme pas ce que vous éprouviez alors, cela n'en fait pas une illusion.

– Les gens ne changent pas réellement, docteur. J'étais déjà presque une ivrogne ou j'en avais pris le chemin. Bill aussi. Ses trois scotchs, ses Camel, que je trouvais si sympathiques au début, sont devenus six ou huit scotchs dans son fauteuil en cuir, et il fumait cigarette sur cigarette en lisant son journal. Pendant ce temps il prenait du ventre, il a eu un emphysème et il est devenu cardiaque.

– Vous avez répondu à votre propre question, madame. Voilà où vont les gens. Ils changent, ou parfois pas. Ils vieillissent, les illusions s'envolent avec la jeunesse, l'amour disparaît et le chagrin prend le dessus. Il reste l'alcool, les drogues, on tombe malade et puis on meurt.

– C'est la chose la plus juste et la plus triste que vous m'ayez dite à ce jour. Vous avez raison, c'est exactement ce qui se passe.

– Mais voyez-vous, cela n'est pas toujours comme ça. Du moins pas pour tout le monde. Certains font la paix avec eux-mêmes, comprennent leurs erreurs et dominent leur chagrin. Ils se débarrassent de leurs servitudes et vont de l'avant au lieu de s'embourber dans les sables mouvants du passé. Il y en a même qui... arrivent à être heureux.

– Certains, certains... oui, sûrement, mais je m'en fous, moi, de ceux-là! Ce n'est pas mon cas, ni celui de Bill. Vous ne comprenez pas?

– Si vous baissez les bras, madame Fergus, je ne peux pas vous aider.

– Nous avons tous deux renoncé, après la mort de Billy. Même si nous ne le savions pas encore. On a d'abord pensé que faire d'autres enfants nous permettrait de surmonter l'épreuve. Remplacer la mort par la vie, en d'autres termes. Bill y croyait. Encore une illusion. Pour être honnête, j'étais moins convaincue. Je n'ai pas été une bonne mère pour Billy, je ne savais pas ce qu'il fallait faire, et comment l'aurais-je su? Maman était si souvent absente quand j'étais petite. Les seules idées que j'avais là-dessus, je les dois à Louise, ma gouvernante, qu'on payait pour s'occuper de moi. Un métier assez pénible, à mon avis, qui représentait beaucoup de travail. Bill s'est entièrement chargé de Billy. Il a été son père et sa mère en même temps.

– Étiez-vous gênée qu'il endosse votre rôle?

– Cela ne m'a jamais traversé l'esprit. Non, je ne crois pas. C'était plutôt bienvenu. Je l'ai laissé prendre soin de lui, parce que j'étais jeune et paresseuse. Je voulais m'amuser, et que la vie retrouve son charme. Cela n'est pas drôle d'être enceinte, docteur, ni d'accoucher, ni le reste. Cela n'est pas le théâtre, cela n'est pas Broadway, cela n'est pas Hollywood, ni les bals ni les réceptions. Maman le savait, et elle me l'avait dit. Oui, voilà ce qu'elle m'avait appris: s'occuper d'un enfant n'est pas drôle, c'est un travail qu'il vaut mieux confier à quelqu'un. Mais cela n'embêtait pas Bill. Au contraire, il aimait ça. Il adorait ce petit, et il s'en occupait très bien. Il avait le sens des responsabilités, plus que moi. C'est le genre d'homme qui fait les choses correctement, et qui doute que les autres y arrivent aussi bien. Cela s'est souvent vérifié. Il n'était pas sûr que j'y arriverais moi, alors je l'ai laissé faire. Pourquoi pas ? Cela ne me plaisait pas, de toute façon.

— Cela ne vous a pas empêchée d'avoir deux autres enfants.

— Comme je vous l'ai expliqué, c'est lui qui y tenait. Et je pensais m'en sortir mieux la fois suivante.

— Ce qui s'est confirmé ?

— Loin de là, j'étais encore plus lamentable. Nous aurions dû divorcer après l'accident. Nous remarier, se refaire une vie chacun de son côté. Nous aurions peut-être pu oublier. Alors qu'en restant ensemble, nous nous sommes rappelé l'un l'autre, jour après jour, que Billy était mort. Nous nous sommes torturés pendant presque vingt ans.

— Que voulez-vous dire par torturer ?

— Que nous nous rejetions mutuellement la faute. Maman aussi nous en a voulu. Le reproche était toujours là, constant, comme un nuage noir au-dessus de nos têtes, qui ne s'est jamais dissipé. Nous avions beau boire tout l'alcool du monde, cela ne changeait rien. Même après la naissance de Leandra et de Jimmy, qui ont servi de substituts, il était toujours là. Plus encore, dans un sens. Nous n'avons jamais pu les aimer pleinement, vous comprenez ? Nous ne pouvions pas éviter de les comparer à Billy, et ce n'était pas en leur faveur. Maman faisait pareil.

— Vous a-t-elle dit clairement qu'elle vous reprochait sa mort, ou est-ce une projection de votre sentiment de culpabilité ?

— Non, elle l'a dit bien des fois. À Bill également. Elle répétait sans cesse : « Comment avez-vous pu le laisser sans surveillance ? À jouer dans la grange, seul avec une petite fille, sur un tracteur qui avait la clef sur le contact ? Vous n'êtes qu'un paysan doublé d'un imbécile ! Mais à quoi vous pensez ? À quoi pensez-vous, tous les deux ? Ça n'existe pas, des parents comme ça ! » Elle avait raison, évidemment, nous étions ineptes. En effet, cela n'existe pas. Mais c'est Bill qui était en cause, comprenez-vous ? Je n'y suis pour rien, moi, s'ils jouaient dans la grange, sur le tracteur, les petits. C'était à lui de veiller sur eux, de voir ce qu'ils faisaient. C'est sa faute, il a tué Billy.

Le Dr Chameau ramasse sous son siège un paquet enveloppé de papier kraft.

– À ma demande, dit-il, votre mari m'a fait parvenir d'autres albums, de photos notamment. Je viens de les recevoir d'Amérique. Cela va nous servir dans notre travail.

– D'autres albums ?

– Oui, c'est bien pratique, vous ne trouvez pas ? Parfois, regarder de vieilles photos permet de «faire le point» sur son passé... si vous me permettez ce petit jeu de mots. «Où sont partis ces gens que nous étions ?», disiez-vous tout à l'heure. Eh bien, je crois que les photographies nous rappellent utilement des moments particuliers de notre existence. Cela n'est pas votre avis, madame ?

– Je ne sais pas. Sans doute. J'avais mes propres albums, à l'époque, j'y classais tout ce qui concernait mon travail au théâtre, mes apparitions dans le monde... Toutes choses auxquelles mon mariage avec Bill a mis fin. Il en tenait quelques-uns, lui aussi, surtout les premières années, tant que Billy était vivant. Il gardait tout. Moins, ensuite, pour les autres enfants.

– Alors nous commencerons par cela, dit le Dr Chameau. Il doit s'agir des deux albums dont vous parlez. L'un d'eux rassemble des articles de journaux qui relatent votre fuite, et nous avons dans le second la naissance de Billy et sa petite enfance. J'ai eu le temps d'y jeter un coup d'œil. Voulez-vous tourner les pages avec moi, madame Fergus ?

– Je me souviens de ces deux-là. Quand Billy est mort, Bill a mis son album de côté. Nous ne l'avons plus jamais ouvert, c'était trop douloureux. Je ne l'ai pas revu depuis cette époque. Êtes-vous certain de vouloir raviver cette blessure, docteur ? À quoi bon ? Qu'est-ce que cela m'apporte ? Quand je pense à Billy, je n'ai envie que d'une chose : boire et oublier. Vous ne comprenez pas ?

– Bien sûr que je comprends. C'est la raison pour laquelle je trouve important que vous revoyiez tout ça. Je ne pense pas que vous ayez jamais accepté le décès de ce garçon et, par conséquent, vous n'avez jamais fait votre deuil. Vous avez continué à vous anesthésier en buvant et, quand les effets de l'alcool s'évanouissent, tout vous retombe dessus : une culpabilité écrasante, les reproches, la colère, la haine. Alors, bien sûr, il faut boire à nouveau pour calmer le jeu. Aussi pénible cela soit-il, je suis là pour vous aider à vous souvenir, et c'est par le souvenir que vous affronterez enfin cette disparition, que vous en porterez le deuil et qu'au bout vous trouverez la paix.

Le Dr Chameau se rapproche de mon lit et me tend un des deux albums, après avoir défait l'emballage.

– Dans l'immédiat, poursuit-il, nous n'abordons que ce qui a trait à votre fuite et à votre lune de miel, une période durant laquelle vous paraissez très heureuse. Puis-je vous dire, madame Fergus, qu'en parcourant ces pages, j'ai été frappé par une chose. Votre mari et vous-même avez l'air d'être très amoureux. Il y a dans vos regards une grande tendresse, quelque chose qui ne peut être que de l'amour. Vous semblez plus heureuse sur ces photos qu'à n'importe quel autre moment de votre vie.

– Nous venions de nous marier. Bien sûr que nous étions amoureux. Du moins, nous le croyions. Les couples ne se détestent pas quand ils décident de partir vivre leur vie, docteur. C'est après que ça vient.

3

D'après Rhonda et Gail, tout le monde au Goodman était resté muet de surprise quand les journaux de Chicago rapportèrent dans les pages mondaines que j'avais disparu avec Bill. Sachant les filles incapables de garder un secret, je leur avais caché mes intentions. Pas question d'être encore ridiculisée par George Connor.

C'est vrai, nous étions heureux, tout commençait bien. Je m'en souviens maintenant. Nous étions amoureux. J'étais une «épouse de guerre», prête à rejoindre mon homme à Camp Forrest dans le Tennessee. C'était si romantique, et si patriotique en même temps.

Une fois mariés, nous sommes partis dans sa Studebaker à White Sulphur Springs, en Virginie-Occidentale, où nous avons passé au Greenbrier les premiers jours de notre lune de miel. Au début des années 30, Bill avait organisé des parties de polo pour le centre de récréation, et la direction de l'hôtel le connaissait bien. On nous a traités royalement, comme McCormick père et mère. Bill avait atteint un haut niveau dans ce sport, et c'est certainement l'une des choses qui m'ont séduite chez lui. Il avait toujours fière allure sur le terrain, et c'était un joueur hors pair – même s'il n'avait pas un sou vaillant.

Nous sommes allés ensuite à Washington, où nous avons séjourné à l'hôtel Mayflower, et nous avons poursuivi jusqu'à Philadelphie et Baltimore. Je ne connaissais des États-Unis que New York et Chicago. Bill aimait bien conduire et il voulait me montrer son pays. Il était si mignon – il conservait les pochettes d'allumettes de presque tous les endroits où nous avons mangé ou dormi et, quand nous sommes revenus à Chicago, il les a découpées pour les coller dans son album avec les notes des hôtels – dix dollars la nuit au Greenbrier, sept au Mayflower. Il n'était pas très riche, mais il insistait pour que nous choisissions les plus beaux établissements, puisque c'était notre lune de miel, et non une des «taules», comme il disait, où il logeait lorsqu'il voyageait seul. Il a également mis dans l'album les télégrammes de félicitations que nous avons reçus à notre retour – et bien sûr les articles de la rubrique mondaine. Ah, il y avait aussi des photos prises par un professionnel au Greenbrier. Bill a collé tout cela très soigneusement.

– Un jour, Marie-Blanche, m'a-t-il dit alors que nous venions de faire l'amour un après-midi, nos enfants et nos petits-enfants seront contents de feuilleter ces pages. Elles leur parleront de leurs parents et de leurs grands-parents. Avec un peu de chance, nous serons encore là pour les feuilleter avec eux, nous nous rappellerons notre voyage, notre mariage, le bon temps de notre jeunesse... Bien que je ne sois plus si jeune. À côté de toi, je suis un vieux, ma chérie...

Il m'a enveloppée de ses bras.

– ... un sale petit vieux.

– J'aime bien les sales petits vieux, lui ai-je répondu.

Je l'aimais d'autant plus qu'il disait ce genre de chose. Je voyais une vie parfaite se dérouler devant nous, la famille merveilleuse que nous serions, et tous ensemble, oui, nous regarderions les photos de notre lune de miel. Lui comme moi, nous étions loin de nous douter que cet album servirait surtout d'accessoire à la thérapie que je suivrais trente-cinq ans plus tard dans une clinique de Lausanne, et que nous serions morts bien avant que nos enfants y jettent un coup d'œil. Des enfants d'ailleurs sans descendance. Nous ne pouvions pas non plus deviner qu'ils ressentiraient une profonde tristesse à parcourir les décombres de notre vie, comme les sauveteurs dégagent les corps après les tremblements de terre.

Je ressens la même chose en voyant aujourd'hui ces photos, ces articles, ces notes d'hôtel, et cette collection touchante de pochettes d'allumettes. Inutile de le préciser, je n'étais pas vierge au soir de notre mariage. Nous n'avions pas attendu ce jour, et si nous l'avions fait, Bill ne m'en aurait pas tenu rigueur, contrairement aux usages du beau monde. Nous avons l'air si jeunes et si heureux. Le docteur a raison : nous rayonnons, il y a dans nos regards une grande tendresse. Mais, tout comme mon mari, il se trompe sur un point : les vieilles photos n'aident pas tant que ça à se souvenir, à faire un bilan, à nous rappeler ce que nous fûmes à certains moments de notre vie. Elles mettent surtout en évidence ce que nous sommes devenus, ce que nous ne sommes plus, tout ce que nous avions et qui est à présent perdu. Ces jeunes mariés sont aujourd'hui des étrangers, et nous ne serions rien d'autre pour eux. Malgré leur innocence, leurs sourires heureux et leurs yeux amoureux, ils ne peuvent pas imaginer que, trente-cinq ans plus tard, nous les remplacerions, et il est impossible de croire que nous avons formé ce couple.

À Chicago, nous nous sommes installés dans l'appartement de Bill à Lincoln Park West. Nous avions seulement un mois pour préparer notre départ dans le Tennessee. Évidemment, j'avais renoncé à mes cours de théâtre au Goodman, où je ne suis même pas allée dire au revoir à mes vieilles amies. J'avais trop peur de tomber sur George Connor, et j'étais assez embarrassée d'avoir abandonné mes études. Après avoir si longtemps affiché mes ambitions... En réalité, je venais de faire une croix sur deux années de dur travail, tout cela n'était qu'un beau gâchis. Bien sûr, je ne devais plus jamais remettre les pieds sur les planches. Je n'avais alors, pour repenser à mon échec, que ces albums stupides pleins de coupures de presse, de photos de moi sur scène, de vieux programmes des productions Goodman – les déchets jaunissants, vains et frivoles, des rêves abandonnés en chemin.

Maman a tout de même fait publier un avis dans la presse. Dans une des brèves parues en notre absence, un journaliste rapporte ses propos : «Nous sommes enchantés par ce mariage, c'est un garçon charmant.» Il ne faut pas être devin pour en relever toute l'hypocrisie.

Comme je le craignais, elle n'était pas « enchantée » du tout quand je suis allée lui rendre visite, le lendemain de notre retour, dans l'appartement qu'elle partageait avec papa Leander à l'Ambassador West. J'avais à peine passé la porte qu'elle a commencé :

– Vous avez tout bousillé, Marie-Blanche ! Tout ce que j'ai entrepris pour vous, tout ce que j'ai fait pour votre avenir, et je n'ai pas ménagé ma peine ! Vous avez tout anéanti pour ce paysan, ce va-nu-pieds. Mais à quoi pensez-vous, espèce d'imbécile ? Avez-vous perdu la raison ? Vous ne comprenez pas que c'est une décision ridicule dont vous allez subir les conséquences toute votre vie ? À trente et un ans, il n'a toujours pas de vrai métier, votre joueur de polo.

– Si, ai-je protesté, il est agent d'assurances. De toute façon, il est incorporé avec les officiers le mois prochain.

– Ah oui, quel beau parti vous avez trouvé ! Je vous présente des jeunes gens décents, issus de familles respectables, fortunées, et vous vous empressez de choisir un agent d'assurances à mi-temps. Pour le rejoindre ensuite dans un camp militaire au Tennessee. Ce que vous allez vous amuser, ma chérie !

– Regardez les choses du bon côté. Au moins, ce n'est pas l'écrivain communiste que vous détestiez.

– Je commence à me demander si je n'aurais pas préféré ça. Au moins, les Irlandais ont un peu d'imagination. Vous êtes une idiote, Marie-Blanche.

– Oui, je sais, maman, vous l'avez toujours dit.

Bien qu'elle ait condamné notre mariage, et qu'elle détestât franchement Bill, elle est quand même venue, quelques jours plus tard, assister au match qui opposait son équipe du 124e régiment d'artillerie à celle de Detroit. La rencontre avait lieu au Chicago Armory, où il n'y en aurait plus jusqu'à la fin de la guerre. Je pense que papa – qui était aimable avec Bill et qui l'appréciait – avait convaincu maman de l'accompagner. Bill s'était également débrouillé pour leur réserver les meilleures places de la tribune, dans la zone la plus en vue. Évidemment, elle ratait rarement une occasion de se montrer en public, puisqu'on la voyait le lendemain dans les pages mondaines.

L'équipe de Bill a gagné haut la main. Comme d'habitude, il a marque un grand nombre de buts, et il fut la vedette de la soirée. C'était le 7 décembre 1940, jour de mon vingtième anniversaire, et tout mon univers allait basculer une fois de plus.

RENÉE

Landes du Cragou-Vergam, Bretagne
Octobre 1916

1

Au début de l'été 1916, personne ne savait vraiment qui, des Allemands ou des Britanniques, avait gagné la bataille du Jutland, leurs flottes respectives revendiquant chacune la victoire. Dans la Somme et à Verdun, le carnage se poursuivait. Dans le Sud, les veuves endeuillées qui parcouraient les rues, le visage voilé, rappelaient, si besoin était, que le pays était en guerre. Une masse croissante d'affligées. Et les trains apportaient sans cesse de nouveaux soldats blessés ou estropiés dans les hôpitaux de Biarritz. Encore ceux-là avaient-ils de la chance, puisqu'ils avaient survécu.

La Villa Sans-Souci était pour Françoise et Renée un sanctuaire, largement épargné par les aspects les plus sombres du conflit, et les nouvelles du front n'y arrivaient pas. En outre, les lourdes pertes rapportées par les journaux étaient souvent considérées comme extravagantes, et ceux-ci accusés de verser dans le sensationnalisme. Il faudrait attendre la fin des hostilités, même quelques années de plus, pour se rendre compte que ces chiffres étaient bien en dessous de la réalité. Personne n'imaginait vraiment que les soldats tombaient par centaines de milliers.

Un matin d'automne, l'agent immobilier se présenta chez nous pour informer Mme de Granville et oncle Louis que, la villa étant vendue, ils devaient vider les lieux dans un mois, à la fin de leur bail. Tant de familles riches venaient se réfugier dans la région qu'il était impossible de trouver une autre location à proximité de Biarritz, et l'on décida que les filles partiraient avec Mlle Ponson chez les grands-parents de Françoise, qui possédaient un manoir en Bretagne. Quant à Mme de Granville, elle rejoindrait sa nièce dans le Poitou.

L'oncle Louis – ce qui est tout à son honneur – refusa de quitter ses «petits gars» à l'hôpital.

– Ils sont plus nombreux que jamais, dit-il à Renée. Je ne les abandonnerai pas pour aller me tourner les pouces dans une ferme au milieu de nulle part. À quoi servirais-je? Ton père pensera comme moi, et il te saura en sécurité là-bas en Bretagne. Je vais me trouver un petit appartement en ville, et je garde Mathilde pour s'occuper de moi.

Quelques semaines plus tard, Renée, Françoise et Mlle Ponson prenaient à Bayonne le train de Paris. Les rumeurs persistaient sur l'imminence d'un bombardement de la capitale, et il n'était pas question de s'y attarder. Le trio se précipita à Montparnasse et monta dans le train pour Nantes, où elles passèrent la nuit près de la gare, dans un hôtel délabré et infesté de punaises.

Le lendemain matin, couvertes de piqûres, les deux jeunes filles et la gouvernante montèrent dans un antique tortillard à destination du fin fond de la Bretagne. Le voyage fut interminable, du fait que le conducteur s'arrêtait tous les dix kilomètres pour boire du cidre avec une multitude d'amis, assis sous les arbres le long de la voie. S'ensuivit une halte de deux heures au milieu de la journée, permettant au conducteur et aux mécaniciens, complètement saouls, de cuver. Le même cirque recommença l'après-midi.

Finalement, vers neuf heures du soir, le train s'arrêta devant une bicoque branlante, à la limite de la lande. Des fougères poussaient sur le ballast entre les traverses, et un panneau grossier, cloué sur un des murs, indiquait «GARE» sans autre précision. Les grands-parents de Françoise, M. et Mme du Ruffet, un vieux couple en costume local du XIXe siècle, étaient venus attendre le trio. Le groupe s'engagea sur une petite route, pleine d'ornières et de nids-de-poule. Un briard sans âge occupait presque tout le plancher de la voiture, et pétait quand il ne ronflait pas. Il n'y avait d'autre bruit dans la lande que les coassements des grenouilles et les cris des chats errants.

Inquiète, frissonnant dans un air qui paraissait si froid et humide après la chaleur lumineuse de Biarritz, Renée demanda à son amie :

– Qu'est-ce qu'on fait pour se distraire, ici ?

– On tricote autour du feu, répondit Françoise.

À l'approche de Noël 1916, Renée s'était prise d'affection pour le vieux couple. Mme du Ruffet, bien qu'autoritaire et tatillonne, avait un cœur d'or. Derrière son allure austère et bourrue, son mari s'était révélé un charmant homme, une fois que la jeune fille le connut un peu mieux. Elle passait des heures dans le petit atelier qu'il s'était aménagé à l'écurie, à le regarder silencieusement fabriquer de curieux objets à l'aide d'un tour à bois et de divers outils – de bizarres inventions censées ouvrir les portes ou attraper les vaches, pour celles du moins qui semblaient servir à quelque chose. Bien souvent, Renée n'avait aucune idée de leur utilité, mais n'osait pas demander, de peur de déconcentrer son hôte.

On célébra la messe de minuit en plein milieu d'une tempête, dans la chapelle à moitié effondrée du manoir. Le vent hurlait au-dehors, gémissait à travers les murs troués, et l'on voyait les étoiles par les fentes du toit. Se détachant du plafond, de petits bouts de plâtre tombaient comme de la neige sur la crèche ; une vieille femme arrachait quelques notes de musique à un antique piano, tandis que les fermiers et les nobles entonnaient *Il est né le divin enfant*. La tempête couvrait à moitié leurs voix.

Elle s'arrêta brusquement à la fin de l'office, et le silence se fit dans la chapelle. Puis les cloches sonnèrent et les paroissiens se pressèrent vers la porte. Dehors, les hauts peupliers, parfaitement immobiles, n'oscillaient plus au vent. La lune d'argent qui s'était levée projetait leurs ombres noires dans la cour. Même le chien, qui pourtant aboyait toujours, s'était tu.

Sous leurs épais capuchons de laine, les paysans s'en retournèrent chez eux. Leurs sabots produisaient sur les pavés une musique étrange et discordante. Passant devant la cuisine du manoir, hommes et femmes sentirent l'odeur du boudin noir, du chocolat chaud, des crêpes à la vanille. Plus tard, dans leurs masures, devant leurs châtaignes bouillies, leur cidre doux et leur pain noir, ils hocheraient la tête en soupirant :

— Ah, l'bon Dieu, il les aime, les riches.

N'ayant que l'espoir pour fortune, ils ajouteraient, optimistes :

— Mais ça ira sûrement mieux l'année prochaine.

Si elle n'avait pas l'intention d'en devenir un, Renée s'était toujours intéressée aux paysans. Petite fille à La Borne-Blanche, elle aimait la compagnie des domestiques, souvent eux-mêmes occupés dans une ferme. Comme il n'y avait rien à faire dans ce lointain manoir de Bretagne, elle restait souvent à la cuisine avec Ursule, qui lui rappelait sa bien-aimée Tata. Jamais elle n'oubliait de la rejoindre le mercredi matin, jour du pain. Ursule était une jeune fille solide, aux bras musclés, hâlés par le soleil. Renée se délectait de la voir pétrir la pâte blanche, une énorme masse qu'elle levait et rabattait sèchement sur une grande plaque de pierre. À la fin, quand Ursule retirait du four sa miche dorée, elle en coupait pour la jeune fille une tranche épaisse qu'elle frottait à l'ail et au beurre. Renée disait n'avoir jamais rien mangé d'aussi délicieux de toute son existence.

En la regardant travailler, elle lui posait des questions. Renée n'en revint pas d'apprendre qu'Ursule avait vingt et un frères et sœurs, tous des mêmes père et mère, et tous bien vivants.

— Vingt-deux enfants, mais c'est impossible, Ursule ! Comment font vos parents pour nourrir autant de bouches ?

— Nous sommes très pauvres, mais nous y arrivons. Si vous ne me croyez pas, venez nous rendre visite, un dimanche. Je vous les présenterai, ainsi que mes frères et sœurs. Certains sont partis à la guerre, bien sûr, et d'autres ont fondé leur ménage. Vous ne pourrez peut-être pas les compter tous...

— Je vous crois sur parole, inutile de les compter. J'ai juste un peu de mal à *imaginer* cela. Je ne veux déjà pas d'enfant, alors vingt-deux...!

Dix jours plus tard, Ursule et Renée s'en allèrent à pied au domicile familial de la cuisinière. Françoise avait décliné l'invitation de son amie à les accompagner.

— Pourquoi diable irais-je avec toi ? avait-elle répondu. Les paysans habitent des taudis, ne se lavent pas, ils sont ignares, couverts de poux et de punaises. Ils n'ouvrent jamais un livre, et se satisfont d'une maigre pitance. Dis-moi, que leur trouves-tu de si fascinant ? En ce qui me concerne, j'ai mieux à faire le dimanche que d'inspecter les terriers à lapins.

– J'ai simplement envie de voir comment ils vivent, expliqua Renée. Cela m'encouragera à dire mes prières et à remercier le bon Dieu de m'avoir bien lotie.

C'était une belle journée de printemps, une brise légère effleurait les jachères et quelques pousses vertes perçaient déjà la terre. Il faisait bon et les fleurs blanches qui garnissaient les haies embaumaient l'air. Au loin, la lande nue s'étirait jusqu'à l'horizon. Dans ce paysage désolé ne poussaient qu'ajoncs, fougères et bruyères.

En chemin, les deux filles longèrent les ruines d'un château féodal – réduit à quelques piles de débris : gravats, pierres et tuiles brisées, couverts de ronces et de mauvaises herbes. On distinguait ici et là une poutre pourrie dans les décombres, telles les côtes d'un animal préhistorique. Ursule fit le signe de la croix.

– Nos seigneurs vivaient là autrefois, expliqua-t-elle. Jésus Marie, dire que ces chiens galeux de Bleus ont tué nos maîtres et détruit leur bastille !

Ébahie, Renée la regarda. Sous sa coiffe, Ursule affichait autant de haine que de mépris pour les Bleus de Bretagne, les révolutionnaires locaux – comme s'ils avaient voulu la brûler vive, cent vingt ans plus tôt, avec ses « seigneurs ».

– Quand je pense à ces traîtres, mon sang ne fait qu'un tour, poursuivit-elle.

– Êtes-vous royaliste ? lui demanda Renée, qui n'aurait jamais cru en trouver parmi les paysans.

– Évidemment, répondit Ursule, elle aussi étonnée. Les Bretons le sont comme toutes les honnêtes gens. Pas vous, mademoiselle Renée ?

– Bien sûr que si. Mon père est comte. Ces Bleus dont vous parlez, ou leurs équivalents, ont décapité mes ancêtres. La France n'est plus le même pays, depuis.

– La vérité vraie, approuva la cuisinière en se signant à nouveau.

Elles atteignirent enfin une bâtisse au toit de chaume en bordure de la lande. Assis sur un tabouret près de la porte, un vieil homme accoutré de vêtements déteints et rapiécés taillait au couteau un morceau de bois.

– Ah, te voilà quand même, ma fille, dit-il. Ta mère sera contente de te voir.

– Bonjour, mon père. Voici la demoiselle de Paris dont je t'ai causé.

– Enchanté, mademoiselle, dit le vieil homme qui se leva et, galant, retira son chapeau.

Plusieurs gorets s'échappèrent de la maison, suivis par une nuée d'enfants crasseux. Puis la mère d'Ursule se présenta, clignant des yeux à la lumière du soleil. Petite, hâlée, ridée et courbée par les ans, elle portait un nourrisson dans ses bras, sans doute le dernier-né. Elle invita gentiment Renée à entrer, à qui l'on offrit la meilleure chaise. Puis la mère plaça une bouteille et plusieurs verres sur un banc, et demanda :

– Nous ferez-vous l'honneur d'accepter un peu de chouchen, mademoiselle ? Ça vous réchauffera. Eh, ça fait toujours du bien par où qu'ça passe !

– Avec plaisir, madame, dit Renée.

Bas de plafond, l'intérieur sombre puait la sueur humaine et animale, et par-dessous tout le chou bouilli. La maison se composait de deux petites pièces, aussi sales l'une que l'autre. La première était la cuisine où ils se trouvaient, avec le lit parental dans un coin ; la seconde n'était que nattes et couches, où dormaient les enfants. Renée ne pouvait imaginer comment ils logeaient tous là-dedans. Elle se rappela une remarque de Françoise : « On dit en Bretagne qu'une vierge est une fille de neuf ans qui court plus vite que ses frères. »

Quand tout le monde fut assis, elle sortit un porte-monnaie de la poche de son manteau.

– J'ai apporté quelque chose pour les petits, dit-elle – et la nichée entière se rua vers elle, la main tendue.

À mesure qu'ils empochaient leur aumône, le père, fièrement, indiquait leur nom. Renée le félicita, car ils avaient tous l'air costauds.

C'est *santoux* de vivre à la campagne, dit-il. Et la pauvreté est mère de santé. Je n'ai perdu aucun de mes enfants. Je dois reconnaître que j'ai beaucoup de chance. Vous savez, certains sont déjà mariés, et d'autres partis à la guerre. Parfois je n'arrive plus à les compter, mais ma femme est certaine : on en a vingt-deux. Faut bien que je m'amuse de temps en temps, ma petite dame, conclut-il avec un sourire entendu, alors j'y colle un nouveau gamin.

La vulgarité de ses propos fit rougir Ursule.

– S'il vous plaît, mademoiselle Renée, excusez-le.

– Mais non, je vous en prie, répondit Renée. Il n'y a rien là qui m'effarouche.

L'après-midi se poursuivit ainsi. Renée était impressionnée par le stoïcisme teinté de bonne humeur avec lequel ces gens acceptaient la misère et ce dénuement extrême. Elle se dit qu'on avait fait si peu, dans ces terres lointaines et oubliées, pour améliorer la situation des paysans – identique depuis le Moyen Âge. Et aussi royaliste fût-elle, pas moins que son comte de père, elle aurait presque pardonné aux Bleus et à leurs brutaux acolytes d'avoir massacré ses ancêtres. Les Bleus étaient après tout les frères et les cousins de cette famille pauvre qui l'accueillait.

Lorsqu'ils se dirent au revoir en fin d'après-midi, la vieille femme tendit à Renée un petit panier plein d'œufs.

– Je vous remercie, madame, mais je ne peux accepter, dit la jeune fille, surprise par tant de générosité. Vos enfants ont sûrement plus besoin que moi de ces œufs.

– Ma chère demoiselle, je ne vous laisserai pas partir les mains vides. Chez nous, à la campagne, ça ne se fait pas. Vous verrez, ils sont très bons, très frais.

Ursule ouvrit la marche d'un bon pas, afin de décourager les mauvais esprits. Le soir allait tomber sur la petite route de campagne. Au bout de quelques dizaines de mètres, la cuisinière se retourna et cria soudain :

– Il faut courir, mademoiselle ! Mon frère Éloi est à nos trousses. S'il nous rattrape, il essaiera de nous coucher dans le fossé !

Terrifiée, Renée lâcha son panier et prit ses jambes à son cou. Les deux filles ne dirent plus rien avant de retrouver le manoir, à la tombée de la nuit.

— Je n'ai jamais couru aussi vite de ma vie, dit Renée, haletante.

— Éloi n'est pas méchant, expliqua Ursule, mais il est un peu ballot. Une chance qu'il ne soit pas très courageux, et qu'il ait abandonné rapidement. J'espère que vous ne nous tiendrez pas rigueur de l'incident.

— Et s'il nous avait rattrapées ? Que voulez-vous dire par « coucher dans le fossé » ?

Ursule fit la grimace.

— Tous ces enfants ont-ils vraiment les mêmes parents ? demanda Renée. Vos frères et sœurs n'en ont pas fait quelques-uns ? Ils sont si nombreux, comment être certain ?

— Enfin, mademoiselle ! s'écria Ursule, profondément vexée. Vous en dites, des horreurs ! Bien sûr que nous avons tous les mêmes parents !

Ce soir-là au dîner, Renée décida de se faire l'avocate des paysans.

— Monsieur du Ruffet, ces gens vivent dans le plus complet dénuement.

— Oh, ne vous faites pas d'illusions, répliqua le châtelain en plantant sa fourchette dans une cuisse de poulet. Ils sont plus riches que vous ne l'imaginez. C'est juste qu'ils préfèrent vivre comme des cochons, plutôt que se séparer de leurs sous. Leurs matelas sont remplis de pièces de cinq francs, savez-vous ?

— Sottises ! lança Mme du Ruffet à son mari. Vous dites des absurdités. Où voulez-vous qu'ils les trouvent, vos pièces de cinq francs ?

— Il y aura à nouveau une révolution si l'on ne traite pas mieux ces gens, affirma Renée.

— Bon Dieu, voilà que tu parles comme les socialistes, dit Françoise. Dans ce cas, on n'a qu'à leur demander de s'installer ici avec nous !

Tandis qu'elle se coiffait le lendemain matin, Renée découvrit qu'en échange de ses largesses, les gamins lui avaient offert des colonies de poux. Elle se mit à crier si fort que Françoise et Mlle Ponson accoururent dans sa chambre.

– Au diable ces paysans ! hurlait-elle. Tu avais raison, Françoise, je voulais me montrer serviable, charitable, leur faire l'honneur d'une visite, même leur donner quelque chose. Et voilà comment ils me récompensent !

– Oui, c'est pourquoi les nobles n'ont rien à faire avec cette engeance et la tiennent à distance, renchérit son amie avec un sourire satisfait. Il ne faut pas mélanger les torchons et les serviettes : les seigneurs d'un côté, et les serfs de l'autre. Que cela te serve de leçon, Renée !

– Vous ne connaissez rien à l'existence de ces gens, Renée, dit Mlle Ponson. Vous avez envie de le croire, parce que cela vous amuse de jouer les grandes dames, de les honorer de votre noble présence, de mettre une pièce dans la main des enfants. Mais comment pourriez-vous savoir ce qu'ils éprouvent ? Toute votre vie, vous avez agité une clochette pour qu'on vous serve sur un plateau d'argent.

– Vous exagérez un peu. Si vous vous penchiez sur l'histoire de mes ancêtres, vous verriez qu'ils ont enduré leur lot de souffrances, parfois pendant plusieurs générations.

– Je parie qu'ils ont toujours eu de quoi manger, rétorqua la gouvernante. Pour que tout le monde reste à sa place, on inculque aux pauvres que les riches n'ont pour eux que de la bienveillance. Vous pourriez essayer de comprendre que vous avez de la chance.

– Oui, quand la populace nous conduit au gibet, par exemple.

2

Début avril 1917, les États-Unis déclarèrent enfin la guerre à l'Allemagne, ce dont la France entière se réjouit. «Vivent les Américains! criait-on. Vive l'Amérique!» Il fallut cependant attendre l'année suivante et plusieurs mois encore pour que les troupes de Pershing soient opérationnelles.

Renée resta chez les Ruffet tout l'été et une partie de l'automne. C'est au manoir que, le 31 juillet, elle entra dans sa dix-neuvième année.

– Mademoiselle Renée, lui dit Ursule ce jour-là. Mon frère Éloi est à la porte. Il a appris que c'était votre anniversaire, et il vous apporte des fraises sauvages.

– Ne le laissez pas entrer, intervint Françoise. On ne va pas se battre encore contre les poux!

Renée se présenta sur le seuil.

– Comme c'est gentil, Éloi, dit-elle en prenant le panier qu'il lui tendait. Elles ont l'air très bonnes, ces fraises. Mais voilà, si vous voulez vraiment être mon ami, il ne faut plus effrayer les jeunes filles sur la route.

Éloi était un grand échalas à la peau très blanche, et aux cheveux blonds rebelles qui ressemblaient à l'herbe fanée des fins d'automne. Il ne répondit pas, se contentant de fixer Renée du regard.

– Il est amoureux de vous, mademoiselle, souffla Ursule dans le dos de Renée. Ce n'est pas un mauvais garçon, il ne pense pas à mal. Il cherchait seulement à s'amuser un peu en nous filant le train.

— S'amuser un peu, oui, c'est ça, dit Renée.

Le dimanche suivant, M. et Mme du Ruffet emmenèrent toute la maisonnée en voiture à Nantes pour assister à la fête annuelle du pardon. Dans leurs plus beaux costumes, des paysans des quatre coins de la région gagnaient également la ville. Coiffées de bonnets blancs et brodés, les femmes portaient des robes sublimes de soie et de velours. Ces tenues extraordinaires, ornées de rubans, de dentelles et de boutons précieux, étonnèrent Renée. Elle se demanda si M. du Ruffet n'avait pas raison, après tout. Combien de pièces de cinq francs, cachées sous les matelas, avait-il fallu réunir pour acheter ces tissus et ces étoffes de valeur ? Peut-être les paysans ne parvenaient-ils pas à nourrir leur famille, mais ils ne regardaient pas à la dépense les jours de fêtes et de cérémonies religieuses.

Cette année, les hommes brillaient par leur absence ; une absence d'autant plus remarquable que leurs veuves étaient là, elles, drapées dans des châles noirs, allumant des cierges, priant pour le salut de leur bien-aimé. Plusieurs messes furent célébrées, puis les malades et les monstres humains défilèrent devant Notre-Dame des Grands Fonds, une statuette de pierre représentant la Vierge, polie par les milliers et les milliers de fidèles qui, à travers les siècles, la frottèrent aux endroits où ils étaient eux-mêmes affligés.

— À en juger par tous ceux qui implorent son secours, elle doit avoir d'immenses pouvoirs de guérison, dit Mlle Ponson sans ironie. Mon Dieu, quelles plaies, quelles difformités, quelles horreurs lui expose-t-on ! s'exclama-t-elle, émue par une jeune paysanne au goitre épais comme une tête de bébé. *Quelle cour des miracles*[1] *!*

— L'endroit rêvé pour attraper le mal de Sainte-Marie[2], marmonna Renée.

---

1. En français dans le texte.
2. La gale.

Voyant le prêtre bien gras se placer devant une fontaine, dans laquelle les suppliants jetaient des pièces l'un après l'autre, elle ajouta :

– Regardez-moi ça : les pauvres essaient de s'offrir des miracles, comme vous dites, mais c'est leur bon curé qui se paiera son foie gras avec leur fric.

– Ce que vous pouvez être cynique ! fustigea Mlle Ponson.

– Ils feraient mieux de les stocker sous leurs matelas, leurs pièces !

Les longues processions qui se formèrent ensuite brandissaient des bannières de satin bleu et blanc, flottant doucement au vent léger. Six vieux pêcheurs portaient maintenant la Vierge sous un dais, pendant que le cortège entonnait des cantiques. À la fin de la cérémonie, la foule se rassembla sous une grande tente pour manger. Un barde vêtu comme autrefois circulait entre les travées, pinçant son luth et chantant des ballades médiévales, dont les convives reprenaient les refrains en chœur.

– Malheureusement, ils seront tous bientôt saouls, confia à Renée sa voisine de table. On les retrouvera dans les fossés, empilés les uns sur les autres comme des cadavres.

Renée aperçut le jeune Éloi, qui se faufilait à proximité vers un des mâts du chapiteau. Il était certainement venu lui aussi en famille, dans l'intention de se rapprocher de la jeune fille, qu'il observait maintenant avec son air bovin. Souvent bien disposée envers qui lui témoignait de la gentillesse, Renée éprouvait une sorte de compassion pour lui. Elle lui sourit.

– Ignorez-le ! conseilla sa gouvernante. Ne souriez pas comme ça !

– Éloi, petit vaurien ! lança M. du Ruffet. Si tu t'entêtes à rôder autour de chez moi le soir, tu vas recevoir une volée de plomb dans les fesses.

Indifférent, le garçon restait adossé au mât à contempler l'objet de ses assiduités.

– Le pauvre, dit Renée. Je dois être la seule qui le comprend. Il fait preuve d'un dévouement si attachant. Et il se satisfait de me regarder de loin.

– Jusqu'à ce qu'il t'attrape un de ces jours sur un chemin de campagne, dit Françoise. Pourquoi le bercer d'illusions ? C'est cruel.

– Cruel de sourire à ce gamin ? Cruel de glisser une lueur d'espoir dans son existence misérable ?

– Oui, car jamais ses espérances ne deviendront réalité. C'est d'autant plus navrant que tu fais cela, non pas par charité, mais pour flatter ton propre orgueil.

– C'est vrai, admit Renée en riant. Ma mère disait toujours que je ne m'intéresse qu'à moi. Je tiens cela de mon oncle Gabriel.

Quand le groupe prit le chemin du retour en fin d'après-midi, le calvados avait fait son œuvre : des hommes inconscients étaient allongés de part et d'autre de la route, même certains en plein milieu, zigzaguant comme des crabes et secoués de tremblements.

– Le calvados est un vrai poison, remarqua M. du Ruffet. Il paraît que ça attaque la moelle épinière. Ce qui ne les empêche pas de se reproduire, ces pauvres gens, poursuivit-il en montrant un jeune garçon, nain et difforme. La plus belle race du monde se détruit à petit feu. Et les femmes... dit-il en hochant tristement la tête. Les femmes elles aussi boivent ça comme de l'eau. Autrefois nos Bretonnes étaient un modèle de chasteté, aujourd'hui elles n'ont pas plus de vertu que les Viennoises.

– *Les Viennoises, les Viennoises !* s'écria Mme du Ruffet, qui ne se privait jamais de corriger son mari. Jean, vous dites des énormités. À vous entendre, vous auriez fait vingt fois le tour du monde, alors que vous n'avez jamais quitté votre lopin de terre.

Se penchant vers Renée, M. du Ruffet lui murmura à l'oreille :

– Il était une fois deux frères qui avaient une cervelle, et le troisième une femme...

En septembre 1917, Renée reçut une lettre de son père. Il affirmait que l'arrivée des Américains allait bientôt changer le cours de la guerre. « Nos troupes sont épuisées, mais si nous pouvons tenir jusqu'à ce qu'ils interviennent en force, alors nous vaincrons. » Il proposait à sa fille de rentrer à Paris à la mi-octobre, date à laquelle la capitale serait selon lui hors de danger. Les employés ayant réintégré leurs domiciles respectifs depuis que les Allemands avaient été repoussés au nord, tout était fermé au 29, mais le comte indiquait que la maison serait prête pour Renée.

Elle avait espéré que Françoise l'accompagnerait, mais M. du Ruffet s'y opposa farouchement.

– Ma petite-fille représente ma race, mon patrimoine ! s'écria-t-il. La Bretagne est notre pays, et nous devons nous y maintenir. Non, je la garde auprès de moi. Je suis prêt à affronter Satan s'il le faut, en un combat mortel !

Renée trouvait fort égoïste de la part du vieux couple de confiner ainsi son amie dans cette lande isolée, mais bien sûr M. du Ruffet était le maître de la situation. En outre, Françoise n'aurait pas eu le cœur d'abandonner ses grands-parents. Le jour du départ, les deux filles se dirent au revoir, émues, dans la petite gare où elles avaient débarqué plus d'un an auparavant. Le pauvre Éloi, soupirant solitaire, fit une courte apparition, un bouquet de genêts au bras, souhaitant à sa façon bonne chance à celle qu'il avait aimée à distance.

– Bon Dieu, te revoilà, toi ! dit Renée. Et encore un cadeau pour moi ! Quels genêts magnifiques ! Tiens, prends ces dix francs, je te les donne.

Comme toujours muet, il n'en voulait pas. Certes, il était pauvre, mais ce n'est pas un billet de dix francs qui allait le consoler. Renée le remercia d'un unique baiser sur la joue et il s'en repartit à pas lourds, pleurant amèrement toutes les larmes de son corps.

– Je t'ai toujours dit qu'au fond c'était un bon garçon, dit-elle à Françoise. Quelle tristesse de vous quitter tous !

– Que vais-je faire sans toi ? demanda Françoise.

– Tricoter devant la cheminée, répondit Renée en se rappelant leur arrivée, de longs mois plus tôt. Viens nous rendre visite à Paris dès que possible.

Comme bien souvent en Bretagne, il pleuvait. Renée fit un dernier au revoir aux du Ruffet et à Françoise, debout sur le quai branlant, de l'autre côté de la fenêtre du train. Puis l'antique tortillard se mit en marche, hésitant, et s'élança enfin dans la campagne détrempée. Dans un chemin boueux, un troupeau de vaches pie, navrées et décharnées, s'en allait, tête basse, à la traite – de vraies vaches bretonnes.

– Allons, Renée, dit Mlle Ponson, assise à son côté. Reprenez-vous. C'est toujours une joie de retrouver Paris. Vous ne pensez qu'à ça depuis un an. Et vous allez bientôt revoir votre papa.

– Vous avez raison. Mais aussi bizarres soient-ils, je m'étais attachée à ces gens. Je me sens plus proche d'eux que je ne l'étais de mes grands-parents. Et Françoise est maintenant comme une sœur pour moi. Ma vie ressemble à un remue-ménage constant. Chaque fois qu'il faut de nouveau partir, laisser des amis derrière soi, ça me brise le cœur. Soit c'est moi qui m'en vais, soit c'est eux. J'en ai assez de tous ces changements, mademoiselle. J'aime les choses qui durent.

– Il faudra vous y habituer, dit la gouvernante. La vie est faite de changements, ma petite.

3

Gare Montparnasse, Renée et Mlle Ponson prirent un taxi pour le 29. C'était un matin frais d'octobre, Paris se réveillait à peine. Devant les kiosques, les vendeuses déballaient les journaux et magazines ; les fleuristes déployaient leurs étals sur le trottoir, pour y placer de magnifiques bouquets ; les moineaux pépiaient et sautillaient le long du caniveau, à la recherche de miettes de pain. Excepté quelques monuments, protégés par des sacs de sable, et de rares détachements de l'infanterie française, qui patrouillaient les rues d'un air las, la ville avait son aspect habituel. Bizarrement, Paris ne semblait pas avoir changé, et c'était pour Renée comme si elle n'en était jamais partie.

Quand le taxi fut pris dans un encombrement, elle remarqua un groupe de soldats américains devant un café, vêtus d'uniformes kaki impeccables et si modernes, comparés à l'attirail désuet de l'armée française, qu'elle en fut presque gênée. Ils riaient en essayant de déchiffrer le menu affiché au-dehors, et plusieurs passants, ravis de les voir, s'étaient arrêtés pour les aider et plaisanter avec eux. Ces soldats paraissaient si gais, si sains, innocents et ouverts... Leurs dents étaient si blanches, leurs tenues si bien coupées... qu'ils auraient pu aussi bien débarquer d'une lointaine planète, pensa Renée. Elle se rendit compte à quel point son pays, ses propres soldats et ses habitants étaient épuisés, opprimés par ces années d'une guerre implacable. La présence de ces jeunes gens donnait le sentiment d'un nouveau départ, d'un sang frais, porteur de nouvelles espérances.

Les retrouvailles avec le personnel du 29 furent d'autant plus joyeuses que Renée n'avait pas revu ses bons amis depuis longtemps. Elle avait appris que Rigobert avait perdu ses deux petits-fils dès les premiers jours du conflit, et le vieux chauffeur avait accusé le coup. Voûté, ratatiné, il avait le cheveu blanc et clairsemé.

– Cela n'est pas normal, mademoiselle, dit-il en hochant tristement la tête, que ces gamins soient fauchés dans la fleur de l'âge, tandis que leurs grands-parents n'en finissent pas de vivre. C'est les vieux qu'on devrait envoyer se battre. Cela ne serait pas bien grave qu'on disparaisse, et les guerres seraient plus courtes, car tôt ou tard nous trinquerions avec l'ennemi. Les vieux s'en fichent pas mal, du champ d'honneur! S'il n'y avait pas ces politiciens corrompus, jamais on n'expédierait les gamins au casse-pipe. Et quand tout sera terminé, même si ça paraît loin, on sera de nouveau copains, même avec les Boches, si ça se trouve. Pendant ce temps, des milliers et des milliers de pauvres gars, comme mes petits-fils, servent de chair à canon! On leur vole leur vie sans vergogne. Et pour quoi faire, hein? Pourquoi, je vous le demande! Pour que tout le monde se serre la main à la fin?

– Pour la patrie, dit Renée, qui s'aperçut qu'elle avait l'esprit cocardier de son père. Pour que notre pays reste libre. En Espagne, de l'autre côté de la frontière, j'ai vu des déserteurs français. Imaginez la honte que cela représente pour les parents. Vos petits-fils sont morts en héros pour défendre leur pays.

– Ils sont morts terrifiés dans le froid et la pluie. J'aurais préféré qu'ils désertent, mademoiselle, car au moins ils seraient vivants. Ils pourraient aimer, rire, se marier, avoir eux aussi des enfants et des petits-enfants.

Le vieil homme se mit à pleurer.

– Ils me manqueront jusqu'à mon dernier jour, dit-il. Et ce jour-là sera une libération, car il mettra un terme au deuil.

Tata et Adrien avaient eux aussi vieilli. La cuisinière n'était plus si robuste, sa peau faisait des plis comme un vêtement mal ajusté. Adrien, qui avait toujours été maigre, était maintenant squelettique. Tout le monde avait payé un lourd tribut, de chair et de sang, à l'entreprise militaire.

Une fois qu'elles furent réinstallées au 29, Mlle Ponson décida qu'il était temps pour Renée de reprendre ses études.

– Vous ne connaissez rien à la peinture, lui dit-elle. Nous irons au Louvre deux fois par semaine. La plupart des collections sont toujours en place. Et j'ai pensé à vous inscrire au cours de littérature de M. Bélissaurd. Il serait bon de vous initier un peu à la culture.

– Pour quoi faire ? Mes relations ne parlent que de leurs propriétés, de leurs chevaux et des derniers scandales. La vie culturelle et intellectuelle, ce n'est pas leur tasse de thé. À quoi voulez-vous que ça me serve, dans ce milieu ? J'aurais l'air d'un cheveu sur la soupe.

– Plaise à Dieu qu'après la guerre, les choses ne soient plus comme avant. Qu'enfin le monde se passionne un peu plus pour la peinture, la musique, la littérature. Et s'attache aux conditions de vie des plus démunis.

– Tout cela est bien romantique !

– J'y crois du fond de mon cœur, dit Mlle Ponson. J'envisage un monde meilleur, où l'on accorde une plus grande place aux idées qu'aux biens matériels. Fini, la tyrannie des marchés et des commerçants, fini, les salaires de misère ! La France doit trouver un moyen de partager ses richesses, d'améliorer la situation des plus pauvres.

– Les gens qui n'ont rien connu d'autre ne sont pas malheureux de leur sort, objecta Renée.

– Que nenni ! dit la gouvernante. Un fatras d'inepties, ça ! La vieille ritournelle que leur servent les riches pour continuer de les opprimer. Même le chien le plus soumis sait faire la différence entre un steak et un quignon de pain rassis, ma petite, qu'il connaisse ou pas le goût de la viande.

– Il y en aura toujours qui souffrent, qui se débattent, et d'autres qui prospèrent, dit Renée. Ainsi va le monde, et cela ne changera pas. D'ailleurs, les riches ne sont pas tous détestables. Beaucoup sont au contraire très généreux.

– Qui souhaite vivre d'aumône ? Le pain de la charité a un goût amer, qui ne sied à personne. Les gens aspirent à vivre décemment de leur travail. Il est peut-être difficile de croire à l'égalité sociale, mais je pense que tout le monde devrait avoir les mêmes chances. Comprenez-vous ? Il faudrait que l'État soit le banquier des pauvres.

– Vous tenez un discours socialiste, ma chère amie.

– Et alors ? Jésus-Christ n'était-il pas le plus grand socialiste de tous les temps ? Alors qu'à cela ne tienne, soyons-le nous aussi !

– Pour ma famille, ces gens ont toujours été un cauchemar. Papa dit que, s'ils prenaient le pouvoir, on nous conduirait de nouveau à la guillotine. Je vous le demande : pourquoi sommes-nous chaque fois, nous les ci-devant, ceux dont on tranche la tête ? S'il doit y avoir une autre révolution, je recommande qu'on décapite un peu dans toutes les classes sociales. Cela vous ferait réfléchir, vous qui avez les idées arrêtées. Tout le monde y tient, à sa tête, non ? Qu'on soit riche ou pauvre...

– Vous êtes une petite imbécile, née avec une cuiller d'argent dans la bouche, répliqua la gouvernante en colère. Vous ne comprenez pas que, s'il y a des révolutions, c'est à cause des classes supérieures qui favorisent l'injustice ? Elles sont protégées par des murs d'argent, derrière lesquels elles ne voient rien. Le jour où ils tomberont, où on supprimera tous les privilèges, ce n'est pas moi qui irai pleurer.

– Vous êtes folle, c'est de la calomnie ! Je me demande si vous n'êtes pas un agent à la solde des Bleus. Je ferais mieux de fermer ma porte, la nuit, au cas où vous viendriez me trancher la gorge !

– Si je suis folle, dans ce cas vous êtes aveugle. Il faudrait qu'une fois dans votre vie, vous sachiez ce que c'est de ne pas avoir assez à manger. Vous auriez sans doute un peu plus de compassion pour les pauvres.

– La France est le pays le mieux nourri du monde ! dit Renée. On se goberge de rosbif, de poulet rôti... et n'oubliez pas le *pinard*[1] !

– Qui permet à la bourgeoisie d'abrutir les masses populaires. Vous vous voilez bêtement la face. Avez-vous déjà oublié les paysans de Bretagne ?

---

1. En français dans le texte.

– La Bretagne est une région à part. En retard, peut-être, sur le reste de la France. Mais, qu'ils soient pauvres ou pas, les Bretons oublient leurs opinions et défendent leur patrie avec courage.

– Je ne les condamne pas. Avec Françoise, vous déformez toujours les choses pour justifier vos points de vue royalistes, même les plus absurdes. Il est inutile de discuter avec vous, dit Mlle Ponson en haussant les épaules. On ne changera pas un monde dans lequel on ignore les pauvres, et où les riches ne se connaissent pas eux-mêmes. Alors, puisque la France se bat aujourd'hui pour la démocratie, espérons que cela ne soit pas en vain !

– La France se bat contre l'envahisseur, répondit Renée, pas au nom de ces principes fumeux d'égalité sociale.

– Certes, elle combat pour sa survie, mais aussi pour la liberté et la justice. La démocratie, l'égalité, voilà précisément ce que les Allemands veulent nous retirer. Ces idéaux sont éternels. Mais vous ne savez rien de tout cela, ma pauvre Renée. Comme d'habitude, vous ne regardez pas plus loin que le bout de votre nez.

Un jour que Renée prenait le café au salon avec sa gouvernante, la porte s'ouvrit sur Adrien, suivi de l'oncle Balou, plus rougeaud que jamais dans son uniforme bleu horizon.

– Balou ! s'écria joyeusement Renée, qui bondit le serrer dans ses bras.

– Ma cocotte ! dit-il. Comme tu as grandi ! J'ai quitté une petite fille et te voilà femme, maintenant.

– Je me faisais du souci pour vous. Je vous croyais toujours à l'hôpital.

– J'ai pu sortir il y a quelque temps. Je suis tout à fait guéri.

– L'armée ne vous a pas libéré, après une blessure aussi grave ?

– Je me suis rengagé. Mais je suis dispensé de combat.

– Combien de jours de permission avez-vous ?

– Aucun. Je suis entre deux trains. Je pars pour la Somme avec pour mission d'aider au cantonnement des soldats américains. Je servirai d'officier de liaison avec la population.

– Mais enfin, avec vos poumons brûlés, pourquoi vous rengager ?

– Pour la patrie, bien sûr ! répondit Balou. Mais ne t'inquiète pas pour ton vieil oncle, ma petite. Crois-moi, comparé aux tranchées, ça va être du gâteau. As-tu des nouvelles de ton papa ?

– J'espérais tant qu'il viendrait à Noël. Il dit dans sa lettre qu'il n'aura plus de permission avant janvier.

– Je suis navré de rater mon vieil ami, constata Balou tristement. Depuis que nous sommes gamins, nous n'avons jamais été séparés aussi longtemps. Mais maintenant que les Américains sont là, dit-il en s'égayant, nous allons bientôt pouvoir rentrer. Nous serons tous réunis, à l'exception de ta pauvre mère, bien sûr, et tout redeviendra comme avant.

Eh non. Mlle Ponson avait eu raison sur ce point. Renée le savait au fond d'elle, l'expérience le lui avait amèrement appris : rien ne serait plus jamais comme avant.

4

En prédisant qu'à l'automne, Paris serait hors de danger grâce à l'arrivée des Américains, le comte de Fontarce péchait par excès d'optimisme. Après l'apparition éclair de Balou, l'oncle Louis revint de Biarritz quelques jours avant Noël. Pour fêter le nouvel an 1918, il décida d'emmener Renée et Mlle Ponson au Café de Paris, où l'on tenait un bal costumé pour l'occasion.

Ils arrivèrent à huit heures moins le quart au célèbre restaurant, où le maître d'hôtel les conduisit en file indienne jusqu'à leur table. C'était un drôle d'endroit pour un bal de ce genre, et le spectacle des convives dans leurs tenues extravagantes était fort amusant. Tout le monde était d'excellente humeur, galvanisé par la nouvelle que les Allemands s'étaient repliés vers le nord. Maintenant que les Américains étaient là, disait-on, la guerre ne durerait plus très longtemps. Grimée jusqu'aux cheveux, Renée s'était déguisée en page noir à la cour de Louis XV ; l'oncle Louis, libéré de ses œuvres d'infirmier, faisait une Jeanne d'Arc assez convaincante, malgré un léger embonpoint ; et Mlle Ponson, qui avait rapporté de la lande un costume complet, jouait les paysannes bretonnes le jour du pardon.

Très cérémonieux, le maître d'hôtel ouvrit un menu gigantesque et décrivit les différents plats avec force gestes enthousiastes. Il suggéra le homard maison flambé au cognac, le chapon aux truffes et petits pois à la française, et un entremets au Grand Marnier. Louis commanda du champagne pour l'apéritif, et plusieurs bouteilles de pommard pour la suite. Tels des nouveau-nés, le sommelier les apporta avec un luxe de soins, les déboucha et les laissa dans leur corbeille d'osier pour qu'elles puissent s'aérer. Conciliant son respect de la classe ouvrière et son amour des grands crus, Mlle Ponson consacra toute son attention au vin. Renée constata avec plaisir que, si sa gouvernante ne ratait pas une occasion de dénigrer les privilèges des riches, elle ne se privait pas pour autant d'en profiter.

Le dîner terminé, un orchestre de jazz américain commença à jouer sur une scène au fond du restaurant, et les clients se pressèrent sur la piste de danse. Un certain nombre de soldats étaient présents, tant français qu'américains, dont beaucoup en uniforme militaire.

Un jeune aviateur, portant une tunique bleu clair, s'avança jusqu'à la table de Renée. Son képi bleu et rouge à la main, il demanda respectueusement à l'oncle Louis s'il pouvait inviter sa « fille » à danser.

– Oui, monsieur. Mais je ne peux rien vous promettre. Ma nièce a son caractère, voyez-vous ?

– En temps ordinaire, dit l'aviateur, je n'inviterais pas un page noir. J'aurais trop peur d'indisposer le roi et sa cour... Mais quelque chose me pousse à faire une exception. M'accorderez-vous cette danse, mademoiselle ?

– Pourquoi n'êtes-vous pas déguisé, monsieur ? demanda Renée.

– Mais je suis déguisé ! En aviateur, précisément ! J'ai seulement quelques jours de permission, et le commandant de mon escadrille nous a priés de garder l'uniforme. Il dit que c'est bon pour le moral des civils, qu'on aime nous voir prêts à repartir au combat. Ça rassure, paraît-il !

– Je danserai avec plaisir, capitaine, répondit Renée qui se leva et prit sa main.

– Hélas, je ne suis encore que caporal. Permettez-moi de me présenter, dit-il en faisant la révérence. Pierre de Fleurieu.

– Enchantée, caporal. Je m'appelle Renée de Fontarce.

Ils partirent sur la piste. Renée adorait le jazz, et les pas compliqués que les soldats américains, comme les Parisiens, prenaient plaisir à exécuter. Elle venait de passer plus d'un an sans gramophone, au fin fond d'une Bretagne où l'on ne connaissait que les danses traditionnelles qu'elles avaient vues à Nantes, le jour du pardon.

Pierre semblait bien au fait des musiques actuelles et, comme toujours, Renée se familiarisa vite avec les nouveaux pas. Beau garçon, il avait un sourire enjôleur, l'humour à fleur de peau et une grâce naturelle, pleine d'assurance, qu'elle appréciait chez les hommes. Elle remarqua les regards admiratifs que lui jetaient les femmes et elle en éprouva une certaine fierté. Il aurait pu choisir une de celles-ci – et elles étaient nombreuses –, mais c'est elle qui avait eu sa préférence.

Ils enchaînèrent le tango, le charleston, le one-step, la valse anglaise, la matchiche... Tourbillonnant gaiement sur un *Georgie Rainbow Foxtrot* endiablé, ils s'observèrent en riant, l'œil brillant, comprenant l'un et l'autre que c'était le coup de foudre et que, dorénavant, rien ne devait les séparer.

Oncle Louis avait invité Mlle Ponson à danser avant que l'orchestre fasse une pause. C'était un beau spectacle : Jeanne au gros ventre s'essayant au fox-trot avec une paysanne bretonne... Tous revinrent s'asseoir ensemble. Haletant, écarlate, Louis transpirait sous sa moumoute.

– Ah, la jeunesse ! s'exclama-t-il. Comment faites-vous pour vous trémousser pendant des heures ? Rien qu'une danse, et je suis complètement vanné ! Où avez-vous appris tous ces pas, caporal de Fleurieu ?

– Je vous en prie, monsieur, appelez-moi Pierre, dit l'aviateur. Vous me croirez si vous voulez, mais c'était à l'École de voltige de Pau, où je viens de finir mes classes. Notre instructeur, l'excellent commandant Simon, est persuadé que les mêmes qualités physiques d'adresse et d'endurance qui permettent d'exécuter des pas difficiles sont utiles aux pilotes qui, dans le ciel, doivent mémoriser et enchaîner des mouvements complexes. L'analogie lui a sauté aux yeux ici même, lorsqu'il a assisté en 1911 au spectacle du célèbre duo Vernon et Irene Castle. Simon affirme avoir fait ce jour-là une immense découverte, et il est devenu grand amateur de danse. Après une journée d'entraînement à Pau, il nous emmenait dans les clubs et nous faisait guincher toute la nuit. À l'appui de sa théorie, Vernon Castle est actuellement l'un des meilleurs pilotes du Royal Flying Corps britannique. Vous avez sûrement lu dans les journaux qu'on lui a décerné la croix de guerre, pour avoir abattu deux avions ennemis sur le front ouest.

– C'est extraordinaire! admit Louis. Voilà qui explique sans doute mes maladresses sur la piste. Je suis terrifié à l'idée de monter dans un avion, et j'espère bien n'y être jamais contraint. J'adhère au sol, moi! Mais vous devez m'apprendre cette figure amusante que vous faisiez tout à l'heure, au début du fox-trot. Allez savoir, j'y arriverai peut-être?

– Avec plaisir, monsieur, dit le caporal.

Minuit approchait lorsque, entre deux morceaux de musique, les convives perçurent un bourdonnement dans le lointain : des avions. Tous examinèrent le plafond comme s'ils allaient les voir au travers.

– Des Gotha, dit Pierre. Il faut descendre sans tarder à la cave.

Pendant que les sirènes se déclenchaient, Fleurieu et d'autres soldats, français et américains, aidèrent le personnel à faire évacuer le rez-de-chaussée dans le calme. Les rumeurs faisaient état depuis longtemps de ces nouveaux avions – leur rayon d'action avait été amélioré et les Parisiens les redoutaient. Cela n'était sûrement pas un hasard si l'état-major allemand avait programmé un bombardement un 31 décembre.

On installa des tables dans les caves, où les musiciens transportèrent leur matériel et se remirent à jouer. Tandis qu'on entamait le compte à rebours du nouvel an, les premières explosions retentirent, tel un feu d'artifice pervers. Renée se rappela le bal qu'avait donné Lady Winterbottom, quatre ans plus tôt au Caire. En quelque sorte, la guerre arrêtait le temps : ses souvenirs étaient ancrés dans un autre univers, une autre vie.

Malgré le bombardement, des cris de joie suivirent le douzième coup de minuit: le plaisir de fêter un 1er janvier, mais aussi le soulagement d'avoir tenu jusque-là. L'orchestre entonna *Auld Lang Syne*, que les Américains chantèrent en anglais, et les Français dans leur langue – *Le Chant des adieux* étant le même air avec des paroles différentes. Le tout produisait une curieuse cacophonie, pleine de gaieté et d'exubérance. Prenant Renée par le bras, Pierre la conduisit sous une couronne de gui qu'on avait descendue, et l'embrassa amoureusement. «J'ai seulement dix-neuf ans, se dit Renée, j'ai vécu toutes sortes de choses pendant cinq ans, et à part le petit prince et son baiser furtif, enfin quelqu'un m'embrasse vraiment, et ce n'est pas mon oncle Gabriel.»

Les déflagrations se succédant, on avait l'impression que la rue serait bientôt démolie et que le Café de Paris s'affaisserait dans ses fondations. Mais les clients continuaient de danser au son de l'orchestre qui enchaînait morceau après morceau.

– Quand partez-vous au front? murmura Renée à l'oreille de Fleurieu, qu'elle enlaçait.

– Après-demain, répondit-il. Nous avons à peine quelques jours de permission après les classes.

– Avez-vous déjà combattu?

– Pas encore.

Une bombe explosa si près que les murs de la cave tremblèrent.

– Je ne dois pas tomber amoureuse de vous.

– Et pourquoi?

– Parce que, si nous ne mourons pas ce soir, je serai folle d'inquiétude de vous savoir chaque jour dans votre avion.

– Nous ne mourrons pas ce soir, ni moi dans mon avion.

– Comment le savez-vous? Ce seront vos premiers combats. Et si vous tombez sur von Richthofen?

– Ah, le Baron rouge, dit Fleurieu en riant. Je vois que vous lisez les journaux. J'ai beaucoup de respect pour ce monsieur, mais il ne me fait pas peur. Je suis plus jeune que lui, et je danse mieux, surtout dans le ciel.

Aussi brusquement que cela avait commencé, tout bruit cessa, on entendit les Gotha s'éloigner, et un étrange silence enveloppa les caves.

– Vous voyez, ma jolie, dit le caporal. Nous ne sommes pas morts ce soir. C'est donc qu'un bel avenir nous attend. Nous ne risquons plus rien à tomber amoureux.

– Si, c'est toujours risqué, l'amour.

5

Début février, le comte rentra à la capitale sans prévenir personne. Il téléphona un soir à onze heures au 29 et Renée décrocha.

– Allô ? Mon papa chéri, est-ce bien vous ? Je n'arrive pas à le croire. Où êtes-vous ?

– À Paris, mon ange. Je séjourne à l'hôtel Édouard VII.

– Pourquoi pas chez nous au 29 ? Venez à la maison, papa !

– Je ne voulais pas déranger tout le monde en arrivant si tard.

Renée comprit que son père s'était réfugié avenue de l'Opéra avec une de ses maîtresses.

– Ne me dites pas que vous êtes encore avec cette imbécile ?

– Qui ça ?

– Cette pauvre fille que vous aviez rapatriée à Biarritz.

– Oh non, non, non. Je l'ai complètement oubliée, celle-là. Vous aviez parfaitement raison, ma chérie. Elle était d'un pénible, à la fin... Ah, ces parlotes sur la poésie moderne ! Une vraie pécore, tout à fait impertinente ! J'ai une nouvelle amie, Simone de Pont-Leroy, vous devez la connaître. D'une grande beauté, et très intelligente, cela va sans dire. Je n'ai jamais été aussi amoureux de ma vie.

Renée ne put se retenir de rire.

– Vous êtes impossible, papa ! Quand revenez-vous ? J'ai hâte de vous revoir. Et j'ai de bonnes nouvelles à vous annoncer.

– Au petit-déjeuner demain, quoique un peu tard, je crains. Pour l'instant, j'ai besoin de dormir. J'ai fait un long voyage et je suis épuisé.

– Bien sûr. Faites de beaux rêves dans les bras de Mme de Pont-Leroy.

Le lendemain, la famille rassemblée autour de la table de la salle à manger donnait l'impression de n'avoir jamais été séparée. Il ne manquait que Balou, miss Hayes et, bien sûr, la comtesse, cependant connue pour ses absences multiples et variées. Mais Mlle Ponson remplaçait fort bien la gouvernante anglaise. Fontarce la trouva charmante et elle eut la sagesse de garder ses opinions politiques pour elle.

On voulait bien sûr savoir quelle serait l'issue de la guerre. Le comte ne tarissait pas d'éloges sur les Américains.

– Un miracle de la modernité, disait-il. Une race nouvelle qui nous sauve de la catastrophe. Nous nous débattions sans espoir au front, et voilà qu'ils arrivent ! Le plus curieux est qu'ils soient prêts à sacrifier leur vie sans même savoir pourquoi. Officier ou simple soldat, pas un ne saura vous l'expliquer. Pourtant ils ont franchi l'océan pour nous porter secours. Ce sont des chevaliers, et d'un ordre encore inconnu ! Oui, ma chère fille, c'est chez eux qu'il faut trouver un mari fortuné.

– C'est justement le sujet que je voulais aborder, papa, dit Renée. Je me suis liée avec un jeune homme, Pierre de Fleurieu, dont vous connaissez la famille, je pense.

– Liée ? Avec Pierre de Fleurieu ? Sans blague ? Et comment ça ? Pourquoi ne me le dites-vous que maintenant ?

– Cela n'est pas des choses qu'on dit dans une lettre, expliqua-t-elle. Je l'ai rencontré le soir du nouvel an, et nous sommes tombés amoureux. Vous devez comprendre cela, papa. Pierre est aviateur.

– Je ne doute pas qu'il ait un charme irrésistible. Ni qu'il soit d'une très bonne famille. Mais je connais bien son père, et ce Pierre de Fleurieu n'a pas un sou devant lui. « À famille noble, assiette vide », disent les Anglais. On a besoin aujourd'hui d'espèces sonnantes et trébuchantes, ma chère fille.

Guerre ou pas guerre, le comte gardait le sens des réalités, pensa Renée. De fait, il connaissait avec une relative précision la situation financière de la plupart des gens fortunés de France, et même de certains pays étrangers.

– Sa mère lui a laissé un grand château dans le Périgord, objecta Renée.

– Sans argent pour l'entretenir. C'est le Moyen Âge, là-bas, il n'y a strictement aucun confort, cela vous plaira ! Vous aimerez sûrement chier dans un seau et le vider dans les douves. Marzac est dans le même état depuis la guerre de Cent Ans.

– Papa, vous exagérez. Pierre a reconnu qu'il n'avait pas d'argent, mais il a l'intention de travailler après la guerre. Il gagnera de quoi restaurer son château. Il est comte, comme vous, et c'est un garçon capable. Je suis sûre qu'il réussira dans le domaine qu'il choisira. Il ne faut pas oublier non plus que Gabriel a fait de moi sa seule héritière, et qu'un jour ses biens seront les miens.

– Ha ! aboya Fontarce. Parce que vous le croyez sur parole ! Lui avez-vous appris que vous alliez vous fiancer avec ce Fleurieu ?

– Pas encore, admit Renée. Je voulais vous le dire d'abord.

– Eh bien, reste à voir s'il ne changera pas d'avis, quand vous lui annoncerez ça. Nous le connaissons suffisamment, vous et moi, pour savoir qu'il s'opposera à un mariage d'amour. Il n'acceptera qu'un mari plein aux as pour qui vous n'aurez aucun sentiment.

– Je me fiche de ce qu'il accepte ou pas, et je ne veux plus entendre parler de lui. Je suis amoureuse de Pierre, et quand le bon Dieu voudra bien terminer cette guerre, je l'épouserai.

– Vous êtes toujours aussi têtue, ma petite. Et, comme votre oncle, vous persistez à n'en faire qu'à votre guise. Mais vous commettez une terrible erreur. Rappelez-vous le proverbe favori de votre père : « L'amour s'envole, seul l'argent reste. »

Malgré l'intervention américaine, la Grande Guerre était loin d'être finie. Le comte repartit au front, où il était affecté à diverses tâches administratives, tandis que le fringant Pierre de Fleurieu se distinguait au-dessus de l'Oise dans son Spad.

Renée entretint une correspondance régulière avec l'un et l'autre jusqu'en 1918. Les Allemands lançant de nouvelles offensives sur le front ouest, son père demanda encore à Louis de lui faire quitter Paris, cette fois pour rejoindre des amis de la famille dans leur château près de Poitiers.

Renée perdit alors le contact avec son bien-aimé. Cachetée début mai par la poste, une dernière lettre fut réexpédiée depuis la capitale, puis plus rien. Craignant le pire, Renée tâcha de se renseigner, mais en vain. Deux autres mois passèrent sans nouvelles, et elle ne douta plus qu'il avait été abattu par les Boches.

Quatre-vingt-quinze mille soldats français furent tués ou blessés au cours de la seconde bataille de la Marne en juillet 1918. Cependant, grâce aux renforts britanniques, italiens, et aux quatre-vingt-cinq mille soldats américains mobilisés, les pertes allemandes furent encore plus lourdes. La contre-offensive menée par les forces alliées permit de récupérer le terrain gagné au printemps par l'ennemi. Le vent semblait enfin tourner.

Renée passa l'été à attendre que le comte lui annonce une nouvelle permission. Elle tomba à genoux en lisant le télégramme que Balou lui adressa fin septembre. Dévasté par une «Grosse Bertha», l'immeuble dans lequel son père travaillait s'était effondré, et il était gravement blessé.

Grâce à son rang élevé dans l'armée, Balou obtint des laissez-passer pour circuler dans la zone de combat, afin de se rendre à Arras où le comte était hospitalisé. Il rejoignit Renée à Poitiers, où ils prirent un premier train pour Paris, puis un second vers le nord, par un matin pluvieux d'octobre. Alors qu'ils traversaient la forêt, elle reconnut son ancien domicile de La Borne-Blanche, près d'Orry-la-Ville. Derrière la fenêtre de son compartiment, elle se demanda si les aubépines roses de la grande allée fleurissaient toujours au printemps. Le comte les avait surnommées les «arbustes de Renée», car elles avaient sa préférence. La famille avait quitté les lieux à l'automne 1913, alors qu'elle-même avait quatorze ans, et elle pensa que ce n'était pas si loin. En apercevant la maison de son enfance, où elle était née – une deuxième fois selon la légende –, elle comprit que, cinq ans plus tôt, on avait déclenché une série d'événements qui, finalement, la ramenaient ici, dans ce train sous la bruine, pour qu'elle soit spectatrice de son propre passé. Elle devina à cet instant que son père allait mourir.

Au-delà de Chantilly, où Renée avait remporté son tournoi de tennis à l'été 1914, la guerre avait imprimé sa marque. Où que l'on portât son regard, des fermes et des villages étaient en ruine ; les arbres coupés en deux par les obus, amputés par les explosions ; les champs éventrés ; et partout, partout, des alignements de tombes. On entendait au nord le feu de l'artillerie qui poursuivait son œuvre destructrice, ravageait les terres, tuait d'autres hommes, préparait d'autres tombes.

Ils arrivèrent à Arras à trois heures de l'après-midi. Le grondement des canons était maintenant constant, et bien plus proche. La gare, à moitié affaissée, portait la marque d'un pilonnage récent. Ils hélèrent un porteur pour prendre leurs valises et partirent à pied à travers la ville ravagée. Des bâtiments entiers n'étaient plus que gravats, les rues étaient constellées de trous, parfois grands comme des autobus. Ils longèrent toute une rangée d'immeubles dont il ne restait que le mur de façade. Derrière les fenêtres, les rideaux battaient au vent, mais il n'y avait à l'intérieur que la lumière du jour. Au prochain carrefour, un enfant jouait aux billes sur le perron de sa maison – mais il n'y avait plus de maison.

Oncle Louis était soudain blême. Il marchait un bras sur l'épaule de Renée, qu'il serrait fort en marmonnant :

– Bon sang, quelle désolation, quel carnage... mon Dieu, quelle abomination...

Il est vrai qu'on peut voir dans sa vie d'innombrables photos de villes bombardées, il faut y être soi-même pour saisir pleinement l'horrible absurdité de la guerre.

L'hôpital était en meilleur état que les bâtiments alentour, et ils montèrent vite au premier étage. De nouvelles explosions retentissaient lorsqu'ils entrèrent dans la chambre où le comte était couché sur un petit lit de fer. Il n'avait plus le teint rougeaud, mais gris, et il paraissait accablé. Il arborait ses médailles sur sa chemise de pyjama. Son visage s'illumina lorsqu'il découvrit Renée.

– Mon enfant chérie ! Enfin, vous voilà. Je n'aurais pu mourir en paix sans vous revoir.

Elle le rejoignit d'un bond et le couvrit de baisers.

– Papa, papa, papa, disait-elle entre deux sanglots, faute de trouver ses mots.

– Allons, ma biquette, il ne faut pas pleurer, soyez courageuse. Parlez-moi.

Elle s'efforça de se reprendre.

– Vous avez la Légion d'honneur, dit-elle en effleurant celle-ci.

– C'est un grand bonheur, dit le comte. J'ai aussi la croix de guerre.

Il posa sa main sur celle de sa fille et grimaça soudain de douleur. La sueur gouttait sur son front.

– Je suis blessé au flanc. Ah, ils ont bien travaillé, ces sales Boches. Je n'ai pas fini de trinquer.

– Non, vous allez vous rétablir, bien sûr. Je vous en prie, ne mourez pas. Il ne faut pas me laisser seule. Qui veillera sur moi ?

– Il est temps que vous soyez mariée, ma fille, de toute façon. Votre mari prendra soin de vous.

– Je crois que Pierre a péri au combat, papa, dit Renée qui recommença à pleurer.

– Je ne savais pas. Est-ce officiel ?

– Je n'ai plus de lettres depuis des mois, et je n'ai pu obtenir de nouvelles nulle part. À moins d'être mort ou grièvement blessé, il ne me laisserait pas dans le doute comme ça.

– Je suis navré, ma chérie... sincèrement. S'il n'est plus de ce monde, je suis certain qu'il est parti en héros, et non sans emporter quelques Boches avec lui. Mais vous savez très bien que je n'approuve pas cette liaison. J'ai maintenant une faveur à vous demander. Il faut me promettre solennellement, sur mon lit de mort.

– Non, non, je ne promets rien ! Il n'est pas question que vous mouriez !

– Si, ma biquette, je vais mourir. Me refuserez-vous mes dernières volontés ?

Le visage ruisselant de larmes, Renée fit une moue de soumission.

– J'ai pris contact avec votre oncle Gabriel et lui ai donné mes instructions. Votre avenir compte, et il pense que j'ai fait le bon choix. Il s'occupera des préparatifs du mariage. Votre oncle Louis vous assistera également, n'est-ce pas, Louis ?

– Bien sûr, Maurice, bien sûr, dit Louis, qui pleurait également.

– Quel mariage ? demanda Renée, décomposée. Avec qui ?

– Guy de Brotonne. Il est revenu indemne de la guerre, et il réside chez ses parents. J'ai parlé à son père. Ce petit a une fortune considérable et il s'occupera de vous comme il faut.

– Je n'en veux pas ! s'écria Renée. Ne me forcez pas, papa, je vous en prie ! Je connais à peine ce garçon, et je ne l'aime pas du tout !

– Vous m'avez donné votre parole. Devant mon lit de mort.

– Ce n'est pas juste.

Une infirmière entra dans la pièce et expliqua que le comte avait besoin de repos.

– Vous pouvez revenir demain, suggéra-t-elle.

– Je voudrais parler seul à seul à ma fille, dit Fontarce. Veuillez sortir un instant, Louis.

Louis s'exécuta et le comte reprit d'une voix de plus en plus faible.

– Je n'ai plus très longtemps à vivre, ma biquette. Je ne serai peut-être plus là demain, quand vous reviendrez. Non, ne pleurez pas, ma douce. C'est un homme heureux qui meurt devant vous, un homme qui, au terme d'une vie merveilleuse, ne connaît pas le regret. Le monde ne me doit rien. J'ai eu une bonne santé, des amis dévoués, de superbes maîtresses et une fille que j'adore. Je n'ai pas eu à subir ce qui fait le quotidien de la plupart des gens. Quoi demander de plus ? On m'accorde en outre le grand honneur de mourir pour mon pays.

Baigné de sueur, il s'empourprait.

– Je vous en supplie, papa, taisez-vous une minute, il faut vous reposer.

– J'ai l'éternité pour me reposer. Mes minutes sont comptées. Vous ne vous rendez pas compte, mais vous me remercierez plus tard. Épousez Brotonne. Accordez-moi la joie de partir en sachant que ma fille adorée n'aura besoin de rien.

– Bien, papa, je ferai comme vous voudrez, dit Renée.

Le lendemain matin, Balou arriva à Arras, où il retrouva Renée et Louis à leur hôtel. Ils se précipitèrent à l'hôpital. Plus faible encore que la veille, Fontarce parlait d'une voix presque inaudible. En retrouvant son ami d'enfance, il sourit et pleura à chaudes larmes. Comme si de rien n'était, ils se saluèrent avec les mots habituels.

– Bonjour, mon vieux lapin.

– Salut, mon bonhomme. Je te croyais sur les mers aux commandes de la flotte alliée. J'étais sûr qu'on me mettrait dans ma boîte avant de te revoir.

– Qui parle de mourir ? demanda Balou.

– Je ne me fais pas d'illusions, mon petit pote. Je ne pensais pas finir comme ça, figure-toi, mais la lumière baisse et bientôt ce sera le noir complet. Ce qui me chagrine, c'est de vous abandonner, mes chéris. Occupez-vous bien de ma petite fille.

– Bien sûr qu'on le fera, dit Balou, qui n'en menait pas large. Nous viendrons bientôt te rejoindre, tu sais, bonhomme.

Le regard de Fontarce se voila comme celui d'un aveugle. Il serra l'une après l'autre les mains de Louis et de Balou, puis celle de Renée qu'il garda dans la sienne. Frissonnant, il ferma les yeux, cherchant un dernier souffle au fond de sa poitrine. Son corps retomba et il resta immobile, une gouttelette de sang au coin des lèvres.

Marie-Blanche

Camp Forrest
Tullahoma, Tennessee
Novembre 1941

1

Pour les épouses de ces messieurs, la vie à Camp Forrest manque cruellement de romantisme, comme maman l'avait prévu. Elle a beau être exaspérante, avoir des opinions sur tout, je dois souvent reconnaître qu'elle voit les choses clairement.

Nous avons logé les six premiers mois dans un minuscule pavillon du quartier des officiers mariés. Bill partait rejoindre son service à bicyclette – il l'avait surnommée Bessie – et revenait me faire l'amour dès qu'il avait un moment de libre. Il savait que je m'ennuyais à mourir, et il a été aussi prévenant et gentil qu'un mari peut l'être dans ces circonstances.

Je suis vite tombée enceinte de Billy. Plusieurs mois avant sa naissance, nous avons loué une maison à Winchester, la ville voisine. C'est tout simple, mais quand même plus grand que le pavillon, et il y a un petit village avec une épicerie où acheter les produits de première nécessité. J'ai au moins quelque chose à faire pendant que Bill part en manœuvres, sillonne le camp en jeep, s'occupe de la paperasse et vaque à ses tâches avec les autres militaires. Pour être franche, ça paraît tellement barbant, leurs affaires, que je ne prends presque plus la peine de lui demander ce qu'il fabrique toute la journée. Quant à moi, je reste seule chez nous à regarder mon ventre gonfler. Les nausées matinales et autres désagréments de la grossesse sont réellement pénibles. J'ai dit à Bill que je n'avais pas l'intention de recommencer. Je ne suis pas faite pour être mère, et puis voilà.

Je n'ai aucun ami ici. Chicago, le Goodman et mes camarades me manquent terriblement – même cette canaille de George Connor, le jeune dramaturge. Je n'aurais jamais dû partir. Comme j'aimerais retrouver ma vie là-bas. La belle société de maman et les interminables déjeuners à la Pump Room sembleraient presque enthousiasmants, comparés aux femmes de militaires que je rencontre, ces apprenties bourgeoises de Camp Forrest avec leurs petits-fours et leurs cancans – ce qu'elles sont rasoir ! Une chose est sûre : si, avec son Brownie, Bill est toujours prêt à prendre des photos pour nos albums (il ne doute pas que nos enfants et petits-enfants se réjouiront de les feuilleter, ni qu'écrire les légendes et garnir les pages soit pour moi un merveilleux passe-temps), les journaux n'envoient personne du carnet mondain pour évoquer mes toilettes chic, mon épatante collection de chapeaux, ni faire semblant d'écouter mes inepties sur la carrière que j'embrasserai dans le théâtre une fois mes études terminées. Maman avait également raison sur ce point : j'étais et je reste une imbécile.

Billy est un petit bébé heureux puisque, à sa conception, nous l'étions encore, Bill et moi. Je ne buvais pas, je n'ai pas bu pendant ma grossesse à l'exception d'une fois, avant d'apprendre que j'étais enceinte. Revenant un jour à la maison, Bill m'a trouvée évanouie dans la baignoire. Nous n'étions pas à Camp Forrest depuis très longtemps et, en me réveillant ce matin-là dans le petit pavillon, je m'étais rendu compte de l'erreur commise en l'épousant et en l'accompagnant ici. J'en avais l'estomac soulevé – d'autant plus que ma mère m'avait prévenue et qu'il me fallait le reconnaître. Alors, une fois Bill parti, je m'étais servi un verre de scotch, puis un autre, et encore un autre... pour me débarrasser de cette épouvantable sensation. Et voilà : quand il est rentré déjeuner, j'étais inconsciente dans l'eau froide. Je ne me souviens pas d'avoir pris un bain, ni de l'avoir vu arriver, et c'est un miracle que je ne me sois pas noyée. Bill a dû me sortir de la baignoire, me sécher et me mettre au lit. Quand j'ai rouvert les yeux, plus tard, et qu'il m'a expliqué, j'ai eu tellement honte que j'ai promis de ne plus boire une goutte d'alcool jusqu'à la fin de ma vie. La fin de ma vie...

Je me demande combien de fois je lui ai fait cette promesse au fil des ans, à lui et aux enfants. Leandra m'observe toujours avec son sourire narquois de gamine : « Mais oui, maman, c'est ça... », dit-elle. Elle me déteste franchement, et comment le lui reprocher ? J'ai été si dure avec elle. Et Jimmy me regarde d'un air triste, comme au bord des larmes. J'ai eu beau le décevoir sans arrêt, je lis dans ses yeux qu'au fond de lui, tout au fond, il continue de m'aimer, de croire que j'arrêterai bientôt, et que tout s'arrangera finalement dans la famille. Aussi infime soit-il, ce reste de confiance me brise le cœur, plus encore que la haine légitime que me voue ma fille. Quelle mère lamentable j'ai été !

Billy est un petit garçon heureux qui a un père merveilleux. Ils s'adorent tous les deux. Bill lui a acheté un boxer, que nous avons baptisé Nadi – ce sera son premier chien. Il a aussi engagé une nourrice, une Noire répondant au nom de Sissy. Dès avant la naissance, il était clair pour nous deux que je n'avais aucune aptitude à jouer les mamans, et je n'allais pas faire de progrès dans cette voie. Bien sûr, ça le désolait. Certes, quand j'ai accouché, notre fuite amoureuse n'avait plus grand-chose de romantique et, d'une brève remarque à la suivante, j'ai bien perçu son mécontentement. Je n'étais ni l'épouse qu'il désirait, ni la mère qu'il souhaitait pour le petit. Voici comment l'amour s'efface, lentement mais sûrement. Un regard oblique de votre mari révèle qu'il redoute lui aussi d'avoir commis une grave erreur ; car non, vous ne ressemblez pas tant que ça à sa chère maman du Midwest. J'aurais pourtant cru cela évident dès le départ. Mince, j'étais quand même plus sexy qu'elle, ou du moins l'ai-je été quelque temps. Je n'allais pas me mettre à faire le ménage, une tâche qui m'est totalement étrangère du fait qu'on s'en est toujours occupé pour moi. Je n'allais pas non plus servir à Bill un rôti pommes de terre, chaque soir au retour d'une journée d'entraînement. J'aime bien cuisiner, cependant à Chicago j'adorais sortir dîner plusieurs fois par semaine. Bien sûr, il n'y a aucun restaurant correct dans le Tennessee, et il est même difficile de trouver des aliments dignes de ce nom à l'épicerie locale.

Quant à changer les couches du petit et lui faire prendre son bain, très peu pour moi. Je ne sais pas comment m'y prendre et ça ne m'intéresse pas plus que le reste. Les nourrices, ça sert à ça. J'en ai eu une pour veiller sur moi, et ma mère également. Elle et sa propre mère ne se sont jamais embarrassées avec ces histoires, je ne vois pas pourquoi elles l'auraient fait, et moi non plus.

Pour Bill, cela confirme que je suis une fille de riches, une sale enfant gâtée. Ce qui lui aurait échappé au début, aveuglé qu'il était par le prestige d'une petite Française globe-trotter, membre en outre de la richissime famille McCormick. Je me suis pourtant présentée sous mon vrai jour. Je n'ai jamais tenté de ressembler à sa mère, cette grosse femme fade, bien que fort aimable, avec ses robes informes, ses lunettes en cul de bouteille, et ses chignons serrés. Comment Bill a-t-il pu imaginer que, par magie, j'allais devenir un modèle d'épouse et de mère pour la seule raison que nous sommes mariés et que j'ai eu un enfant de lui ?

Je n'étais pas enceinte de quatre mois qu'il a arrêté de revenir me faire l'amour dans la journée, craignant que cela soit dangereux pour le bébé. J'étais privée d'un de mes rares plaisirs. Aujourd'hui que nous sommes à Winchester, il passe chaque fois qu'il peut, même cinq minutes, pour voir son fils, jouer avec lui, lui voler une risette – ce qui n'est guère difficile, car Billy est un enfant naturellement joyeux. En revanche, de moi il n'est pas question. S'il arrive en pétaradant au volant de sa jeep, le visage illuminé d'un sourire, il ne me prend plus dans ses bras en riant comme autrefois. Il n'a d'yeux que pour le petit, c'est à peine s'il me regarde encore. De fait, il prête davantage attention à notre bonne de couleur qu'à sa propre femme.

– Qu'avez-vous fait avec Billy aujourd'hui ? demande-t-il en cajolant son fils.

– Une longue promenade en landau, monsieur Fergus. Avec Nadi. Mme Fergus nous a accompagnés.

Ils parlent de moi comme d'une enfant, ou comme si je n'étais pas là.

– C'est bien, Sissy, dit-il. Et Billy a-t-il mangé tout son déjeuner ?

– Et comment, monsieur Fergus ! Jusqu'à la dernière bouchée. C'est qu'il les aime, ses petits pots !

Alors, comme chaque fois :

– Bon, j'avais juste une minute, il faut que je reparte.

Bill embrasse fort son Billy, puis le rend à Sissy et, si par chance il se rappelle ma présence, pose sur ma joue un baiser pour la forme en ajoutant :

– Bon après-midi, ma chérie.

Et moi de me demander : «Un bon après-midi à faire quoi ? Le tour du quartier avec la nourrice, derrière la poussette ? Quel bonheur !»

Bill embrasse une nouvelle fois son fils, passe la porte, saute dans sa jeep, allume une Camel avec son Zippo et repart en vrombissant aussi vite qu'il est arrivé.

Je sais bien que je suis une garce immature et ingrate, qui n'aurait jamais dû se marier ni enfanter. Maman avait raison, j'aurais pu au moins me choisir quelqu'un de fortuné, avec une ribambelle de domestiques pour s'acquitter des corvées.

2

Maman séjournait à New York avec oncle Leander quand Billy est né. Elle souhaite le voir et va descendre de Chicago. J'appréhende cette visite. Je veux l'accueillir comme il faut, c'est pourquoi j'ai demandé à Sissy de faire le ménage à fond dans le pavillon. C'est tout petit, mais elle tient absolument à dormir sur place. Sissy déploiera un lit de camp dans la chambre de Billy, nous prendrons la sienne et nous prêterons la nôtre à maman. Cela ne durera que quelques jours, cependant Bill est loin d'être enthousiaste.

– Je ne comprends pas pourquoi elle ne séjourne pas dans un hôtel en ville, dit-il. Elle ne m'apprécie pas, alors quel intérêt de s'installer chez nous ?

– Ce n'est pas nous qu'elle vient voir, mais Billy. Elle veut lui consacrer tout son temps.

– Au moins, je serai au camp la plus grande partie de la journée. Ta mère et moi n'avons pas grand-chose à nous dire. J'aurai déjà assez de mal à lui faire la conversation au dîner.

Quand Bill est rentré le soir de son arrivée, tous les meubles avaient changé de place. Maman en avait fait livrer de nouveaux par un magasin en ville, et ceux de notre propriétaire étaient empilés sur le palier. Billy portait des vêtements de bébé qu'elle avait achetés chez Marshall Field à Chicago.

– Arrangez-vous pour qu'on vous débarrasse de ces vieilleries, a-t-elle dit à Bill, qu'elle n'appelle jamais par son nom – comme s'il n'était ni mon mari ni le maître de maison, tout au plus un domestique.

– C'est un meublé, Renée, lui a-t-il répondu. Je ne vais pas faire enlever les affaires du propriétaire.

– Eh bien, s'il veut les récupérer, priez-le de le faire lui-même, ce sera plus facile. De toute façon, ça n'a pas dû lui coûter très cher. Que mon petit-fils grandisse dans une bicoque, passe encore, mais pas entouré de ce bazar!

– C'est un modeste pavillon, pas une bicoque, a marmonné Bill. Et nous n'habiterons pas ici jusqu'à la fin de nos jours, Renée.

Voilà la tournure que les discussions prennent bien souvent avec maman. Elle a un talent fou pour pousser les gens dans leurs derniers retranchements, les mettre mal à l'aise, les confronter à leur humble existence. Au départ, pourtant, Bill était assez fier de ce pavillon, notre premier vrai logement à tous trois. «C'est une maison très simple, avait-il dit en m'y amenant la première fois. Mais elle est propre et lumineuse.»

Maintenant, évidemment, nous garderons à l'esprit les mots de maman – sa «bicoque».

Elle a acheté, en outre, un uniforme noir et blanc pour Sissy – qui est une fille gentille, décente, toujours bien habillée. Cependant ma mère trouve incorrect que les employés portent leurs vêtements personnels pendant le service.

– Bon Dieu! a grommelé Bill, le soir dans notre chambre. Déjà que les familles des autres officiers pensent qu'on se donne des airs parce qu'on a une nounou. La plupart des mamans s'occupent elles-mêmes de leurs enfants, tu sais? Et voilà que la tienne veut déguiser Sissy en soubrette! C'est insultant.

– Je t'en prie, chéri. Elle mettra l'uniforme tant que maman est là. Il n'y en a plus que pour quelques jours. Après quoi, elle remettra ses habits normaux.

Bill a fini par accepter. Il se rend compte qu'il vaut mieux se soumettre aux volontés de ma mère, ce qu'on apprend tous tôt ou tard. Bien sûr, avec ses exigences, son caractère autoritaire, elle peut vous gâcher l'existence. Mais si on la contrarie, si on s'oppose à elle, alors elle fait de votre vie un véritable enfer.

Tout bien considéré, cela ne s'est pas si mal passé. Évidemment, maman est tombée sous le charme de Billy, son premier petit-fils – comment lui résister, avec son sourire d'ange, sa bonne humeur presque constante ? J'ai eu la bonne idée de ne rien boire pendant son séjour. Sissy a enfilé son uniforme ; je sais que ça la gênait, mais Bill lui a donné un peu d'argent pour compenser, et elle s'est radoucie.

Le départ de ma mère fut pour chacun un soulagement. Au grand dam de tout le monde, et de Bill en particulier, elle nous a annoncé son intention de revenir régulièrement pour «nous aider avec Billy». Elle n'a pas tardé, elle non plus, à voir en moi une mère incompétente, qui réclamerait son assistance pour élever correctement notre fils – alors qu'elle s'est distinguée par son absence la plus grande partie de mon enfance. Incroyable cette faculté qu'ont les grands-parents de réinventer l'histoire, de s'attribuer une autorité parentale qu'ils n'ont jamais démontrée dans l'éducation de leurs propres gosses.

3

De vieux amis de Chicago nous ont rejoints à Camp Forrest – Wally et Lucia Wakem, qui viennent de se marier. Nous avons séjourné quelque temps à la montagne, à Monteagle où il fait quand même assez frais, puis nous avons trouvé une autre maison à louer, un petit cottage tout blanc, très mignon. Il est assez grand pour que nous y soyons à l'aise tous les cinq, et cela ne revient pas trop cher puisque nous partageons le loyer. Monteagle est un lieu de villégiature avec de nombreux hôtels, restaurants et boutiques, ainsi qu'un club privé avec piscine. Je me sens beaucoup mieux ici, et j'apprécie beaucoup la compagnie de Lucia.

C'est Bill qui, le premier, a eu l'idée de louer quelque chose ensemble. Il savait combien je m'ennuyais à Winchester, où il s'inquiétait de me voir recommencer à boire. J'avais selon lui besoin de changement, et il a pensé que la présence de Lucia me serait bénéfique. Et c'est vrai. Lucia est drôle, vive, ce qui ne l'empêche pas d'être intelligente et, comme dit Bill, d'avoir «la tête sur les épaules». Une façon de suggérer, sans doute, que cela n'est pas mon cas. C'est une fille sobre qui exerce une bonne influence sur moi. Je suis moins tentée de siroter du matin au soir pour combler ma solitude. Willy lui a offert un électrophone comme cadeau de mariage et, pendant que les hommes s'affairent au camp, nous repassons sans cesse les mêmes disques, notre collection étant assez limitée. Parfois nous dansons ensemble. Dès que Bill et Wally auront une nouvelle permission, nous irons tous à Chicago en acheter de nouveaux.

Wally aime l'alcool autant que moi, que Bill aussi, et nous consacrons une bonne heure le soir à l'apéritif. Bill insiste pour que je me limite à un verre et, malgré quelques écarts, je m'en tiens là. Ce qui n'est pas toujours facile quand les autres s'envoient deux ou trois whiskys-soda, et que l'ambiance est à la fête.

Nous venons d'apprendre que Bill et Wally sont acceptés à une session spéciale de formation pour officiers, à Fort Sill, dans l'Oklahoma, où nous partirons début août pour trois mois. Bill se sent « valorisé » par cette « affectation », et il est enchanté. C'est peut-être égoïste de ma part, mais je n'ai aucune envie de plier bagage à nouveau, alors que les choses s'arrangeaient si bien pour moi. On dit que l'Oklahoma est plat, moche, et qu'il y fait une chaleur épouvantable.

– Nous pourrions peut-être rester ici, Billy, Sissy, Lucia et moi ? À deux, vous trouverez plus facilement un endroit pour loger, Wally et toi, ai-je suggéré à mon mari. Vous viendriez nous voir un week-end de temps en temps ?

Bill a paru déçu, choqué, par ma proposition. Il a parfois des réactions très « petit-bourgeois du Midwest ». Maman devait avoir raison sur ce point aussi.

– Sûrement pas, m'a-t-il répondu. Nous formons une famille, Marie-Blanche, et une famille doit rester soudée. Je ne vais pas vous laisser tout seuls, Billy et toi, et je ne crois pas que Wally ait très envie de se séparer de Lucia. N'oublie pas qu'ils viennent juste de se marier.

– C'est seulement pour trois mois, Bill. Il ne faut pas t'inquiéter pour nous. Nous ne serions pas seuls, tous les trois. De plus, maman serait ravie de venir nous rendre visite.

– Tu ne veux pas m'accompagner, chérie ? m'a demandé Bill, à l'évidence blessé.

– Bien sûr que si. Je cherchais simplement une solution qui convienne à tous.

– Eh bien, le mieux est de rester ensemble. Je ne vais pas abandonner mon petit garçon pendant trois mois.

Voilà, nous y étions, et je m'y attendais depuis le début. Cela n'aurait pas tant gêné Bill, je pense, de me quitter pendant ce temps-là. Mais son fils adoré, il n'en était pas question.

– Madame Fergus, qu'avez-vous éprouvé quand votre mari et votre mère ont mis le grappin sur votre enfant? me demande le Dr Chameau.

– N'avons-nous pas déjà abordé ce sujet?

– Rapidement. Je tiens à savoir ce que vous avez éprouvé à ce moment-là.

– J'ai déjà répondu, docteur, je m'en fichais.

– Vraiment? Je trouve cela difficile à croire.

– Comme je vous l'ai expliqué, jouer les mamans m'ennuyait. On me déchargeait d'un poids, pourquoi cela m'aurait-il gênée?

– Vous n'étiez pas fâchée que l'on vous relègue au second plan?

– Oh, vaguement, peut-être. À la vérité, j'étais plus fainéante que mécontente. Chacun à sa manière, maman et Bill se sont bien occupés de Billy. Je n'ai donc pas eu à le faire.

– Vous ne vous êtes pas sentie coupable qu'on prenne votre place? Ne serait-ce qu'un peu?

– Si vous me le demandez, c'est sans doute que j'aurais dû. Oui, après l'accident, je me suis sentie coupable de ne pas avoir été une mère plus attentive.

– Que ressentez-vous aujourd'hui devant ces photos de votre fils, madame Fergus?

– Cela fait presque vingt ans que je ne les ai pas regardées. Nous en avions une de Billy, encadrée au salon. Mais Bill avait caché les albums. Ni lui ni moi n'avions le courage de les ouvrir.

– Oui, je m'en souviens. Mais aujourd'hui, que ressentez-vous en les voyant?

– Rien.

– Vraiment?

– Non, je ne ressens rien.

– Pourriez-vous définir ce « rien » ?

Je ris.

– Il faut être psychiatre pour poser de telles questions. Je ne savais pas que ce mot avait plusieurs définitions.

– Disons qu'on peut l'interpréter de différentes façons, répond le Dr Chameau. Pouvez-vous mieux me traduire ce que signifie ce « rien » ?

– Billy a cinq mois sur cette photo. C'est mon écriture, en dessous. J'ai rédigé la plupart des légendes. C'était une idée de Bill. Il fallait que je m'occupe, que je fasse quelque chose de mon temps. « Oh, merci, mon chéri. Je ne demande pas mieux que noircir toutes ces pages ! Vite, j'ai hâte de commencer ! » Billy et Nadi. Billy et Bill. Billy et maman. Billy et Sissy. Wally Wakem joue avec Billy. Billy à Fort Sill. Billy est content. Billy prend un bain de soleil... Il y en a des dizaines, n'est-ce pas ? Des centaines. Je ne ressens rien en les regardant. J'ai l'impression d'être morte.

– Ce n'est pas *rien*, ça ! jette le médecin.

– Ah bon ? Qu'y a-t-il de plus inexistant qu'un mort ?

– Décrivez-moi cette impression.

– Cette personne n'est plus, dis-je en tapotant du doigt sur une photo. Elle a disparu avec ce petit garçon.

– Votre fils était un très bel enfant. Un enfant bien vivant lorsqu'on a pris ces clichés. Vous aussi, vous étiez vivante. Et vous l'êtes toujours.

– Qu'en savez-vous ?

– Je suis navré pour vous, madame, mais la mort de ce garçon n'empêche pas qu'il ait vécu, qu'il ait eu du bonheur dans sa jeune existence, qu'il ait donné et reçu de l'amour. Sa disparition ne vous empêche pas de continuer à l'aimer, ni de continuer à exister.

– Bien sûr que si. Sa mort efface tout cela. Vous ne comprenez vraiment rien, docteur ?

– Si je lis bien les légendes, votre fils allait encore vivre trois ou quatre ans. Vous ne pouviez pas savoir ce qui allait lui arriver. À ce moment précis, c'était un enfant heureux, choyé par ses parents. Vous-même semblez plutôt heureuse. Comment vous sentiez-vous à l'époque ? Vous devez vous en souvenir, madame ?

– Non, je ne me souviens pas. Je ne me souviens de rien. Je vous l'ai déjà dit, je ne ressens rien.

– En décidant de ne « rien » éprouver devant ces photos, vous niez l'existence de cet enfant, son court passage sur terre, vos propres souvenirs de lui, l'amour dont vous l'entouriez et celui qu'il vous rendait. Et, bien sûr, en niant qu'il ait vécu, vous niez qu'il soit mort.

– Exactement. Combien de fois devrai-je vous le répéter ? Billy n'aurait pas vécu, il ne serait jamais parti. Et si je ne ressens rien, cela m'empêche de souffrir.

– Cependant il a vécu, madame. Puis il est décédé, et vous souffrez. Dites-moi, avez-vous pleuré sa disparition ?

– Bien sûr que j'ai pleuré. J'étais hystérique, il a fallu m'administrer des calmants jusqu'au jour des obsèques.

– L'hystérie n'est pas le deuil, madame. Avez-vous simplement pleuré – je veux dire : exprimé votre chagrin, votre affliction ?

– Je ne me rappelle pas. J'étais abrutie par les piqûres. Je n'ai plus envie d'en parler.

– Fort bien, madame Fergus, vous n'êtes pas obligée.

Nous avons finalement passé deux étés à Fort Sill, en 42 et 43, à la Field Artillery School où Bill a accompli plusieurs périodes d'instruction. Bien qu'il fût impatient de s'y rendre, on ne l'a pas envoyé au front. En fait, il n'est jamais parti. Je suppose que le commandement l'a jugé trop âgé pour être exposé aux combats sans expérience préalable. Il y avait pour cela des hommes plus jeunes – qui ne reviendraient pas. Bill fut donc assigné à une série d'emplois administratifs, aussi pépères les uns que les autres.

Fin 1945, on le nomma chef d'un des premiers camps de reconstruction au Japon. Billy et moi avons rejoint maman et oncle Leander dans leur appartement de New York. Maman a endossé le rôle de « mère » que Bill avait tenu jusque-là, et j'ai retrouvé toute liberté de sortir, même de fréquenter d'autres hommes, ce à quoi elle m'encourageait. J'ai rencontré un jeune banquier, Evan Crawford, issu d'une riche famille de Greenwich, dans le Connecticut. Maman, ravie, m'a conseillé de demander le divorce. Bill et moi n'avions pas l'intention de faire d'autres enfants et, si je m'y prenais tout de suite, disait-elle, nous pouvions encore limiter les dégâts. Il fallait profiter de ce que Bill se trouvait au Japon, et tout serait terminé avant son retour.

– Ce paysan ne te permettra jamais d'avoir la vie que tu veux, Marie-Blanche, la vie dont tu as besoin. Tu as eu le temps de t'en rendre compte. Tu aurais dû me consulter avant de l'épouser. Mais il n'est pas trop tard, tu es encore jeune et séduisante. Je l'étais moi aussi quand j'ai quitté ton père, qui n'avait pas les moyens de m'entretenir, et que je n'aimais pas. Il faut parfois être sans pitié, prendre la décision de rompre. À trente-six ans, ton mari n'a ni emploi ni métier. Que fera-t-il, quand il sera démobilisé ? Il se remettra à vendre ses assurances à mi-temps ? À traîner sur les champs de polo jusqu'à la fin de ses jours ? C'est l'avenir que tu envisages, pour toi et ton fils ? À vivre en parasites, en marge des gens normaux, aux crochets de vos amis fortunés, dans l'espoir que l'un d'eux vous mette le pied à l'étrier ? C'est ça, ton époux idéal ? Leander te trouvera le meilleur avocat de Chicago. Nous demanderons la garde de Billy. Nous pouvons peut-être même l'adopter.

– Mais j'aime mon mari, ai-je mollement protesté. Et il aime Billy. Bill ne te laissera jamais l'adopter.

– Il n'aura pas son mot à dire. Aucun tribunal, aucun juge de Chicago ne refusera quoi que ce soit à un McCormick. Et, si tu l'aimes tant que ça, ton mari, que fais-tu avec le petit Crawford ? Le paysan n'a pas quitté le pays depuis deux mois que tu sors déjà avec un autre. Cela doit signifier quelque chose, Marie-Blanche.

– Je m'ennuie, maman, c'est tout. J'ai simplement envie de m'amuser encore un peu.

– Si c'est ce que tu appelles l'ennui, laisse passer une dizaine d'années et ton mariage sera une prison. D'ici là, tu auras perdu ta jeunesse, ta beauté, et plus personne ne voudra de toi.

– Tu avais plus de trente ans quand tu as rencontré Leander, ai-je remarqué.

– Leander et moi, ça n'a rien à voir.

Inutile de le préciser, je n'ai pas suivi le conseil de ma mère. Quand Bill est rentré du Japon, un an plus tard, nous nous sommes installés à Libertyville, dans l'Illinois, où nous avons loué une ferme. Bill a acheté un poney et une charrette pour Billy, et deux chevaux de polo pour lui. Comme maman l'avait prédit, il a repris son job dans les assurances, et s'est remis à jouer le week-end. Ma mère m'en a voulu que je lui retire Billy. C'est une des raisons, je pense, pour lesquelles elle souhaitait que je divorce. Elle croyait sincèrement qu'elle pourrait alors adopter le petit, et ainsi nous le prendre à tous deux.

– Marie-Blanche, as-tu déjà considéré que, si tu avais quitté ton paysan comme je t'y encourageais, ton fils serait encore vivant ?

4

C'est un dimanche après-midi de juillet 1947, une de ces chaudes journées du Midwest, sauf que... celle-ci ne ressemblera à aucune autre, et que nos existences en resteront bouleversées. Lucia, qui réside à Lake Forest, est venue nous rendre visite avec Kathy, sa fille de quatre ans. Bill a attelé le poney à la charrette pour elle et Billy. Bien qu'il n'ait pas encore sept ans, notre fils manie déjà fort bien les rênes, et Bill les laisse se promener un moment pendant qu'il travaille près de la grange. Au retour, Billy range la charrette comme on le lui a appris. Bill détache le cheval, lui donne à boire et l'enferme dans son box.

– Nous sortons dîner ce soir, les enfants, leur dit-il. Rentrez vite à la maison.

Où il revient avant eux et file se laver.

Lucia et moi buvons un verre au salon, en parlant de choses et d'autres comme des amies. Kathy arrive quelques instants plus tard, toute seule.

– Bonsoir, chérie, lui dit Lucia. Vous avez fait une belle promenade ?

– Oui, maman, lui répond sa fille, qui passe devant elle d'un air hébété.

Elle s'arrête devant moi, mais évite mon regard.

– Billy a conduit la charrette très vite.

– C'est bien. Où est-il, ma chérie ? lui demandé-je.

Kathy reste sans expression, comme si elle ne m'avait pas entendue. Alors je sens la peur naître dans mes entrailles, gagner mes bras, engourdir mon visage.

– Kathy ? recommencé-je. Où est Billy ?

Elle me regarde finalement. Le ton pressant de mes questions l'a sortie de sa torpeur.

– Il est blessé, répond-elle d'une voix étrangement calme.

– Mais où ça, ma chérie ? dit Lucia en se levant.

– Derrière la grange.

Je me rue en criant dans notre chambre, où Bill est encore sous la douche.

– Qu'est-ce qu'il y a ?

– Il est arrivé quelque chose à Billy ! Dépêche-toi !

J'ai déjà fait demi-tour lorsqu'il sort de la salle de bains, trempé, et qu'il enfile son caleçon.

– Où est-il ?

– Derrière la grange ! Vite !

Lucia est arrivée avant moi, et Bill me suit, à moitié nu. Mon petit garçon est allongé par terre sur le dos. Je suis trop affolée pour comprendre ce qui s'est passé. J'aperçois le tracteur acculé contre la clôture, à une quinzaine de mètres de Billy. Le moteur fait un bruit d'enfer, les roues creusent un sillon dans le sol en dégageant de la fumée. Il faut croire que l'engin, que l'on range toujours dans la grange, a écrasé le petit : on voit la trace d'un pneu sur sa poitrine. Il a le cuir chevelu en sang, mais il n'a pas perdu connaissance. Bill le prend dans ses bras pour le transporter à la maison.

– Papa, ce que j'ai mal ! dit Billy, qui se met à pleurer.

– Ne pleure pas, répond son père.

Billy obéit et garde le silence.

Bill l'étend sur notre lit pendant que Lucia téléphone à l'hôpital. Je ne leur suis d'aucune utilité, je n'arrête pas de crier comme une hystérique. Bill prie finalement Lucia de me faire sortir.

– Sers-lui quelque chose à boire, dit-il. Ça la calmera peut-être.

Un médecin, que je ne connais pas, se présente dix minutes plus tard. Avec l'aide de Bill, il pose une attelle à Billy, qui a le bras droit cassé. Mon fils ne veut plus qu'on le transporte, la douleur est trop vive, et le Dr Edwards appelle une ambulance. Elle arrive au bout de quelques minutes, et l'hôpital Condell Memorial n'est pas loin. Après deux verres, et la piqûre de morphine que le médecin m'a faite, je retrouve une contenance, je monte avec Bill dans le véhicule, où l'on a installé Billy sur un brancard.

– Dis-moi ce qui est arrivé, fils, lui demande son père, sur le chemin de l'hôpital. Comment es-tu passé sous le tracteur ?

– Nous jouions dessus, avec Kathy. S'il te plaît, ne me gronde pas.

– Mais non, bien sûr.

– On jouait et, en se levant, Kathy a appuyé sur le démarreur. Le tracteur est parti très vite en marche arrière. Je me suis mis à courir pour l'éviter, papa, mais partout où j'allais, il me poursuivait. Comme s'il faisait exprès.

On place Billy sous une tente à oxygène. Il a soif et demande à l'infirmière s'il peut avoir un soda.

– Merci beaucoup, dit-il lorsqu'elle le lui apporte.

Mon fils si bien élevé, qui la remercie.

Il ne cesse de répéter, comme si c'était chaque fois une surprise :

– Aïe, ce que j'ai mal.

Il dort profondément un moment, puis se réveille en sursaut, comme au sortir d'un mauvais rêve.

– Vite, Kathy, cours ! crie-t-il. Va chercher de l'aide !

Il veut que Kathy et Jeffrey le rejoignent pour jouer. Et la toute dernière chose que fait mon petit garçon sur terre est de claquer sa langue pour que Peppy, son poney, avance plus vite. Puis il ne respire plus, le tracé sur l'écran s'aplatit, les bips-bips s'arrêtent, le signal devient continu.

Le médecin de garde et l'infirmière se précipitent dans la pièce, mais ne parviendront pas à ranimer Billy, qui a le torse broyé. Le médecin éteint l'électrocardiographe.

– Je suis navré, dit-il. Nous ne pouvons rien faire de plus. Nous vous laissons avec votre fils. Restez le temps que vous voulez.

Je suis inerte, engourdie par la morphine. Je ne pleure pas. Cela n'est qu'un rêve, un cauchemar dont je vais me réveiller, et tout redeviendra normal.

– Billy a conduit Peppy jusqu'au ciel, murmure Bill.

5

Je ne me souviens guère des deux journées suivantes.
Je sais que nous n'avons pas du tout dormi la
première nuit. Wally et Lucia sont restés avec nous, et nos
voisins, les Grant, sont passés plusieurs fois nous voir. Nous
n'avons rien mangé non plus, buvant par alternance du café et
de l'alcool. L'effet de la morphine s'était dissipé, et je suis rede-
venue impossible au point qu'il a fallu appeler le Dr Edwards
pour qu'il revienne me faire une piqûre.

Bill et moi étions déjà brouillés. Le sentiment de culpabilité,
les blâmes, les accusations qui allaient nous hanter jusqu'à la fin
de nos vies – et nous tuer finalement – couvaient sous la surface.
Le remords m'accablait de ne pas avoir été une meilleure mère
et je souhaitais à présent d'autres enfants, comme s'ils allaient
pouvoir remplacer Billy, combler le vide de nos existences.
Bill, lui, s'immergeait dans la douleur ; en sus de son rôle de
père, il avait cru pouvoir jouer le mien, et il avait échoué sur
toute la ligne. S'il me reprochait à demi-mot de ne pas avoir
été à la hauteur, il endossait cependant la responsabilité de
l'accident – que, d'ailleurs, je lui attribuais volontiers. Nous
n'étions que les occupants de cette ferme, et seul un employé
de notre propriétaire utilisait parfois le tracteur. Toutefois Bill
aurait dû s'apercevoir que la clef était sur le contact, et qu'un
enfant de quatre ans était capable d'actionner le démarreur.
D'ailleurs, pourquoi laissait-il les petits jouer dans la grange sans
surveillance ? Ma seconde piqûre de morphine a agi avant que,

l'alcool aidant, j'ose lui lancer à la figure : « Tu as tué Billy ! » Ce qui, de toute façon, deviendrait un leitmotiv entre nous, d'année en année.

Nous aurions dû nous séparer tout de suite, recommencer chacun sa vie de son côté. Je crois qu'en restant ensemble, en entretenant le feu de la culpabilité, nous nous sommes mutuellement châtiés. Nous avons dû penser que nous arriverions à rétablir la situation, à réparer notre terrible erreur en mettant d'autres enfants au monde.

Hortense, la sœur aînée de Bill, est arrivée le lendemain matin de l'Ohio. Ils étaient très proches, et il s'est raccroché à elle.

– Le monde entier vient de s'écrouler, lui a-t-il dit entre deux sanglots.

Hortense a préparé un repas qu'elle nous a priés de manger, puis ses paroles nous ont apaisés un instant – Bill surtout, soulagé que sa sœur bien-aimée soit là pour veiller sur lui. Quant à moi, je m'étais repliée sur moi-même, sous l'effet de la morphine, de l'alcool et des somnifères, qui devaient m'aider à tenir les journées à venir.

Le mardi à 16 h 30, on a rapporté le corps de Billy. Hortense a reçu les employés de la morgue, tandis que Bill m'emmenait dehors dans la voiture, sachant que j'allais être à nouveau dans tous mes états. On a descendu à la cave les meubles du salon – à l'exception du bureau et du canapé –, afin de faire de la place pour le cercueil et les fleurs, qui commençaient à s'entasser. Hortense s'est occupée de les disposer. Deux bouquets de grands delphiniums blancs, dont quelques-uns à hampes bleues, chacun à une extrémité de la bière ; un grand panier de fleurs blanches qu'elle avait acheté pour le père de Bill, ainsi qu'un bouquet de roses roses et de bleuets qu'elle a posé tout près de Billy ; maman avait envoyé une magnifique gerbe d'œillets blancs et de gypsophiles, piqués sur un fond vert, qui recouvrait le cercueil et ses flancs ; et Libby Swift nous avait adressé une superbe couronne de gardénias. La salle à manger était elle aussi remplie de fleurs. C'est presque tout ce que je me rappelle, tant j'étais assommée par l'alcool et les médicaments. Jamais je n'avais vu une telle quantité de fleurs.

Bill a veillé son fils toute la nuit, à fumer ses Camel, boire du café et du whisky. Quelques instants avant l'aube, il a demandé à Hortense de prendre sa relève, pendant qu'il se dégourdissait les jambes ; il ne supportait pas l'idée de laisser son petit garçon seul face à la mort. J'étais encore couchée, anesthésiée, bonne à rien, d'aucun secours ni pour mon mari, ni pour mon enfant.

Le lendemain matin, jour des obsèques, maman et Leander sont arrivés de New York. Je craignais de ne pouvoir affronter ma mère – et les regards lourds de reproche qu'elle ne manquerait pas de nous adresser, à Bill et à moi. J'ai fini par me lever, et mes nerfs ont lâché une fois de plus quand j'ai aperçu mon fils dans son cercueil, entouré de tant de fleurs. « Réveille-toi, Billy. Il ne s'est rien passé du tout. Cela n'est qu'un mauvais rêve. Réveille-toi, petit garçon. Va jouer avec tes amis. Tout cela n'est qu'une illusion. »

Bien qu'elle aussi brisée, maman s'est montrée forte, comme toujours, et sa présence fut appréciée de tous. Après m'avoir fait couler un bain, elle m'a aidée tant bien que mal à me ressaisir. Puis le médecin m'a donné d'autres sédatifs qui m'ont calmée un peu.

Bill avait prié le pasteur méthodiste de Libertyville de conduire le service funèbre chez nous. C'était un jeune homme aimable et doux, et la cérémonie fut brève. La famille – Bill et moi, maman et papa – a pris place sur le lit de la chambre. Nous n'avions rien pour asseoir les autres participants, qui sont restés debout à divers endroits de la maison – la cuisine, la salle à manger, le perron. Je ne me rappelle plus exactement qui était là. Ce fut la journée la plus chaude de l'année, trente-sept degrés à l'ombre, et le parfum des fleurs était oppressant.

Puis nous avons pris la route, derrière un véhicule de police, jusqu'au cimetière de Lake Forest. Perché sur une colline au-dessus du lac Michigan, c'est un parc magnifique, bien entretenu, avec d'immenses érables, chênes et ormes. Seulement Bill, moi et Hortense nous sommes approchés de la tombe, les autres assistant à l'inhumation quelques mètres derrière nous. Maman et papa n'ont pas quitté leur voiture. Ma mère a fini par fondre en larmes, écrasée de chagrin.

Hortense m'a tenue fermement par la taille pour que je ne m'écroule pas. Le jeune pasteur a prononcé quelques mots auxquels, dans ma torpeur, je n'ai rien compris, puis on a descendu le cercueil. Leander avait acheté la concession au dernier moment. Il y avait deux autres places pour Bill et moi, de chaque côté de notre fils. J'ai souvent pensé au cours des dix années suivantes que nous aurions dû nous arrêter là, nous allonger chacun dans le sol, éviter ainsi tant de douleurs et de tourments. Bill s'est agenouillé pour ramasser une poignée de terre, qu'il a jetée dans la tombe.

RENÉE

Paris
Novembre 1918

1

Moins de deux mois après la disparition du comte, les armées allemande et française cessèrent les combats et l'on signa l'armistice dans la forêt de Compiègne. La terre meurtrie des lignes de front, gorgée du sang de toute une génération, finirait par se cicatriser, mais resterait à jamais hantée. Comme le vieux Rigobert se l'était demandé après le décès de ses petits-fils : pourquoi tous ces jeunes, par centaines de milliers de chaque côté, étaient-ils morts en définitive ? Renée se posait la même question à propos de son père, qui avait rendu l'âme pendant les toutes dernières semaines d'hostilités. Pour deux médailles épinglées sur la poitrine, enterrées avec lui dans sa grande parure de dragon. « Si je me présente en uniforme à la porte de saint Pierre, avait plaisanté Fontarce, toujours crâne, sur son lit d'hôpital, il comprendra que j'ai donné ma vie pour la France, alors peut-être voudra-t-il bien me pardonner mes péchés et m'accepter au paradis ? »

Renée, l'oncle Louis et l'oncle Balou avaient rapporté son cercueil depuis Arras, pour l'enterrer à Paris. Le vicomte Gabriel de Fontarce était revenu d'Égypte pour les obsèques, auxquelles, nota Renée, assistèrent treize anciennes maîtresses de son père. Gentleman raffiné d'une époque révolue, celui-ci avait su rester en termes cordiaux, voire préserver une certaine intimité avec ces dames, qu'il fût ou non à l'origine de la rupture. Tout le monde avait eu de l'affection pour le comte, et la cérémonie, célébrée dans la même église où Renée se marierait l'année suivante, avait réuni de nombreuses familles nobles de France – ce qui était en soi remarquable. Mais aussi un fort contingent d'habitants d'Orry-la-Ville et, bien sûr, tout l'ancien personnel de La Borne-Blanche. Bien des employés pleurèrent à chaudes larmes la disparition de leur maître.

Le service terminé, Renée accepta les témoignages de sympathie des uns et des autres, sans parfois reconnaître de qui ils émanaient. Elle était dans un état second, affligée par la perte de cet être si cher, lorsqu'un jeune homme saisit sa main et la serra doucement.

– Ma mère, très souffrante, n'a pu se rendre à la cérémonie, lui dit-il. Mais, au nom de toute la famille, elle me prie de vous présenter nos plus sincères condoléances.

Renée parut se réveiller en reconnaissant les yeux du jeune homme.

– Pierre ? dit-elle. Pierre, est-ce bien vous ?

– Oui, Renée, répondit Fleurieu avec un doux sourire. C'est bien moi.

– Mais où étiez-vous passé ? demanda-t-elle, soudain en colère. Pourquoi ce long silence ? C'est que je me suis fait un sang d'encre pour vous ! Je vous croyais mort.

– Mort non pas, lui expliqua Pierre, mais on m'a envoyé à l'hôpital. Et je n'en suis pas ressorti avec tous mes membres.

Il haussa l'épaule droite pour que Renée remarque la manche vide de son veston.

– Pourquoi ne m'avez-vous rien dit ? Y a-t-il longtemps que vous êtes à Paris ? Il fallait reprendre contact !

– Je pensais que vous n'auriez guère envie de danser avec un manchot. Je ne veux pas de votre pitié. Il était préférable que vous me croyiez disparu.

– Imbécile ! s'exclama Renée. Espèce de pauvre idiot !

Et les larmes qu'elle n'avait pu libérer dans l'église ruisselèrent sur ses joues.

À condition d'être placé où il faut, envoyer des gamins au casse-pipe peut se révéler extrêmement lucratif. C'est ainsi que Gabriel de Fontarce multiplia quasiment sa fortune par dix au cours de l'innommable, l'interminable guerre. Pour satisfaire la demande des armées française, anglaise et américaine, énormes consommatrices de coton et de sucre, il acquit des milliers d'hectares supplémentaires dans le delta du Nil, qui lui permirent d'augmenter sa production et ses revenus dans de considérables proportions.

– Comme vous le savez, dit-il à Renée le lendemain des obsèques, votre père – que Dieu ait son âme – estimait toute activité commerciale indigne de sa condition. Avec cette vision féodale du monde, il aurait dû vivre quelques siècles plus tôt, ce que je lui ai souvent fait remarquer. Je suppose même que mon frère s'est réjoui de mourir pour la patrie, n'est-ce pas ? En ce qui me concerne, j'aime autant être du bon côté du manche – bien vivant et riche.

– Papa était un héros, répondit Renée. Et vous un lâche, terré dans votre Égypte à compter votre argent.

Gabriel s'esclaffa.

– J'ai servi mon pays d'une autre manière, ma chérie. On n'envoie pas combattre des soldats nus et affamés. J'ai concouru à vêtir et nourrir trois armées. Où est le mal si cela m'a rapporté un peu ? En outre, il fallait bien quelqu'un pour subvenir aux besoins de la famille, et je vous rappelle que je pourvois à vos voyages et à votre entretien depuis plusieurs années. Grâce à l'argent que je gagne. Vous devriez me remercier, au lieu de me critiquer.

– Eh bien, puisque vous êtes si riche, il n'est plus nécessaire que j'épouse votre Guy de Brotonne. J'ai changé d'avis, je me suis fiancée avec Pierre de Fleurieu. Nous allons nous marier.

– Ah, chère amie, je crains que cela soit impossible.

– Et pourquoi ?

– Parce que vous avez promis à votre père, sur son lit de mort, d'épouser Guy.

– Parce que je croyais Pierre disparu à la guerre, dit Renée. Depuis quand vous attachez-vous aux promesses, d'ailleurs ?

– Votre père avait raison, le petit Brotonne est celui qu'il vous faut. Les Fleurieu sont pratiquement sans le sou.

– Cela m'est égal. Je suis amoureuse de Pierre. Mais puisque je suis l'unique héritière de votre immense fortune, comme vous me l'avez tant répété, peut-être pourriez-vous nous soutenir financièrement ?

– Les mariages d'amour, commis sur un coup de tête, durent moins longtemps que les mariages de raison, affirma le vicomte. Si vous épousez malgré tout Pierre de Fleurieu, ma fille, je me verrai obligé de vous déshériter. À votre âge, il vous faut un mari. Brotonne est issu d'une bonne famille qui ne manque pas de ressources. Vous trouvez sans doute romantique de vous attacher à un héros de l'aviation, mais vivez donc chichement quelque temps, et on en reparlera. Vous ne savez pas ce que c'est de compter ! Je crains que ça ne vous plaise pas !

– Il fut un temps où vous vouliez vous-même m'épouser. Auriez-vous oublié ?

Gabriel s'esclaffa encore.

– Allons, vous êtes maintenant trop vieille pour moi !

– Vous n'avez pas de cœur, jeta Renée. Je sais pourquoi vous tenez à ce que Brotonne devienne mon mari. Pour vous débarrasser de votre nièce. Car vous êtes incapable de vous engager, monsieur le vicomte. Et cela vous ferait trop mal que je me lie à quelqu'un pour qui j'éprouve sincèrement de l'affection. Papa avait raison sur ce point-là aussi. Vous ne voulez plus de moi, cependant vous êtes trop égoïste pour me libérer complètement, pour me savoir heureuse avec un autre homme. Vous préférez me garder en cage.

– Je l'admets volontiers. Vous me connaissez fort bien, ma petite.

– Mais je ne vous donnerai pas ce plaisir. Je ne veux pas de votre Brotonne et je vais épouser Pierre. Si j'avais su qu'il était bien vivant, je n'aurais rien promis à papa.

– Une promesse est une promesse, rétorqua Gabriel. En ce qui me concerne, je n'accorde pas d'importance à de telles broutilles. Mais vous si. Vous ne renoncerez pas à votre parole. Voyez-vous, je vous connais aussi.

– Je vous déteste.

Il rit une troisième fois.

– Je sais. Et vous m'aimez aussi.

2

Son fiancé ayant miraculeusement survécu à la guerre, Mlle Ponson donna son congé aux Fontarce peu après l'armistice, afin de l'épouser. Si elle appréciait la compagnie de sa gouvernante, Renée, à dix-neuf ans, se passait maintenant de ses services, cependant elle assimila ce départ à un abandon. Les gens mouraient, s'en allaient, et dans un cas comme dans l'autre, Renée se sentait trahie, délaissée. Tous la quittaient un beau jour – sa mère, miss Hayes, le comte, Mlle Ponson, et une fois encore Gabriel qui s'en retourna à ses plantations.

Repoussant l'échéance d'un mariage forcé, Renée demanda qu'on lui laisse le temps de surmonter son chagrin, de faire le deuil de son père. Une année lui parut un délai raisonnable. Tout combat avait cessé sur le territoire français, cependant le vicomte et les parents de Guy de Brotonne convinrent d'attendre la signature d'un traité de paix, marquant la fin officielle du conflit. D'ici là, conclurent-ils, le pays aura pansé quelques-unes de ses blessures, et le mariage n'en sera que plus gai.

On pensa également que les promis en profiteraient pour apprendre à mieux se connaître, et le jeune de Brotonne commença à rendre visite à Renée au 29. Ces rencontres, guindées, embarrassantes, ne firent que confirmer les premières impressions de Renée : Guy était une sorte de dandy hautain et sarcastique, imbu de lui-même sans que rien ne semble le justifier. Sa conversation était banale, et ses intérêts, pour autant qu'elle pût en juger, se limitaient à la chasse et aux dîners bien arrosés avec ses amis.

Elle comprit que jamais elle ne réussirait à l'aimer, et la simple idée de coucher avec lui la dégoûtait. Elle prêta cependant attention au fait que sa famille était assez riche pour entretenir un grand hôtel particulier, boulevard Maurice-Barrès à Neuilly, et qu'en cadeau de fiançailles elle confierait au jeune homme le domaine qu'elle possédait en Bourgogne, à proximité du village de Vanvey : un monastère du XVIe siècle, dénommé Le Prieuré, que les jeunes mariés occuperaient au moins une partie de l'année. Avec son esprit pratique, Renée ne pouvait ignorer qu'en matière de mariage on aurait pu lui réserver pire.

Quant au fringant comte Pierre de Fleurieu, le jeune héros de l'aviation qui, bien que manchot, pouvait pratiquement conquérir toutes les jeunes femmes qui lui plaisaient, il implorait toujours Renée de changer d'avis, de tenir tête à son oncle tyrannique, de croire en ses propres chances de réussir et de lui offrir la vie qu'elle désirait. Il lui envoyait des missives enfiévrées. « Oubliez la fortune du vicomte, écrivait-il, je vais faire mon chemin dans le monde. Nous nous donnerons l'un l'autre la force dont nous avons besoin. Nous aurons notre amour pour nous soutenir. » Mais Renée se résignait à un mariage inévitable, se rappelait les mots immortels de son père à ce sujet – une devise qui l'accompagnerait jusqu'à la fin de ses jours : « L'amour s'envole, seul l'argent reste. »

Toujours muni d'un bouquet de fleurs, Fleurieu se présentait lui aussi régulièrement au 29. Chaque fois, Renée priait Adrien de le reconduire, le vieux majordome obéissant à contrecœur.

– Je suis sincèrement navré, monsieur, disait-il au jeune homme qu'il appréciait et admirait. Je crains que mademoiselle soit souffrante.

– Ah, elle ne guérit jamais, n'est-ce pas ? répondait un Fleurieu ironique. C'est que j'ai l'impression qu'elle refuse de me voir, finalement.

– Je regrette, monsieur, répétait Adrien.

– Voudrez-vous bien lui remettre ma carte avec ce bouquet ?

– Bien entendu, répondait le majordome en s'inclinant légèrement. Je continuerai à le faire.

Et Pierre repartait d'un pas lourd, la tête rentrée dans les
épaules.

Renée de Fontarce et Guy de Brotonne se marièrent le
28 janvier 1920 à l'église Saint-Augustin de Paris, en présence de
la plupart des grandes familles de la noblesse française, comme
lors des obsèques du comte, plus d'un an auparavant. Si, de
l'avis général, la jeune femme ne manquait pas de charme, avec
sa petite taille et ses yeux bruns, certains remarquèrent la triste
mine qu'elle affichait ostensiblement.

La cérémonie fut suivie d'une somptueuse réception dans
le salon d'apparat des Brotonne à Neuilly. Comme le veut la
tradition, Renée ouvrit le bal avec son mari, lequel, déjà ivre,
la poussa lourdement sur le parquet ciré, piétinant sa traîne à
maintes reprises. Puis elle dansa gaiement une bonne partie de
la nuit avec tous ceux qui, jeunes comme vieux, le lui deman-
daient – plusieurs fois notamment avec l'oncle Gabriel qui,
impudique, la caressait sous sa robe à l'insu de Guy. L'ignorant,
ce dernier préféra boire dans son coin avec quelques amis peu
recommandables.

– Restez avec moi, murmura Renée dans les bras du vicomte.

Celui-ci éclata de rire.

– Le soir de vos noces ? Chez vos beaux-parents ? Mais vous
êtes devenue folle !

– Ils dorment à l'autre bout de la maison, ils ne s'aperce-
vront de rien. Et depuis quand vous souciez-vous de ce que l'on
pense de vos actes ?

– J'imagine que votre époux souhaite s'occuper de vous, ma
chère.

– Je n'ai aucune intention de coucher avec Brotonne. Ni ce
soir ni peut-être jamais.

Le vicomte s'esclaffa de plus belle.

– Les choses s'étaient passées ainsi avec Adélaïde, admit-il.
Elle est tellement laide que je n'ai pu me résoudre à la toucher !

Ce qui, tout bien considéré, n'empêche pas notre mariage d'être une réussite.

Ce fut Renée qui rit alors.

– En ce qui vous concerne, oui. Vous avez profité de sa fortune. Et la pauvre se morfond dans un couvent comme une petite souris au fond de son trou.

– C'est son choix, je n'ai rien à voir là-dedans, affirma Gabriel.

Peu avant l'aube, tandis que les derniers invités quittaient les lieux, Renée entraîna son oncle vers l'escalier de service, dans l'aile du bâtiment que les parents de Guy offraient au jeune couple pour lui servir de résidence parisienne.

Brotonne s'était effondré comme une masse sur un divan, dans la bibliothèque où il avait bu et joué aux cartes toute la soirée avec ses amis. Se réveillant quelques instants après le départ de sa femme, il se dirigea vers sa chambre, dont il trouva la porte fermée à clef. Certain qu'elle lui opposait sa timidité, il frappa discrètement.

– Ouvre, ma petite chérie. C'est moi, ton mari. Laisse-moi entrer, je serai doux et tendre avec toi.

L'entendant, Renée et le vicomte – en pleine œuvre de chair – se mirent à glousser et se cachèrent dans leurs oreillers pour ne pas être entendus.

– Va-t'en, parvint finalement à répondre Renée. Je dors.

– Ouvre, ma chérie, murmura Brotonne d'une voix enrouée. C'est notre nuit de noces et je désire consommer notre mariage.

Ce qui redoubla l'hilarité des amants adultères.

– Vous êtes ivre, monsieur, déclara Renée, qui pleurait de rire. Partez.

– Pourquoi riez-vous? demanda Brotonne. Y a-t-il quelqu'un avec vous? J'exige que vous ouvriez cette porte immédiatement!

– Il n'y a personne, répondit Renée. Je faisais un rêve amusant et je pouffais, c'est tout.

Elle se blottit contre Gabriel, qui n'avait pas retiré son énorme membre de l'intimité de la jeune femme – tous deux étaient plus excités encore.

– C'était un rêve fort agréable, ajouta celle-ci. Je vous ai dit de vous en aller!

– Vous êtes mon épouse, lui assena Guy. Je suis votre mari et le maître de ces lieux. C'est notre nuit de noces, *madame de Brotonne*, et vous allez m'ouvrir cette porte tout de suite !

– Je ne dormirai pas avec vous ce soir, monsieur, répliqua Renée. Un point, c'est tout ! Vous pouvez bien rester sur le palier jusqu'à midi, si cela vous chante, mais vos suppliques finiront par réveiller le personnel et vous ne réussirez qu'à vous couvrir de ridicule. Je n'ouvrirai pas. Maintenant, et pour la dernière fois, *partez ! Fichez-moi la paix !*

Même saoul, le jeune marié avait encore assez de jugeote pour se représenter humilié le soir de ses noces devant des domestiques qu'il avait connus toute sa vie, et l'idée le fit reculer. Il grommela à voix basse qu'il réglerait ce différend le lendemain matin avec madame – bien qu'on fût déjà le lendemain –, puis se dirigea, indigné, vers sa chambre de célibataire où, sans prendre la peine de retirer son habit, il dormit d'un sommeil de plomb. Lorsqu'il rouvrit les yeux, bien plus tard dans la journée, il ne se rappela que très vaguement les événements de la nuit. Et, si sa condition d'époux avait quelque chose d'une découverte, il était en revanche certain de ne pas avoir consommé le mariage.

3

Au retour d'une lune de miel – aussi chaste que peu enthousiaste – à Biarritz, le jeune couple s'installa dans le domaine offert par les parents Brotonne en Bourgogne, où Guy, suivant les brisées de ses ancêtres, put se consacrer à sa passion : chasser le cerf et le sanglier, précédé d'une meute, dans les centaines d'hectares de champs et de forêts qui lui appartenaient maintenant.

De fait, Renée attendit trois bons mois avant de permettre à son mari de la rejoindre au lit, cela pour vaincre un ennui qui se révélait désespérant. Visiblement ravi de jouer les gentilshommes campagnards, Brotonne proclamait haut et fort qu'il ne quitterait plus jamais Le Prieuré, tandis que Renée appréhendait la débilitante monotonie d'un avenir tout tracé – d'interminables semaines à ne rien faire, ponctuées de cancans, de cocktails, de parties de chasse –, la vie même que ses parents avaient menée, comme les leurs auparavant, et qu'elle ne connaissait que trop bien. Guy invitait ses amis de Paris, les châtelains de la région et d'ailleurs, menait grand train, organisait pour eux des banquets somptueux, leur réservant les meilleurs vins et les meilleurs mets. En sus d'un veneur, les Brotonne avaient conservé au service des jeunes mariés un maître-chien, plusieurs garçons d'écurie, un valet et une femme de chambre, un chauffeur, un chef cuisinier et une secrétaire, logés sur place avec leur famille.

Le printemps approchait, les invités jouaient au tennis et au croquet, préparaient les sorties de chasse du prochain automne dans leurs propriétés respectives. On avalait des quantités impressionnantes d'alcool – Brotonne lui-même buvait une coupe de champagne chaque matin au petit-déjeuner, un ou deux bons cognacs avant la chasse, des apéritifs et du vin à profusion au déjeuner, des gin tonics comme les Anglais après les jeux de l'après-midi, puis il continuait au dîner, après quoi il se retirait dans la bibliothèque avec ses hôtes, où il leur offrait digestifs et cigares. Renée ne s'en plaignait pas puisque, à l'heure de se coucher, il était en général tellement saoul qu'au moins il lui fichait la paix. Au Prieuré également, elle exigeait d'avoir sa propre chambre à coucher.

Un dimanche soir de début avril, cependant, alors qu'ils se retrouvaient seuls, comme toujours en silence, à la salle à manger, Renée lui annonça :

– Je voudrais un enfant.

– Je croyais que vous n'en vouliez pas ? répondit Guy. Que vous les détestiez ?

– J'aime bien ceux des autres, déclara-t-elle. Et je vais devenir folle si je ne trouve pas un moyen de m'occuper.

– Parfait ! convint Brotonne. Je crois pourtant tenir que, pour engendrer une progéniture, un homme est censé accomplir certaine formalité avec son épouse. Ce qui, si ma mémoire est bonne, constitue une lacune de notre mariage.

– Je suis disposée à la combler, dit Renée. Cette nuit, si vous le souhaitez.

– « Disposée » ! s'exclama Guy. Quel romantisme ! Autant se faire arracher une dent, n'est-ce pas ?

Saisissant la clochette sur la table, il appela le majordome.

– Eh bien, ma chère, conclut-il, peut-être pouvons-nous ouvrir une bouteille de champagne pour célébrer notre nuit de noces... avec un brin de retard.

Si elle ne buvait qu'exceptionnellement, Renée pensa que quelques coupes l'aideraient à s'armer de courage. Brotonne engloutit au dîner une bouteille de vin, puis deux cognacs, s'assurant d'être tout à fait ivre à l'heure d'honorer son épouse. Bien qu'il se fût aspergé d'eau de Cologne, il puait l'alcool et le tabac lorsqu'il la rejoignit au lit, tombant sur elle comme un poids mort, tandis qu'immobile elle détournait la tête. Il termina rapidement sa petite affaire en étouffant une sorte de hoquet, si bien qu'elle redouta de le voir vomir. Puis il s'endormit sur elle, avec force ronflements.

– Merde. Cochon! murmura-t-elle, en se tortillant pour se dégager.

Suivant le conseil de Paulette – comme à son habitude, Renée avait fait de la cuisinière sa confidente –, Renée maintint quelques instants ses pieds en l'air, pour que la semence de son mari atteigne correctement son but. Puis elle se leva et retira de la coiffeuse le petit flacon de sang de poulet que Paulette avait réservé pour elle. «Un vieux truc de paysanne, madame, avait expliqué la domestique avec un clin d'œil. Tous les maris veulent croire qu'ils ont eu la primeur, et ça les rend plus doux pendant un moment. Faites-moi confiance, monsieur n'y verra que du feu. Le pape lui-même se laisserait abuser!» Et Renée versa un peu de sang à sa place sur le drap. Peu désireuse de dormir à cet endroit, ni de supporter les ronflements de Brotonne, elle se munit de son oreiller, d'un plaid, et s'installa sur la méridienne dans un coin de la pièce.

Le jeune Guy se réveilla le lendemain matin dans le lit de sa femme en caressant de nouveau l'espoir que sa vie maritale prenne une tournure heureuse, voire sentimentale. S'il ne gardait qu'un souvenir brumeux de ses ébats nocturnes, il était sûr, toutefois, d'avoir excellemment rempli son devoir conjugal.

Puis, les sabots d'un cheval claquant au-dehors sur les pavés, il comprit que ce bruit l'avait tiré de son sommeil. Il s'aperçut que Renée avait disparu, qu'il n'avait pas senti son corps pendant la nuit, qu'ils ne s'étaient plus touchés. En repoussant les couvertures, Brotonne remarqua la tache rouge pâle sur le drap, qui le remplit, comme escompté, d'une orgueilleuse satisfaction. Elle confirmait non seulement que son épouse était vierge, mais aussi qu'il avait dignement tenu son rôle. Finalement, non, il n'avait pas rêvé.

Il alla à la fenêtre ouvrir les volets et laissa entrer le soleil. Renée, sur son cheval, sortait de l'écurie et traversait la cour. Il l'observa un instant à son insu, admirant sa mince silhouette, à laquelle le costume d'écuyère convenait si bien. Ressentant pour elle une étrange tendresse – pour la première fois peut-être depuis leur mariage –, il la salua d'une main et lui jeta :

– Ma petite chérie !

Renée sursauta et leva les yeux.

– Pourquoi ne m'avez-vous pas réveillé avant de partir ? lui demanda-t-il.

Guy se rendit compte qu'il était nu à la fenêtre avec une érection matinale. Il écarta les bras en riant.

– Vous voyez ? Vous auriez dû !

Il ne put que noter l'expression contrariée qu'afficha le visage de son épouse.

– Habillez-vous, pour l'amour du ciel ! siffla-t-elle. Avant que les domestiques vous aperçoivent.

– Qu'importe ! lança-t-il, effronté. Revenez vous coucher. Nous ferons monter du champagne pour le petit-déjeuner.

Se détournant sans répondre, Renée éperonna son cheval et quitta la cour au petit trot. Guy regarda s'éloigner sa jolie femme, tandis que son membre perdait de sa vigueur et que ses espoirs d'un mariage plus heureux s'amenuisaient. « Aucune importance, pensa-t-il, je le boirai tout seul, mon champagne. »

Renée ne lui demanda plus de partager sa couche, ni le lendemain ni aucun autre soir. De fait, leurs relations retrouvèrent aussitôt leur rigueur habituelle, un mélange de formalisme et de courtoisie guindée. Lorsqu'ils étaient de nouveau seuls, sans leurs invités, les époux dînaient en silence, s'adressant l'un à l'autre sous les termes de « monsieur » et « madame ». Ils se rencontraient rarement la journée et, le soir, Renée prenait fréquemment ses repas dans sa chambre. Aussi souvent que possible, elle demandait au chauffeur de la conduire à la gare de Châtillon-sur-Seine, puis le train l'emmenait à Paris, d'où elle rejoignait leur résidence de Neuilly.

En moins d'un mois, elle sut qu'elle était enceinte. Cela impliquait un certain nombre de préparatifs et lui donna toutes les raisons du monde de rester plus longtemps en ville. Au bout de six mois, Renée s'installa pour de bon à Neuilly, où elle pourrait bénéficier de soins médicaux dignes de ce nom. Pas question pour elle de s'en remettre aux mains tremblantes de l'antique médecin de Vanvey, le Dr Morel, encore moins d'accoucher là-bas, sans personne d'autre que Mme Bonnette, la vieille sage-femme superstitieuse, pour l'assister.

Guy ne s'opposa aucunement à son déménagement ; c'est à peine, d'ailleurs, s'il remarqua l'absence de sa femme. Ses amis lui rendaient toujours visite et, en automne, on marqua l'ouverture de la chasse dans le respect des traditions – les dîners plantureux, les beuveries, les tenues élégantes, la mélopée obsédante des cors, les abois des chiens dans la forêt.

Consciencieux, Brotonne se rendait chaque mois à Paris pour sauvegarder les apparences – il restait après tout un homme marié –, et se faire remettre sa pension par le comptable de la famille. L'accouchement approchait, et Renée se félicita que, en pleine saison de chasse, son mari ne risquât pas d'être présent pour l'occasion.

L'enfant naquit le 7 décembre 1920. C'était une fille que l'on baptisa Marie-Blanche Gabrielle Mauricette de Brotonne.

4

Si elle adorait sa fille, Renée, devenue mère, ne s'ennuyait pas moins à Vanvey, et l'arrivée d'un enfant ne fit rien pour améliorer ses relations avec son mari. Renée demeurait de plus en plus longtemps à Neuilly, laissant la petite Marie-Blanche aux bons soins de Louise, sa nourrice et gouvernante, une robuste paysanne du village. Trouvant bientôt pesante la proximité de ses beaux-parents, elle exigea de Guy qu'il lui procure un autre appartement en ville. Sans avoir de compte à rendre à personne, elle eut ainsi toute liberté de fréquenter ses amis, de sortir dîner aussi souvent qu'elle le désirait, même d'aller danser avec d'autres hommes. Son oncle Gabriel quittait régulièrement l'Égypte pour Paris, où il séjournait parfois chez elle plutôt qu'à son club. Il possédait également un appartement à Londres où, lui rendant visite à l'occasion, Renée en profitait pour faire des courses en solitaire.

Lors d'un de ces voyages, à l'été 1921, Renée dînait en bonne compagnie au Claridge's, quand le sommelier lui apporta une bouteille de Moët & Chandon 1914.

– Je crains qu'il n'y ait une erreur, lui dit-elle. Vous devez vous tromper de table. Je n'ai pas commandé de champagne.

– C'est de la part d'un gentleman, madame, répondit l'homme en s'inclinant légèrement. Il vous présente ses hommages, et m'a prié de vous donner sa carte.

Quelques mots étaient griffonnés au dos de celle-ci :

« Cette cuvée date de l'année de notre premier baiser, au premier coup de minuit sous la couronne de gui. Vous rappelez-vous ? Puisse-t-elle seoir à vos lèvres comme celles-ci aux miennes ce jour-là. »

Avant que Renée retourne la carte pour lire le nom de son bienfaiteur, elle avait deviné de qui il s'agissait – son « petit pacha », le prince Badr El-Banderah.

– Le prince se trouve-t-il ici ce soir ? demanda-t-elle.

– Bien sûr, madame, répondit le sommelier, en train d'ouvrir la bouteille, tandis que le serveur disposait des verres pour Renée et ses trois compagnons.

– Pouvez-vous me dire où ?

– Une table au fond du restaurant à votre droite, madame, dit l'homme sans même lever les yeux. En compagnie d'une femme et d'un couple.

Renée nota quelques mots au dos d'une de ses propres cartes, priant le prince de la rejoindre sur la terrasse dans un quart d'heure.

– Aurez-vous l'amabilité de lui remettre ceci, s'il vous plaît ?

– Mais bien sûr.

– Dites-moi, monsieur, 1914 est-il un bon millésime ?

– Eh bien, madame, quand les récoltes ont commencé cette année-là, dit le sommelier, les Allemands s'étaient déjà emparés des vignobles. Ce qui n'a pas facilité la tâche des vendangeurs et des viticulteurs. Cependant, on a produit de très bonnes bouteilles en 14.

Quand Renée sortit sur la terrasse, Badr, accoudé à la balustrade, fumait une cigarette en contemplant les jardins.

– Bien sûr que je me rappelle ce baiser, dit Renée en le rejoignant. Comment aurais-je pu l'oublier ?

Le prince se retourna en souriant. Son teint mat faisait ressortir des dents d'un blanc étincelant.

– J'étais en train de me rappeler le jour où nous avons berné votre pauvre gouvernante, miss Hayes, sur la terrasse du palais de mon père, pour aller danser dans le tombeau de mon ancêtre.

– Un autre souvenir impérissable, dit Renée en riant. Bonjour, prince.

– Bonjour Lady Renée. Quel plaisir de vous revoir. Après tout ce temps...

Ils s'embrassèrent sur les deux joues.

– Nous nous sommes vus, la dernière fois, au 29 à Paris. Vous m'annonciez que mon oncle était malade et que les Allemands projetaient d'occuper Armant. Mon Dieu, le monde... nos vies... ont été bouleversés depuis, n'est-ce pas ?

– Vous pouvez le dire.

– Avez-vous fait la guerre, Badr ?

– Oui, Renée. Je suis citoyen britannique, ne l'oubliez pas. J'ai servi dans le Royal Flying Corps.

– Et cette charmante personne à votre table est votre femme, je suppose ?

– En effet. J'ai appris que vous vous étiez mariée, vous aussi ?

– Êtes-vous heureux ?

– Très heureux. Nous avons déjà trois enfants, deux garçons et une fille. Et vous ?

– Une fille. Elle n'a pas encore un an. Je suis peut-être moins heureuse en mariage que vous ne l'êtes.

– J'en suis désolé.

– Je n'ai à m'en prendre qu'à moi, affirma Renée. J'aurais dû vous épouser lorsqu'il était temps, mon petit pacha.

Il rit et ils s'embrassèrent à nouveau, sur les lèvres cette fois.

– Il faut que j'aille retrouver mes amis. Je réside chez mon oncle Gabriel en ville. L'adresse est sur ma carte. J'y suis seule quelques jours encore. Faites-moi l'honneur d'une visite, quand vous voudrez.

– Dès ce soir ? demanda le prince.

– De préférence.

5

À son retour de Londres, Renée fournit un effort qu'elle estima plus héroïque encore que la fois précédente pour coucher avec un mari qui l'écœurait maintenant tout à fait – ce fut leur second et dernier accouplement. Que sa femme pût de nouveau concevoir tenait en revanche pour Guy du miracle, ou attestait d'une virilité hors du commun.

– Si nous faisions l'amour plus souvent, ma chère, dit-il fièrement en apprenant qu'elle était enceinte, nous aurions une maison pleine d'enfants, comme les paysans de la France profonde.

– Quelle horreur ! s'exclama Renée, en se rappelant la famille d'Ursule en Bretagne, avec ses vingt-deux bouches à nourrir – dont celle d'Éloi, le simple d'esprit qui lui faisait la cour.

Leur deuxième enfant naquit l'année suivante, en mars 1922. Baptisé Thierry de Brotonne, et surnommé Toto, le joyeux petit frère de Marie-Blanche avait le teint mat, des cheveux bouclés, mais pas le nez proéminent des Brotonne – contrairement à sa sœur, et au grand soulagement de sa mère. Il inspira à Renée des sentiments qu'elle n'avait pas éprouvés pour sa fille. Si cela fit d'elle une mère légèrement plus attentive, ses relations avec son mari ne s'améliorèrent pas, et elle séjourna de plus en plus souvent dans la capitale, où elle emmenait parfois ses deux enfants et leur gouvernante.

Dix mois environ après la naissance de Toto, Renée participa à un bal masqué à Paris, où, se grimant pour l'occasion, elle remit au goût du jour son costume de page noir à la cour de

Louis XV. Elle était toujours excellente danseuse, et des hommes de tous âges l'entourèrent de leurs attentions.

Le plaisir qu'on retire de ce type de réjouissance tient pour une large part à l'idée qu'on s'y rend incognito, que l'on ne devine pas toujours qui sont vraiment ses cavaliers ou cavalières, voire que l'on peut s'y permettre un écart ou deux. Renée se préparait donc à quelques délicieux frissons sensuels. Trois hommes, apparemment inconnus d'elle, s'étaient déguisés en mousquetaires, comme les héros du roman d'Alexandre Dumas : longues perruques, fausses barbes et fausses moustaches, hauts-de-chausses, bottes, tuniques, capes et chapeaux à plumes. Sans oublier les épées, les fourreaux et les baudriers. Renée dansa avec l'un deux – qui se présenta sous le nom d'Athos –, puis avec Porthos, et enfin avec Aramis. Quand d'Artagnan tenta de prendre la place de ce dernier, les trois autres, feignant l'outrage, le mirent en garde, l'arme à la main. S'ensuivit un combat à l'épée, lequel, réglé comme une chorégraphie, avait soigneusement été répété – les quatre hommes se révélant d'excellents bretteurs. Ravis, les invités du bal formèrent un grand cercle autour des mousquetaires, en les encourageant gaiement.

Le dénommé Porthos frappa l'épaule gauche de d'Artagnan, dont le bras se détacha brusquement. Des exclamations jaillirent dans la foule, aussitôt suivies par des rires, quand les spectateurs s'aperçurent que ce n'était qu'un accessoire en bois, qui rebondit en claquant sur le plancher. Quand l'orchestre recommença à jouer, d'Artagnan saisit la taille de Renée avec son autre bras et l'entraîna sur la piste.

– Et voici, ma chère, comment j'ai réellement perdu un bras, lui murmura-t-il à l'oreille.

Renée se figea et se détacha de son cavalier. Les traits de celui-ci étaient masqués par une moustache, une barbiche, et de longs cheveux encadraient son visage. Toutefois, lorsqu'elle le regarda dans les yeux, Renée le reconnut instantanément.

– Pierre de Fleurieu, maudit chenapan !

– Ah, Renée de Fontarce, répondit-il, amusé, mon petit page noir. Je n'allais tout de même pas me laisser abuser par votre costume et votre maquillage.

– C'est que j'ai l'air fin, maintenant, dit-elle. Si j'avais su que j'allais retrouver ici quelqu'un du nouvel an 18 au Café de Paris, j'aurais choisi une tenue différente. Mais celle-là était toujours dans ma malle, et elle me va encore.

– Mais parfaitement, ma chère ! Elle me rappelle d'autres charmants souvenirs, puisque nous sommes tombés amoureux ce soir-là. Allons, dansons maintenant sans crainte des bombes.

– Vous étiez un merveilleux cavalier... Et vous l'êtes encore. Au fait, mon nom est aujourd'hui Renée de Brotonne.

– En effet, en effet. Je me suis tenu au courant, voyez-vous, ces dernières années. Êtes-vous heureuse d'être mariée, d'avoir des enfants ?

– Moins encore que je ne l'escomptais, admit Renée.

– C'est moi qu'il fallait épouser, je me suis tué à vous le répéter.

– Je vous ai déjà expliqué, c'était impossible, Pierre. J'avais promis à mon père sur son lit de mort.

– Oui, et vous avez tenu parole. Cependant vous n'avez pas promis d'être l'épouse de Brotonne jusqu'à la fin de vos jours. L'avenir me sourit, ma chère, et drôlement. Je travaille avec André Citroën, qui m'a chargé d'ouvrir des concessions en Roumanie, en Turquie, en Égypte, en Yougoslavie et en Grèce. Notre entreprise est vouée au succès. Avec l'argent que je gagne, j'ai entrepris de restaurer entièrement le château Marzac. Il faut que vous veniez voir ça.

– Vous me parlez comme si nous étions déjà ensemble.

– Mais c'est bien le cas, n'est-ce pas ?

Il n'en fallut pas plus pour que Renée et Pierre retombent amoureux, et qu'ils comprennent, comme lors de leur première rencontre, qu'ils étaient faits l'un pour l'autre, que rien ne pouvait les séparer. Après tout, Renée avait tenu sa promesse. Quelques semaines plus tard, elle quittait Guy de Brotonne et ses deux enfants – Marie-Blanche et Toto, âgés respectivement de deux et d'un an –, s'enfuyant « au milieu de la nuit » avec le sémillant comte de Fleurieu.

MARIE-BLANCHE

Saint-Tropez
Juillet 1955

1

Moins de deux mois après la mort de Billy, je suis tombée enceinte de Leandra (sans vergogne, nous lui avons donné le nom de papa, dans l'espoir de récupérer un peu d'argent des McCormick). Elle naquit le 30 juillet 1948, la veille du quarante-neuvième anniversaire de maman. Je me faisais une joie d'avoir une fille, cependant celle-ci a hérité du front disproportionné de son grand-père maternel, et l'accouchement fut particulièrement difficile. Je sais bien qu'il ne faut pas, mais j'en ai voulu à ce bébé de me causer tant de mal. Leandra avait le front si large que nous avons fait faire un test de dépistage, au cas où elle serait mongolienne. Le résultat fut heureusement négatif. N'empêche, elle n'était pas très jolie avec sa grosse tête et, les apparences comptant plus que le reste dans la famille, je mentirais en affirmant que je débordais d'amour à son égard. Au fond de moi-même, j'étais déçue qu'elle ne soit pas mignonne et menue. Non, contrairement aux promesses que j'ai faites après la disparition de Billy, je n'ai pas été une meilleure mère avec elle.

Bill et moi voulions un autre garçon, et il s'est à peine écoulé un an avant que je sois encore enceinte. Je ne sais pas exactement à quoi tout cela rimait. Peut-être avons-nous cru que nous allions reproduire Billy, le recréer, le rendre à la vie dans la peau d'un nouvel enfant. Mais l'on peut se raconter ce qu'on veut, la vie et la mort empruntent les voies qui sont les leurs et l'on n'y change rien. Jimmy était un bébé plus difficile que

Billy ; grognon, irritable, il pleurait souvent ; il était plus timide aussi. Nous n'en avons jamais parlé, mais Bill en était certainement frustré. Il avait tant aimé son premier petit garçon, et il ne pouvait s'empêcher de les comparer. C'est resté secret entre nous, mais autant dire la vérité maintenant que nous avons fait notre temps : nous étions tous les deux déçus par la sœur et le frère. Quelle idée avons-nous eue, vraiment.

Je n'ai pas revu mon père, mon vrai père. À ma grande honte, je dois avouer que j'ai perdu tout contact avec lui après la guerre. Mon mariage, la naissance de Billy, son décès, puis Leandra qui est arrivée l'année suivante... bref, je ne suis jamais revenue en France, et nous avons cessé de nous écrire. Bouffi, ictérique, le foie sclérosé, il est mort d'un coma éthylique peu après la naissance de Jimmy au printemps 1950. Il avait récemment fêté ses cinquante-deux ans, et il ne connaissait pas ses petits-enfants. Je ne suis pas allée à son enterrement.

Retournant en France après la disparation de Billy, maman et papa Leander ont acheté un appartement dans l'île Saint-Louis à Paris, ainsi qu'une petite maison à Saint-Tropez, sur le port des pêcheurs. Vivant en bonne intelligence, s'aimant à leur façon, ils étaient très heureux ensemble. Ce furent pour eux des années fastes.

À l'été 1955, nous avons pour la première fois emmené les enfants en France. Quelques semaines plus tôt, j'avais terminé une cure de désintoxication dans une clinique de Floride, et je n'avais pas bu une goutte d'alcool depuis.

Nous avons fait la traversée sur l'*Andrea Doria* et débarqué dans le port de Gênes, où maman et papa nous attendaient dans leur Rolls-Royce. Puis nous avons gagné Saint-Tropez par la côte. Bill n'était jamais venu en France et j'appréhendais ce voyage, comme toujours avant de retrouver ma mère – d'autant plus que, résidant chez elle, nous serions entièrement à sa merci.

Saint-Tropez est un charmant petit village de pêcheurs qu'ont récemment découvert toute une flopée d'artistes, et quelques riches bourgeois bohèmes semblables à mes parents. Cet été, le réalisateur Roger Vadim tourne ici son film *Et Dieu créa la femme*, avec la si jolie Brigitte Bardot dans le rôle principal. Les parents de la jeune femme habitent sur place, et maman entretient de bonnes relations avec eux. Si elle est un peu du genre sauvage, Brigitte est charmante. Elle a même gardé Jimmy et Leandra un après-midi qu'elle ne travaillait pas, pendant que nous allions faire des courses à Toulon.

Depuis huit ans qu'elle a ses habitudes ici, maman est un peu devenue la reine de Saint-Trop'. Lorsqu'ils ont commencé à fréquenter le village en 1947, celui-ci se remettait à peine des épreuves de la guerre. Ce furent d'abord les Italiens qui l'ont occupé – en bons voisins, pourrait-on dire. Bien des familles d'ici sont d'origine italienne, continuent de parler leur langue, et certaines avaient des parents dans l'armée mussolinienne. Toutefois l'Italie s'est rendue aux Alliés en septembre 43, et ce sont alors les Allemands, certes plus autoritaires, qui ont pris le relais. Quand en août 44, à la Libération, les Alliés ont bombardé le village pour les faire fuir, ils ont détruit une grande partie du vieux port. N'étant pas dépourvus de moyens, maman et Leander ont pu aider quelques familles dans le besoin à reprendre des activités qu'elles avaient dû abandonner pendant ces années épouvantables. Maman, surtout, s'est occupée des enfants, organisant et finançant pour eux plusieurs fonds d'assistance et programmes de soutien scolaire.

Étant sa fille, c'est avec une certaine curiosité que je la vois entretenir avec eux des relations privilégiées – elle est toujours en train de les cajoler, de les asseoir sur ses genoux, de leur offrir bonbons et gâteaux. Évidemment, ils sont tout sourire avec elle. Quel enfant n'y succomberait pas ? Comment résister à ces démonstrations d'affection, ces gestes de tendresse ? Pourtant c'est à peine si ma mère me touchait quand j'étais petite, et elle semble de même éviter Jimmy et Leandra, qui ont tous les deux un peu peur d'elle. Seul Billy avait réussi à rentrer dans ses bonnes grâces.

Elle a plus ou moins adopté une des filles du quartier, Françoise, dont le père travaille dans la marine marchande. Maman l'adore visiblement, et la petite habite autant chez elle que chez ses parents. Leander, qui ne parle pas très bien français, l'a appelée une fois «Framboise», et c'est resté – nous avons tous fini par la surnommer ainsi.

Les années suivantes, maman pourvoira à son éducation, la placera dans les bons lycées et les bonnes facs, l'emmènera voyager partout dans le monde. En quelque sorte, les parents de Framboise lui confieront leur fille, reconnaissants à Mme McCormick de s'intéresser de si près à elle, de lui ouvrir tant de portes qui, compte tenu de leurs maigres ressources, seraient autrement restées fermées. Plus qu'une amie, elle deviendra ce que ma mère appellera sa «vraie fille». Ce seront les mots qu'elle emploiera lors d'un déjeuner à Paris avec Jimmy, quelques années après ma mort. Souriante, elle le regardera dans les yeux et, tapotant sur la main de Françoise à ses côtés, elle ajoutera : «Ma seule et unique fille, celle que j'aurais voulu avoir.» J'ai donc tant déçu ma mère que, de mon vivant, il a fallu qu'elle me remplace par une autre.

Oncle Pierre et sa femme, tante Jeanne, passent eux aussi l'été dans leur maison de Saint-Tropez. Je ne l'avais pas revu depuis plus de vingt ans – bien avant mon départ pour Chicago en 1937 – et c'est merveilleux de se retrouver. J'ai beau avoir trente-cinq ans, je me sens toujours gamine en sa présence ; j'adore m'asseoir sur ses genoux et écouter ses histoires. Cependant il n'a pas perdu sa réputation de coureur, et je dois admettre que ça ne fait pas tout à fait le même effet que quand j'étais gamine. Curieusement, bien qu'ils soient divorcés depuis plus d'un quart de siècle, maman, jalouse de ses attentions, se place en concurrente ! Elle a pourtant plus de cinquante ans, et s'amuserait plutôt des prétendues idylles de Pierre avec des créatures plus jeunes que lui.

– Je vous ai justement quitté, lui a-t-elle dit gentiment alors qu'ils se promenaient bras dessus bras dessous dans les rues du village (il ne manquait pas de reluquer quelques jolies pépées), car je savais que vous ne me seriez jamais fidèle. Je suis bien trop narcissique pour partager un homme avec d'autres femmes. Voilà pourquoi Leander et moi sommes si heureux ensemble.

Pierre répondit en riant sur le même ton badin, propre aux anciens amants qui, devenus amis, n'ont plus rien à se cacher.

– Ce n'est pas un secret, je vous adorais, Renée. Mes sentiments pour vous n'ont d'ailleurs pas changé. Mais les femmes me sont aussi indispensables que l'air qu'on respire. Cela étant, quand votre oncle Gabriel m'a exilé en Amérique du Sud, il est apparu clairement cette année-là que vous comme moi aurions du mal à le rester, fidèles.

– Ça, il a un certain talent pour bouleverser mes relations avec les hommes. C'est ainsi que Leander, de son point de vue, est devenu l'époux idéal.

Tout compte fait, ces vacances à Saint-Tropez furent plutôt réussies... du moins jusqu'aux derniers jours. Je suis restée sobre, nous allions à la plage presque chaque matin, le soleil bronzait ma peau, les enfants nageaient dans cette mer d'un bleu impossible et jouaient sur le sable. Nous ne devions plus séjourner là-bas, car Bill ne s'y plaisait pas. S'il aimait bien accompagner papa à la Ponche (la «pointe» en provençal), où les pêcheurs reviennent avec leurs filets pleins, il se plaignait de ne pouvoir réellement communiquer avec eux. Il s'est vite fatigué de cette vie futile de dîners et de réceptions qui a la faveur de ma mère. Bill reste avant tout un prolétaire, un «paysan» comme elle me le rappelle sans cesse, jamais très à l'aise avec les nantis. Il ne jouait plus beaucoup au polo, à cette époque – sinon quelques parties improvisées, le week-end, à l'Onwentsia – et il n'avait plus son aura de vedette, ni sa photo dans les pages sportives ou mondaines des journaux de Chicago. À l'aide de son ami fortuné Jim Simpson (qui serait un jour mon amant), Bill avait ouvert sa concession Ford à Skokie – sous la bannière «Fergus Ford» –, ce qui, pour être honnête, ne le prédisposait pas aux conversations du beau monde tropézien. Maman n'a jamais fait d'efforts pour l'accueillir chaleureusement, ni pour cacher le mépris qu'il lui inspirait.

– Je vais à Marzac, ai-je annoncé à Bill un matin, vers la fin de notre séjour. J'en ai parlé à oncle Pierre, et il a demandé au gardien de la propriété s'il voulait bien me recevoir. Je prendrai le train, je ne resterai que deux ou trois jours. Je n'y suis pas retournée depuis mon enfance et j'ai envie de revoir le château. Qui sait si nous reviendrons jamais en France ?

– Tu as l'intention de me laisser seul ici avec ta mère ?

– Tu t'occuperas des enfants.

– Tu ne veux pas qu'on t'accompagne ? a insisté Bill.

– Non, je veux y aller seule. J'ai un monde de souvenirs là-bas qui ne concernent que moi. Tu peux comprendre ça, mon chéri ?

– Tu vas en profiter pour boire ? C'est pour ça que tu veux être seule ?

C'est un des nombreux fardeaux d'une vie d'alcoolique : lorsqu'on est au régime sec, tout le monde dans la famille – y compris vous-même – reste à l'affût de l'inévitable rechute.

– J'ai été sobre pendant deux mois, ai-je fait remarquer à Bill. Je t'ai dit que j'en avais fini avec ça, une bonne fois pour toutes.

Ce que nous n'avons cru ni l'un ni l'autre.

2

La princesse que je fus a retrouvé sa tour. J'embrasse les murs bien-aimés de mon château Marzac, consciente que je n'y reviendrai plus dans les quelque dix ans qui me restent à vivre. Je me félicite d'être ici sans Bill et les enfants. Ce monde m'appartient, je n'ai aucune envie de le partager. J'irai demain chercher la tombe d'Henri, mon chien, et j'essaierai de retrouver les grottes préhistoriques où nous allions jouer quand nous étions gosses.

Quand, d'un pas léger et mes chaussures à la main, je redescends l'escalier circulaire, j'ai l'impression d'être la petite fille qui, hier matin, y frottait ses pieds nus. Les marches de grès ont conservé leur douceur. Le soleil s'est couché et les meurtrières filtrent les lueurs argentées du crépuscule. Le château est baigné d'un silence qui n'appartient qu'à lui, les voix des siècles passés se taisent, quoique, dans mes souvenirs, j'entende toujours le murmure constant des âmes – et je sens sur ma nuque le souffle froid de l'archer à son poste.

À la cuisine, le cassoulet de Josette m'attend dans le four, il y a une baguette encore tiède sur le buffet, une terrine de foie gras du Périgord, un fromage de brebis, de la vinaigrette dans un bol, un saladier plein de laitue fraîche du jardin. Et une bouteille de saint-émilion. Je la couve d'un œil plein de nostalgie, la soulève, la caresse avec douceur. Oncle Pierre n'a pas dit à Roland, sans doute, qu'il ne faut pas me soumettre à la tentation. Si je débouche cette bouteille, je serai obligée d'en chercher une autre à la cave, ou de fouiller dans le buffet – et Roland et Josette me découvriront demain matin, évanouie par terre dans une mare d'urine.

Si seulement je pouvais me contenter de deux verres. Combien de fois Bill et moi avons essayé ? Ça ne marche jamais : une fois que j'ai commencé, je ne sais plus m'arrêter qu'ivre morte. Mais peut-être aujourd'hui, pensé-je en levant la bouteille, en admirant le rouge profond du vin derrière le verre fumé, peut-être y arriverai-je ? Oui, il serait temps que je me comporte en adulte ; j'ai trente-cinq ans, je pourrais ne boire que deux verres et garder le reste pour demain. Après tout, je n'ai rien avalé depuis presque trois mois. Un peu de saint-émilion ne me fera pas de mal – c'est un acte civilisé, un bienfait que s'accorde tout bon Français. D'ailleurs, mes hôtes seraient sûrement contrariés que je n'y touche pas, à leur bouteille. Je ne voudrais pas les vexer – ils ont quand même fait l'effort d'ouvrir la maison pour moi, de me préparer un délicieux repas. Allons, pour une fois dans ma vie, je vais être une femme responsable, me contenter de deux verres en mangeant, avant une bonne nuit de sommeil dans ma chambre de jeune fille. C'est tout ce qu'il faut pour me requinquer.

C'est déjà l'après-midi et je n'arrive pas à me rappeler si, oui ou non, j'ai goûté à ce cassoulet. Probablement pas... À l'évidence, Roland et Josette ont réussi à me coucher, puisque je me suis réveillée sous les couvertures dans mon ancienne chambre. Mes vêtements sont proprement pliés sur le fauteuil. Je crois que Josette les a lavés, puis les a fait sécher ce matin au soleil avant de les repasser. Il y a un plateau sur la table avec mon petit-déjeuner – un croissant, du beurre, de la confiture, et le café a refroidi. Josette a dû essayer de me réveiller plus tôt – oui, ça, je m'en souviens vaguement. C'est même une des rares choses qui me reviennent en mémoire. Malgré les gueules de bois épouvantables qu'il faut endurer, l'un des plaisirs méconnus de l'alcoolisme est qu'il revient aux autres de s'occuper de vous. Mais aussi qu'on passe pas mal de temps au lit, et

– surtout – qu'on se rappelle rarement ses écarts de conduite. On ouvre brusquement les yeux et on trouve son chemisier repassé.

Je finis par me lever, un peu chancelante, avec la nausée, mais je suis tout de même moins atteinte qu'au bout de plusieurs jours de cuite, quand je ne fais que boire, m'endormir, boire encore et ainsi de suite... Ça n'est pas une vie pour une femme, je vous l'affirme. Non, à ma grande surprise, je suis d'assez bonne humeur. Allez savoir si je n'ai pas bu que deux verres, hier soir ? Je m'habille et je descends l'escalier. Pas de traces du dîner à la cuisine, ni bouteilles vides, ni verres ou assiettes cassés. Je sors et j'aperçois Josette, à l'autre bout de la cour, agenouillée dans le potager devant sa maison. Charmante scène bucolique, dans un paysage français, par une splendide journée d'été. Je n'aurais jamais dû partir d'ici. Josette se redresse à mon approche, avec cette expression perplexe et légèrement soucieuse à laquelle les ivrognes s'habituent au fil des ans.

– Bonjour ! lui dis-je, sur le ton le plus banal, le plus bénin que je puisse adopter. Vous êtes sûrement Josette ? Moi, Marie-Blanche. Ravie de faire votre connaissance.

Elle essuie ses mains sur son tablier.

– Bonjour, madame, répond-elle en évitant mon regard.

– C'était fort aimable de me préparer à dîner, hier soir.

Un sourire gêné se dessine sur ses lèvres et je comprends, évidemment, que je n'ai pas touché à son cassoulet.

– Je vous en prie, madame, dit-elle avec un petit haussement d'épaules.

– Oui, j'ai peur d'avoir un peu dépassé la dose, hier soir.

– En effet, madame, admet-elle avec un sourire timide, presque imperceptible.

– J'espère ne pas vous avoir causé trop de désagréments. Merci, en tout cas, de m'avoir couchée. Et d'avoir lavé mes affaires.

– De rien, madame.

Elle hoche légèrement la tête.

– Si vous ou Roland recevez un coup de fil de M. le comte, ce serait gentil de votre part de ne pas lui répéter ce qui s'est passé. Je veux dire... le fait que j'ai bu un peu. Ma famille se ferait du souci.

Josette détourne la tête sans répondre. J'ai l'impression que Roland a déjà parlé à l'oncle Pierre. Dans ce cas, Bill ou... grands dieux! maman... débarquera bientôt en mission de sauvetage. Combien en a-t-elle aujourd'hui à son actif?

– Je vais faire une promenade près de la rivière, Josette. Vous savez, quand j'étais petite, Joseph, le père de Roland, gardait un œil sur moi quand j'allais dans les bois. Ou bien il envoyait son fils, un des métayers, ou leurs enfants. Il arrivait aussi qu'un chevalier du château se charge de me suivre. Le duc Albert et son destrier de Gascogne, Danton, par exemple, voire un de ses confrères. Si vous avez grandi dans le village, vous avez sans doute entendu parler de ces chevaliers imaginaires? J'ai toujours su que j'avais un ange gardien pour veiller sur moi. Je les apercevais, de temps en temps, surtout les chevaliers, bien sûr. Ils avaient beau se cacher, le bruit de leur cotte de mailles les trahissait toujours. C'était agréable de se sentir protégée, en sécurité. J'étais heureuse ici, Josette. Ce furent les plus belles années de ma vie. J'aimerais tant pouvoir revenir.

Cette fois, mi-stupéfaite, mi-consternée, elle me dévisage avec insistance.

– Bien, madame, dit-elle avant de baisser les yeux. Je vais dire à mon mari que vous partez vous promener.

– Merci, Josette. Merci beaucoup.

Je passe le portail, je traverse le jardin à la française. Les haies étaient jadis bien taillées; les sentiers sont aujourd'hui livrés aux mauvaises herbes. Je longe l'allée qui mène au vieux colombier, où nous allions jouer autrefois. Les nombreux perchoirs sont toujours là, il ne manque que les roucoulements. Tout me paraît familier et différent à la fois – la vision d'un enfant ne cadre pas avec celle de l'adulte que je suis devenue, le passé me renvoie son image comme à travers un miroir déformant. Je coupe par le chemin qui borde la prairie, avant de suivre celui de la rivière. Il aboutit à une vieille construction de pierre, en forme de grande ruche, qui servait d'abri aux bergers; c'est à proximité que j'avais enterré mon petit chien. J'avais marqué sa tombe par un tas de cailloux, qui ont disparu. Peut-être d'autres enfants les ont-ils éparpillés au fil des ans, peut-être sont-ils recouverts de terre, ou bien la rivière les a-t-elle emportés lors d'une crue printanière. Qu'importe. Je m'assieds près de l'endroit où Henri doit reposer, et je mets ma main bien à plat sur le sol. Henri était un chien adorable et un merveilleux compagnon.

Je n'ai jamais été capable de me rendre sur la tombe de Billy. Le jour de l'inhumation, j'étais tellement bourrée de calmants que je m'en souviens à peine. Je ne supporte pas de savoir mon petit garçon en train de suffoquer sous le poids de la terre. Ce n'est pas la même chose avec Henri – je trouve presque rassurant d'imaginer sa dépouille à la même place depuis tout ce temps. Il n'a pas eu besoin de quitter Marzac. De grandir à Londres et à Chicago. Il n'a jamais commencé à boire, ne s'est pas marié, n'a pas eu d'enfants, n'en a pas perdu. Quand nous nous promenions ensemble dans le domaine, je n'étais qu'une petite fille, pas une ivrogne. Je n'avais pas accouché, mon fils n'était pas mort. J'aurais préféré rester là, enterrée près d'Henri – une petite fille pour l'éternité, comme Constance, mon amie imaginaire qui aura toujours huit ans. Peut-être Billy a-t-il eu de la chance, après tout?

Nous passons un moment à nous rappeler nos aventures d'antan, et je me lève.

– Viens, mon chien, dis-je à mon vieux compagnon.

Ensemble, nous franchissons le pont de pierre au-dessus de la rivière et commençons à monter sur le versant escarpé, de l'autre côté. Je me demande si je saurai retrouver quelques-unes des grottes primitives. Je parie que oui – j'ai l'impression d'avancer en terrain connu, de revoir le monde à travers mes yeux de gamine.

Presque aussitôt, nous tombons sur cette caverne peu profonde que j'avais montrée à l'oncle Gabriel. Je préfère l'éviter, car elle symbolise le tout dernier jour de mon enfance, quand Constance et les autres ont définitivement cessé de me parler. Je me souviens que, ce matin-là, Gabriel avait insisté pour que je laisse Henri au château. Henri, qui ne l'aimait pas, grognait toujours en sa présence. J'aurais dû écouter mon chien; j'aurais dû écouter mes amis imaginaires. Mais ce n'est pas ma faute, je n'ai pu empêcher cet homme de m'embrasser. Ce n'est pas non plus ma faute si j'ai grandi, si j'ai eu mes règles. Je ne voulais pas. Je veux n'être toujours qu'une petite fille.

Nous trouvons une autre grotte plus haut, dont l'entrée est presque masquée par des plantes grimpantes. C'est l'une des plus vastes ; nous venions y jouer, l'été, avec mes amis de Paris. Je me rappelle que nous nous défiions d'y pénétrer le premier ; j'éprouve le même frisson d'inquiétude, le même tressaillement dans les épaules. Peut-être sont-ils toujours à l'intérieur, les hommes préhistoriques, en train de préparer le dîner, d'allaiter les bébés, de peindre ces formes mystérieuses sur les parois. Mais je n'ai pas peur, Henri est là pour me protéger. Je m'accroupis, puis je m'y introduis en rampant. C'est qu'il fait noir, là-dedans. Nous apportions des allumettes et nous faisions de petits feux de brindilles et de feuilles à l'endroit où nos ancêtres entretenaient les leurs. Le jeu consistait à nous répartir les rôles d'une de ces familles disparues. Cette fois, j'ai une lampe électrique, que je sors de mon sac. Je dirige son faisceau sur la paroi, puis vers le plafond, de sorte que les bêtes paraissent courir à la lumière – un défilé de chevaux, de mammouths, de bisons, de bouquetins, qui s'agitent dans tous les sens, comme s'ils avaient patiemment attendu que je revienne les libérer.

Et pour célébrer mon retour, je sors ensuite la bouteille d'armagnac que j'ai prélevée cet après-midi dans le buffet du salon. Après des mois d'abstinence, le saint-émilion a fait office de détonateur, attisant un besoin terrible qui s'est manifesté dès mon réveil, cet après-midi – la bête insatiable qui sommeille en moi attendait elle aussi qu'on vienne la libérer. Il me faut boire pour la satisfaire, et qu'elle se rendorme à nouveau. J'avale une bonne rasade au goulot, je sens l'alcool me brûler la gorge... ah, mon Dieu, que ça fait du bien...

3

Les aboiements m'ont réveillée. Je ne suis pas bien sûre de savoir où je suis. Il fait sombre... un peu de lumière passe par une petite lucarne... non, pas une lucarne, un genre d'ouverture... et je suis étendue par terre. J'ai pissé et je me suis vomi dessus. Je suis gelée, mouillée, poisseuse. En tâtant le sol glacial avec le plat de la main, je reconnais la forme d'une bouteille... Une sensation bizarre, mais rassurante. Je la ramasse et porte le goulot à mes lèvres. Déception : il ne reste que quelques gouttes. Puis je tombe sur une lampe, que j'essaie d'allumer. Elle l'était déjà, mais la pile est fichue. Ah, ça y est, je me souviens. J'appelle doucement :

– Henri ? Henri ?

Non, mon chien est mort depuis presque un quart de siècle. Je ne suis plus une petite fille, mais une femme de trente-cinq ans, une pocharde.

Les chiens se rapprochent et j'entends des voix. Celle de Bill qui crie :

– Marie-Blanche ! Marie-Blanche !

Que diable fait-il ici ? Oui, voilà, Roland et Josette ont probablement appelé oncle Pierre à Saint-Tropez, et ils seront venus ensemble me chercher. Quel jour sommes-nous, depuis combien de temps suis-je là ? Une nuit s'est écoulée, mais où étais-je hier ? Si je reste immobile, sans faire de bruit, peut-être s'en iront-ils ? Si seulement j'avais une autre bouteille ! Rien qu'une autre bouteille !

Les chiens ont atteint la grotte ; ils grondent, glapissent, jappent. Il doit y en avoir quatre. Accroupi devant l'entrée, l'un d'eux renifle l'air vicié à l'intérieur. Puis il lève la tête et pousse un long gémissement lugubre, signe qu'il a reconnu mon odeur.

– Va-t'en ! chuchoté-je. Laisse-moi tranquille !

– Je crois qu'on l'a trouvée ! lance une voix – celle du maître-chien, sans doute.

Le faisceau déchirant d'une torche vient m'aveugler, et je suis obligée de fermer les yeux.

– Oui, elle est là-dedans !

Oncle Pierre, la lampe à la main, est le premier à entrer.

– J'avais l'intuition que tu serais là, me dit-il. Tu n'as rien, Marie-Blanche ?

– Non, ça va.

– C'est qu'on était drôlement inquiets.

– J'aurais préféré que vous passiez sans me voir. Je veux rester ici.

– Tu aimais beaucoup ces grottes quand tu étais petite, n'est-ce pas ?

Braquant la torche sur la paroi, il illumine les animaux qui, cette fois, ne bougent pas – figés comme toujours, depuis des siècles.

– Je me rappelle encore le jour où je t'ai emmenée dans cette grotte, où je t'ai parlé des premiers hommes. Tu t'en souviens, Marie-Blanche ?

– Bien sûr que je m'en souviens, Pierre. Tu m'avais expliqué que des gens vivaient là, il y a des milliers et des milliers d'années, bien avant que le château soit construit. Je n'ai jamais compris pourquoi ils avaient disparu. Où sont-ils partis ? Ce sont les ours qui les ont dévorés ? Et les ours, où sont-ils, maintenant ?

– Personne ne sait vraiment répondre à ça, ma petite, me répond-il, employant les mêmes mots que lorsque j'étais enfant. Mais revenons à ce qui nous préoccupe, qu'est-ce que tu fais là ? Roland dit que tu as bu, qu'ils t'ont trouvée évanouie, avant-hier au château, et qu'ils t'ont couchée. Quand tu n'es pas réapparue hier soir, ils ont craint le pire. Roland a passé la nuit à te chercher.

Josette m'a téléphoné à Saint-Trop', et nous avons aussitôt pris la voiture pour Marzac. Dis-moi ce qui ne va pas, Marie-Blanche.

– Ce qui ne va pas ? En dehors du fait que je suis une ivrogne ? Maman a dû tout te raconter, maintenant.

– Je sais que tu as eu la vie dure. Bill m'a expliqué bien des choses sur la route.

– Pourquoi l'as-tu amené ? Je ne veux pas le voir. J'ai envie de rester seule. Ne le laisse pas entrer. Elle est à moi, cette grotte.

– Ton mari nous attend dehors. Nous sortirons quand tu voudras, mon enfant.

– Je ne veux pas partir, oncle Pierre. Je veux rester à Marzac.

– Tu sais bien que ça n'est pas possible. Tu n'es plus une gamine. Il faut revenir avec nous à Saint-Tropez.

– Mais je m'amusais bien, moi.

Pierre rit doucement et m'éclaire avec sa torche.

– Tu as vomi, Marie-Blanche ? dit-il. Et tu as fait pipi sur toi. On le sent déjà à l'extérieur. C'est cela, pour toi, s'amuser ? Boire jusqu'à perdre connaissance, passer la nuit dans une caverne, sombre et froide, dans cette odeur épouvantable ?

– J'ai bien peur que oui, oncle Pierre.

– Je suis navré pour toi, ma petite, pour tout ce qui est arrivé.

– Mais non, il ne faut pas. Je suis contente d'être ici avec toi, Pierre. Comme quand j'étais petite...

Je m'esclaffe avant d'ajouter :

– Enfin, pas exactement, non... Je n'allais pas boire des bouteilles d'armagnac dans les grottes, à cette époque...

– Non, en effet.

– Je garde de si bons souvenirs de mon enfance à Marzac. Tu étais toujours si gentil avec moi. Je n'aurais pas dû revenir. J'ai tout gâché en faisant ça, en m'enivrant ici. Constance ne me parlera plus jamais, maintenant.

– Qui est Constance ? me demande Pierre, perplexe.

– C'était une de mes amies. En fait, il y a bien longtemps qu'elle ne me dit plus rien.

– Je ne me rappelle personne de ce nom. Elle habite toujours par ici ? Qui sont ses parents ?

– Ça ne fait rien, Pierre. Aucune importance.

– Tu as besoin d'être soignée, Marie-Blanche. Cela paraît nécessaire.

– Soignée, oui... bien sûr...

Le lendemain matin, comme nous franchissons le portail dans la Citroën d'oncle Pierre, je regarde une dernière fois, par la lunette arrière, mon château bien-aimé, toujours majestueux, perché sur sa colline depuis des siècles. Je sais que je n'y reviendrai jamais – dans cette vie, du moins. Devant leur pavillon, Roland et Josette ne savent pas trop s'ils doivent sourire, me saluer, mais ils sont visiblement soulagés de voir déguerpir cette espèce d'ivrogne cinglée. Ça leur fera une responsabilité de moins.

La route est longue jusqu'à Saint-Trop', et Pierre, courageusement, s'efforce de parler de choses et d'autres avec Bill, assis avec lui à l'avant. Mon mari reste taciturne, maussade. Je ne suis pas non plus d'humeur à bavarder. Combien de fois l'aurai-je ainsi désespéré ? Combien de fois aura-t-il posé sur moi ce regard froid, contrarié, fuyant ? Bah ! c'est arrivé si souvent que son exaspération me laisse indifférente. Pour tout dire, je le trouve agaçant. Lui ai-je demandé de venir ici ? De m'arracher à ma grotte ? De dormir dans ce château ? Qui est *mon château*. Non. Et ce n'est pas ainsi que j'aurais souhaité partir, comme un malfaiteur sur la banquette arrière d'une voiture de police. Je ne peux garder ce souvenir d'un endroit qui m'a protégée – et je ne tiens pas à ce qu'il conserve cette image-là de moi. Jamais je n'aurais dû revenir. Il fallait laisser mon enfance intacte en ces lieux.

Après avoir rechuté misérablement, retrouver ma mère fut aussi pénible que je m'y attendais. Elle m'a accueillie sans manifester aucune émotion. Son détachement paraissait pire que la déception ou la colère. Elle me désavouait, me répudiait, et comment le lui reprocher ? Après quelques journées tendues, empreintes de raideur et de silence, nous avons pris le train pour

Gênes, où nous attendait l'*Andrea Doria*, à destination des États-Unis. Malgré leur jeune âge, les enfants semblaient insinuer que leur mère avait encore transformé leurs vacances en désastre. Cela ne serait ni la première ni la dernière fois. Si nous étions partis en France un an plus tard, nous aurions peut-être été à bord du même bateau, lorsqu'il a sombré à proximité de l'île de Nantucket. Les vacances se seraient arrêtées là, et ça aurait été parfait.

Renée

Lake Forest, Illinois
Octobre 1996

1

Au printemps 1981, peu avant que François Mitterrand accède à la présidence, la comtesse Renée de Fontarce McCormick – comme elle se présentait alors – fuit son pays natal pour se réfugier en Amérique, dans la petite ville de Lake Forest, où son fils Thierry – ou Toto – habitait avec sa famille. De ses deux enfants, Renée n'avait plus que lui. Elle avait toujours craint les socialistes, certaine qu'ils lui confisqueraient ses biens si jamais ils arrivaient au pouvoir, ce qu'on tenait alors pour acquis.

Le troisième mari de Renée, Leander McCormick, avait disparu vingt ans plus tôt ; et le deuxième, son bon ami le comte Pierre de Fleurieu, avec qui elle entretenait des relations suivies et qui résidait aussi à Paris, était mort en 1977. Framboise, la protégée de Renée – qu'elle appelait sa « vraie fille » – l'avait profondément déçue en épousant un homme qui lui déplaisait. Renée, qui avait meublé l'appartement de Framboise, exprima son mécontentement en envoyant une équipe de déménageurs le vider un jour que la jeune femme travaillait, si bien qu'en rentrant chez elle le soir, Framboise se retrouva pratiquement sans meubles. Renée devait toujours se croire trahie par ses proches, que ceux-ci meurent purement et simplement ou qu'ils refusent de se soumettre à ses désirs.

Pour compenser la perte de tant d'êtres chers, Renée qui, à plus de quatre-vingts ans, craignait autant la solitude qu'en son jeune âge, s'enticha d'un groupe de prétendus jeunes artistes de la rive gauche, plus particulièrement d'un nègre de l'édition – gay, jamais publié – qui lui promit de l'aider à rédiger ses mémoires. Sous couvert d'étudier leur «projet», ce monsieur et quelques copains pique-assiettes déjeunaient et dînaient quasiment chaque jour au restaurant avec Renée qui, trop heureuse de profiter de leur compagnie, payait chaque fois la note. Lorsqu'elle finit par lui donner une procuration sur un de ses comptes bancaires, Toto comprit qu'il devenait urgent de rapatrier sa mère aux États-Unis.

Faute d'arriver à s'entendre avec sa belle-fille Mary, elle ne séjourna que peu de temps chez lui à Lake Forest et s'installa dans une suite au Deer Path Inn. Seule dans une ville où elle ne connaissait pratiquement plus personne – la plupart de ses vieux amis comme ceux de Leander étant morts ou infirmes –, Renée prit presque tous ses repas au restaurant de l'hôtel, en insistant pour que le personnel l'appelle «Madame la Comtesse». Elle se fit imprimer des cartes de visite chez Helander, le papetier, avec la mention en français: «Comtesse Renée de Fontarce McCormick». Au grand dam du gérant, elle se mit à passer la plus grande partie de ses journées dans le hall, assise dans un fauteuil, son manteau de fourrure mité par-dessus sa chemise de nuit, et ses pantoufles aux pieds. Aux clients et visiteurs qui se rendaient à la réception, elle tendait sa carte comme une reine dispense ses faveurs. Ceux qui étaient assez polis pour l'accepter s'arrêtaient généralement pour échanger quelques mots avec elle.

– Vous êtes donc une comtesse? s'étonnaient-ils courtoisement, soucieux de ne pas voir le sein flétri, visible sous la chemise de nuit dans l'échancrure du manteau. Mais c'est extraordinaire!

Ce qui permettait à Renée, privée de compagnie et de contacts humains, de leur exposer un bref résumé de son existence.

– Bien sûr, répondait-elle. Mon père était le comte Maurice de Fontarce. J'étais un «enfant de deux siècles», comme il se plaisait à dire. Née en 1899, j'ai grandi dans le château familial de La Borne-Blanche, près de la commune d'Orry-la-Ville. En sus d'un fameux cavalier, mon père, une fine lame, était capitaine des dragons. Il est mort en héros pendant la Grande Guerre.

Ayant eu vent de sa présence au Deer Path, un journaliste du quotidien local, *The Lake Forester*, vint un matin l'interviewer dans le hall. Ils rédigèrent ensemble un article, qui avait pour titre «Le retour de la comtesse». Renée en fut tout à fait ravie, puisqu'il lui rappelait son heure de gloire à Chicago – fin des années 30, début des 40, lorsqu'elle était la coqueluche des pages mondaines. (De fait, elle avait acheté sa fourrure au Marshall Field en 1939.) Renée demanda à Helander de lui faire une centaine de photocopies de l'article, qu'elle distribuait maintenant dans le hall avec sa carte.

Après quoi le gérant, un peu à contrecœur, finit par téléphoner à Toto McCormick, en le priant de bien vouloir loger sa mère ailleurs. Tout simplement, il ne pouvait plus se permettre d'avoir dans son établissement une vieille dame à moitié dévêtue qui dérangeait ses clients à longueur de journée avec ses excentricités. Renée emménagea alors chez Louise Parker, la femme de chambre de son fils. Avec son mari Vernon, Louise devait veiller sur elle pendant ses dix dernières années, et assister à sa longue descente aux enfers.

2

Au fil de sa vie, Renée avait démontré un talent peu commun pour s'assurer les bons soins de toutes sortes de personnes – miss Hayes, Mlle Ponson, son oncle Gabriel, Leander McCormick, ou encore Framboise, sa fille adoptive. Une aptitude qui révélait un caractère bien trempé, un don pour la manipulation, associés bien sûr à la puissance de l'argent.

Eu égard aux Parker, elle avait trouvé, pour ses derniers jours, des serviteurs particulièrement bien disposés. Tant qu'elle en était capable, ils l'associèrent à de nombreux voyages et croisières – une de ses occupations préférées –, en Europe, aux Caraïbes, à Hawaii, en Alaska. De retour chez eux à Lake Forest, Renée aimait tout spécialement dîner au Denny's[1] local.

D'origine suisse allemande, Louise Parker était une femme résolue, pleine de bon sens, de taille à résister aux machinations de Renée et à sa forte personnalité ; et Vernon un homme affable à la voix douce. Un jour que son épouse était partie s'occuper des provisions, Renée, qui nourrissait quelque rancune contre celle-ci, lui susurra :

– Vous devriez la quitter, vous savez. On ficherait le camp, tous les deux. Nous n'avons pas besoin d'elle. Je suis encore riche, nous voyagerions ensemble, je vous emmènerais autour du monde.

---

1. Chaîne de restaurants populaires.

Vernon, stupéfait, lui avait répondu en riant :

– Mais Louise est ma femme, Renée. Je n'ai aucune envie de la quitter. Je l'aime. Et elle vous aime aussi.

Les années passèrent donc. Renée avait apporté de France tous ses albums de photos et, tant qu'elle jouit de ses facultés, se plaisait à les feuilleter de temps à autre, se rappelant les différentes périodes de sa vie, les êtres qu'elle avait chéris. Un jour qu'elle en regardait un avec Louise, elle tomba sur une photo de son oncle Gabriel, tel qu'elle se le rappelait, il y avait bien longtemps, fringant dans un costume de lin blanc, un coquet chapeau de paille sur la tête, et la barbe bien taillée – cette barbe qui chatouillait toujours Renée lorsqu'elle l'embrassait. Sauf qu'il paraissait soudain plus petit. Renée l'avait toujours cru grand, sans doute parce que ses plus vifs souvenirs de lui dataient de son enfance.

– C'est mon oncle Gabriel, apprit-elle à Louise en lui montrant la photo. Le seul homme que j'aie réellement aimé. Il m'a déflorée à l'âge de quatorze ans. Nous avons vécu en Égypte comme mari et femme. Il m'a souvent battue, mais il m'aimait et je l'aimais. Les autres hommes m'ont paru fades après lui. J'étais faite pour celui-là.

La Grande-Bretagne et la France allaient bientôt déclarer la guerre à l'Allemagne, en septembre 1939, quand le vicomte décida de rendre visite à sa nièce et son mari aux États-Unis. L'Égypte traversait une période d'instabilité, les Anglais projetaient d'établir une importante base militaire au Caire, et Gabriel de Fontarce pensait à résider en Amérique jusqu'à la fin du conflit. Il s'était arrêté quelques jours à Londres afin de consulter ses associés, lorsque au milieu d'une phrase il s'effondra, raide mort, dans son assiette de vichyssoise, au Claridge's où il déjeunait.

À la fin de son existence, Renée rêvait toujours de lui. Les sens en émoi, elle revivait dans ses moindres détails leur passion amoureuse – Gabriel demeurant un îlot de clarté dans la mer de démence qui, peu à peu, l'engloutissait. Elle se remémorait leurs nuits torrides aux Roses et à Armant, le sommeil qui la gagnait ensuite dans ses bras, tandis que son énorme membre reposait contre elle, doux et chaud, à la manière d'un petit animal de compagnie. Jamais leurs relations ne lui inspirèrent le moindre sentiment de culpabilité, jamais elle n'en éprouva aucune honte et, malgré les nombreuses rossées qu'elle endura, jamais elle ne s'estima maltraitée. Et si la société portait sur elle un jugement sévère, ça lui était égal. «Je m'en fous», devait-elle murmurer en dormant le soir de sa mort, le 18 octobre 1996. Les premiers – et les derniers – mots qu'elle prononçait depuis plusieurs mois. «Je m'en fous.»

MARIE-BLANCHE

Lausanne, Suisse
Mars 1966

1

—Cela fait presque quatre mois que vous êtes à la clinique de La Métairie, madame Fergus, m'annonce le Dr Chameau en se levant de son siège, alors que je le rejoins ce matin pour ma séance quotidienne. Je vous en prie, asseyez-vous.

– Oui, presque quatre, lui dis-je en prenant place. Je n'ai jamais suivi de cure aussi longue.

– Et je vous trouve en pleine forme, si vous me permettez. Vous respirez la santé, affirme-t-il en se rasseyant.

– Merci.

– Vous n'avez pas bu un seul verre depuis votre arrivée ici, n'est-ce pas ?

– Ce n'est pas faute d'en avoir demandé. Le service est vraiment lamentable dans cet établissement.

– Toujours le mot pour rire ! Mais même pour plaisanter, cela ne vous est pas venu à l'esprit depuis un bon moment ?

– J'ai dû finir par comprendre que cela confinait à l'impossible.

– À l'évidence, vous avez fait beaucoup de progrès, madame Fergus. Au point que nous envisageons de vous laisser partir. Qu'en pensez-vous ?

– Partir ? Mais où irais-je ? Je n'ai plus de maison. Bill et moi avons divorcé. Je n'ai plus rien.

– Eh bien, à ce sujet, j'ai de nouveau pris contact avec votre mère à Paris. Je lui ai fait savoir, il y a quelques semaines, que vous vous portiez beaucoup mieux. Et elle a eu la gentillesse, suivant ma suggestion, de louer pour vous un appartement à Lausanne. Ainsi, et à condition que le besoin se présente, vous pourrez continuer à venir me voir, en consultation externe. Bien sûr, ce sera pour vous une période de transition, si vous voulez – jusqu'à ce que vous décidiez de l'endroit où vous souhaitez vivre à plus long terme. Cela vous paraît-il raisonnable, madame ?

– Oui, euh... ça me paraît très bien.

– Parfait. Vous avez là-dedans tout ce qui concerne votre nouveau logement, dit-il en glissant vers moi une enveloppe en papier kraft. Y compris les clefs.

– Merci, docteur. Merci pour tout ce que vous avez fait pour moi. Vous avez été très patient à mon égard. On ne peut pas en dire autant à mon sujet.

– Ne vous accablez pas, cette situation est naturelle, dit-il en repoussant ma remarque d'un geste de la main. Je suis là pour ça. Bien, j'aimerais à présent aborder une affaire plus délicate. Certains membres du personnel ont observé que, ces dernières semaines, vous avez tissé avec M. Jourdan, un autre de nos patients, des liens de... de...

– D'amitié ?

– Oui, voilà, exactement.

– Alors on nous espionne ?

– Pas du tout, madame, m'assure le médecin, qui hoche vigoureusement la tête. Je me permets d'en parler, car cela n'est pas la première fois que nous voyons naître une relation amoureuse dans l'établissement.

– Vous voulez dire « amicale » ?

– Oui, oui, pardon. Et nous savons d'expérience que de telles amitiés entraînent parfois certaines complications...

– Ah, oui. Deux ex-ivrognes se retrouvent en liberté, et s'encouragent mutuellement à boire, c'est cela ?

– Exactement. C'est déjà arrivé. Je n'ai sûrement pas l'intention de vous aider à choisir vos relations. Cependant il est de mon devoir de vous mettre en garde.

– Merci, docteur, vos conseils sont précieux. Je crois cependant que M. Jourdan et moi-même sommes assez d'accord, en ce qui concerne l'alcool. Nous avons tout perdu à cause de lui.

– Pas tout, madame, réfute le Dr Chameau en agitant un doigt circonspect. Vous êtes sur le chemin de la guérison, et la vie a encore beaucoup à vous offrir. À propos de liens, vous pouvez à présent vous rapprocher de vos enfants, de votre mère et, faisant valoir votre abstinence...

Je l'interromps :

– Vous ai-je répété ce que j'ai dit à mon fils Jimmy, un jour que j'étais saoule ?

– Je ne crois pas. Je vous écoute.

– Un soir que j'avais bu, nous nous sommes disputés, Bill et moi. J'ai commencé à déverser mon fiel... Vous savez, docteur, ces reproches que nous nous envoyions à travers la figure en levant le coude : « Tu as tué Billy ! » Il a fini par aller se réfugier à la taverne du village – ce qu'il faisait souvent, comme je vous l'ai dit –, pour ne plus m'entendre. Il restait au comptoir à fumer devant un scotch, jusqu'à la fermeture, certain qu'à son retour je serais en train de cuver.

« Leandra passait la nuit chez des amis, et Jimmy s'était couché. Il ne dormait sans doute pas, tant nous avions crié, Bill et moi. Complètement schlass, je suis allée dans sa chambre en pensant que c'était mon mari. Vous vous rendez compte, je l'ai pris pour Bill ! Lui, mon fils de onze ans ! Vous en connaissez beaucoup, des gens qui picolent à ce point, docteur ?

– Oui, j'en connais, madame. Nous avons un certain nombre de cas, ici...

– Et vous savez ce que je lui ai dit, à mon fils ?

– Je ne pense pas que vous m'en ayez fait part, non.

– Moi non plus. Et vous savez pourquoi ? Ce n'est pas la honte qui m'a retenue. C'est que je m'en suis souvenue hier soir. Il y a de ces horreurs qui commencent à me revenir...

– Oui, parce que vous êtes restée sobre pendant presque quatre mois. C'est très bon signe que les souvenirs remontent à la surface. Très bon signe. Poursuivez votre récit, madame Fergus.

– Je lui ai dit... je lui ai dit... je lui ai dit : « Pourquoi tu ne me baises plus ? » Voilà ce que j'ai demandé à mon fils de onze ans qui essayait de dormir. J'étais tellement bourrée que je l'ai pris pour mon mari, et j'ai hurlé : « Oui, pourquoi tu me baises plus ? »

– Que vous a-t-il répondu, madame ? fait Chameau d'une voix douce.

– Il pleurait et il a dit : « Maman, maman, c'est moi, Jimmy. Tu ne vois pas que c'est moi ? » Il était terrifié, en larmes, et il s'est réfugié sous ses couvertures. Mais j'étais tellement ivre que je ne l'entendais pas, je hurlais encore, je croyais toujours que c'était Bill. Vous savez ce qu'il me disait, lui, quand je lui posais la question ?

– Non, madame.

– Il répondait : « Regarde-toi dans la glace. » Et il avait raison. Si j'avais réussi à me voir, j'aurais compris que j'étais devenue monstrueuse... Vous pensez toujours que je peux renouer avec mes enfants ?

– Oui, je le crois. Les enfants ont d'étonnantes dispositions pour le pardon. À condition que vous le leur demandiez. En outre, vous êtes maintenant capable de vous voir dans la glace, avec un regain de lucidité. Je comprends que ces souvenirs-là soient pénibles. Mais ils démontrent que votre subconscient n'est plus paralysé par l'alcool. Cela va continuer pendant un certain temps, et bien des choses vont sortir de l'oubli.

– Mais je ne veux pas ! Je ne tiens pas à me rappeler tout ça !

– Bien sûr que non. C'est le contraire qui me surprendrait. Seulement, nous ne contrôlons pas notre mémoire.

– J'en avais pourtant l'impression. Je pensais que l'alcool évacuait ces choses.

– Oui, mais par bonheur, vous avez dépassé ce stade, madame Fergus. La guérison est maintenant à votre portée.

2

En rapportant ces indiscrétions, le personnel a dit vrai à ce bon Dr Chameau. Mon ami Émile Jourdan, qui est français, est ici pour la même raison que moi : buveur invétéré, il a presque tout perdu, notamment sa famille et une bonne partie de sa fortune. Nous nous sommes rencontrés un jour que je me promenais dans le parc, qui est impeccable, tel qu'on peut l'attendre d'une institution suisse. Le jardin est constamment entretenu, les arbres et les massifs bien élagués, les grandes pelouses régulièrement tondues. Au centre se trouve un court en terre battue où, semble-t-il, personne ne vient jamais jouer, ainsi qu'un terrain de croquet, pareillement désert. Sans oublier les splendides parterres de fleurs, et les bancs, chaises et tables placés aux endroits stratégiques. C'est d'autant plus admirable que les jardiniers, paraît-il nombreux, sont pratiquement invisibles.

Émile est légèrement plus âgé que moi et, s'il est encore bel homme, ses années d'excès ont laissé des traces profondes. Dès le premier jour, j'ai reconnu ce regard triste, fragile et tourmenté qui n'appartient qu'aux alcooliques, comme il a dû reconnaître le mien – la secrète coalition des anciens ivrognes, unis par l'abstinence et ses incertitudes.

Émile était assis, songeur, dans le petit kiosque près du court de tennis – vide, comme d'habitude – quand je l'ai croisé. Je ne saurais dire pourquoi, mais j'avais jusque-là évité la compagnie des autres pensionnaires.

– Je n'ai jamais vu personne jouer ici, lui ai-je dit. Vous non plus ?

– On manque sans doute de grands sportifs, dans cet établissement !

– Je m'appelle Marie-Blanche.

– Émile, a-t-il répondu en se levant.

– Non, non, restez assis. Je ne voudrais pas vous déranger, monsieur.

– Vous ne me dérangez pas, a-t-il dit en me tendant la main. Jouez-vous au tennis, Marie-Blanche ?

– Pas très bien, j'en ai peur. Cela m'arrivait quand j'étais jeune, mais il y a bien longtemps. Et vous ?

– Oui. Nous avions un court dans notre propriété de la Loire. Après le premier set, nous faisions une pause et Georges, le majordome, nous rejoignait avec un plateau de gin tonics. Nous appelions ça tout simplement des boissons fraîches – justement pour nous rafraîchir, avant le deuxième set...

– Vous y pensiez quand j'ai interrompu votre rêverie.

– C'est le moment que je préférais. Parfois, je faisais exprès de perdre le premier pour en finir au plus vite et avaler un verre !

– Vous attendez toujours Georges avec son plateau, n'est-ce pas ?

– Exactement, a-t-il reconnu en riant. J'en rêve. Et vous ? Avez-vous de telles nostalgies ?

– Mon Dieu, oui. Impossible de faire autrement. Cela vous ennuierait-il beaucoup, Émile, que je prenne place près de vous en attendant Georges ? Des gin tonics sur un plateau... une vision de paradis...

– Avec plaisir, je vous en prie.

C'est ainsi que ça a commencé – deux vieux pochards qui s'inspiraient de la sympathie. Sans même nous connaître, nous avions tant en commun. Dès le lendemain, Émile et moi avons pris l'habitude chaque jour de nous promener dans le parc. Puis nous nous asseyions dans le kiosque en guettant le majordome et ses boissons fraîches. Nous nous sommes confiés l'un à l'autre, nous sommes raconté nos vies – des versions épurées, bien sûr, certains détails sont trop scabreux pour en faire part. Nous

nous en doutions cependant, mais nous avons gardé nos secrets respectifs. Non seulement l'abstinence nous donnait l'illusion de repartir à zéro, mais le cadre de La Métairie, tel un cocon protecteur, nous a permis de créer un univers à l'abri de nos existences «réelles».

Bien sûr, le sexe a mis son grain de sel dans tout ça, et nous n'avons guère tardé à nous rendre visite, le soir, chez l'un ou l'autre. À la vérité, la clinique tenait plus d'un hôtel quatre étoiles que d'un centre de cure, et nous disposions chacun d'une suite très confortable, située à un étage différent. De plus, nous étions là de notre plein gré, et rien dans le règlement ne s'opposait à ces allées et venues.

Lui aussi divorcé, Émile était père de trois enfants, aujourd'hui grands, qu'il ne voyait presque plus. Cet homme blessé, prévenant, s'est révélé un amant patient, doux et attentif, comme certains le deviennent avec l'âge. Alors que nous étions allongés ensemble, le soir de ma dernière séance avec le Dr Chameau, je lui ai appris que, celui-ci me croyant bientôt guérie, je pourrais bientôt m'installer dans un appartement en ville.

— Ah, j'avais comme l'intuition que vous alliez me quitter, Marie-Blanche. Vous sentez-vous prête à affronter le monde extérieur ?

— J'aurais plutôt peur, ai-je avoué.

— De recommencer à boire ?

— Évidemment.

— Ce serait trop tôt pour moi, a-t-il dit. Je serais tenté de courir aussitôt jusqu'au premier bar.

— Je ne pense pas que vous le feriez, Émile. Pour vous et moi, il était possible de sortir d'ici à tout moment et de filer boire un verre. Et nous avons choisi de ne pas le faire.

— Non, parce que nous n'avons pas d'autre endroit où revenir. Si nous avions quitté l'établissement, nos familles auraient définitivement rompu avec nous. En revanche, vous avez maintenant un logement, la bénédiction du médecin et le soutien de vos parents.

— Vous pourriez louer un appartement près du mien, lui ai-je suggéré. Comme ça, nous serions voisins.

– Croyez-vous que nous nous inciterions mutuellement à boire ? Ou qu'au contraire nous nous aiderions à rester sobres ?

– Je ne saurais vous répondre. Tout ce que je peux vous dire, c'est que le Dr Chameau ne voit pas nos relations d'un très bon œil.

– Comment ? Il est au courant ?

– Toute la clinique est au courant, mon cher. On ne garde pas longtemps ce genre de secret, ici. Et nous n'avons pas spécialement cherché à nous cacher.

– Quand partez-vous, Marie-Blanche ? m'a demandé Émile en me prenant dans ses bras.

– Bientôt. Le temps de m'organiser un peu et de faire mes valises. Ensuite, je n'ai qu'à mettre la clef dans la serrure.

– Vous allez beaucoup me manquer.

– Eh bien, venez avec moi.

– Je doute de mon comportement au-dehors, Marie-Blanche. Mais peut-être plus tard. Il faut vous souvenir, ma chère, que j'ai picolé pratiquement quinze ans de plus que vous. J'aurai besoin de plus de temps pour enterrer cette vie-là.

– Pas quinze ans de plus, j'espère !

– Là, c'est moi qu'on enterre !

– Raison de plus pour partir plus vite ! Vous savez, vous pouvez attendre autant que vous voulez devant le court de tennis, Georges ne viendra plus avec son plateau.

– Oui, et c'est précisément ce que j'aime ici.

3

Mon studio à Lausanne se trouve au quatrième étage de l'hôtel Florybel, une pension non loin de la gare. Minuscule, mais confortable, il offre une jolie vue sur le lac Léman, au-delà duquel je vois briller la nuit les lumières d'Évian. Selon les termes de notre divorce, Bill me vire chaque mois suffisamment d'argent pour couvrir mes dépenses. Bien que je sois sobre depuis des mois, maman refuse toujours que je lui rende visite à Paris, et elle n'a pas l'intention de venir ici. Elle ne communique plus du tout avec moi, et c'est son avocat qui paie mon loyer, ce dont je lui suis reconnaissante. J'ai abordé avec enthousiasme ma nouvelle vie à Lausanne, où je me suis fait pas mal d'amis.

Mon cher Émile a quitté La Métairie un mois après moi. Il a décidé finalement de ne pas résider en ville – sans pour autant trop s'éloigner de la clinique, afin de poursuivre son traitement. Il a donc loué une petite maison à la campagne. Émile continue de s'abstenir, comme moi, et nous sommes plus proches que jamais. Toujours très amoureux, nous projetons de nous marier. Il me rejoint chaque semaine, reste dormir un jour ou deux, et je prends le train presque tous les week-ends pour le voir, parfois accompagnée par quelques amies, voire leur copain ou leur mari, qui descendent à l'auberge du village. Tout cela est très gai, très européen et, avec le recul, je me demande comment j'ai fait pour vivre si longtemps à Lake Forest, supporter cette bande de bourgeois réacs et barbants. Pas étonnant que j'aie bu. J'ai beau avoir quarante-cinq ans, je me sens renaître et je retrouve mes racines. Cela paraîtra peut-être brutal, mais ni Bill ni les enfants ne me manquent, et je n'en attends pas davantage de leur part. Ils sont sûrement ravis d'être débarrassés de moi. Nous nous écrivons à peine. J'ai entamé une nouvelle existence, et l'ancienne semble s'effacer peu à peu, s'évanouir dans le lointain.

Dans la vie de tout alcoolique repenti, il arrive toujours un moment où l'on se sent si forte, si invincible, où l'on a les idées si claires que l'on croit finalement mériter un genre de récompense. Merde, quoi, j'ai été si raisonnable ces derniers mois, je peux quand même m'accorder un verre, juste un à la fin de la journée, histoire de me détendre, en regardant le soleil se coucher sur le lac, par une douce soirée de printemps. Cette heure-là de la journée, entre chien et loup, est toujours la plus pénible, la plus solitaire, la plus mortelle pour les anciens buveurs – car c'était celle des longs apéritifs. Ce serait tellement sympa de s'asseoir sur le balcon, en sirotant lentement *un* cocktail – à savourer tranquillement, à faire durer autant que possible. Oui, rien qu'un. Quel mal y aurait-il ? Mon cher ami ne serait pas d'accord, mais il n'a pas besoin de savoir.

Dans mes rêves, on frappe à ma porte, de plus en plus fort, puis j'entends au loin Émile qui m'appelle. J'essaie de me secouer et, me réveillant enfin, je m'aperçois que je suis allongée nue par terre, les pieds sous la petite table devant le canapé. Le tapis persan est humide, j'ai donc pissé dessus. Je sens le vomi. Il y a trois bouteilles de vodka vides sur cette table, et une quatrième encore pleine. Je me souviens seulement d'être descendue en bas à la boutique, où j'en ai acheté une demi-douzaine. Je ne sais plus à quel moment, ni pourquoi il m'en fallait plus d'une pour préparer un unique cocktail. Peut-être avais-je l'intention d'inviter tout le quartier ?

– J'arrive tout de suite, dis-je à Émile, mais je vomis encore. Vous reviendrez plus tard ? Je ne me sens pas très bien, avoué-je en bredouillant.

– Ouvrez, Marie-Blanche. Je vous appelle depuis trois jours. Pourquoi ne décrochez-vous pas votre téléphone ?

– Ça ne va pas. Revenez une autre fois. S'il vous plaît.

– Je ne suis pas dupe, dit-il. Allons, ouvrez !

– Donnez-moi cinq minutes.

Je réussis à me lever – la tête me tourne et j'ai la nausée – et je titube jusqu'à la salle de bains, où je vomis une fois de plus. Il y a de l'urine sur le carrelage ; j'ai dû tomber ; il y a des traces de vomissure, desséchées, sur la lunette des W.-C. J'attrape ma robe de chambre, suspendue à la porte ; je m'asperge le visage d'eau fraîche en évitant de me regarder dans la glace. «Bon Dieu, cette tête de déterrée !» Je me brosse les dents d'une main tremblante, j'essaie de coiffer mes queues-de-rat. «Oh merde, j'ai une tronche à hurler !» Me revoilà donc.

Il y a quelques années, Bill m'avait permis de boire deux verres le soir à la maison, cependant je gardais une bouteille aux toilettes, cachée dans la chasse d'eau. Quand j'y allais, j'en profitais pour avaler une petite goutte. Si je ne revenais pas après un certain temps, Bill qui, comme d'habitude sirotait un scotch en fumant dans son fauteuil en cuir, demandait à Jimmy : «Va voir ce que fait ta mère, fils.» Un jour, Jimmy, qui avait douze ans, me découvrit étendue par terre dans une flaque d'urine. Ma robe relevée jusqu'à la taille, ma gaine et mes bas sur les chevilles, j'étais tombée du siège.

Eh oui, me revoilà. Et Émile continue de frapper.

– Ouvrez-moi tout de suite, Marie-Blanche !

– D'accord, d'accord, j'arrive. Juste une minute.

Il a cette expression familière que Bill a eue tant de fois. Soucieux, incrédule, il aperçoit derrière moi le désordre sans nom de ma saoulographie, et il étudie mon visage défait. C'est alors la déception, le dégoût, la répulsion que je lis dans son regard.

Un regard triste et torturé. Ses paupières sont ridées, ses yeux portent la marque du désespoir, mais j'y retrouve bientôt une infinie douceur et un immense chagrin.

– Je suis navré, Marie-Blanche, vraiment navré. Au revoir, ma chérie.

Je ne reverrai plus Émile Jourdan, je le sais. Dieu merci, j'avais fait provision de vodka. Il ne sera plus nécessaire de quitter l'appartement. Assise en robe de chambre sur le canapé, j'ouvre la bouteille qui reste et je m'envoie une longue rasade. Oui, ça calme gentiment les nerfs, et la nausée. Une autre gorgée. Le moment est venu de vider la penderie, de me débarrasser de toutes ces vieilles sapes. Il y a si longtemps que je veux le faire, je ne veux plus les voir, je n'aurai pas besoin de grand-chose là où je vais.

Les paysans du village hériteront de mes biens. Ils m'en seront fort reconnaissants. À l'abri dans ma haute tour, je peux bien me montrer prodigue ! Mes jupes, mes robes, flottent au-dessus du bitume. C'est qu'elle manquait de couleurs, cette rue ! Voilà qui est mieux... Que mes culottes et mes soutiens-gorge aillent s'accrocher aux branches ! Orner le toit des voitures ! Dommage que personne ne soit là pour assister aux élans généreux de la princesse ! Mes sujets auront l'agréable surprise de voir les jardins du château bariolés de tons vifs, puis de découvrir leur dame bien-aimée, dormant paisiblement dans l'herbe moelleuse du printemps... Oui, ils seront en joie !

On a coutume de dire que notre vie entière défile devant nos yeux au moment de mourir, comme un film en accéléré. Bien sûr, cela n'est pas vrai, c'est une absurdité. À quoi bon reproduire à l'extrême fin ce que nous savons déjà, ce qui a été vécu ? De toute façon, le vrai récit de nos existences ne commence pas à la naissance, non, il faut remonter bien plus loin, prendre à contre-courant le fleuve ombilical, jusqu'à la source maternelle qui, liant les générations, nous nourrit et, avec les blessures, nous inocule le poison familial. Passagère libérée de mes attaches terrestres, je traverse l'espace et entreprends aujourd'hui ce voyage.

ÉPILOGUE

Lausanne, Suisse
Juin 2007

Quarante et un ans après le décès de ma mère, je me suis rendu à Lausanne avec ma compagne, Mari Tudisco, et Isabella, sa fille de seize ans. Ma mère avait disparu quand j'avais moi-même seize ans, mais je n'en ai appris les circonstances exactes qu'un quart de siècle plus tard, en rencontrant par hasard une de ses vieilles amies au coin d'une rue à Chicago. «Marie-Blanche était très courageuse», m'a-t-elle dit, sous les tourbillons d'un vent froid qui, en plein hiver, soufflait depuis le lac Michigan. J'avais apporté en Suisse deux lettres que maman avait écrites à son beau-frère John Fergus, qui l'avait conduite à la clinique de La Métairie en 1965. Sur chacune des enveloppes figurait l'adresse de retour, l'hôtel Florybel, où elle avait résidé au terme de sa cure, et devant lequel elle devait mourir, le 11 mars 1966. Marie-Blanche y décrivait son minuscule studio et la vue qu'il offrait, au quatrième étage, sur le lac Léman. Par temps clair, elle voyait briller la nuit les lumières de la France.

L'après-midi de notre arrivée, Mari, Isabella et moi avons trouvé le Florybel, reconverti en modeste immeuble d'appartements, situé à quelques minutes à pied de notre propre hôtel.

J'ai parlé quelques instants à la concierge, lui expliquant le motif de ma présence, et elle m'a appris qu'un nouveau locataire avait emménagé dans le studio. Puis elle m'a proposé de repasser le lendemain, un samedi.

Plus tard ce soir-là, j'ai laissé Mari et Isabella pour revenir tout seul au Florybel. Je me suis assis en face sur le trottoir, pour observer les occupants. Un jeune homme s'est garé devant celui-ci, a couru rejoindre sa petite amie qui l'attendait dans le hall. Ils se sont embrassés en riant joyeusement, et sont repartis, main dans la main, vers la voiture. Peut-être allaient-ils dîner, au cinéma ou à un concert. Une femme âgée remontait la rue en tirant péniblement un caddie plein à ras bord de provisions pour le week-end. J'ai pensé à une ouvrière au terme d'une longue journée de travail. Tandis qu'elle entrait dans l'immeuble, un père et sa fille en sont sortis, tenant leur petit chien en laisse pour la promenade du soir.

Je suis resté un moment à fumer quelques cigarettes. Arrivant derrière moi, un agent de police m'a demandé en français si j'avais besoin de quelque chose.

– Non, je vous remercie, lui ai-je répondu.

– Que faites-vous ici ? a-t-il continué, sensible à mon accent américain.

– Rien de spécial. C'est interdit, de s'asseoir là ?

– Vous n'êtes pas dans un square, monsieur, mais dans un quartier résidentiel, et nous avons des lois contre les rôdeurs.

– Fort bien, ai-je dit en me redressant. Je m'en vais.

J'ai fait le tour du pâté de maisons, me suis assuré que le policier n'était plus là, et j'ai repris place au même endroit. Il commençait à être un peu tard, il n'y avait personne dans la rue. Je ne sais ce que je voulais, ce que je m'attendais à trouver. Levant les yeux vers l'appartement à l'angle du quatrième, j'ai imaginé ma mère, Marie-Blanche, en train d'enjamber la balustrade. À cet instant précis, la lumière s'est allumée dans le studio, et quelqu'un a poussé la fenêtre coulissante. Le locataire avait dû rentrer chez lui pendant que je marchais, et voilà que, vêtu d'un peignoir, il apparaissait sur le balcon. À cette distance, je n'aurais pu dire si c'était un homme ou une femme. La silhouette s'accouda à la balustrade pour regarder les lumières scintillantes d'Évian sur l'autre rive du lac. Un frisson m'a parcouru l'échine, et j'avais la chair de poule.

— Ne saute pas, m'man, ai-je murmuré, s'il te plaît, ne saute pas.

Au bout d'un court instant, la silhouette est repartie à l'intérieur.

Le lendemain, Mari, Isabella et moi sommes retournés au Florybel, et nous avons monté l'escalier jusqu'au quatrième, où j'ai frappé à la porte du studio. Un jeune homme nous a ouvert.

— Excusez-moi de vous déranger, lui ai-je dit dans mon mauvais français. Ma mère a vécu il y a bien longtemps dans cet appartement. J'ai fait le voyage depuis les États-Unis – auriez-vous la gentillesse de me laisser le voir ?

— Bien sûr, a dit l'affable jeune homme. Mais j'ai emménagé il y a quelques jours, ne faites pas attention au désordre.

Il nous a invités à entrer et nous nous sommes présentés plus amplement.

— À quelle époque votre maman a-t-elle habité ici ? a-t-il demandé.

— Entre 1965 et 1966.

Le minuscule salon était encombré par des cartons encore pleins. Il y avait un ordinateur portable, sur la table basse, devant le petit canapé.

— Comme je vous l'ai dit, tout est sens dessus dessous, s'est excusé le locataire.

— Ne vous excusez pas. C'est très aimable de votre part de nous laisser entrer.

— Que faisait votre mère à Lausanne ?

— Ma mère était française. Elle était venue en Suisse pour raisons de santé. Elle a séjourné un moment dans un établissement de soins.

— Et elle était heureuse dans ce studio ?

Mari et moi nous sommes observés un instant.

— Oui, ai-je finalement répondu. Très heureuse. Elle appréciait la vue sur le Léman, et les lumières d'Évian, la nuit.

— Ah oui ! a convenu le jeune homme. Ça me plaît aussi beaucoup.

— Est-ce qu'on peut aller sur le balcon ? a demandé Mari.

– Je vous en prie.

Les filles ont mis le pied dehors, pendant que je discutais avec notre hôte. À la vérité, j'ai facilement le vertige, et j'évite les balcons des étages élevés. Je me suis tout de même forcé à les rejoindre. Après tout, j'avais parcouru bien des kilomètres, quarante ans plus tard, pour me rendre compte par moi-même.

Mari et Isabella se tenaient côte à côte devant la balustrade à l'angle du balcon. Dix-huit mois plus tôt, on avait appris à Mari, alors âgée de quarante-neuf ans, qu'elle avait un cancer en phase terminale. A priori, elle n'aurait pas dû être vivante, mais elle l'était, et suffisamment solide pour faire le voyage. Elle devait disparaître un peu plus de douze mois plus tard.

Sans oser m'approcher de trop près, je les ai regardées toutes les deux. Blotties l'une contre l'autre, elles observaient la rue en bas. Et j'ai entendu Isabella chuchoter – chère et douce Isabella, qui a connu tant de chagrins dans sa jeune vie, et pour qui il était inimaginable que sa propre mère attente à ses jours.

– Elle n'a peut-être pas sauté, maman, tu sais. Elle est peut-être simplement tombée.

TABLE

Mis en pages par DV Arts Graphiques à La Rochelle.
Imprimé en France par CPI Bussière
à Saint-Amand-Montrond (Cher)
N° d'édition : 0649/02. — N° d'impression : 111324/4.
Dépôt légal : avril 2011.
ISBN 978-2-7491-0649-6